TEXTES DE LA RENAISSANCE

dirigés par Claude Blum

78

ŒUVRES POÉTIQUES

V

Dans la même collection

1. MAROT, Clément. *Cinquante Pseaumes de David* (éd. Gérard Defaux). 1995.
2. RABELAIS, François. *Gargantua* (éd. Floyd Gray). 1995.
3. VIGENÈRE, *Blaise de. Images ou tableaux de platte peinture* (éd. Françoise Graziani). 2 tomes. 1995.
4. DES PÉRIERS, Bonaventure. *Le Cymbalum Mundi* (éd. Yves Delègue). 1995.
5. BELLEAU, Remy. *Œuvres poétiques*. Publiées sous la direction de Guy Demerson. I: *Petites inventions - Odes d'Anacréon, Œuvres diverses (1554- 1561)* (éd. Keith Cameron, Guy Demerson, Françoise Joukovsky, John O'Brien, Marie-Madeleine Fontaine et Maurice-F. Verdier). 1995.
6. AUBIGNÉ, Agrippa d'. *Les Tragiques* (éd. Jean-Raymond Fanlo). 2 tomes. 1995.
7. PASQUIER, Étienne. *Pourparlers* (éd. Béatrice Sayhi-Périgot). 1995.
8. CRENNE, Helisenne de. *Les epistres familieres et invectives* (éd. Jerry C. Nash). 1996.
9. SPONDE, Jean de. *Meditations sur les Pseaumes* (éd. Sabine Lardon). 1996.
10. AUBIGNÉ, Agrippa d'. *La responce de Michau l'aveugle*, suivie de *La replique de Michau l'aveugle* (éd. Jean-Raymond Fanlo). 1996.
11. PASQUIER, Étienne. *Les Recherches de la France* (éd. Marie-Madeleine Fragonard, François Roudaut et autres). 3 tomes. 1996.
12. RABELAIS, François. *Pantagruel*. Éd. critique sur le texte de l'édition publiée à Lyon en 1542 par François Juste (éd. Floyd Gray). 1997.
13. CRENNE, Helisenne de. *Les Angoysses douloureuses qui procedent d'amours* (éd. Christine de Buzon). 1997.
14. MAROT, Clément et ANEAU, Barthélemy. *Les trois premiers livres de la Métamorphose d'Ovide* (éd. Jean-Claude Moisan et Marie-Claude Malenfant). 1997.
15. SCHOMBERG, Jeanne de. *Règlement donné par une dame de haute qualité à M*** sa petite-fille pour sa conduite & pour celle de sa maison: avec un autre règlement que cette dame avoit dressé pour elle-mesme* (éd. Colette H. Winn) (série *Éducation féminine*, dirigée par Colette H. Winn). 1997.
16. LA BORDERIE, Bertrand de. *L'Amie de court* (1452) (éd. Danielle Trudeau). 1997.
17. GARNIER, Robert. *Théâtre complet*. Publié sous la direction de Jean-Dominique Beaudin. VI. *Antigone ou la Pieté*. Tragédie (éd. Jean-Dominique Beaudin). 1997.
18. AGRICOLA, Rodolphe. *Écrits sur la dialectique et l'humanisme*. (éd. Marc van der Poel). 1997.
19. VORAGINE, Jacques de. *La Légende dorée* (éd. Brenda Dunn-Lardeau). 1997.
20. MACRIN, Jean Salmon. *Épithalames & Odes* (éd. Georges Soubeille). 1998.

(Suite en fin de volume)

Remy BELLEAU

ŒUVRES POÉTIQUES

sous la direction de Guy DEMERSON

V

(1573-1577)

Odes d'Anacréon (1573-1574),
Amours et Nouveaux Eschanges des Pierres Précieuses,
Poésies diverses, *Tombeau* de Belleau

Édition critique par
Jean BRAYBROOK, Guy DEMERSON et Maurice-F. VERDIER

PARIS
HONORÉ CHAMPION ÉDITEUR
7, QUAI MALAQUAIS (VIᵉ)
2003

www.honorechampion.com

Ouvrage publié avec le concours
du Centre National du Livre
et avec l'aide du Centre d'Études sur la Réforme,
l'Humanisme et l'Âge Classique
de l'Université Blaise Pascal (Clermont-Ferrand II)

Diffusion hors France : Éditions Slatkine, Genève

www.slatkine.com

PRÉFACE AU TOME V
DES *ŒUVRES POETIQUES* DE REMY BELLEAU
par Guy Demerson

Le présent tome réunit les dernières œuvres que Remy Belleau a vu imprimer de son vivant. En 1572, la publication de *La Bergerie* en deux Journées représentait pour lui un récolement, la mise en perspective de ses « inventions » et, donc, une mise au point de son inventivité. A cette moisson recueillie en bouquets artificiellement recomposés ne s'ajouteront, dans les rééditions successives des *Odes*, que quelques fleurs, rares mais représentatives ; en particulier, le ton du détachement et de l'humour marque l'exécration de la Cloche importune, la célébration des Cornes omniprésentes dans l'univers, l'offrande du Mulet virtuel, cette production de l'imagination créatrice, preuve que le poème est capable de s'insinuer dans le quotidien avec une efficacité miraculeuse. Maintenant, à l'automne de sa vie, le poète offre à ceux qu'il aime les fruits de son lyrisme, qui passent la promesse de ces fleurs.

Selon Eckhardt, les *Pierres Précieuses* sont encore des « blasons-hymnes » ; elles « ne font que continuer le genre de *L'Escargot* et de *L'Huistre*[1] ». Mais il suffit de comparer *Le Corail*, la première des *Petites Inventions* de 1556 avec la même *Pierre* de 1576 pour constater que Belleau est maintenant parvenu à la plénitude de son lyrisme. Le mignard et spirituel *cuadro* – dédié significativement en 1574 *à sa maistresse*– fait place à un tableau imposant, présenté à la duchesse de Guise au cœur de toute une galerie de style bellifontain. La reprise des mêmes motifs, la similitude du mètre, contribuent à faire éclater la différence d'inspiration ; les quatorze strophes de 1556 sont devenues vingt-quatre et, surtout, la *maniera* s'est

---

[1] *Remy Belleau. Sa vie – Sa « Bergerie »*, Genève, Slatkine Reprints, 1969, p. 143.

métamorphosée. Le poète débutant consacrait la moitié de son Invention à mettre en vers le « miracle estrange » décrit par les lapidaires antiques, mais son poème était offert à la bouche coraline de la Belle anonyme[1] ; si la str. 10 louait le Seigneur de découvrir ces « grans segretz », la str. 11 refusait sèchement l'étiologie fabuleuse proposée par Ovide, aussitôt remplacée ici par le *concetto* des lèvres de corail authentiquement douées du pouvoir de méduser le malheureux amant. Maintenant[2] les quatre strophes décrivant le phénomène observé par les scientifiques sont encadrées entre cinq strophes qui imposent une méditation préalable sur le processus universel de la métamorphose et cinq autres strophes qui transcrivent en style mythologique l'œuvre du Soleil transmettant ses pouvoirs créateurs aux divinités marines : leurs lèvres symbolisent le pouvoir colorant des rayons lumineux. Ainsi, le mythe étiologique est dénié comme en 1556, mais cette fois en quatre strophes terrifiantes, qui déploient la Fable qu'elles récusent. Le vœu final ne constitue plus, égoïstement, un phylactère corallin pour l'amant obsédé, mais elle est le don d'un bijou poétique à la Duchesse honorée de célestes vertus. Le lyrisme du poète s'est épanoui : son émerveillement devant les minuscules merveilles de la création n'est plus au service des spirituels jeux de l'amour, mais il est devenu l'ambitieux désir de faire partager son exaltation.

Comparée aux Prières de Job dans la seconde *Bergerie*, la paraphrase du *Discours de la Vanité* témoigne de la même maturité et des mêmes ambitions ; le lyrisme dépasse la méditation individuelle pour s'épanouir en célébration. Les biens évanescents dont l'auteur biblique déplore la perte inexorable ne sont pas oubliés mais gardent une vie poétique :

---

1 Voir t. I, p. 185-187 et les notes de M. M. Fontaine.

2 Belleau se conforme à la tradition des traducteurs des Psaumes, qui dégageaient la signification christologique de chaque psaume par une brève introduction placée en tête (M. Jeanneret, *Poésie et tradition biblique au XVI[e]s.*, Paris, Corti, 1969, p. 184). Sur ces interprétations, voir, ci-dessous, XVI-8 et les notes de J. Braybrook.

> *l'ouvrage*
> *formé de ce grand Dieu pour l'humain avantage* (ch. 2)

conserve ses prestiges en comparaison de l'humaine déficience. Dès les premiers vers est évoquée la métamorphose universelle, prometteuse d'une espérance sans doute plus concevable pour le poète chrétien que pour son modèle de l'Ancien Testament :

> *Toute chose prend fin, l'autre vient en sa place,*
> Nouvelle renaissant, *pendant que l'autre passe* (ch. 1, v. 5-6).

Comme pour la prière de Job au seuil de la seconde Journée de *La Bergerie*, dans l'âme désespérée, ce rayon d'espoir en un « eschange » rénovateur émane d'une foi en la miséricorde infinie,

> *car Dieu puissant et fort*
> *Par un nouveau rappel retire, et fait renaistre*
> *Ce qu'il avoit chassé et banni de son estre* (ch. 3, v. 56-58),

ce qui justifie un *carpe diem* inattendu dans cette sombre méditation :

> *Doncques ne trouvant rien, ny plus cher, ny plus doux*
> *Que jouir de ce bien qui coule jusqu'à nous*
> *Par les avares mains de quelque miserable,*
> *Vivons vivons heureus, rien n'est au monde stable* (ch. 3, v. 95-98).

Sans doute, « c'est un don de Dieu de jouir de son bien », mais le message poétique donne le vrai sens de cette sérénité : la contemplation des « divins ouvrages » conduit à la glorification du Créateur :

> *Le genoil recourbé luy faisons les hommages*
> *Deuz à sa majesté, en eslevant aux Cieux,*
> *Admirant sa grandeur, et la teste, et les yeux* (ch. 3, v. 49-52).

Les notes apportées à ces textes par Jean Braybrook dans le présent tome V montrent quelle est l'originalité du poète né chrétien et français dans cette paraphrase.

Les *Eclogues sacrées prises du Cantique des Cantiques de Salomon*, adressées à la Reine Louise, dont l'épître dédicatoire vante la chasteté, sont pourvues de « petits argumens» destinés à guider les lecteurs vers une interprétation tropologique qui assimile ces chants d'amour à une méditation sur l'amour du Christ pour l'Eglise, son épouse[1]. Mais en accordant sa voix à celle du poète biblique, Belleau s'exalte, laisse déborder son propre lyrisme et impose, sous la lecture spirituelle, une lecture autre, qui oblige à revenir sur ses productions antérieures et à leur suggérer un sens. A chaque instant s'insinuent les motifs auxquels il avait fait subir mille variations en mineur, notamment dans ses *Baisers* inspirés de Jean Second. Les yeux, la poitrine de l'aimée sont célébrés en une écriture qui, visiblement, renvoie aux premiers essais qui ont fait embrigader le poète nogentais dans les rangs de la Pléiade ronsardienne.

> *Ma Nymphete, ma sœur, une amoureuse flame*
> *Qui sort de ce bel œil, m'a bruslé dedans l'ame*
> *Et desrobé le cueur* (Ecl. *IV*, v. 69-71)

> *Ton poil est recrespé en tresses vagabondes,*
> *Ondoyant tout ainsi que le coulant des ondes* [...]
> *M'amie est toute belle et dedans et dehors,*
> *Ce ne sont que plaisirs, ce ne sont que blandices,*
> *Qu'amitié, que douceur, que beautez, que delices*[2] [...]
> *Ses tetins pommelez d'une enfleure jumelle*
> *Sont douillets tout ainsi qu'une grape nouvelle* (Ecl. VII, v. 33-42)

En ces multiples occurrences, Jean Braybrook signale l'inventivité, l'originalité du poète français par rapport à son modèle biblique, et en même temps sa fidélité à un style qui ne

---

1 Voir ci-dessous l'introduction et les notes très riches de J. Braybrook. Sur le découpage en chapitres et l'introduction de sommaires, notamment dans les Bibles latines de Robert Estienne jusqu'en 1557, voir Max Engammare, *Qu'il me baise des baisers de sa bouche. Le Cantique des Cantiques à la Renaissance. Étude et bibliographie*, Genève, Droz, 1993, p. 118-136.

2 On retrouve cette énumération plus bas, XVI -13, L'Agathe, v. 37 et suiv. et au t. IV, pièce II, XVIII, Au Sgr. Garnier.

se dément pas. Les modulations sur le motif des lèvres suaves
de l'aimé ou de l'aimée sont les plus significatives, souvenir
omniprésent

> *de nos flammes secretes,*
> *Et des baisers mignars de nos levres molletes* (Ecl. VIII,
> v. 25-26).

Or, la bouche désirable n'évoque pas seulement le baiser ; elle
est l'organe de la parole suave :

> *Les deux bords rougissans de tes levres, mon Cueur,*
> *Semblent en polliceure et naïfve couleur*
> *A un ruban tissu de soye cramoisine,*
> *Un peu large et grosset : Ta parole divine*
> *Plus douce que le miel, fraischement espuré*
> *Sous les floccons dorez de ton poil esgaré...* (Ecl. IV, v. 11-
> 16[1]).

Le charme de la bouche réside sans doute dans la sensualité des
lèvres, mais aussi, plus intimement et plus profondément, dans
la « parole divine » à la douceur « épurée ». L'allégorisme
théologique de ce motif est explicite dès l'ouverture de la
première Eclogue :

> *L'Eglise divinement esprise d'amour spirituel,*
> *Souhaitte jouir de la presence de JESUS-CHRIST*
> *Son cher espous, desirant recueillir les souefves*
> *Odeurs des baisers de sa bouche [...].*

> Eclogue I.
> *DONCQUES mon cher Espous, mon mignon, ma chere*
> ame
> *En fin est de retour ? que sa bouche de basme*
> *Me donne promptement pour ma flamme appaiser,*
> *Le nectar ensucré d'un amoureux baiser.*

Est-ce seulement – et essentiellement – l'Eglise universelle, ce
grand corps institutionnel, qui brûle de ce feu et aspire au

---

1 Voir aussi, p. ex. Ecl. V 11, v. 111-112 : *Sa bouche et son palais ne*
parlent rien que roses, / Ne souspirent que Lis et fleurettes écloses.

« nectar ensucré » de la rencontre avec son divin Maître ?
Belleau ne pouvait ignorer la traditionnelle lecture mystique[1]
qui interprétait le baiser des amants du Cantique comme
l'écoute personnelle et brûlante de la Parole vivante du
Ressuscité ; Guillaume de Saint-Thierry introduisait ainsi par
une prière (§ 21) son *Exposition* sur le Cantique :

> *O Amour qui donnes ton nom à tout amour, même à*
> *l'amour charnel, même à l'amour avili [...], éclaire le*
> *mystère de ton baiser et les sources de ton murmure par*
> *l'incantation desquelles tu mets au cœur de tes fils les*
> *délices de ta séduction [...] Apprends-nous à parvenir à*
> *l'état d'esprit qui préside à cette parole de celui qui festoie,*
> *ou, plus exactement, de celui qui, après le festin, a une faim*
> *encore plus ardente : « Qu'il me baise d'un baiser de sa*
> *bouche ».*

Déjà dans les *Baisers* de 1572 transparaissait clairement la
volonté de sublimer le genre en chantant les charmes
intellectuels et spirituels de la bouche et de la langue, organes
de la voix, messagères de l'âme[2]. Belleau offre son poème à la
plus grande Dame d'un royaume déchiré en lui proposant une
méditation sur le mystère de l'Eglise, mais, par des indices non
moins visibles, il donne à lire en même temps une liturgie
intime : en répétant *verbatim* les refrains de ses mélodies

---

1 Voir M. Engammare, *op. cit.*, p. 36-46 : dès l'origine, les
commentateurs ont adopté à la fois l'allégorie individuelle et l'allégorie
ecclésiale (cf. p. 55 : Gerson ; p. 367 : saint Bernard ; p. 272 : images
sensuelles conservées dans la piété franciscaine ; p. 317 : rapports dans la
piété française entre la *sponsa generalis* et la *sponsa particularis* : « une place
reste conservée à la relation particulière entre Christ et l'âme » sans aller
jusqu'au mysticisme).
2 Voir t. IV, 2de Journée de *La Bergerie*, pièces XV -2 ; 26 ; 27. Belleau
trouvait ce motif dans le *Basium* de Sainte-Marthe qu'il a traduit en français
(t. III, p. 138 ; t. IV, XV -6) ; les variantes de *La Bergerie* en 1572 en
soulignent l'importance : *vostre levre* de 1565 devient *vostre langue* (XV −9) ;
un baiser dans ma bouche devient *un petit trait de langue* (XV -34). Pour
comprendre la portée spirituelle du genre, apparemment mineur, du Baiser,
voir Yannick Carré, *Le baiser sur la bouche au moyen-âge. Rites, symboles,
mentalités à travers les textes et les images. XIe-XV^{e}s.*, Paris, Léopard d'or,
1992 ; Stéphane Mosès, *L'Eros et la Loi. Lectures bibliques*, Paris, Seuil,
1999, p. 65-76.

sensuelles, il laisse paraître l'unité profonde de son lyrisme. C'est un contresens que de vouloir opposer, chez les poètes de l'époque, le lyrisme « sincère », en mineur, et la solennelle poésie de convention[1]. Bien avant Baudelaire[2], les grands lyriques ont fait valoir à la fois l'union et la double postulation de l'érotisme et de la mystique.

Ronsard, dans sa fameuse Préface de 1550, avait défini la mission du poète lyrique :

> C'est le vrai but d'un poëte Liriq de celebrer jusques à
> l'extremité celui qu'il entreprend de louer (Lm. I, 48).

Voici donc les productions d'un lyrisme en pleine maturité. Là où l'homme de science classe « vertus & proprietez » des pierres, cherche des causes dans la nature, là où le joaillier les trie, les polit et les enchâsse pour les faire accéder au domaine de la beauté artificielle, le poète joue des puissances de l'art et de la nature pour déployer l'éloge, transformer l'étonnement en émerveillement. Là où Qohélet ironise lucidement et durement sur les fallaces du vrai, du bien, et même du beau, le lyrique célèbre l'ineffable puissance du Créateur. Là où l'exégète lit dans le Cantique biblique une allégorie de la ferveur d'une communauté de croyants, Belleau célèbre l'origine même de son art, où Erôs prête ses prestiges à Agapè[3]. Comme l'écrit fort bien A. Glauser, « son œuvre vit d'échanges entre le ciel et la terre[4] ».

---

1 Comme le fait par exemple Augé-Chiquet à propos des Baisers de Baïf, qu'il oppose aux poésies spirituelles : « Il a, dure pénitence, traduit jusqu'à quatre fois le Psautier » (*Baïf*, Paris, Hachette, 1919, p. 110).

2 Voir p. ex. *Art Romantique*, « Réflexion sur [...] Théodore de Banville » : « Tout, hommes, paysages, palais, dans le monde lyrique, est pour ainsi dire *apothéosé* » (souligné par Baudelaire).

3 Les poèmes spirituels de la Dame de Navarre et l'« image » de Gargantua proposaient déjà cette alliance.

4 *Le poème symbole*, Paris, Nizet, 1967, p. 101.

Pièces consacrées à Ronsard, Garnier, Helvis
(G. Demerson)

La *Bergerie* de 1572 reprenait et enrichissait le recueil de 1565 ; parallèlement, Belleau poursuivait le même genre de travail sur ses premières Inventions, et l'actualité lui a donné l'occasion de prendre la plume pour célébrer ses amis ou ses protecteurs.

Un cliché de la critique ronsardienne voudrait accréditer l'idée que la publication en 1572 des premiers Chants de *La Franciade* représente un échec dans la carrière du poète. En fait, le public éclairé attendait avec impatience cette épopée française ; on s'inquiétait de constater que le Vendômois semblât se consacrer trop exclusivement à son inspiration amoureuse, et que le mécénat de la dynastie ne manifestât pas une volonté et une générosité suffisantes : Ronsard avait évoqué à plusieurs reprises ce tarissement de sa veine héroïque. Il avait notamment mis en scène dans *Les Amours* une Psychomachie mythologique où Mars, inspirateur de l'épopée guerrière, le cédait à l'Archerot emplumé, ordonnateur des liturgies amoureuses ; mais, en fait, si le poète renonçait à continuer *La Franciade*, c'était le Laurier d'Apollon qui restait pour lui l'emblème de toute fureur poétique (Lm IV, 67-68 ; voir le *Commentaire* de Muret, éd. Droz, 1985, p. 40). En 1572, le sonnet liminaire que Belleau compose pour l'œuvre enfin mise au jour imagine un Débat allégorique du même type, mais qui exalte finalement l'efficacité de la protection royale : Mars désormais règne sur l'inspiration héroïque du poète qu'animaient Amour, Apollon et les Muses.

Dans les pièces consacrées aux œuvres de ses amis, Belleau ne se contente pas de compliments stéréotypés ; il a toujours en vue le problème précis que pose le genre littéraire qui est illustré ; pour congratuler une nouvelle fois[1] son compatriote et

---

1   Voir. t. III, p. 69.

ami Robert Garnier en célébrant sa *Cornélie* (1573), il se replonge dans l'atmosphère des premières batailles menées pour transformer la littérature des Français au contact de celle des Anciens ; il adopte l'écriture inspirée qui caractérise les premières odes de la « Brigade » des années 1550 : *sainctes fureurs, sacré labeur, docte cadence...* Lorsqu'il définit la tonalité tragique par l'oxymore « une grace douce et fiere », alliant l'émotion tendre (*dulce*) à l'impression de férocité (*ferum* ou *acre*), il est sur la voie qui conduit d'Aristote (*Poétique*, c 20 : terreur et pitié) à Boileau (*Art Poét*. III, 18-19 : « douce terreur » et « pitié charmante »), mais, comme les théoriciens du temps, il n'a pas encore nettement formulé ce principe[1]. Quand il évoque les *complaintes non communes... lamentant les infortunes, malheur ordinaire des grans*, il rejoint les réflexions théoriques de Garnier lui-même, pour qui la tragédie « ne représente que les malheurs lamentables des Princes[2] ».

L'*Ode* composée pour le *Tombeau de Monseigneur le Duc d'Aumalle* est également rédigée dans le pur style des premières *Odes* que Ronsard a publiées quelque vingt ans auparavant ; on y reconnaît le vocabulaire et les motifs de l'encomiastique pindarico-horatienne, ainsi que le rythme en heptasyllabes. Belleau dédie cette courte pièce non pas à la famille d'Aumale mais à l'auteur du *Tombeau*, J. Helvis, qu'il avait déjà honoré d'un liminaire pour un traité de pédagogie princière (t. III, p. 34).

Par leur écriture, ces trois pièces de circonstance ramènent Belleau une vingtaine d'années en arrière, au temps des premiers enthousiasmes.

---

1 Cf. L. Kreyder, « Sur la dramaturgie de J. de La Taille » in *Le théâtre biblique de La Taille*, p. p. Y. Bellenger, Paris, Champion, 1998, p. 135.

2 Préface de la *Troade* (sans doute d'après Scaliger, *Poetices Lib*. III, 97 : « raro admittit personas viliores » ; voir aussi La Taille, selon L. Kreyder, art. cit., p. 132).

<I>

SONNET

A P. DE RONSARD[1].

Tes beaux vers animez de la saincte fureur
Qui roule de Permesse[2], au ciel ont fait querelle :
Amour se dit seigneur de la source immortelle
Dont premier tu puisois une si douce humeur.

5 Mars, armé de ta main, et de la vive ardeur
Qui fait vivre les Rois malgré l'onde cruelle[3],
Jure l'œuvre estre sien, comme la trouppe belle
Des vierges d'Helicon, ne t'en juge l'auteur.

Quant le Dieu Delien[4], le pere de ta lyre,
10 Et pere de tes vers, humain, apaise l'ire
De ces Dieux mutinez : C'est bien et vous et moy,

Dist il, qui luy donnons cette aleine divine,
Mais autre[5] Dieu là bas n'échauffe sa poitrine
Que la sainte faveur de CHARLES son grand Roy[6].

R. BELLEAU[7].

<II>

ODE[1]

GARNIER, qui d'une voix hardie
Vas animant la Tragedie,
Aspiré des sainctes fureurs
D'Apollon, qui chaud de sa flame
Vas bruslant et poussant ton ame
6 Au sacré labeur des neuf Sœurs[2] :

Qui d'une grace douce et fiere[3],
Sçais enfler l'estomach cholere,
Et rabaisser le front des Rois :
Et qui de vers hautains et braves,
De mots, et de sentences graves
12   Fais rougir l'échaffaut Gregeois[4] :

Qui de complaintes non communes
Vas lamentant les infortunes,
Malheur ordinaire des grans[5] :
Pleurant la douleur échaufée
De celle qui vive étouffée   *Porcie*
18   Avalla des charbons ardans[6].

Qui des premiers en nostre France
Tiras sous la docte cadance,
Et sous les accens de tes vers,   [7]
Une amour chaste, une amour folle,
Rendant la voix et la parolle
24   Aux ombres mesmes des Enfers[7].   *Hippolyte*

Soupirant de voix amollie
Les justes pleurs de Cornelie,   *Cornelie*
Qui veit le rivage écumer
Et rougir du sang de Pompée,
Et Scipion d'un coup d'espée
30   Navré se plonger dans la mer[8].

Je serois d'ingrate nature
Ayant succé la nourriture,
Et le laict tout ainsi que toy,
Sous mesme air[9], et sur mesme terre,
Si l'amitié qui nous tient serre
36   Je n'estimois comme je doy.

Aussi l'on verra les rivieres
Trainer leurs humides carrieres
Contremont[10], lors que s'oublira
La memoire, et l'amitié sainte,
Qui tient nos cœurs de ferme estrainte,
42 Et que le neud s'en deslira.

R. BELLEAU

<III>

ODE [42]
SUR LE TOMBEAU
de Monseigneur le Duc d'Aumalle.
A J. Heluis par R. Belleau[1].

Un Prince ne sçauroit mieux
Pour enter[2] dedans les cieux
Les rejettons de sa gloire,
Et pour faire que les ans
5 N'aillent jalous triomphans
Des honneurs de sa mémoire[3] :
Qu'animer sous de beaux vers
Son nom, qui par l'univers
Ne pourroit autrement vivre,
10 Soit que de Jaspe emaillé,
Son tombeau fust entaillé,
De fer, de marbre, ou de cuyvre[4].

Le bronze Corinthien,
Le Mausole[5] Egiptien,
15 S'est veu ronger et dissoudre :
Les plus superbes Palais,
Ont bronché dessous le fais,

Des ans, qui les ont fait poudre :
L'honneur des chastes lauriers,   [42v]
20   Vray signal des fronts guerriers,
Flaitriroit, sans l'industrie,
Et le labeur des neuf sœurs,
Qui departent leurs faveurs
A celui qui les en prie[6].

25   Tout va recherchant sa fin,
Suivant le fil du destin,
Qui le pousse et qui le guide :
Rien n'est si ferme et si fort,
Qui ne sente de la mort
30   L'arme, et la main homicide :
Rien n'est durable, sinon
Embasmer d'un beau renon
Son nom, sa cendre, et sa pierre.
Sur tout avoir bien vescu,
35   Est plus que d'avoir vaincu,
Tous les monstres[7] de la terre.

Tant d'hommes depuis vingt ans[8]
Rois, Princes, chevaliers grans,
Sont étouffés dans la France,
40   Dont à peine on se souvient
De leur nom, quand il avient   [43]
Qu'on parle de leur vaillance.
Faulte d'un gentil esprit,
Des dons du ciel favorit,
45   Yvre de l'onde pucelle,
Qui leur bastit un tombeau,
Du roch au double coupeau
Dont l'etoffe est immortelle.

Cil donq est bien fortuné
50 A qui fut predestiné
Pour publier ses louanges,
Et répandre ses honneurs,
Ses bontez, et ses valleurs
Parmi les peuples estranges[9] :
55 Qui laisse un serviteur sien,
Animé du Delien,
Favori des neuf pucelles,
Qui pousse par l'univers
Sur l'ælle de ses beaux vers
Ses louanges immortelles[10].

ODES D'ANACREON ET PETITES INVENTIONS
Note sur le texte de la 3ème édition (1573 ?)
par Guy DEMERSON

Aussitôt après avoir publié une version nouvelle de *La Bergerie* où il recueillait le meilleur de ses poèmes, Belleau publie et republie en un tout petit format des volumes que leur titre présente comme une reprise de ses *Odes* d'Anacréon. Le nombre et la diversité des œuvres, « petites » inventions et autres, annexées à son ancienne traduction, signalent sa volonté de constituer, en complément de *La Bergerie*, un recueil général de sa production poétique. En 1578, les éditeurs de son œuvre respecteront cette volonté en donnant comme titre au tome II *Les Odes d'Anacreon*.

Les différents exemplaires connus de ces éditions (1573, 1574 et 1577) ont été étudiés par J. T. D. Hall, « Unrecorded editions of Works by Ronsard and Belleau » in *B. H. R.* XLIII-2 (1981), p. 323-333, puis, dans notre tome I, par K. Cameron et J. O'Brien (p. 67- 69) et M. M. Fontaine (p. 147- 156). Ils sont désormais désignés par les sigles qu'adopte cette dernière, à l'étude de laquelle nous renvoyons.

Pour les éditions de 1573 (chez Robert Granjon), nous pouvons formuler les remarques suivantes :

comme J. Hall le conclut logiquement, l'exemplaire que nous reproduisons (1573 A, conservé à la Bibliothèque Mazarine) semble être le représentant de la *première réédition actuellement connue* après la première édition (1556). En effet, 1573 B (exemplaire conservé au Petit Palais), apparenté à ce texte de façon impressionnante, paraît en être la copie :

• les graphies sont scrupuleusement conformes ; les très rares variantes recensées par J. T. D. Hall (p. 327-328) et par notre t. I ne sont pas vraiment typiques (*celluy / celuy ; gratieux / gracieux*, p. ex.), sauf *le grain nourrissant* (B) pour *le grain noircissant* (A), l'addition d'un titre, *Le Mulet* (B), pour la pièce

<XI> et, peut-être, au f° D8v, *etonner* (A : absence de tilde) pour *entonner* (B).

• De surcroît, la nature et la disposition des pièces sont rigoureusement les mêmes : le *De Apibus Poloniæ* de Baïf figure à la même place, à la fin du f° H4, entre les traductions latines <X -1> et <X -2>. – Le sonnet *A sa maîtresse* (<VI -3>) est bizarrement recopié à l'identique après <VIII -2>, vraisemblablement à la suite d'une étourderie du poète, dont la composition de la Seconde Journée de *La Bergerie* nous a déjà révélé la propension à déplacer, coller et recoller les textes dont il a décidé de faire un recueil ;

• et, surtout, le foliotage est rigoureusement le même, les signatures, débuts et fins de pages coïncidant parfaitement *malgré la différence de format.*

Il paraît évident que le responsable de *l'une des deux* éditions a « jaugé, marqué et divisé » sa copie, et que l'ouvrage a été « composé par formes[1] ». Il est d'autre part certain que c'est « 1573 B » qui est tributaire *d'une* édition antérieure : pour aboutir à conserver le même foliotage, à faire commencer les pages au même vers du poème, il a fallu multiplier les artifices, bandeaux, culs-de-lampe, vastes espaces blancs, alors que 1573 A est plus rationnellement économe.

Cependant un détail typographique doit donner à réfléchir : « 1573 B » porte bel et bien la date de *1572*[2], comme l'a noté le Catalogue de la vente de son ancien possesseur, Ch. Nodier[3]. Erreur d'impression[4] sur cette page de titre, à l'esthétique particulièrement soignée, d'un livre scrupuleusement composé

---

1   Voir J. Veyrin-Forrer, « Fabriquer un livre au XVIᵉ siècle » dans *Histoire de l'édition française*, sous la dir. de H. J. Martin et R. Chartier, Paris, Promodis, t. I (1982), p. 282 et 289.

2   Nous remercions Mme Françoise Barbe, Conservateur du Patrimoine au Musée du Petit Palais, pour l'attention, l'ingéniosité et la compétence qu'elle a déployées pour nous aider à scruter cette graphie difficile.

3   J. T. D. Hall, art. cit., p. 327.

4   J. T. D. Hall, loc. cit.: « faulty printing of the date ». Pour M. M. Fontaine (t. I, p. 149), les ornements du cadre historié « recouvriraient partiellement la date », ce qu'un examen attentif ne confirme pas.

et orthographié ? Ou bien, ne vaudrait-il pas mieux supposer que l'édition Granjon de 1571 mentionnée sur le Catalogue de la vente Yemeniz[1] est l'original, perdu actuellement, de ces Odes anacréontiques suivies de nouvelles inventions. C'est cette véritable « seconde » édition (après celle de 1556), que le même Granjon aurait reproduite en une « troisieme Edition », d'abord en1572 avec une présentation plus aérée, (« 1573 B »), puis en 1573 dans un retirage à l'identique (1573 A) ? Il est, de plus, remarquable que les éditions ultérieures (par Bonfons, 1574 A et 1577 A) et par Rigaud (1577 B) reproduisent les graphies de 1573 A[2] (*celuy, gratieux, etonner, noircissant,* absence du titre *Le Mulet*), en méconnaissant 1573 B ; c'est d'ailleurs seulement à partir de ces tirages qu'est corrigée (ce qui peut justifier la mention au titre : *de nouveau reveu & corrigé*) l'erreur qui consistait à répéter après <VIII -2>[3] le sonnet <VI -3> *A sa maîtresse.*

Il apparaît de toute façon que les exemplaires datés « 1572 », 1573, 1574 -Bonfons et 1577 sont de la même famille (Comme nous le verrons ci-dessous, c'est à 1574B -Charon qu'est apparentée l'édition posthume de 1578). En l'absence d'un nouveau document irréfutable, la raison veut que l'on considère provisoirement 1573 A (Mazarine, Rés. 46001) comme transcrivant l'état le plus ancien de la réédition des Odes et Petites Inventions.

---

1 J. T. D. Hall, *loc. cit.*

2 Les *errata* du dernier vers latin de <X -4> sont révélateurs: *Venterum* (1574 A), *Ventrem* (1577 A et B) s'expliquent par l'encrassement du o de *Ventorum*. Plus curieusement, le a de *mella* au v. 2 de < X -1> est encrassé aussi bien dans 1573 A que dans « 1573 B », ce qui donne *mellæ* en 1574 A et *mello* en 1577.

3 De même, pour 1574 A et 1577, le *De Apibus Poloniæ* de Baïf n'est plus inclus dans les poèmes de Belleau: il figure à leur suite, à la fin de < X -6>.

Note additionnelle
par M. -F. VERDIER.

G. Demerson, à la suite de son enquête, peut affirmer que l'exemplaire de la collection Dutuit du Petit Palais porte la date de I572. On ne peut donc plus supposer que les mentions des catalogues de vente étaient erronées.

D'*autres arguments* peuvent être présentés : comment admettre que des collectionneurs aussi avisés que Charles Nodier et Yéméniz aient pu être grugés de la sorte ? Si c'est le livre du premier (présenté comme un *in-24°* daté de 1571) que Yéméniz a racheté, pourquoi porte-t-il la date de 1572 avec un format in-16° ? Est-on sûr enfin que ce rachat a bien eu lieu et que des *ex libris* permettent d'identifier les propriétaires successifs ?

Enfin la dédicace à Jules Gassot de l'édition des *Odes* de 1574B contient des *dates*, que la critique a négligées, bien qu'elles soient fort importantes. Belleau rappelle, sans le nommer, qu'Henri Estienne rapporta d'Italie un manuscrit de poèmes d'Anacréon, qui *commença à prendre l'air de la France*. Gouverneur (t. I, p. 5, n. 2) affirme que cette préface a été faite pour l'édition de 1572. Son calcul devait être le suivant : 1554 (date de la publication d'H Estienne) + 18 = 1572[1]. Laumonier (t. VIII, p. 351, n. 1) fait de même, quand il reproduit, en 1935, l'*Elegie de Pierre de* Ronsard. Ont-ils eu connaissance de cette édition ?

---

[1]   On peut aussi faire une addition différente, en partant de la date d'entrée du ms. sur le sol français (*qui commença à prendre l'air de la Fr.*), c'est à dire 1549-1550 + 18 = 1567-1568, époque où Belleau avait besoin d'argent et où il aurait fait paraître l'introuvable 2ème éd. des *Odes*. Le titre de *Secrétaire du Roy* aurait pu être ajouté à partir de 1570, date de la nomination de Gassot. Dans ce cas les *vingt ans*, dont parle le poète, remonteraient à 1547, date des premières poésies de Ronsard (Lm I, 3-39).

INTRODUCTION AUX NOUVELLES PIÈCES DES ÉDITIONS DE 1573 et 1574
par M. -F. VERDIER.

LES AMIS DE L'ÉPOQUE – LES MILIEUX LITTÉRAIRES.

Il est frappant de constater que dans la *Seconde Journée de la Bergerie* (1572) si les dédicaces sont peu nombreuses, dans ce que j'appelle la première partie (voir notre t. IV, p. XXXVI), et concernent (à une exception près) les amis poètes, Belleau, dans la suite du recueil, offre ses œuvres à une dizaine de jeunes nobles et de hauts personnages. C'est que le poète fréquente les salons et les Secrétaires du Roi. Il est donc naturel que ces derniers (ici Simon Nicolas et Jules Gassot) ainsi que Madame de Retz soient si présents dans les nouveautés des 3ème et 4ème éditions des *Petites Inventions*, avec en filigrane, Charles IX et sa sœur préférée, Marguerite.

Le *Seigneur Nicolas,* apparaissait déjà dans la *Seconde Journée* (dont il a signé, au nom du Roi, le privilège) : Belleau lui offrait une *Chanson* lascive, contant les ébats amoureux d'un amant comblé, à l'égal de Properce (II, I5). Simon Nicolas, Secrétaire du roi Charls IX et de ses finances, devint un ami intime de Ronsard vers I569 et sera plus tard son confident. Il se montrait généreux à l'égard de ses amis poètes. Voici le portrait qu'en dresse Brantôme (éd. Lalanne, V, p. 281) :

> *Fort honneste homme et bon compagnon, il estoit fort*
> *heureux à faire des vers et en rencontrer de tresbons et*
> *plaisants qu'il addressoit au roy Charles IX.*

En 1573, le poète lui dédie l'*Ombre* (Petite Invention de 1556) en remplacement de N. Mallot, peu connu et sans doute passé au protestantisme. Il est vraisemblable que Nicolas, Secrétaire royal, amateur des belles-lettres, bon vivant et plein d'humour a pu exercer une influence sur la production de son ami. Je pense notamment aux *Cornes,* qui ne viennent pas d'un *Thesaurus,* fût-il de Robert Estienne (Eckhardt, *op. cit., p.* 137), mais, me semble-t-il, d'un jeu verbal de commensaux, à la suite d'un banquet bien arrosé offert par Nicolas. Le *Sifflet* de la *Seconde Journée* était de la même veine.

L'amitié de Belleau pour Nicolas s'exprime sur le ton de la ferveur dans le poème sur « la cloche importune » de la 4ème éd. des *Odes,* où plus de 40 vers sont consacrés à ce

> *Nicolas que j'ayme trop mieus*
> *Que la prunelle de mes yeux.*

Les vers suivants s'employent à justifier cet éloge dithyrambique. Le charme de ce poème, qui ressemble à un conte, vient d'une part du portrait d'un ami extraordinaire et spécialement dévoué aux poètes, d'autre part d'une série de petits tableaux de la vie ordinaire. Nous sommes tantôt dans le clocher d'une église, tantôt devant de merveilleuses horloges, dans un champ avec des vaches et des moutons, en face d'un exclu de l'époque, le lépreux. Le poète suggère les odeurs, les bruits, la couleur de la peau du ladre, avec toujours les termes techniques ou appropriés. Ce sont des « croquis » littéraires, mais quelle sureté du trait !

Belleau exprime volontiers son amitié en se montrant compatissant aux désagréments dont est victime le Seigneur Nicolas : avant de le plaindre d'être confronté à l'*Importunité d'une cloche,* si, en 1573, il le gratifie d'un *Mulet* poétique, c'est qu'il se déclare peiné de la fièvre quarte dont les assauts font durement ressentir à son ami son manque de moyen de transport.

A ce sujet il évoque le caractère intéressé des faveurs venant d'un roi, et il le fait sur un ton badin suggèrant qu'il avait ses entrées auprès de *Charles IX.* En effet, en mars 1574, quand, à la suite d'un accident de chasse, le roi doit garder la chambre à Fontainebleau, le poète lui sert de lecteur. C'est alors qu'il lui donne connaissance de sa traduction de l'*Ecclésiaste* (voir notre t. I, p. 24) et qu'il en reçoit approbation.

En 1574, c'est à un autre Secrétaire du roi (nommé depuis le 6 février 1570), que Belleau offre la 4ème édition des *Odes : Julles Gassot* est notaire de formation, né d'une mère italienne, d'où son prénom alors peu fréquent en France. Ce jeune homme (il a 23 ans) est un ami intime de Belleau, qui signe ainsi sa dédicace : *Vostre plus affectionné et meilleur amy.* Ronsard, dans l'*Elegie* qui suit, l'interpelle de la sorte, au vers 109 : *Mon Gassot, mon demy...* Baïf venait de lui offrir son *Atalante* dans ses *Euvres en Rime* de 1573. C'est que Gassot est, comme Nicolas, un protecteur des Lettres et poète lui-même. Son recueil de vers latins a, selon Gouverneur (t. I, p. 5, n. 1), été imprimé à la suite du *Tombeau de Charles IX.*

On ne s'étonnera donc pas de le retrouver dans le *salon de Villeroy*, autrement dit chez Nicolas de Neufville. Ce personnage de premier plan, né en 1543, marié à Madeleine de Laubespine (1561), promu Secrétaire d'Etat à 24 ans, est très estimé de Charles IX. Il reçoit les écrivains, et notamment les poètes, dans ses demeures de Paris et de Conflans. En 1570 il réalise son vœu d'élever un Tombeau littéraire aux Laubespine, avec l'aide de Gassot. C'est le ms. fr. 1663 de la B. N., étudié par Pierre Champion (*Ronsard et Villeroy – les secrétaires du roi et les poètes*, P., 1925 – Cote B. N. : Fol Ln⁹ 332)[1].

Il est établi que Belleau fréquente le salon de Villeroy, où il retrouve Ronsard, Baïf, Jodelle, Desportes et Passerat, parmi d'autres, ainsi que le *salon de Madame de Retz*, où il côtoie des écrivains, mais aussi des jeunes femmes, auxquelles il offrira en 1576 ses *Pierres Précieuses.* L'une des toutes premières pièces de la *Seconde Journée,* après *Les Prières* de Job, était consacrée à Ixion, prêt à commettre un adultère sacrilège avec Junon, et le recueil se termine par l'évocation de la passion criminelle du roi David pour Bethsabée. C'était un écho, me semble-t-il, des problèmes personnels du poète, amoureux d'une femme mariée

---

1   Il nous intéresse directement, car il reproduit le début du *Dictamen metrificum,* du v.1 à 122 (f° 47v°- 63v° - voir notre t.III, p. 85 et les variantes) ainsi que (f° 96 v° et suiv.) *L'Ambition, soubz les amours d'Ixion,* poème de Belleau (t.IV, 2ᵉ J., pièce III). – Pour plus de renseignements sur Nicolas, voir t. IV, 2ᵈᵉ J, pièce XV -50.

et de haut rang. Or que lit-on en tête des nouveautés de 1573 : un long poème, l'*Election de sa demeure*. Cette pièce a été écrite bien antérieurement, peut-être en 1568, au moment où Belleau fait partie de l'entourage de Madame, si *Pallas-Minerve*, ne désigne pas, au v. 41, le goût de la belle pour des études littéraires, mais le masque allégorique en poésie de cette Princesse, à qui le poète avait offert un *Chant,* lors de la représentation du *Brave* de Baïf, et dont la meilleure amie est la *comtesse de Retz*, symbolisée par *Amour*, au dernier vers de l'*Election*. Dans les vers sur *la bataille de Moncontour*, offerts au roi, en 1567, Belleau avait publiquement fait allégeance (voir notre t. III, p. 120). Il rappelle ici, au dernier vers de l'*Election*, qu'il est toujours au service de Charles IX (*Apollon*, si ce dieu n'est pas le symbole de l'inspiration poétique). Mais la dernière (XIV -6) des pièces nouvelles de l'édition de 1574 aura pour titre *Sur la maladie de sa maitresse,* maîtresse que le poète nomme *Catin,* c'est à dire, à mon avis, Catherine de Retz. Ce prénom est le diminutif de Catherine (de nos jours, ce serait Cathy). Il ne figure pas dans l'*Election de sa demeure,* qui est la première des « nouveautés » de 1573 (n° VI -1), mais dans la n. 7, j'ai indiqué que la meilleure amie de la jeune sœur du roi (en poésie, *Pallas Minerve*) était Mme de Retz. De surcroît (au v. 108), la cousine avec laquelle *devise* la maîtresse de maison ne peut être qu'Hélène Surgères une assidue du « Salon Verd », car toutes deux appartiennent à la famille des Clermont en Trièves (voir Lavaud, *op. cit.*, p. 74).

On peut donc penser que c'est la même maîtresse, que le poète met en scène, d'autant que dans *l'album de la Maréchale de Retz* (recueil de poésies offertes à son mari et à elle-même) les incidents de la vie courante sont évoqués : la grossesse de Madame, une blessure, assez sérieuse et surtout une *maladie.* Ce dernier poème est différent de notre texte, qui est assez dur. En effet le poète insiste sur les ravages de la maladie et rappelle qu'il faut savoir profiter de la vie, *carpe diem.* Est-ce la raison pour laquelle ces sixains ne figurent pas dans l'album ? Peut-être !

INTÉRÊT DES NOUVEAUTÉS DE 1573-74.

a) *Les poèmes érotiques* : on ne saurait nier l'importance de l'*Election* pour la biographie du poète (installation à Paris et vie sentimentale). Les autres poèmes consacrés à l'amour sont parfois marqués par l'engouement de Belleau pour les quattrocentistes et en particulier Tebaldeo. Voici, par exemple, les v. 5 et 6 de VI-3, *A sa maitresse* : « l'eau sont mes pleurs, et la puissance forte / Des vents, des flotz, mes soupirs et mes veuz / La pouppe soing [...]», pièce où la vie du poète-amant est ballottée comme un vaisseau pris dans la tempête.

Mais on trouve aussi de beaux vers où le sentiment personnel s'exprime avec simplicité : sa maîtresse est malade, il est frappé par sa pâleur, sa mine défaite. L'angoisse de la vieillesse et de la mort le saisit alors, car dit-il :

> *Le peu durer ne m'est estrange*
> *Je sçay le journalier eschange*
> *Des choses qui sont sous les cieus...* (XIV-6, v. 19-21)

Belleau sait aussi décrire le port altier et la souple démarche de sa maîtresse sortant de sa maison (pour gagner sans doute son « cabinet de verdure ») ou bien peindre « la jeune femme au moineau », penchée sur sa broderie.

b) *Les Petites Inventions* : sous ce vocable, on peut ranger *Les Cornes* VI -2, *Les graines semées* VI -5, *Le Mulet* XI, et en 1574, *La cloche* XIV -5. Mais Belleau ne s'intéresse plus, comme en 1556, à de petits animaux ou objets (*Le Papillon, le Ver luisant, La Cerise ou l'Heure*). Il met en scène des personnes en relations conflictuelles avec un animal, un végétal ou un objet. Le centre d'intérêt est déplacé : ici c'est une jeune fille, qui n'arrive pas à faire lever et croître les graines qu'elle a semées. Là il vient au secours de son ami Nicolas, malade et qui aurait bien besoin d'un mulet (indispensable pour ses déplacements), ou qui est importuné[1] par la cloche d'un voisin,

---

1 Ce thème de l'importunité était déjà présent, mais seulement esquissé, en 1556 dans *L'Heure,* « toi... proche du lit de Ronsard » et qui « sans cesse le réveilles » (v. 65-66).

apparemment très visité. Enfin Belleau veut consoler un quidam
affublé de cornes[1](front difforme ou mari trompé ?
L'équivoque est savamment entretenue !).

D'un bout à l'autre de ces poèmes court une franche gaîté,
un humour parfois cinglant dans un style aisé, souligné par les
rejets, les apostrophes et les reprises. Le lecteur se laisse
volontiers entraîner dans un mouvement endiablé. N'est-il pas
du plus haut comique de voir un mari trompé élevé au rang des
dieux, qui se sont souvent mués, pour un temps seulement, en
bêtes à cornes (v. 26-31) ? Mais au cours du poème Belleau va
accumuler les exemples consolateurs, montant au ciel,
descendant aux Enfers, jusqu'au délire de « l'univers encorné »,
que n'a pas soupçonné Epicure (v. 158-160). L'on remarquera
aussi la variété des thèmes : dans le *Mulet,* le délire cède la
place à l'imaginaire. Cet animal poétique prend peu à peu de la
consistance, grâce aux affirmations répétées des défauts, qu'il
n'a pas, mais – il faut raison garder – il disparaît à la fin, ayant
chargé sur son dos la fièvre quarte de Nicolas. Les *Graines*
présentent un tableau champêtre, terminé par un éloge de la
Nature. Enfin le poète dénigre la clochette, veut la briser et
multiplie les malédictions : qu'elle aille dans un clocher, qu'elle
pende au cou d'une vache, d'un ours de foire, d'un cheval de
chassemarée, qu'elle soit compagne d'un lépreux ou bien,
abandonnée dans un coin, qu'elle ne tinte plus.

En vérité, ces *Petites Inventions*, à peu près de la même taille
(entre 130 et 175 vers), écrites sans exception en octosyllabes,
contribuent au charme des rééditions des *Odes d'Anacréon* de
1573 et 1574.

Maurice-F. Verdier

---

1   A rapprocher de Carle et Isabeau sa sœur, qui sont borgnes (XIV -1).

O D E S

D'ANACREON

TEIEN, POETE GREC.

TRADUICTES EN FRANCOIS

par R. Belleau. Ensemble quelques petites
hymnes de son invention.

Nouvellement reveu : corrigé & augmenté pour la
troisieme Edition.

Plus quelques vers Macaroniques du mesme Belleau.

A PARIS.

De l'imprimerie de Robert GranJon, ruë Sainct Jean de latran à
l'Arbre sec.

1573.

<IV>

ELEGIE de Pierre de Ronsard (= t. I, p. 77-80)   [A2]
ODES D'ANACREON

*Les titres et l'ordre des pièces anacréontiques sont repris de la première
édition (voir détail dans le t. I, p. 81-126).

<V>

PETITES INVENTIONS

<V -1> L'heure à I. A. de Baïf   [D]
Dieu te gard Fille heritiere [...]
(voir t. I, p. 162)

<V -2> Le papillon, à Pierre de Ronsard   [D2 v]
O que j'estime ta naissance [...]
(*Id*, p. 157)

<V -3> Le coral   [D4 v]
Donques s'est toy, bouche cousine [...]
(*Id*, p. 185)

<V -4> L'huitre, à J. A. de Baïf   [D5 v]
Je croy que l'esprit celeste [...]
(*Id*, p. 179)

<V -5> Le pinceau, à Nicolas Denisot,
vallet de chambre du Roy   [D7]
A qui mieux doi-je presenter [...]
(*Id*, p. 187)

<V -6> L'escargot   [D8]
Puis que je sçay qu'as en estime [...]
(*Id*, p. I72)

<V -7> L'ombre, à S. Nicolas   [E2]

   Estant au frais de l'ombrage [...]

                                        (*Id*, p. 190)

<V -8> La tortüe, à Nicollas Goulet,
procureur du Roy à Chartres   [E3]

   Puis que je chante en ton honneur [...]
                                        (*Id*, p. 191)

<V -9> Le ver luysant de nuict, à Guillaume Aubert   [E5]

   Jamais ne se puisse lasser [...]
                                        (*Id*, p. 195)

<V -10> La cerise, à Pierre de Ronsard   ·   [E5v]

   C'est à vous de chanter les fleurs, [...]
                                        (*Id*, p. 165)

REMARQUES : Changements de dédicataires par rapport à 1556 :
   – L'*Heure* (V -1) passe de Ronsard
à Baïf, de même que L'*Huistre* (V -4).
   – *Le Coral* (V -3) perd sa maistresse. L'*Escargot* (V -6) perd Ronsard.
   – N. Mallot cède L'*ombre* (V -7) à S. Nicolas.
   D'autre part, en 1573, *La Cerise* présente 97 nouveaux vers placés après le
v. 10 (le v. 11 devenant le 108ème). Par exception à nos conventions, on
trouvera cet ajout dans le t. I.

<VI – NOUVELLES PIÈCES>

<VI -1>

ELECTION DE SA DEMEURE[1]   [F v]
A A. Jamin.

   Puisque ma maitresse dedaigne
   L'horreur des boys, et la campaigne,
   Puisque les tertres bosselus,

Et les ruisselets mousselus,
5   Le cristal des ondes sacrées,
L'émail des verdoyantes prées,
La frayeur d'un a[n]tre fourchu,
L'ombre d'un bocage branchu,
Luy desplaisent[2], et que sa flamme
10   Nourrice d'Amour[3], ne s'enflamme
En lieu solitaire et reclus,
Quant à moy je ne vivray plus
Egaré loing du populaire,
Ny des Citez, pour luy complaire,
15   Aussi qu'en rien ne m'[y] desplait.
D'autant que je voy qu'[il] luy plaist.
A Dieu donc garses forestieres,
A Dieu pucelles fontainieres,
Chevrepiés, Satires Cornus,
20   Faunes, Sylvains[4], et Dieux connus
Non[5], que de leur terre voisine,
Et de l'innocente poitrine
Du laboureur et du berger,
Sans plus loing leur gloire estranger.
25   A Dieu donc, puisque ma maitre[sse]
Orphelin[s] d'honneur vous delaisse,
Détournant de vous ses beaux yeux,
Je croy qu'en l'obscur[6] de ces lieux
Amour ne fait plus sa retraitte,
30   Mais que d'emprise plus secrette
En quelque ville separé
Loing de vous il s'est esgaré,
Enyvré de la douce grace   [F2]
De celle [qu'il] suit à la trace,
35   Comme un limier trouve dispos
Le cerf craintif en son repos,

    Quant à madame je scay bien
    Que plus n['y] est, et scay combien
    Maintenant elle vous dedaigne
40   Car elle s'est faicte compaigne
    De Pallas Minerve aux yeux pers[7],
    Et moy l'une et l'autre je sers.
     O que j'estime estre barbare
    Celuy qui de son gré s'esgare,
45   Loing de ses[8] deux divinitez,
    L'honneur des plus belles Citez,
    A qui les champs maintenant plaisent,
    Maintenant les villes desplaisent,
    Sejour de l'Amour espineux,
50   Et d'Apollon aux blondz cheveux[10].
     Amour parle nostre[11] langage
    Amour archer n'est si sauvage
    Qu'il estoit lors[12] qu'il encordoit
    Son arc à peine, et s'abordoit
55   Plus tost à quelque cueur champestre
    Qu'à cil qui le pouvoit congnoistre :
    Lors il n'avoit le bras archer
    Pour enfoncer, pour descocher,
    Et si n'avoit la main meurdriere
60   Pour guider la fleche legere
    A quelque cueur de blanc en blanc
    Traperçant l'un, et l'autre flanc,
    Enrouillant son arme mutine
    En sa force trop enfantine.
65   Il ne congnoissoit pas encor
    Qu'estoit celle à la pointe d'or,
    Et comme morne la plombée   [F2 v]
    Restoit sur le refus courbée[13].
    Mais las maintenant quelle main

70 Il a pour enferrer un sein
    Et le troubler d'une tourmente
    Plus forte que celle qui vente
    Dessus la mer par tourbillons
    Raboteuse en mille sillons [!]
75 Il ne va maintenant en queste
    Pour le bouvier, ni pour la beste,
    Mais bien pour triumpher d'un cueur
    Brave, et pour [se] rendre vainqueur,
    Vainqueur[14] non seulement des hommes,
80 Mais des Dieus[15], dont sugets nous sommes.
    Depuis qu'il commence, à hanter,
    Les villes et les frequenter,
    Il sent sa court, et se deguise
    D'un masque artizan de faintise,
85 Et n'a rien de rustic en soy
    Qui tienne rigueur à sa loy[.]
    Il est riche de courtoisie
    Civil, gaillard, sans Jalousie :
    Ou s'il en donne occasion
90 Pour estaindre la passion
    Il a la drogue et la racine
    Pour faire douce medecine,
    Et donner promt allegement
    Par un secret enchantement.
95   Ha mon Dieu que je reçoy d'ayse
    Quand pour couvrir la vive brayse
    Et pour en cendre l'amortir,
    Je voy ma maistresse sortir
    De sa maison toute gaillarde,
100 Et que d'une aleure mignarde
    Semble me dresser les apas
    A la cadance de ses pas.

Ou quand d'une aguille mignonne   [F3]
Dessus la gaze elle façonne
105   Ayant son passereau mignon,
Les douze lettres de son nom[16],
Ou quant par la troupe voisine
Devise avecques sa cousine[17]
Par dessus toutes paroissant,
110   Comme on voit le premier croissant
Parmi le cristal d'une nüe
Luyre entre la troupe menüe
Des astres beaux[18], non de la veoir
Seullette aux champs, et recevoir
115   Le froid, la pluye, et vagabonde
Griller sa cheveleure blonde,
Son front, sa delicate peau
Ses yeux, sa bouche, et son teint beau[19]
A la chaleur la plus ardante,
120   La plus chaude et la plus bouillante
Que l'avanchien[20] darde sur nous
Meu de colere et de courrous.
Ou soit que le souillard[21] Autonne
Nous fache, ou que l'hyver frissonne
125   Jusque au foyer de la maison
Ou que la plus gaye saison
D'un œil rousoyant[22] nous convie
Je ne prendray jamais envie
Voulant tousjours faire l'amour,
130   Aus champs de faire long sejour.
Aussi Diane bien aprise
Rougissoit du berger d'Amphrise[23]
Son frere, quant elle trouvoit
Chargé d'un faix qui le grevoit
135   Courant par la playne brulante

Après une facheuse amante
Qui les pas en rien n'estimoit[,]
Du Dieu qui chastement l'aymoit[24].   [F3 v]
    Combien de fois s'est courroucée
140 Latone, de veoir rabaissée
La magesté de son filz beau,
Pour estre garde d'un troupeau ?
Voir sa perruque herissée,
Sa main poudreuse, et crevassée,
145 Basané le fraiz de son teint,
Du chault ou de la bize atteint ?
Pour en vain suyvre une cruelle,
Farouche, rustique, et rebelle,
Qui plus encor pour s'obstiner
150 Ayma plustost s'enraciner
En arbre, que d'estre suyvie
D'un qui l'aymoit mieus que sa vie[25],
Voulant pour la contenter mieus
En faire un astre dans les Cieus[26].
155   Jamais Junon ne fut saisie
D'impatiente Jalousie
Pour veoir Jupiter amoureux
En son teatre bienheureux[27],
Mais bien pour le honteux eschange
160 De sa grandeur en chose estrange.
Oubliant son foudre usité
Tesmoin de sa divinité,
Oubliant sa [destre] puissante
D'éclair et de feu rougissante,
165 Estrangeant l'honneur de sa peau
En un cigne, ou en un toreau,
Pour practiquer une surprise
Sur une femme mal aprise[28].

Aussi depuis on a point veu
170   Un Mars, un Jupiter esmeu
D'amour rusticq, pour estre fable
D'un populace miserable.
Je sçay fort bien qu'ilz l'ont apris   [F4]
Entre bouviers, y ayant pris
175   Une premiere congnoissance
D'Amour, dès leur petite enfance[29] :
Mais depuis que cette raison
Eut polli la rude saison
Ayant fait leur aprantissage
180   Au fond de quelque a[n]tre sauvage
Pour mieux pratiquer leurs amours,
Ilz ont les villes et les courts.
Et quant à moy, puisque madame
Y fait sejour et que sa flamme
185   S'allume en moy de plus en plus
J'y demourray tout le surplus
De mes ans, affin que j'y serve,
Amour, Apollon, et Minerve[30].

[F4 v]

<VI -2>

LES CORNES

Or sus Compere jusque icy
Portés ombragé le sourcy
D'un panache qu'avez en teste,
Et puis maintenant ceste creste,
5   Qui vous repaissoit de plaisir
Vous cause un nouveau desplaisir,
Vrayement je voudrois bien congnoistre

Qui est cil qui vous fait paroistre
Que c'est vergongne le porter.
10 Vrayement il se peut bien vanter
Estre un grand sot, et fusse mesme
Un Platon, et vous sot extresme,
Pardonnez le moy, de penser
Que cella vous puisse offenser.
15   Mais quoy ? n'est ce grande merveille
Que le sourd mesme ouvre l'oreille
Au son de ce venteux honneur
Sans congnoistre si sa grandeur
Soit ou d'un homme ou d'une beste :
20 Et à ce ton esprit s'arreste
Comme un autre, Compere dous ?
    Est-ce chose estrange entre nous
Entre nous de porter des cornes
Et vrayement si peu hors des bornes
25 De raison que mesme les dieux
Les ont en honneur [dans] les Cieux.
    Jupiter amoureux d'Europe,
Espris de la belle Antiope,
Changea il pas de poil, de peau,   [F5]
30 Pour l'une se faisant toreau,
Et pour l'autre un cornu satyre
Pour mieux deguiser son martyre ?
Luymesme au secours lybien
Invoqué, pour trouver moyen
35 De les porter, O cas estrange,
En belier ce grand Dieu se change[1].
    Quoy : la chevre qui l'alaitta,
Qui le nourrit, qui le traitta
La feconde chevre Amalthée,
40 Avoit ell' pas la corne entée

Sur le suc, et le cuissené.
A t'il pas le front encorné,
Encorné[2] d'une corne issante
Encor de son feu rougissante[3] ?

45   D'une corne à la pointe d'or,
Là bas qui fist, bravade encor
Au portier à trongne matine,
Après la route Gigantine[4] ?
      Le plus bel autel ancien
50   Que jamais eut le Délien,
Estoit il fait d'autre artifice
Que d'un enrichi frontispice
De cornes mises d'un beau ranc[5] ?

      Et la Deesse qui respand,
55   Et verse aux hommes la richesse
D'une tant prodigue largesse,
Tient elle pas entre ses dois
La riche corne d'Achelois ?
      Des Nymphes aussi tost sacrée
60   [Qu'ell'] fut bronchant deracinée
Par Hercule qui congnoissoit,
Le toreau qui la nourrissoit ?
      Honteux qui celle encor sa perte
De Joncs et de rouseaux couverte[6] :   [F5 v]
65   La belle emprise de Jason
Fut elle pas pour la toison
D'un bellier à layne frizée
Jusques à la corne dorée[7] ?

      Et si tu veux lever les yeux,
70   Voy dedans la voulte des Cieux
La Lune [courbe] qui chemine
D'une belle corne argentine[8].

Entre les signes de nos moys,
Pour le moins on en trouve trois
75   S'enorguillissant d'une corne,
Le Thoreau et le Capricorne
Et le Bellier, à coups de cors
A coups de frond, qui tire hors,
De ceste grand pleine estoillée,
80   La saison de fleurs émailllée[9].

Regarde és humides cantons
De la marine, les Tritons
Les Dieus des coulantes rivieres,
Tous n'ont ils pas longues crinieres
85   Tortes sus leurs fronds emmoussez[10] ?

Regarde les Dieux herissez
Tapis en l'espais d'un bocage
Ou dans une grotte sauvage,
Les Faunes Satyres Chevrie[r]s
90   Le Dieu fleuteur Dieu des berge[r]s
N'ont ils pas la caboche armée
D'une longue et belle ramée ?

Sonde compere si tu veux
Jusques aux enfers tenebreux,
95   Pour voir une forest branchüe,
Une forest toute fourchüe
De cornes qui d'un branlement
Crolent le plus seur element[11],
Et si soudain te vient en teste   [F6]
100   Sortir hors de ceste tempeste.

Voilla le Somme tout moiteux,
Tout engourdy, tout paresseux,
Qui t'ouvre une porte segrette
D'yvoire et de corne prophette[12]

105   Offroit on les boucs, les aigneaux
          Le sang des non tachez thoreaux
          Sur gazons faitz d'herbes sorcieres,
          S'ilz n'avoient les cornes entieres[13]?

          Le digne loyer des labeurs
110   Qu'on donne aux tragiques fureurs
          Est il d'un plus riche trophée
          Que d'un bouc à corne estofée
          D'un beau Lierre verdoyant[14] ?
          Voy un escadron ondoyant
115   De piquiers rangez en bataille,
          Est il pas besoing qu'il se taille
          Pour mieux garder l'ordre et le ranc
          En cornes, en frond et en flanc[15] ?

          Et puis celles là qui te croissent
120   Choses d'estoupes te paroissent.
          L'Italle en desrobe son nom[16],
          La mer Aegée son surnom[17],
          Et son nom la pecune sainte
          Des animaux qui ont emprainte
125   La corne sur leur frond chenu,
          Sur leur frond doublement cornu[18] :
          Puis tu crois que soit peu de chose
          De l'usage qui s'en compose
          Les boutz sont encornes des arcz,
130   Des boutz sont encornés des dars,
          La lanterne en est encornée,
          La patenostre en est tournée,
          Le cornet en prend sa rondeur,
          Et l'escriture sa longueur,   [F6 v]
135   Et les pignes leur denteleure,
          Et leurs estuits leur encofreure
          Et mille autres commoditez

Qu'on emprunte de leurs bontez
Que la raison ingenieuse
140   A mis en main industrieuse
Pour en façonner au compas
Mille beautés qu'on ne scait pas.

Et puis quelle en est la pratique
Pour regir une republique,
145   La cornette des advocatz,
Et des docteurs, et des prelatz,
Mille cornes par la campaigne,
Parmi les boys, sur la montaigne,
La cornemuse des bergers,
150   La longue corne des vachers,
Des chasseurs la corne bruyante[19],
La belle corniche regnante
Sur les palais audacieux,
Et la licorne qui vaut mieux.

155   Bref[20] je croy que la terre basse,
Et tout ce que le ciel embrasse,
N'est qu'une composition,
Qu'une certe confusion
De cornes mises en nature,
160   Non les atomes d'Epicure.

Regarde au ciel, regarde en l'air,
Regarde en bas, regarde en mer,
Jette l'œil sur toute la terre,
Sur ce qui vit, sur ce qui erre,
165   Et certes tu ne verras rien
Qui puisse garder l'entretien
De son estre, sans qu'il ne puïse
Quelque traict de la cornudise.

Et pourtant pour dire entre nous   [F7]
170   Vivez vivez Compere dous

Vivez vivez vostre bel aage,
Et mourez avec ce plumage
Et ce bonnet empanaché,
Puis que vous l'avez attaché
175 A vostre front si proprement,
Vivez[21] Compere heureusement.

<VI -3>

A sa maitresse[1].

Veux tu sonder le fond de mon martire
Veux tu sçavoir maistresse en quel vaisseau
Flotte ma vie, et quel orage d'eau
Quel vent, quel flot, tourmente mon navire.

5 L'eau, sont mes pleurs, et la puissance forte
Des vents, des flotz, mes soupirs et mes veuz,
La pouppe soing, et mon esprit douteux
Mal sain, mal caut, est la nef qui me porte
Le mast constance, et le timon l'espoir,
10 Le voille erreur, Amour est le pilotte,
Ta cruauté, est l'orage qui flotte
Dessus mon chef, l'ancre est le desespoir.
Et qui pis est, il ny [a] mer au monde
Pour se parer de la vague profonde
15 Qui n'ait un port, une rive, un recours,
Mais en la mer où vogue ma fortune,
Je n'ay faveur du ciel, ny de Neptune
Rive, ny port, qui vienne à mon secours.

⌘

VI-4

Complainte Du feu[1] D'Amour   [F7 v]

Bergers je vous suply, retirez vos troupeaux
Dessoubs l'ombre mollet de ces larges fouteaux,
Tirez vous à l'escart, et recherchez la veine
Soubs ce roch caverneux, de quelque eau de fontaine.
5 Pour vous sauve[r] du feu qui s'escoule amoureux,
Des poulmons eschaufez d'un pauvre langoureux,
L'air comblé de mon feu et les troupes legieres
Des alaines des vents emportent messageres
Un scadron alumé de soupirs elancez
10 Qui couvoient en mon cueur l'un sur l'autre entassez,
Amour ce petit Dieu, boutefeu de ce monde,
Qui brule de son feu le ciel, la terre, et l'onde,
Ne vomist que ma flame, et ma Dame ardamment
Ne porte dans ses yeux que mon embrazement.
15 Pource fuyez bergers, vos brebis camusettes
Se pourroient eschaufer de mes flames segrettes
Les boucs, et les agneaux, le chien et le pasteur,
Pourroient bien eventer les flammes de mon cueur.
Las je brusle d'Amour, et si l'eau de la Seine
20 Ne coule prontement au secours de ma peine
Pour esteindre l'ardeur du grand mal que je sens,
Je crains que le brazier qui devore mes sens
Ne tarisse alter[é] des flammes de ma peine
Les ondes de la mer et les eaux de la Seine.

<VI-5>

SUR DES GRAINNES SEMÉES PAR
une damoiselle qui ne pouvoient
lever ni croistre.

Croissez croissez en ce dous moys
Herbes croissez à ceste foys

Que Junon est bien disposée[1],
Tousjours Zephir ne souffle pas,   [F8]
5 Ny tousjours ne s'escoule en bas,
Sur nous l'argentine Rosée.
   Est-ce l'humeur qui vous pourrist
Est-ce le chaut qui vous flaitrist
Ou la bise qui vous renglace[2] ?
10 L'humeur, qui donne accroissement,
La chaleur le nourrissement,
Le vent, la douceur et la grace :
Ne cachez plus vostre beauté,
Ne monstrés vostre cruauté,
15 Contre la douceur de la fille,
Qui vous arose doucement[3],
Et vous œillade humainement
Au matin quant elle s'abille.
   Ce malheur[4] vient il de sa main,
20 Qui vous a mise dans le sein
De nostre mere, en sa grossesse
Qui semble n'avoir de plaisir,
Qu'en nous monstrant l'ardent desir
Q[u'e]lle a d'enfanter sa richesse[5].
25   Il vient de son œil flamboyant,
Tousjours chaudement larmoyant,
Dessus la couche ensemencée,
Il vient d'un soupir amoureux,
Ou d'un regard trop rigoureux,
30 Ou d'une trop froide pensée.
   Car le trait que darde ses yeux
Est plus chaut, et brusle trop mieux,
Que les rais du fils de Latone[6],
Puis ses larmes qui vont Roulant
35 Et ses soupirs qui vont coulant

Causent un froid qui les etonne. .
Les prés [s'e]maillent de couleurs,
Les jardins s'emperlent de fleurs,
Cerchant d'eus mesme nourriture
40   Sans art le laboureur rend bien   [F8 v]
Les champs armez d'un petit rien[7]
Sans ayde que de la nature.
Laisse les donc à la faveur
Du Ciel, leur pere, et le bonheur
45   Des champs, des boys, et des prayries,
Car ton œil, tes pleurs, ton soupir,
Les feroyent en terre croupir
Plus tost que les rendre fleuries.

⌘

<VII >
CHANT DE TRIUMPHE(Voir t. III, p. 119-136) [G]

<VIII – NOUVEAUX SONNETS>

<VIII -1>

A. M. M.   [G7]

Depuis que je baizé[1] sa bouchette emperlée
Et de son beau tetin le bouton rougissant,
Depuis que je baizé le crespe jaunissant
En cent floccons retors de sa tresse annelée :

5   Depuis que je baizé la nege amoncellée
Sur sa gorge d'ivoyre, et son sein blanchissant,
Depuis que je baizé ce bel œil languissant
Qui tient de ses attraiz mon ame ensorcellée :

Depuis je n'eu repos, et les soucis mordans,
10   L'Esperance, et la peur, ont gaigné le dedans
De mon cueur forbani des faveurs qu'il desire.

Hà qui vit mal'heureus qui se travaille en vain
Et qui sans esperer alonge de sa main
Et vivant et mourant le fil de son martire.

⌘

<VIII -2>

De mille mortz je meurs[1] voyant la modestie   [G7 v]
La grace, la façon, et naive douceur
De celle qui retient sous la gente faveur
Seullement d'un trait d'œil et ma mort, et ma vie :

5   De mille mortz je meurs quant d'une extreme envie
Je desire à jamais luy estre serviteur
Et luy faire amoureus un presant de mon cueur
Et de ma liberté qu'elle tient asservie.

Mais je mourois du tout si mon humble service
10   Pouvoit tant meriter que seullement je visse
De près cette beauté qui de loing m'evertue :

Non non je ne la veus ny voir ny concevoir,
Puis qu'en la regardant un facheus desespoir
Et de près et de loing cruellement me tue.

>VI -3<

A sa maitresse   [G8]
Veus tu sonder le fond (···)

(*Cette pièce figure ici à nouveau par suite d'une erreur
d'édition*).

<IX>[1]

DICTAMEN METRIFICUM DE   [G8 v]
bello Huguenotico : & Reistrorum pigla-
mine ad sodales.

Tempus erat quo Mars rubicundam sanguine spadam
Ficcarat crocho, permutarátque botilla,
Ronflabátque super lardum, vacuando barillos,
Gaudebátque suum ad solem distendere ventrem,
5   Et conni horridulum veneris gratare pilamen,
Vulcaníque super pileum, attacare penachium :
Nam Jovis interea clochitans, dum fulmen aguisat
Et resonare facit patatic patatacque sonantes
Enclumas, tornat candens dum forcipe ferrum
10   Martellosque menat, celeres menat ille culatas
Et forgeronis forgat duo cornua fronti.
Sic tempus passabat ovans cornando bonhomum,
Artes oblitus solis, Divumque bravadas,
Non corcelletos, elmos, non amplius arma,
15   Nil nisi de bocca veneris mars basia curat,
Basia quæ divos faciunt penetrare cabassum.
Omnia ridebant securum, namque canailla
Frantopinorum spoliata domúmque reversa
Agricolam aculeo tauros piccare sinebat,
20   Et cum musetta festis dansare diebus
In rondum, ombroso patulæ sub tegmine fagi,
Denique pastillos parvos tartásque coquebat
Pax cælo delapsa, novam sponsando brigatam.
    Cervellos hominum ecce venit picquare Tavanus,
25   Hunc muscam guespam veteres dixere vilani.
Ecce venit, veniensque replet tinnitibus urbes,
Infernus quid sit, paradisus, quidve diablus,   [H]
Quidve fides, quid relligio, quid denique cælum,
Omnes scire volunt, per psalmos, per catechismos
30   Omnibus æternæ fitur spes una salutis.
Incagant primum Papæ, rubeisque capellis,
Evesquis, Pretris, parvos semando libellos,
Succratis populúmque rudem amorçando parollis,

Postea sancta nimis, sed garrula Predicantum
35　Turba subit, qua turbidior non visitur usquam,
Infernum turbavit enim, cælúmque solúmque
Et dedit innumeros flammis, et piscibus escam.
Nec pluris faciunt pantoufflam sacrosanctam
Quam faciunt veteres rognosa in calce savatas.
40　Ah, pereat, citò sed pereat miserabilis ille
Qui menat in Françam nigra de gente diablos
Heu pistolliferos Reistros, traistrósque volores
Qui pensant nostram in totum destrugere terram.
Numquam visa fuit canailla brigandior illa.
45　Egorgant homines, spoliant, forcantque puellas.
Nil nisi forestas, (domicilia tuta brigantûm)
Cherchant luce, tenant grandes sed nocte caminos.
Blasphemare deum primis didicere parollis,
Arestant homines, massacrant, inque rivieras
50　Nudos dejiciunt mortos, pascuntque grenouillas.
Pistollisque suis faciunt tremblare solieros
Stellarum, mala razza virum, bona salsa Diabli.
Semper habent multo nigrantes pulvere barbas,
Semper habent oculos colera, vinóque rubentes,
55　Lucentes bottas multa pinguedine lardi,
Et cum blandiera longuos sine fine capellos
Nigra quibus pendet castrati pluma Caponis.
Non guardant unquam dritto cum lumine quenquam
Sed guardant in qua magazinum parte gubernet
60　Sive ferat bursa, pourpointo, sive bragueta.
Relliquias rapiunt, mitras, crossasque doratas,
Platinásque, crucésque, adamantas, ïaspidas, aurum,　[H v]
Veluceas cappas, et totum mobile Christi
De magnis festis, de vivis, deque trepassis.
65　Altaros, Christum, spoliant, calicesque rapinant
Eglisas sotosopra ruunt, murósque ruinant,
Petra super petram vix una, aut altra remansit.

Omnia sanctorum in piessas simulachra fracassant,
Permingunt fontes, benedicta, ciboria, missam,
70   Incagant pretris monstrántque culamina Christo.
Dicam ego suspirans, oculis lachrimantibus, omnes
Horribiles casus, quos in sacagamine vidi ?
Vidi sampietros, Chrucifixos, virgomarias,
Sebastianos, lacros crudeliter ora,
75   Ora manusque ambas, populatáque tempora raptis
Auribus et truncas inhonesto vulnere nares.
Heú pietas, Heu Heu sacris compassio rebus.
Omnia diripiunt, unglisque rapacibus ipsa
Condita de chassis brulant ossamina ruptis,
80   Aut pro caresmo canibus rodenda relinquunt
Ut solet incautos laniare famelicus agnos
Dente lupus, gaudétque satur de cæde recenti.
Coillones sacros pretris, monachisque revellunt
Deque illis faciunt andouillas atque bodinos
85   Aut cervellassos pratiquo de more Millani.
Taillant auriculas, collo faciuntque cathenas,
Et sine rasovero, raclántque lavántque coronas
Quam marquam vocitant major quam bestia fecit,
Unctos escoriant digitos, merdántque brevierum,
90   Et fœcunda premunt tractis genitoria cordis
Ut dicant ubi scutorum requiescat acervus
Factus de missis, de vespris, deque matinis,
De Christo, altarísque bona de messe coactus.
Heú poverus mortos, de bieris, déque sepulchris
95   Tirant effossum ut possint pilllare plumbum
Spavantant homines oculis, goticisque parollis,
Et cum goth, sloft, trinch, vivos mortosque fatigant.   [H2]
Hoc solamenter dicam, vidi ipse brigatam
Pretrorum templi visis in limine Reistris
100 Concagare suas nimia formidine bragas.

Namque alii furnos, alii subiere latebras,
Marineras, caveas, puteos, atque antra ferarum,
Et fugere procul, missa, vesprisque relictis,
Ut timidi fugiunt viso falcone canardi,
105 Nil illis troppo calidum, fredumve diablis,
Omnia conjiciunt carretis atque somieris
Chaudrones, pintas, plattos, reza calda, salieras,
Landieros brochas, lichefrittas, pottaque pissos,
AEnea, cuprea, ferrea, lignea, denique totum.
110 Unum omnes mestierum agitant quo vita paratur,
Cuncta vocant, ventrémque replent de carne salata,
Edocti plenis animam tirare botillis
Et bene composito rictu imboccare barillos.
Hei mihi quod vinum francum tam vasta lavarit
115 Ora, siti æterna flammísque voracibus usta
Ite, ite, ad Rheni fauces sitibunda propago,
Perpetuosque ignes liquidis extinguite lymphis,
Ite excicatis vindemia chara tonellis,
Ite, nec in nostrum tam dulce recurrite vinum
120 Heu quis erit vere caldum qui dicet alarmum,
Cum mollinorum (populo tramblante), rotantes
Plus centum tremulis flagragrent ignibus alæ ?
Curritur ad clochas, don don quæ sæpe frequentant,
Toxinúmque sonat, timidi trompetta vilani,
125 Et tabourinorum plan plan, fara rámque tubarum
Per totam auditur urbem, fit clamor, et ingens
Fit strepitus, populúsque volans rareforqua frequentat,
Pars animosa ruit, merdat pars altera braguas,
Pars sentinellas ponit, guardasque redoublat,
130 Merces quísque suas retrahit, serratque botiquam
Escudos serrat veteres, serratque culamen
Merdosas serrantque nates animositer omnes   [H2 v]
Sunt qui mosquetos, colovrinas, passavolantes

Supra parapettos, casamattas, atque riparos
135 Braquant, ut possint flammas depellere flammis.
Sic ita formicæ vadunt redeuntque frequenter
Victum portando spallis pro tempore fredo :
Fervet opus, populusque niger nova grana soterrat.
Briga fit armati populi, timor arma ministrat
140 Qui portat brocham, qui lançam, qui javelinam,
Hic pertusanam, spadam, grossosque petardos
Vestitos rouilla et cargatos ante milannos.
Hic barras aptat portis, armatque fenestras
Magnis saxorum cumulis, petrisque quadratis
145 Et centum gressis, lanternis, potaque pissis
Quadrupedum quatiunt argentea ferra pavamen,
Moreque sangorgi coursieris atque rosinis
Nocturnus Guettus plateas galopando subintrat
Donec fit jornus quo non journallior alter.
150 Quod si iterum redeat, cives iterumque lacessat
Seditio, inficiens mutino brouillamine Francam,
Forte quid expediat socii jam quæritis, istam
Linquamus profugi patriam, natósque, larésque,
Fana, lupisque rapacibus atque brigandis :
155 Soulieris poudram secouemus, abire necesse est
Quo noscumque ferunt plantæ, quo pontus, et aër
Nos vocat, ad ventum plumam jaciamus Amici.
Sed juremus in hæc, currant prius in mare cervi,
Et pisces boscos habitent, et flumina catti,
160 Et Nostradamæ prius altas Sequana turres
Exuperet, prius agna lupos, lanietque feroces,
Quam nobis redeat redeundi sola voluntas.
   Hinc procul, hinc igitur, procul hinc fugiamus amici,
Inque novas terras, bresillum, seu Calicutum
165 Migremus subito fatis melioribus acti,
Albanos, Arabas, Parthos, gentemque Moresquam,

Perliferosque maris campos, indosve petamus,   [H3]
Qui procul hinc habitant extrema culamina mundi.
Turget ubi semper muscatis uva racemis,
170 Floret ubi semper mugetta, canella giroflus,
Magnáque formajo fresco montagna liquescit,
Albescunt ubi lacte novo cita flumina semper
Et mouchæmellis passim sua mella repandunt,
Hic truncis ubi burra fluunt Vanvea cavatis,
175 Somnus ubi dulcis, requies ubi semper amœna,
Prædica, nec Certis, signoribus, atque prieris
Suffarcita, novum sparsit fecunda venenum,
Nec catechismus adhuc nigri farnia diabli,
Seditiosa nimis, nec turba nefanda ministri
180 Qui manibus junctis oculos ad sydera drissant
Et male pegnatam portant in pectore barbam
Ora melancolico pingentes illita plumbo,
Troublarunt nondum mutino troublamine gentem
Calvinus, nec Beza suæ duo vulnera terræ
185 Qui semaverunt pestem, cancrúmque tenacem
Fœlici nondum posuëre cubilia terræ,
Terræ ubi Lutheros, Zuinglieros Anabatistas
Albigeos, Nicolos, infanda nefandáque terris
Nomina, Huguenotico nunquam satiata veneno
190 Est audire nefas : illic namque omnia rident,
Ridet humus, rident pueri, ridentque puellæ
Illic námque canunt cansones, atque Sonetos,
Miscendo pressim luctantibus humida linguis
Oscula, difficili faciles in amore ministros.
195 Hic lauros agitant verdos, herbasque novellas
Venticuli molles, tepidi soufflaminis aura,
Illic verdentes fagi, cedrique, pinique,
Largos protendunt ramos, umbrásque fugaces :
Non ibi villani socco, cultróque fatigant

200 Arva, jugo indomiti subeunt nec colla juvenci.
Semper enim non cultus ager sata læta raportat.
Non ibi spinosis buissonibus atra tumescit   [H3 v]
Vipera, nec colubræ pando ventramine repunt :
Semper ibi sed grata quies et plena voluptas.
205 Non ibi bruslantur nimio caldore Leonis
Arva, nec urenti de sole crevata fatiscunt,
Nulla gregi clavelata nocet, fallaxque veneni
Herba, nec incanto nocet hic Sorciera maligno.
Semper ibi ver perpetuum, semperque moratur
210 Alma quies, par imperium, sorsque omnibus æqua.
Pluraque felices mirabimur, hic ubi semper
Temperies æterna manet, cælique solique.
Ergo migremus socii, nam Juppiter illam
Secrevit nobis patriam simulatque rigenti
215 Ære, dehinc multo rouillavit secula ferro.

<X>

TRADUCTION DE QUELQUES SONETS FRANÇOIS, [H4]
en vers Latins par le mesme Belleau[1].

<X -1>

Mouches qui maçonnez les voutes encirées
De vos pallais dorez[1].

Ad apes.

Arte laboratas doctæ componere cellas
Florilegæ volucres, doctæ fragrantia mella
Stipare, et flores summos libare peritæ,
Cerea dedaleo sub fornice fingitis antra
5 *Rara favis, laqueata, levi discrimine ducta,*
Quasque humana negat solertia, proditis artes,

Si tamen ignoratis ubi bene fundat odores
Terra suos, teneras quibus aut in montibus herbas,
Quisve locus claudat divinos nectaris amnes,
10   *Labra meæ Dominæ petite, hic confusa virescit*
Florum læta seges, Casiæque, crocíque, Thymíque.
Hinc mellis currunt latices, hinc manat odorum
Hesperidum quicquid vobis violaria fundunt
Quicquid odoriferi Pestana rosaria veris.
15   *Cautius at, moneo, roseis considite labris,*
Nam flamma ut Cineri, labris supposta, periclum est
Vstulet ut pennas, ipsam quæ absumeret Aethnam
Ne dum vos, imis penitus grassata medullis.

DE APIBUS POLONIS ET D. BELLAQUA. A. B. [1]

Bellaqua, fama refert constans, et vera Polonam
Dulciculi favulos gignere mellis apem,
At tua nectar apis fundit, sic illa Palatum
Digna tenere hominum, sed tua digna Jovis.

<X -2>

Quand je presse en baisant[1]   [H4 v]

Vivo tuis dum ego osculis, et mollia
Dum mollibus labella morsiunculis
Adpeto, anima pars melior ad tuam meæ,
Tua ad meam fugit furore percita,
5   *Sic gemina spirat unico in corpore anima*
Vivitque lucis mutuæ usuram trahens.
Sed inquilina velut tua, impatiens moræ
Pertæsa sedem, pristinum in locum cupit
Statim remigrare, insequitur illam meæ
10   *Cupidè, furénsque linquit hospitem suum*
Sic vivus inter mortuos elangueo.
Quod si furorem, dura, non lenis meum,
Nec labra labris conseris jam jam meis,

Miser liquescam exanguis, et sine spiritu,
15 *Ergo perenne tu mihi da basium*
Dulci quod afflatu vagam reddat animam,
Et me beato ditet infortunio.

<X -3>

Ce begayant parler[1].

Blesa illa mollicella verba, et blandula,
Risúsque lenes, languidique ocelluli
Tecum osculis dum luctor altercantibus,
(Elicere cælo sola quæ possent Jovem)
5 *Papillulæque turgidæ, quæ lilium*
Candore vincunt lacteo, labelláque
Minio, rosisque, et purpuræ certantia,
Comæque flavæ, æburneusque dentium
AEqualis ordo, macerant me perdité.
10 *Sed summa puro lingua rore perlita,*
Vinctíque nexu blandiore spiritus,
Duplicisque linguæ impressiones mutuæ,
Hinc inde lenis cursitansque anhelitus,
Meam omnibus fœlicitant mentem modis.   [H5]
15 *Nam seu retortos dividam capillulos,*
Tremulasve sugam basiando pupulas,
Animámque labris sentiam errantem tuis,
Tabesco, et ossa pavidus occupat tremor,
Vultumque sudor salsus inficit meum,
20 *Animusque dulci amore perculsus stupet.*

<X -4>

Si mille œillets si mille lis j'embrasse[1]

Ad Somnum.

Mille si violas, rosasque mille
Mille delicias, jocosque mille

     Amplector, mea vinciens decenter
     Circum brachia, strictius sequaci
5   *Vitis capreolo, tenatiore*
     Nexu, qui tenerum illigat flagellum :
     A me si dolor anxius recedit,
     Mecum deliciæque commorentur,
     Si nox est mihi gratior nitenti
10 *Luce, somne mei quies laboris,*
     Acceptum tibi debeo referre.
     Tecum in æthereas domos volarem,
     Sed fallax natitans imago ocellis
     Semper delicias meas, jocosque
15 *Frustratur, cupidumque me relinquit,*
     Fruentemque fugis beatiore
     Voto, Somne meo invidens amori.
     Cælestis velut æstuante cælo
     Furtim labitur ignis, et repente,
20 *Vanescit, tenues et in favillas*
     Sese dissipat, evolans minutim,
     Aut ceu turbine sæviente nubes
     Ventorum ni tenues liquescit auras.

<X -5>

Que lachement vous me trompez mes yeux[1].   [H5 v]

     Quam me decipitis malignè ocelli,
     Fallacis memores figuræ ocelli,
     Heu nimisque ferox, ferúmque fatum
     Voto supplice nescium moveri,
5   *Astrorum scelus heu nimis cruentum !*
     Si fontis leviter fluentis undas
     Fallaci nimis ore fontis undas
     Amavi, proprio perustus igne,
     Tabescam ne ideo miser ! sequacem
15 *Imprudens juvenis sequutus umbram !*

O Dii quod genus istud est furoris !
Amans ut peream, simúlque perdam
Quem mendax vacuis imago flammis
Membratim extenuet ? propinquiore
15 *Flava liquitur ut vapore cera !*

Sic flebat liquidam imminens in undam
Narcissus, subitum repente florem
Cúm vidit, moriente se, renasci.

<X -6>

Voyant les yeus de toy, Maistresse elüe[1].

Mellitos dominæ videns ocellos
Meæ, quam Veneres Cupidinesque
Lectam inter reliquas mihi dederunt,
Statim pasco animam meam lubenter
5 *Cibo tam lepido, atque delicato,*
Ut illam solito appetentiorem
Inescatam animam meam relinquam.
Namque amor face qui et suis sagittis
Cor meum laniare destinavit,
10 *Meos usqueadeo levat dolores,*
Ut prorsus vacuam obstinatiore
Cura fecerit intimam medullam. [H6]
Nec res ardua ita et laboriosa
Est amare ! grave haud grave est amare,
15 *Usquequaque malum, malum sed anceps,*
Parte mellis habens, simúlque fellis,
Intus vulnus hiat, forisque clausum est :
O me terque quaterque jam beatum
Si truci face corculo ustulato,
20 *Una jam semel occidens sagitta,*
Et factus tenero comes Tibullo,
Errem myrteola vagus sub umbra.

<XI>

A MONSIEUR NICOLAS   [H6 v]
secretaire du Roy[1]

Tu dis qu'il n'y a medecine
Charme, ni drogue, ni racine
Pour secher la fievreuse humeur[2],
Qui puisse atiedir la chaleur
5   Du sang qui boust dedans tes veines
Ni qui puisse aleger tes peines
Qu'un mulet qui d'un entrepas[3]
Doucement porte Nicolas :
Qu'un mulet dous, et sans furie
10   Qu'un mulet pris de l'escurie,
De ce grand Roy : mais sachant bien
Qu'aisément l'on ne tire rien
Des grans qu'on ne l'achette au double[4],
Je te veus purger de ce trouble[5]
15   Qui te martelle, et qui veillant
Et dormant te va travaillant,
N'imprimant en ta fantasie
Qu'un mulet, qu'une frenaisie
Qui ne te fait imaginer
20   Resvant[6] que fantosmes en l'air
Montez sur grans muletz d'auvergne[7].
     Ou bien que ce soit pour epergne
De trois chevaux[8] qui coustent trop
A nourrir, ou bien que le trot[9]
25   En soit plus dous ou que leur amble
Te soit agreable, il me semble
Que pour effacer promptement
Ce penser qui trop follement
Te fait opiniastre atendre

30   Ce mulet que tu veus pretendre
Avoir en don de nostre Roy,
Pour te secourir[10], que je doi   [H7]
T'envoier le mien que ma plume
A ferré dessus mon enclume[11]
35   Le mien que ma muse a dressé
Qui n'est foulé, ni harassé
Le mien engraissé de mon stille[12]
Et sans bouchon[13] et sans etrille :
Le mien qui pensé de la main[14]
40   Ne mange n'avoine ni foin[15],
N'estant que l'image et la feinte
L'attente, et l'esperance peinte
D'un mulet qu'on ne peut lier[16]
Ainsi qu'un autre au ratelier.
45   Un mulet fait de telle sorte
Au lieu de porter que lon porte[17],
Le vrai fantosme d'un mulet[18]
Qui de laquais, ni de valet
N'a besoin, tant la creature
50   Est de gente et douce nature,
Un mulet gras et bien enpoint
Un mulet que lon ne voit point
Dont ne faut se tirer ariere
Pour en eviter le derriere[19]
55   Beste gentille, en qui la peur
N'entra jamais dedans le cueur
Ni pour moulin, ni pour brouette
Pour pont de bois ni pour charrette[20]
Mulet fait de telle façon
60   Qui court sans selle et sans arçon[21]
Un mulet peint dedans le vuide
Sans harnois, sans morts, et sans bride[22]

Race qui desrobbe le nom
Et l'estre du celeste Anon[23]
65   Qui dessus la vaze bourbeuse
Passa la jeunesse flammeuse
Du pere Bacchus affollé   [H7v]
Sans estre souillé ni mouillé[24]
Recherchant les forets parlantes
70   Et le bruit des poilles mouvantes[25]
Pour se rendre sain de l'humeur
Dont Junon le mist en fureur[26]
Ayant troublé sa fantaisie
D'une jalouse frenaisie.
75   Il n'est de ces mulets hargneus[27]
Acariastres et paureus
Ruans mordans, tousjours en rage
A qui faudroit plus de cordage
Pour tenir la teste et les piez
80   Qu'à cent navires bien armez
Longs d'echine, comme une barque
Eflanquez, à qui lon remarque
Fort aisement par le travers
Des costes, ce grand univers[28].
85   Comme on voit de nuit, alumée
D'animaux l'écharpe animée
Et mille flambeaux radieus
Par l'azeur cristalin des cieux.
Ou comme au temps que lon yverne
90   Par la corne d'une lanterne[29]
On voit la chandelle etoiller
    Et ses rayons etinceller[.]
Mulets qui ne sont que motmie
Carcasses d'une Anatomie
95   Où vraiment sans souiller les mains

De leur sang les profettes sains
Pourroient au travers des jointures
Predire les choses futures[30]
Decouvrant le cueur sautelant
100 Le foye ou le poumon tramblant
Et par le reply des entrailles   [H8]
Prevoir les tristes funerailles
Et les evenements douteus
Dessus les peuples langoreus[.]
105 Vieus mulets qui dessus l'eschine[31]
Nourrissent plus de laine fine
Que ne fait la peau d'un mouton,
Plus de bourre et plus de coton
Qu'il ne faudroit pour l'emboureure
110 De cent lodiers : mais l'encolleure
La grace et la beauté du mien
Maintenant que j'apelle tien
Te plaira fort je m'en asseure
C'est un mulet qui a l'aleure
115 Douce pour ne bouger d'un lieu[32],
Et puis jamais on ne l'a veu
Manger foin, paille ni aveine,
Un mulet qui a longue aleine
Le pié seur, et ne bronche pas[33]
120 Ne faisant jamais un faux pas.
C'est le mulet que je t'envoye
Puis que sortir par autre voie
Tu ne peus de ce mal, reçoi
Ce beau mulet qui vient de moi
125 Puis chasse la melancolye
Et me charge la maladie
De ceste quarte sur le dos
De ce mulet, pour ton repos[34]

Afin qu'errante et vagabonde
130   Visitant quelque [nouveau] monde
Elle s'estrange desormais
Et chez toi n'habitte jamais

FIN

Note sur le texte de la 4ème édition (1574-B)
par Guy DEMERSON

L'édition 1574 B (J. Charon, exemplaire à l'Arsenal), corrigée et augmentée « pour la quatriesme edition » inaugure une famille nettement distincte de la troisième édition évoquée ci-dessus (exemplaires datés 1572, 1573, 1574, 1577). C'est elle qui servira de base au tome II de l'édition posthume en 1578 (voir notre t. VI).

La dédicace en prose à Jules Gassot la caractérise : la précédente « correction » du liminaire de 1556 consistait en un simple changement de dédicataire pour cette élégie que Ronsard adressait non plus à Choiseul mais à Gassot ; les *Œuvres* de Ronsard n'ont jamais enregistré cette modification circonstancielle. Jules Gassot, protecteur des poètes, reçoit ici un hommage original, assorti d'une réflexion sur la réception d'Anacréon dans la France de la Renaissance, réflexion que les allusions datées font remonter à 1572.

Le liminaire latin de Dorat composé pour la première édition de 1556 réapparaît ici, et l'Ode que Belleau mit en tête des *Recherches* de Pasquier en 1560 trouve sa place dans ce recueil. Mais c'est un exemplaire du tirage « 1573 B » de la 3ème édition (Granjon, daté de 1572 et conservé au Petit Palais) qui a servi de base à cette « quatriesme edition », comme le montrent les variantes orthographiques et sémantiques qui leur sont communes ; la mise en page est la même[1] ; le titre *Le Mulet* est reproduit pour la pièce <XI-1>, et *L'Heure* est dédiée au Seigneur P. de Ronsard comme en 1573 B[2]. Le *De Apibus Polonis* de Baïf est également séparé des pièces latines de Belleau, mais il est placé maintenant avant elles avec l'Ode à Pasquier.

Nous reproduisons ci-dessous les pièces nouvellement apparues pour cette édition de 1574.

---

1 Evidemment, cahiers et signatures varient, par suite d'abord de l'abrègement de la préface puis des additions apportées au *Dictamen metrificum* (notre t. III, additions signalées dans les variantes, p. 104 et 107). Voir l'étude précise de J. T. D. Hall, art. cit., p. 329.
2 Mais *Le Coral* est donné maintenant à *sa maistresse*.

O D E S

D'ANACREON
Teien, Poëte Grec.

TRADUITTES EN
Francois par Remj Belleau.
Ensemble quelques petites
hymnes de son invention.

Nouvellement reveu, cor-
rigé et augmenté pour
la quatriesme edition.
Plus quelques vers Macaro-
niques du mesme Belleau,
corrigez et augmentez.

A PARIS,

Chez Jehan Charon, en la rue des Carmes, à le
Image S. Jehan.

M. D. LXXIIII.

Avec Privilege.

<XII>

AU SEIGNEUR JULLES   [Aij]
GASSOT SECRETAIRE
du Roy.

C'est chose tres-certaine, que les changemens d'Empires,
diversité de Republiques, de langues, de meurs, guerres, et
seditions populaires, ont esté premiere occasion, qu'un
nombre infini de livres memorables, ne sont venus jusques à
5   nous, qui presque les derniers[1] entre tous, avons receu la
cognoissance des bonnes lettres, et sciences liberales :
Plainte ordinaire des Romains mesmes, qui après avoir tiré et
trié des thesors de la Grece, et des cendres de la venerable
Antiquité, ce qui restoit de plus rare, et de plus precieux, ont
10   enrichi presque tout le monde de leur larcin[2]. Aussi faut-il
confesser, qu'outre ces malheurs ordinaires, que[3] les parolles
bien couplées et proprement cousues, graces et faveurs d'un
subject bien choisy, et ne sçay quel heur, qui veritablement
accompagne ceux qui escrivent bien, ont fait que beaucoup
15   ont eschappé les ruines communes, et dechet ordinaire de
tant de siecles passez. Et pour venir à cest heur, ou malheur,
combien depuis vingt ans[4], avez vous veu des livres //
[Aij v] //avortez en naissant,

Plustost ensevelis sous les flancs de la terre,
20   *Que jouïr bienheureux des beaux rayons du jour ?*

Au contraire cest Autheur estranger et des plus anciens[5], a
bien esté favorizé, et du ciel, et de l'heur qui le fait revivre et
relire tant de fois en nostre France, recognoissant encor
aujourd'huy les soupirs de ses Amours.

25   *Nec si quid olim lusit Anacreon*
Delevit ætas, spirat adhuc Amor[6].

Car ne restant de luy que quelques petis fragmens
espandus çà et là, il y a dixhuit ans[7], qu'aporté d'Italie, il

commença à prendre l'air de la France : moy en ce mesme
30 temps, essayant à rendre en nostre langue, la naiveté, et
mignardise des Grecs, pour coup d'essay, je fis chois de cest
Auteur, qui servit lors d'avancoureur aux labeurs de ma
premiere jeunesse : maintenant il revient au monde,
m'asseurant qu'il ne me sçauroit recognoistre au poil que je
35 porte[8] : moy-mesme si j'osois, le desavoüerois volontiers,
pour une infinité de foles et jeunes inventions mal seantes à
l'aage où je suis, sans l'asseurance que j'ay au sain, et entier
jugement que vous avez en la lecture ordinaire des mieux
aprouvez autheurs Grecs et latins, et recherche de l'antiquité.
40 A Dieu, A Paris ce I. de Mars.
Vostre plus affectionné et meilleur amy R. Belleau.

<XIII>

ODES D'ANACRÉON

Les titres et l'ordre des poèmes anacréontiques sont
conservés (voir ci-dessus, p. 35 et t. I, p. 81-126), avec les
exceptions suivantes, déjà notées dans les variantes du t. I :
– <XXXVII> *Description de printemps*
– Omission de <XXXIX>, *Du plaisir de boire*
– <LII> *Description de vandanger*

<XIV>

PETITES INVENTIONS
par le mesme Belleau

<XIVa>

<REPRISES>

L'heure, au Seigneur P. de Ronsard[1]   [D2]
Dieu te gard Fille heritiere [...]

(voir t. 1, p. 162)

Le papillon, à Pierre de Ronsard   [D3 v]
    O que j'estime ta naissance [...]

(*Id*, p. 157)

Le coral, à sa maistresse[1]   [D5 v]
    Donques c'est toy, bouche cousine

(*Id*, p. 185)

L'huittre, à J. A. de Baif   [D6 v]
    Je croy que l'esprit celeste [...]

(*Id*, p. 179)

Le pinceau au Seigneur George Bombas[2]   [D8]
    A qui mieux doi-je presenter [...]

(*Id*, p. 187)

L'escargot, au Seigneur R. Garnier[3]   [E]
    Puis que je sçay qu'as en estime [...]

(*Id*, p. 172)

L'ombre à S. Nicolas   [E3]
    Estant au frais de l'ombrage [...]

(*Id*, p. 190)

La tortüe, à Nicolas Goulet, procureur du Roy à Chartres   [E4]
    Puis que je chante en ton honneur [...]

(*Id*, p. 191)

Le ver luysant de nuit, à Guillaume Aubert   [E6]
    Jamais ne se puisse lasser [...]

(*Id*, p. 195)

La cerise, à Pierre de Ronsard   [E6 v]
    C'est à vous de chanter les fleurs, [...]

(*Id*, p. 165)

ELECTION DE SA *DEMEURE A. A. JAMIN*   [F2v]

    Puisque ma maitresse dedaigne [...].
    (Voir dans ce tome, VI -1)

LES CORNES

Or sus Compere jusque icy
(dans ce tome, VI -2)

<XIVb>

<NOUVEAUX TEXTES>

<XIV -1>[1]

Carle est borgne d'un[2] œil, et sa seur Izabeau   [48]
Borgne d'un œil aussi, la plus belle brunette,
Et luy hors ce defaut de beauté si parfaitte
Que rien ne se peut voir en ce monde plus beau :
5   Carle donne cet œil qui te reste à ta seur
Pour rendre à son beau front une grace immortelle.
Ainsi vous serez Dieux : Elle Venus la belle,
Toy, ce Dieu qui sans yeux tire si droit au cueur.

<XIV -2>
A sa maistresse   [48v]

Quand je veus raconter les maulx que tu m'apportes
Et les aigres douceurs[1] que tes beaux yeux me font,
Je pers le sentiment[2] et de mes levres mortes
Ainsi qu'un petit vent mes parolles s'en vont,
5   Une froide sueur s'espand dedans mes veines,
Au lieu de sang caillé[3], ja pleines de mes peines :
Ainsi sourd et muet, et trampé de sueur
Je redouble ma mort, par un double malheur.

<XIV -3 : REPRISES>

Complainte du feu d'Amour
Bergers, je Vous suply, retirez vos troupeaux [...]
                            (voir dans ce tome, VI -4)

SUR DES GRAINES SEMEES PAR
une Damoiselle qui ne pouvoient lever ny croistre
Croissez, croissez en ce dous moys [...]
                            (Voir dans ce tome, VI -5)

SONET

De mille mortz je meurs voyant la modestie [...]
                            (Voir dans ce tome, VIII-2)

<XIV –4>

CHANT DE TRIOMPHE SUR
la victoire en la bataille de Moncontour.
Celuy qui contre son Prince
                            (= t. III, p. 123)

DICTAMEN METRIFICUM [...]

Tempus erat quo Mars rubicundam sanguine spadam
   <Texte complet avec reprise des v. 123-134> (= t. III, p. 103)

LE MULET

A Monsieur Nicolas *secretaire du Roy*
Tu dis qu'il n'y a medecine [...]
                            (Voir dans ce tome, XI)

< XIV- 5 >

SUR L'IMPORTUNITE   [H5v]
   d'une Cloche
Au Seigneur Nicolas[1], Secretaire du Roy.

   Ha que celuy[2] qui t'a fondue,
   Le premier[3] et qui t'a pandue

Pour sentinelle dans ce coin,
Clochette, de la mesme main
5　D'un las courant t'eust estranglée[4]
Plustost que t'avoir esbranlée
En ces tons aigrement mutins[5]
Pour rompre la tête aux voisins,
Et pour etourdir les mallades,
10　Pour descouvrir les embuscades
De ceux qui vont faire l'Amour.
Ou travailler[6] ceux qui le jour
Attendent pour faire journée
Et gaigner leur vie assinée
15　Dessus la sueur de leurs mains
Le secours des pauvres humains.
Encor si tu estois de celles
Qui sonnent des chansons nouvelles
En carrillon, portant le nom
20　Ou de Marie, ou de Thoinon[7]
Mais tu n'es rien qu'une bavarde
Sans aveu, fascheuse et bastarde
Sans nom, sans grace et sans honneur
La garde d'un huys et d'un mur.
25　Ou de celles qui font parestre
En quels mois les jours doivent naistre
Ou cours, ou lons, en conduisant
Les jours qu'elles vont divisant
En heures, en quars, et minutes[8]　　　[H6]
30　Car ce n'est toi qui les ajustes
Marchant[9] lentement pas à pas
Ne qui les mesure<'> au compas,
Comme celles là qui partagent
Nostre vie, et qui la mesnagent
35　Si bien que le Dieu radieus

En son cours ne le feroit mieux[10].
Car lors que sa face riante
Et sa lumiere estincellante
Ne se decouvre quelque fois
40   Si est ce que leur contrepois[11]
N'estant point sujet aux nuages
Ni aux brouillars ni aux orages
Nous monstre qu'au son d'un metal
Et sous un mouvement egal
45   Les jours, les mois, et les anées
Coulent vrayement assaisonnées
Au son des Orloges qui font
Les heures qui vont et revont.
      Or va donq fascheuse importune
50   Mandier ailleurs ta fortune
Va te pandre dans un clocher
Sans travailler mon amy cher
Nicolas, qui d'un mal de teste
Pressé te craint comme tempeste
55   Nicolas que j'ayme trop mieus
Que la prunelle de mes yeux[12],
Nicolas qui d'amitié sainte
Et qui de volonté non feinte
Est tousjours espoint d'un desir
60   A l'ami de faire plaisir
Et sur tout à ceux qui les traces
Suivent des vertus et des graces,
A ceus qui ont je ne sçai quoi
De plus riche et de meilleur aloi
65   Que n'a le comun populaire   [H6v]
Qui ne porte rien que vulgaire :
A tous ceus en qui la faveur
Du ciel, a versé le bonheur :

Qui sans fraude sophistiquée
70 Ont l'ame ouverte, et non masquée
Se montrant tousjours à l'ami
Entiers à jamais à demi,
A ceus qui de la poësie
Ont l'ame echaufée et saisie,
75 A ceus qui sçavent bien chanter,
Mignarder, flatter, pinceter[13]
Les cordes de leurs mains legeres
D'un luc aux languettes[14] sorcieres.
Bref à ceux qui d'un air sutil
80 Ont le cueur net, l'esprit gentil,
Le vouloir bon, tant il se montre
D'heureuse et de bonne rancontre.
De peur donques de ne troubler
Son repos, et de le combler
85 D'aigreur, et de chaude colere
Va clochette, et te tire arriere
Loing de nous, et pousse tes sons
Par les bois, et par les buissons.
Si tu ne le fais, je conjure
90 Ton metal, et pront je te jure
Qu'à cous de pierre et de caillous
En bref je le rendrai si dous
Que par son bruit espouvantable
Il n'offencera miserable[15]
95 Mon cher Nicolas, qui fievreus
D'une quarte vit langoreus :
Autrement cloche je t'asseure
Que pour eternelle demeure
Sonante pandras au collier[16]
100 Ou d'une vache, ou d'un bellier   [H7]
Ou d'un grand mouton portelaine
Du troupeau le grand capitaine

Ou pour aprandre mille tours
Au col des Cinges et des Ours.
105   Sinon, je pry Dieu qu'attachée
Loing de nous tu pandes bouchée
De fange, de paille et d'estrain
Pour rendre muet ton arain :
A celle fin que par ce charme
110   De nuit ne donnes plus l'alarme
Aux mallades qui dans le lit
Sommeillant s'eveillent au bruit
De ton batail, ou que brizée
Sourde tu tombes meprisée
115   Ou que ton importun caquet
Soit fait compagnon du claquet
Du baril et de la besasse
D'un ladre vert, ou que l'on face
Sans reposer ni jour ni nuit
120   Par les chams quinquailler ton bruit
Pendant au col malasseurée
D'un cheval de chassemarée
Tousjours sonant et brinballant
Carrillonnant, bruyant, tramblant
125   Jusqu'à tant que tombes cassée
En mille morceaux despecée
Ou que ton chant aigrement cler
Semé[17] s'evanouisse en l'air
Où renclos jamais il ne sorte
130   Plus loing que le sueil de la porte
De la maison, ou de si près
Muette ne tinte jamais.

< XIV- 6>[1]

SUR LA MALADIE DE [H7v]
sa maitresse.

En quelle grace plus celeste,
En quelle beauté plus modeste,
Pouvoit mieux loger[2] la couleur,
Qu'entre le lis, l'œillet, la rose,
5   De ma Catin en qui repose,
Le seul repos[3] de ma langueur ?

Faut il qu'en si peu de durée
Une grace tant asseurée
Ung œil, un front, une beauté
10   Un rouge vermeil qui colore
Cette bouche que tant j'honore[4]
Sente une telle cruauté ?

Mais je voy las qu'en peu d'espace[5]
Le teint de la rose se passe,
15   Et que la grappe se flaitrist,
Que du lis la teste panchée
De l'ongle seulement touchée
Tombant sur terre se pourrist.

Le peu durer[6] ne m'est estrange,
20   Je sçai le journalier eschange
Des choses qui sont sous les cieus,
Et que le Printems de nostre age
Coule aussi tost que fait l'image[7]
D'un songe qui trompe nos yeux.

25   Je le puis maintenant conestre,
Car cela que je pensois estre
En ma maistresse moins mortel,
Je l'ay veu comme une fumée

Au vent se pert en l'air semée,   [H8]
30   En peu de tems se randre tel.

Mais quoi ? la beauté[8] dont la Grece
Anima la promte jeunesse
A sacquer les armes au poing
Et celle[9] dont le Peleide
35   Eust murdri le superbe Atride,
Sans Pallas qui le print en soing.

A t elle[10] pas de grand foiblesse,
Porté le masque de vieillesse
La voix casse, etiques les bras,
40   Porté, trainé de main tramblante
La crosse mesme chancellante
Sous l'inconstance de ses pas ?

Le tems qui tout frappe à sa marque
Les chargea toutes dans la barque
45   De ce barbare passager[11],
Pour passer sous muet silence
De leur beauté la souvenance
Passant[12] le fleuve mansonger[13].

Vous donques qui croiez[14] ma Muse
50   Tandis qu'Amour ne vous refuze
Un seul point de vostre plaisir,
Voiez, voyez qu'une maitresse
Pour avoir passé sa jeunesse
Sans ami, n'a que deplaisir.

<XIV –7>

A sa maitresse

Veus tu sonder le fond de mon martire [...]   [H8v]
                              (Dans ce tome, VI-3)

ODE SUR LES RECHERCHES DE E. PASQUIER,   [I]
PAR R. BELLEAU

Celuy, qui docte se propose [...]
(texte paru en 1560, et repris ici pour la première fois
(voir t. I, p. 237)

De apibus Polonis et D. Bellaqua. A. B. (voir p. 60)   [I² v]
Traduction de quelques Sonets François
en vers Latins par le mesme Belleau (= <X>)

<XV>[1]

CHANT D'ALAIGRESSE, PRIS DES VERS   [Aij]
LATINS DE M. DU CHESNE,
LECTEUR DU ROY.
Sur la naissance de François de Gonzague,
fils de Monseigneur le Duc de Nevers.

PRINCE gentil et beau[2], Prince plein de douceur,
De race genereuse, et comblé de bon-heur,
Prince cheri du Ciel, dont l'heureuse naisssance
Fait naistre quand et soy l'heureuse Paix en France[3],
5   Paix qui d'un fort lien a sainctement rejointz
Deux freres pour abscence auparavant desjoints[4] :
Quand sera-ce Mignon, que pour si bons offices
Rendre nous te pourrons assez d'humbles services ?

Car la Paix que le Peuple[5,] et par veus, et par pleur,
10   Que le sage Senat[6] par avis saint et meur[7],
L'Eglise par prieres[8], et que la force humaine,
L'art, ny l'invention, n'ont peu rendre certaine,
Par toy Germe Divin[9], aparoist à noz yeux :
Comme l'Aube[10] du jour, de ton feu radieux,
15   Ayant chassé la nuict et l'ombre stygiale[11]
Qui couvroit le beau chef de la fleur Lilialle.

Commencement heureux, et digne à l'avenir
Dessous le ciel François d'immortel souvenir
Car, si ja ton enfance, en jugement petite,   [Aiij]
20   Commence à s'honorer par un si grand merite,
Quelle esperance après pouvons nous concevoir
Lors que tu seras grand d'esprit et de pouvoir ?
Lors que voudras, bien nay, imiter[12] de ton pere
Les Palmes, les Lauriers, et la Lance guerriere[13] ?

25   Par augure certain, du ventre maternel[14]
Cela fut remarqué, que tu dois estre tel :

Quand d'un fievreux accés ta chere et douce mere
Fut si proche de mort[15], que la fosse et la biere
Beante l'attendoit ja preste à l'engloutir,
30   Sans le divin secours qui la vint garentir :
Sçachant bien qu'une fois les valeurs de ta vie
Seroient l'heureux repos de ta douce patrie.
Donques le Peuple bas et l'Eglise et la Cour[16]
Vont benissant l'enfant cause du si beau jour :
35   La France à deux genoux fait son humble priere
Au Seigneur tout-puissant qui dessous sa main fiere
Fait trembler l'univers (puis qu'en ta naissance or
Nous voions de retour le premier age d'or[17],
Puisque du vieil Janus tu as fermé la porte
40   De cent chesnes[18], afin que le trouble n'en sorte)
Qu'autour de ton beau front se ramagent tousjours,
Les Delices, les Jeux, les Ris et les Amours[19],
Un printemps eternel sur tes levres fleurisse,
Tousjours sur ton berceau soit la douce blandice,
45   Les graces, les atraits, et cent baisers mignars
Autour de ton beau col se pendent fretillars.

Et comme sont[20] donc heureux le Prince et la Princesse
Qui t'ont fait voir le jour, toy en ta petitesse,
Heureux d'estre nay grand, et d'Illustres Ayeux :
50   Ainsi la France, alaigre en son front victorieux,
Ayant veu son grand Duc, porte la branche vive,
De Lauriers verdoyans, Toy celle de l'olive.

FIN[21].

LES AMOVRS ET
NOVVEAVX ESCHAN-
GES DES PIERRES PRE-

cieuses : vertus & pro-
prietez d'icelles.

DISCOVRS DE LA VANITÉ,
PRIS DE L'ECCLESIASTE.

ECLOGVES SACRÉES,
PRISES DV CANTIQUE
des Cantiques.

PAR

REMY BELLEAV.

A PARIS,

Par Mamert Patisson, au logis de Rob. Estienne.

M. D. LXXVI.

AVEC PRIVILEGE DV ROY.

INTRODUCTION
AUX *AMOURS ET NOUVEAUX ESCHANGES DES PIERRES PRECIEUSES*
PAR JEAN BRAYBROOK.

En consacrant des poèmes aux pierres précieuses (dont quelques-unes sont déjà mentionnées lors de l'évocation du miroir dans *La Bergerie* de 1565[1]), Belleau poursuit son observation des êtres les plus petits de la nature, et, peu après la publication des quatre premiers livres de *La Franciade*, tourne le dos à toute aspiration épique. Ces poèmes, publiés en 1576 à Paris par Mamert Patisson, étaient très prisés au XVIe siècle. On y trouve de nombreuses allusions dans le *Tombeau* poétique qui lui fut dédié. Jean Passerat remarque par exemple dans un poème latin :

struxítque poetæ / E gemmis tumulum gemmea Musa suo,

et affirme ailleurs que « ses Pierres de prix au bruit de ce malheur [la mort de Belleau] / Ne perdront seulement leur naïfve couleur, / Ains y a grand danger que ce thresor de l'onde / Regretant son Poete en larmes ne se fonde »[2]. Dans des vers célèbres Ronsard proclame :

Ne taillez, mains industrieuses,
Des pierres pour couvrir BELLEAU,
Luymesme a basti son tombeau
Dedans ses Pierres precieuses. (f° A. iij. v°)

Les amis de Belleau, qui avaient pris soin de rassembler ses papiers, révélèrent leur admiration pour ses poèmes sur les Pierres non seulement en les plaçant en tête du premier volume de l'édition posthume en deux tomes des *Œuvres poetiques* (Paris, Mamert Patisson et Gilles-Gilles, 1578), mais en faisant

---

1 Voir l'édition Champion, t. II, p. 81 et suiv.
2 *Remigii Bellaquei Poetæ tumulus*, Paris, Mamert Patisson, 1577, f° A.iij.r°, reproduit à la fin de ce t. V.

figurer dix poèmes supplémentaires sur les gemmes, un
« Discours » en vers pour remplacer celui que Belleau avait
d'abord rédigé en prose, et un poème liminaire, « Prométhée
premier inventeur des Anneaux et de l'enchasseure des
Pierres »[1]. Le recueil de 1576 avait aussi suscité des imitateurs,
tel Isaac Habert, qui consacra aux pierres des vers un peu ternes
dans *Les Trois Livres des Meteores*[2].

Les Amours et nouveaux eschanges des pierres precieuses
n'ont pas manqué non plus d'attirer l'attention des lecteurs du
XXème siècle, ce qui n'est pas surprenant, vu par exemple que les
bijoutiers modernes continuent à produire des catalogues
vantant les vertus des gemmes et faisant allusion aux mythes
qui entourent leur naissance (les origines mythiques de la perle
sont souvent citées)[3]. Les poèmes de Belleau furent édités en
1909 par Ad. Van Bever, avec une notice de l'Abbé Goujet,
dans la collection « La Pléiade française » (Paris, E. Sansot). En
1973 Maurice F. Verdier les édita avec une annotation détaillée,
indispensable en ce qui concerne les sources (Textes Littéraires
Français 197, Genève, Droz ; Paris, Minard). Signalons dès
l'abord la grande dette que nous avons contractée envers cette
édition.

En décrivant les pierres précieuses, Belleau se sert
quelquefois de ses propres observations : son testament montre
qu'il aimait collectionner les anneaux où étaient enchâssées des
gemmes[4]. Il vivait à une époque où les découvertes
géographiques avaient fait croître le commerce des pierres
précieuses[5]. C'était également une époque où collectionner (et

---

1   Sur ce poème, voir J. Braybrook, « Remy Belleau and the Figure of
the Artist » in *French Studies* 37 (1983), p. 1-16.
2   Paris, Jean Richer, 1585, f° 52v°- 61v°.
3   Nous pensons par exemple au catalogue *Clogau Treasures* produit par
Clogau St David's Gold Mines Ltd, Colwyn Bay, Conwy, Pays de Galles, août
1997.
4   Voir M. Connat, « Mort et testament de Remy Belleau » in *B. H. R.* 6
(1945), p. 328-356.
5   Voir Reinhold Besser, « Über Remy Belleaus Steingedicht `Les
Amours Et Nouveaux Eschanges Des Pierres Precieuses, Vertus Et Proprietez
D'Icelles' » in *Zeitschrift für neufranzösische Sprache und Literatur* 8 (1886),
p. 199.

énumérer, cataloguer) n'était pas seulement un moyen de faire parade de sa richesse et de son savoir, mais une façon d'interpréter et d'organiser le monde[1]. Cependant, ce poète, qui a déjà traduit des fragments des *Phénomènes* d'Aratos, puise aussi dans la tradition de la poésie scientifique, étudiée par Albert-Marie Schmidt, Dudley Wilson, Jean Céard, et Isabelle Pantin[2]. La notion de poésie scientifique est assez large et lui permet d'inclure dans ses vers des aspects que nous appellerions de nos jours plutôt magiques, et de faire la part belle au mythe[3]. Belleau glisse ainsi dans quelques-uns de ses poèmes des allusions à l'astrologie et à l'alchimie (à laquelle les « eschanges » du titre du recueil font penser)[4]. Ainsi que le rappelle Jean Céard, connaître, à l'époque, c'est savoir distinguer les forces cachées de la nature, « c'est repérer les signes inscrits sur les choses ou, mieux, inscrits dans les choses, et qui décèlent à la fois leur agencement, leur usage et leur raison d'être » (p. xi-xii). C'est accueillir des renseignements de toutes sortes – en puisant dans la mémoire collective par la citation des Anciens et des modernes, par l'observation propre

---

1 Voir Paolo L. Rossi, « Society, Culture and the Dissemination of Learning » dans *Science, Culture and Popular Belief in Renaissance Europe*, éd. Stephen Pumfrey, Paolo L. Rossi et Maurice Slawinski, Manchester, Manchester University Press, 1991, p. 164-165; et Lisa Jardine, *Worldly Goods: A New History of the Renaissance*, London, Macmillan, 1996, *passim* (cette « histoire » n'est pas si neuve que le titre le prétend).

2 Schmidt, *La Poésie scientifique en France au seizième siècle: Peletier, Ronsard, Scève, Baïf, Belleau, Du Bartas, les cosmologues, les hermétistes*, Paris, Albin Michel, 1938; réimpr. [Lausanne,] Editions Rencontre, 1970. D. Wilson, *French Renaissance Scientific Poetry*, Londres, Athlone, 1974. J. Céard, *La Nature et les prodiges. L'insolite au XVIᵉ siècle, en France*, Travaux d'Humanisme et Renaissance 158, Genève, Droz, 1977. I. Pantin, *La Poésie du ciel en France dans la seconde moitié du seizième siècle*, Genève, Droz, 1995.

3 Voir J. Braybrook, « Science and Myth in the Poetry of Remy Belleau » in *Renaissance Studies* 5 (1991), p. 277-287.

4 Voir Albert-Marie Schmidt, « Haute science et poésie française au XVIᵉ siècle » dans *Études sur le XVIᵉ siècle*, Paris, Albin Michel, 1967, p. 125-171 (les p. 147-151 traitent de « Remy Belleau et la gnose des gemmes », article paru d'abord en 1947 in *Cahiers d'Hermès*). Pour l'astrologie, voir « Le Rubis », v. 71-80; pour l'alchimie, voir « Le Coral », v. 1-18.

et par l'imaginaire. C'est savoir tout faire parler. L'étude des
ouvrages d'un savant tel que Conrad Gesner suffit à le prouver[1].
Claude Faisant a trouvé une belle image pour décrire le
processus par lequel la Renaissance tente de comprendre et de
reproduire le monde : « L'*invention* devient par nécessité
inventaire, car le réel est comme un palimpseste où le temps a
déposé en surimpression de multiples écritures »[2].

Belleau met en évidence d'abord ses intérêts scientifiques,
en dédiant l'ouvrage à Henri III, « le Prince de ce monde, qui
prend plus de plaisir à discourir des secrets de la Philosophie et
choses naturelles, et qui plus honore ceux qui font exercice en
ce mestier », et en écrivant un « Discours » (en prose en 1576)
qui suit de près Georg Agricola et qui examine la composition,
la couleur, la qualité et l'origine des gemmes. Mais il affirme
aussi (dans le « Discours ») sa volonté d'éviter de «faire tort
aux cendres, et precieux restes de la venerable antiquité, comme
d'Orphée, et autres ». En nommant un *priscus poeta*, il rappelle
la croyance selon laquelle un des rôles du « théologien » ancien
consistait à se manifester comme poète divin, révélant ainsi des
vérités religieuses à travers le mythe. Cette croyance, répandue
chez les Grecs, fut transmise au Moyen Âge par les écrivains
latins classiques et par les Pères de l'Eglise, et eut un rôle
important dans le néoplatonisme de Pic de la Mirandole et de
Marsile Ficin[3]. La notion d'une théologie poétique était chère à
Ronsard, qui l'explora dans l'«Elégie» dédiée en 1561 à
Jacques Grevin (en particulier aux v. 87-98), et qui considérait
que « la Poësie n'estoit au premier aage qu'une Theologie

---

1   Voir surtout *De rerum fossilium, lapidum et gemmarum maximè,
figuris et similitudinibus Liber*, Zurich, Jacob Gesner, 1565.
2   « Gemmologie et imaginaire: les *Pierres precieuses* de Remy
Belleau » dans *L'Invention au XVI siècle: textes recueillis et présentés par
Claude-Gilbert Dubois*, Presses Universitaires de Bordeaux, 1987, p. 93.
3   Voir Ernst Robert Curtius, *European Literature and the Latin Middle
Ages*, traduit par W.R. Trask, Bollingen Series 36, Princeton University Press,
1967, p. 214-227; Charles Trinkaus, *In Our Image and Likeness: Humanity
and Divinity in Italian Humanist Thought*, Londres et Chicago, 1970, t. II,
p. 683-721; Edgar Wind, *Pagan Mysteries in the Renaissance*,
Harmondsworth, Penguin, 1967, p. 17-25.

allegoricque » (*Abbregé de l'art poëtique françois* de 1565)[1].
Belleau n'hésite donc pas à cultiver le côté mythique de sa
matière, ni à consulter des ouvrages qui accentuent les aspects
merveilleux des pierres.

Il a recours à des lapidaires anciens et modernes pour décrire
les propriétés tant merveilleuses que scientifiques des
pierreries[2]. Il s'agit de collectionner le plus possible de
« signes » du pouvoir de la nature. Il utilise beaucoup Pline, qui
consacre aux pierres les livres 36 et 37 de sa *Naturalis Historia*,
et qui, en ne négligeant aucune source, amasse avec une
curiosité et une énergie inépuisables même les faits les plus
bizarres. Belleau connaît l'œuvre de Dioscoride, médecin grec
du premier siècle après Jésus-Christ, et possède la traduction de
cet auteur par Jean Ruelle (Paris, H. Estienne, 1516), ainsi que
les copieux commentaires sur Dioscoride par le botaniste Pietro
Andrea Mattioli, traduits par Jean des Moulins (Lyon, G.
Roville, 1572)[3]. Il emprunte quelques passages aux *Lithica*
d'Orphée, poème rendu au jour par l'édition aldine (Venise,
1517) et reproduit par Henri Estienne dans une belle publication
collective que Belleau possédait, *Poetæ græci principes heroici
carminis et alii nonnulli* (Genève, J. Crespin, 1566)[4]. C'est
surtout dans « Le Coral » que ces emprunts sont visibles. Il
consulte le compilateur Solin, géographe latin du 3ème siècle
après Jésus-Christ, qui traite de certaines gemmes en étudiant
divers pays dans son texte, *Collectanea rerum memorabilium*[5].
Solin imite souvent Pline.

Alors que la Pléiade prétendait tourner le dos à ses
prédécesseurs immédiats, Belleau utilise beaucoup de textes du

---

1   Voir Lm XIV, 4.
2   Voir Besser, « Über Belleaus Steingedicht », art. cit., et Urban Tigner
Holmes, Junior, « The Background and Sources of Remy Belleau's *Pierres
précieuses* » in *P. M. L. A.* 61 (1946), p. 624-635.
3   Voir Connat, « Mort et testament de Belleau » , art. cit., p. 348 et 343;
et Hélène Naïs, *Les Animaux dans la poésie française de la Renaissance:
Science, Symbolique, Poésie*, Paris, Didier, 1961, p. 35-38.
4   Voir Connat, art. cit., p. 351.
5   Voir Naïs, *op. cit.*, p. 52.

Moyen Âge. Il consulte fréquemment le *De lapidibus preciosis Enchiridion* de Marbode, évêque de Rennes de 1096 à 1123, un poète accompli qui écrivait en hexamètres. Son texte, qui porte sur soixante pierres précieuses, connut un grand succès : il fut imprimé dix fois au XVIème s. et fut traduit en beaucoup de langues d'Europe occidentale[1]. Belleau a probablement utilisé l'édition due à Georg Pictor de Willingen (Fribourg et Paris, 1531 ; Cologne, 1539 ; Bâle, 1555). Marbode servait de manuel dans les écoles de pharmacie[2]. Belleau a lu aussi au moins la première partie – le *Speculum naturale* – de l'œuvre encyclopédique de Vincent de Beauvais (*c.* 1190-*c.* 1264), le *Speculum majus*. Le huitième livre de cette première partie traite des pierres. Il semble avoir consulté également (sous forme manuscrite, car elle fut éditée pour la première fois à Lyon par Pierre Jammy en 1651) la vaste œuvre encyclopédique du savant évêque de Ratisbonne, Albert le Grand (*c.* 1193-1280), dont le cinquième livre porte le titre *De mineralibus*.

Il ne néglige pas non plus les œuvres de ses contemporains. Nous avons vu que, dans le « Discours » en prose qui ouvre le recueil de 1576, il suit de près quelques passages de la préface que le minéralogiste allemand Georg Agricola avait composée pour le quatrième livre de son ouvrage, *De ortu et causis subterraneorum Libri V* (Bâle, Froben, 1558). Il imite cet ouvrage, ainsi que le *De natura fossilium* d'Agricola, en plusieurs autres endroits. Il possédait son propre exemplaire d'Agricola[3]. Le *De subtilitate* du médecin, physicien et mathématicien italien Jérôme Cardan (Gerolamo Cardano, 1501-1576), paru en 1550, fut traduit du latin en français dès 1556 par Richard Le Blanc (Paris, Charles l'Angelier), et

---

1   Voir John M. Riddle, *Marbode of Rennes' (1035-1123) « De lapidibus »* Considered as a Medical Treatise With Text, Commentary and C.W. King's Translation Together With Text and Translation of Marbode's Minor Works on Stones*, Wiesbaden, Franz Steiner, 1977.

2   Voir Léopold Pannier, *Les Lapidaires français du Moyen Âge des XIIe, XIIIe et XIVe siècles*, Fascicule 52 de la Bibliothèque de l'École des Hautes Études, Paris, Vieweg, 1882, p. 20.

3   Voir Connat, art. cit., p. 347.

s'attira une violente réfutation de Scaliger en 1557[1]. Cardan consacrait aux gemmes son livre 7. Belleau l'imite surtout dans « La Pierre d'aymant ou calamite ». M. -F. Verdier a montré ce que Belleau doit au physicien hermétiste lillois François La Rue (1520-1585), qui s'intéressait aux belles-lettres et aux sciences naturelles, et qui publia *De Gemmis aliquot, iis præsertim quarum divus Joannes Apostolus in sua Apocalypsi meminit* (Paris, C. Wechel, 1547)[2]. La perspective religieuse de ce texte répétitif est évidente. Personne, cependant, ne semble avoir signalé jusqu'ici que Belleau connaît aussi les *Histoires prodigieuses* (1560) de Pierre Boaistuau. Le chapitre 16 de cet ouvrage parle des pierres précieuses, donne quelques-unes des sources utilisées, et annonce l'intention de l'auteur de présenter plus tard à la France une « description universelle de toutes les pierres precieuses, desquelles les Arabes, Hebreux, Egyptiens, Grecs & Latins ont fait mention en leurs écrits »[3]. Belleau semble devoir notamment à cet ouvrage quelques détails concernant le diamant et l'aimant.

Le texte de Belleau contient ainsi de nombreux échos d'œuvres antérieures. Mais l'invention originale prend une part importante dans les *Pierres precieuses*[4]. Après tout, Belleau utilise dans le titre le mot « nouveaux ». Il ouvre le premier poème dans l'édition de 1576, « L'Amethyste », en soulignant ce que son ouvrage contient d'original (tout en se souvenant du début du L. IV du *De rerum natura* – où Lucrèce traite de la passion sexuelle, qui affecte tellement le Bacchus de Belleau -, de l'*Astronomicon* de Manilius et de « L'Hymne de la Mort » de Ronsard). Il s'adresse à Henri III en mettant en relief sa « nouvelle invention d'escrire des Pierres, tantost les déguisant sous une feinte metamorphose, tantost les faisant parler, et

---

1   Voir Céard, *op. cit.*, Chapitre 9, p. 229-251.
2   Voir l'édition Verdier, p. XXVII-XXVIII.
3   Édition Gisèle Mathieu-Castellani, Fleuron, Paris-Genève, Slatkine, 1996, p. 143.
4   Voir Jean Braybrook, « Remy Belleau and the *Pierres precieuses* » in *Renaissance Studies* 3 (1989), p. 193-201.

quelquefois les animant de passions amoureuses, et autres affections secretes, sans toutesfois oublier leur force, ny leur proprieté particuliere». Il cherche à établir en France un nouveau genre[1]. Une caractéristique frappante de son recueil est en fait la façon dont il crée des mythes à la manière d'Ovide. Quelquefois il réalise ce à quoi font allusion le titre du recueil et la dédicace au roi : il imagine une histoire d'amour pour la pierre en question. « L'Amethyste » (1) a pour sous-titre « Les Amours de Bacchus et d'Amethyste » et raconte, avec des échos d'Ovide, de Marulle et de Ronsard, comment Bacchus aime Amethyste – avec une ferveur qui est en partie évoquée indirectement, à travers la description de son char – mais doit assister à sa transformation en pierre. Le poète concentre son attention sur la façon dont, en ce poème rempli de mouvements frénétiques, Améthyste tente en vain de marcher et de remuer la tête (v. 238-240). Il s'agit d'un des « eschanges » que le titre du recueil mentionne[2]. Dans « Les Amours de Hyacinthe et de Chrysolithe » (5), Belleau explore les relations amoureuses de trois personnages et vise à illustrer le pouvoir qu'a l'hyacinthe de garder « son porteur de l'ardeur immodeste / De l'enfant de Cypris » (v. 221-222). S'inspirant de l'histoire ovidienne de l'amour tragique d'Apollon pour Hyacinthus, qui montre les dangers d'une passion immodérée, Belleau y ajoute les lamentations quelque peu obscures qu'adresse Hyacinthe à sa dame, Chrysolithe. Qui plus est, le poète semble de temps en temps faire allusion à ses propres rapports avec une femme réelle. Les vers 271-272 rendent explicite le lien entre le titre du recueil et les métamorphoses d'Hyacinthe et de Chrysolithe :

> *Voyla de deux Amans et le sang et les pleurs,*
> *Eschangez pour memoire en pierres, et en fleurs.*

---

1   Cf. le tome II de la présente édition, p. 3, v. 24: une variante de *La Bergerie* de 1572, « nouvelles inventions », suggère que Belleau visait à créer un genre nouveau.

2   Voir Guy Demerson, « Poétiques de la métamorphose chez Belleau » dans *Poétiques de la métamorphose*, Saint-Etienne, Institut d'Etudes de la Renaissance et de l'Age classique, 1981, p. 125-142.

On comparera ces vers avec les v. 28 à 30 de « La Pierre lunaire », qui, avec leurs échos de la doctrine de Pythagore au dernier livre des *Métamorphoses*, renferment l'essence de l'univers poétique du recueil :

> *Rien ne perit, tant seulement*
> *Par un secret eschangement*
> *Reprend une forme nouvelle[1].*

Le poème 7, qui conte « le Destin, et la flamme fatale / D'Iris la bigarrée, et de l'Amant Opalle » (v. 1-2), s'intéresse surtout au couple imaginaire plutôt qu'aux propriétés des gemmes auxquelles ce couple est associé. Dans le cas présent, c'est Iris qui fait des avances. La transformation d'Opalle est évoquée minutieusement et avec les connotations plus négatives de quelques images désagréables – un ulcère, et les métaphores d'un hiver éternel, de la glace et d'« un long sommeil ferré » (v. 93-107). « La Pierre aqueuse » décrit une jeune bergère qui se noie la veille de ses noces et qui est transformée en pierre par les dieux ; une allusion à la légende de Niobé (v. 31-42) rend ce nouveau mythe plus vraisemblable.

Dans d'autres exemples, il n'y a pas de métamorphose, mais les pierres ressentent des passions humaines. Dans « La Pierre d'aymant ou calamite » (3), où Belleau se rappelle le mythe platonicien concernant l'inspiration poétique (*Ion*), l'aimant poursuit le fer avec une ardeur érotique (v. 33-38) et la rencontre du fer et de la magnétite appelle l'image d'une vierge embrassant son ami (v. 83-88).

Dans « L'Onyce » Belleau, se souvenant que le grec onyx signifie ongle, crée un tableau dans lequel un Cupidon espiègle coupe les ongles de sa mère endormie. Vénus « se courrouce aigrement / Contre son fils Amour » (v. 63-64). L'« eschange » dans ce poème affecte les rognures d'ongles, transformées en gemmes lorsque Cupidon s'envole. « La Cornaline » (16) dépeint également Cupidon, qui rompt le bout de son arc ;

---

1 Cf. plus bas, « Discours de la Vanité », ch. 3, v. 55: « Par l'eschange ordonné ».

Vénus lui donne une cornaline pour l'apaiser. La pierre a le pouvoir de calmer la rage (v. 19-21) ; la petite scène mythologique est donc conçue pour illustrer les propriétés de la pierre. Si Belleau crée des mythes et invente des relations amoureuses, c'est pour mieux étayer l'anthropomorphisme de ces poèmes[1]. Dès le « Discours », les gemmes sont en effet jugées en termes moraux : si elles sont imparfaites, elles ont des « vices » et celles qui ne sont pas fausses sont caractérisées par leur « naïveté » et leur « bonté » (ainsi « Le Diamant », v. 20). « L'Emeraude » (10) passe en revue les « vices » de la gemme et utilise, pour en décrire une qui est dotée d'un lustre insuffisant, des termes qui pourraient s'appliquer à un être humain – « Engourdy, foible, plein de crasse » (v. 122). L'hématite est jugée « douce et debonnaire » (30, v. 38). « La Turquoise » (12) débute par le topos de la mutabilité et observe que même les pierres vieillissent. Elles sont décrites comme des personnes âgées (v. 29-32). La turquoise, à mesure qu'elle vieillit, perd « sa grace / Et le teint mignard de sa face » (v. 41-42). Belleau célèbre ensuite la capacité qu'a la turquoise d'aimer son propriétaire, en ressentant « quelque doux allechement / D'amitié » (v. 50-51), et affirme que la pierre préfère se briser plutôt que de laisser souffrir la personne qui la porte : si celle-ci tombe malade, la gemme perd son éclat. Son cœur au moins n'est pas de pierre.

Une pareille tendresse ressortit aux « autres affections secrètes » que mentionne le Discours au Roi ; elle est représentée dans « La Pierre d'aymant ou calamite », poème qui, en même temps qu'il analyse l'attraction érotique, célèbre l'amitié. Belleau examine scientifiquement les propriétés de l'aimant, en faisant beaucoup d'emprunts à Lucrèce, mais explique aussi le magnétisme à partir des propriétés de la magnétite et du fer. Le poète prend plaisir à révéler un monde

---

1 Cf. Dudley B. Wilson, *Descriptive Poetry in France from Blason to Baroque* (Manchester, Manchester University Press, et New York, Barnes and Noble, 1967), p. 152-153.

animé dans lequel ce qui paraissait impossible peut arriver, où des relations inattendues peuvent se créer, et où les surfaces dures peuvent symboliser paradoxalement la compassion et l'affection. Il montre comment, par des ouvertures d'amitié, l'aimant triomphe de la nature guerrière du fer (v. 21-24). Il pose une question :

> Mais quel nœu d'amitié fait joindre ces deux corps,
> Que Nature a faict naistre imployables et forts ? (v. 31-32)

Le fer, au lieu de devenir une arme, se fait le symbole de la tendresse.

Afin de développer les aspects surprenants du recueil, Belleau éveille l'admiration du lecteur en usant de questions (procédé qui revient ailleurs dans le poème) ; il utilise une rhétorique fondée sur l'admiration. Des questions et des exclamations parcourent « La Pierre d'aymant », et l'énumération permet d'entasser les vertus physiques et médicinales de la pierre. Dans « Le Diamant » l'*interrogatio* (comme au v. 85, « Diray-je chose non croyable ?») souligne l'attribution aux dieux de la dureté du diamant et de la découverte qu'il se dissout dans du sang de bouc. « Le Coral » est scandé par la question « Qui croiroit··· ? », introduisant des histoires qui concernent des naissances étonnantes, illustrations de la théorie selon laquelle la mort d'une créature mène à la vie d'une autre (v. 1-36). Les exclamations dans « La Pierre aqueuse » accentuent l'association bizarre de l'eau et de la pierre dans cette variété de quartz (v. 43-48). En abordant le monde mystérieux des gemmes, les lecteurs sont invités à accueillir les invraisemblances, tout comme s'il s'agissait d'articles de foi.

Loin de récrire les lapidaires à la lumière de la science du XVIème siècle, Belleau cherche donc à souligner ce qu'ils contiennent de curieux. Il s'abstient toutefois d'aborder ouvertement trop de considérations alchimiques ou astrologiques, peut-être parce qu'elles allaient trop à l'encontre de la religion chrétienne[1]. Dans le cas des pierres dont l'origine est discutée, il explore à la fois plusieurs explications merveilleuses, puis suggère que leur exactitude est moins importante que les propriétés médicinales et magiques que la pierre possède indubitablement. Dans « La Pierre d'once, ditte Lyncurium », il examine deux origines possibles de la gemme : elle serait formée soit à partir de l'urine d'une once soit, comme l'ambre, à partir des larmes des sœurs de Phaéton. Il introduit la deuxième théorie, tirée de Pline, avec la formule désinvolte, « Aucuns disent » (v. 19). Il n'épouse ni l'une ni l'autre des deux hypothèses, et se contente de passer aux vertus curatives, tout aussi remarquables, de la pierre. Dans « Le Coral » il évoque Apollon donnant au corail la couleur qu'on voit sur les lèvres des nymphes marines (v. 55-84), puis rejette la croyance selon laquelle le sang qui coulait de la tête de Méduse colora le corail. Mais tout en repoussant ce mythe, il le développe en détail, concentrant son attention surtout sur l'œil de la Gorgone (v. 85-108). Finalement, dans un mouvement qui rappelle la conclusion de « La Pierre d'once », il suggère que les deux explications mythologiques n'ont peut-être pas d'importance à côté des vertus quasi miraculeuses du corail (v. 109-114) : il énumère des propriétés si étonnantes que la partie apparemment didactique et scientifique du poème émerveille autant que la partie mythique.

Cependant le côté mythique, merveilleux et anthropomorphique, de ce recueil n'exclut ni l'amertume ni l'ironie. Ces poèmes sont écrits à un moment de l'histoire où les Français semblent avoir oublié leur humanité, où catholiques et protestants refusent de se réconcilier. A la différence des auteurs de lapidaires, Belleau rappelle au lecteur que des pierres connues pour leur dureté ont plus de pitié que l'homme[2].

---

1 La superstition, l'alchimie et l'astrologie ont cependant longtemps coexisté avec la religion: voir le premier chapitre d'E. Cameron, *The European Reformation*, Oxford, Clarendon Press, 1991, p. 9-19.

2 On pense à *Vol de nuit* d'Antoine de Saint-Exupéry, où le narrateur remarque, à propos de l'inspecteur Robineau, « Seules, dans la vie, avaient été

Parfois il laisse le lecteur conclure à un contraste entre la pierre en question et l'histoire contemporaine. Parfois il intervient directement dans des apostrophes émouvantes et rend clair son désir profond que les guerres puissent prendre fin[1]. Dans « La Pierre d'aymant ou calamite » le poète fustige les Français pour leur cruauté et leur reproche d'avoir négligé les vertus que représentent les gemmes (v. 183-192)[2].

Le poète ne plonge pas le lecteur dans le désespoir, puisqu'il cherche une solution aux maux qui paralysent la France. Tandis que dans le *Dictamen metrificum* il ne s'était adressé qu'à un petit groupe d'amis (« sodales »), il se tourne maintenant vers les Grands, seuls capables de diriger le pays. Il parle surtout aux femmes, qui sont peut-être plus enclines à la pitié et souvent en mesure d'influer sur les hommes : la reine (2) ; Marguerite, reine de Navarre (4) ; la duchesse de Montpensier (6) ; la duchesse de Guise (8) ; la duchesse de Nevers (10) ; Marie de Lorraine (11) ; la maréchale de Retz (12) ; Hélène de Surgères, célébrée par Ronsard (13) ; Jeanne de Cossé (14) ; Madame de Villeroy (17) ; Mademoiselle de Belleville (19). Plusieurs de ses dédicataires fréquentaient le *Salon Verd* de la Maréchale de Retz. Belleau suggère peut-être que c'est à l'intérieur de ce salon qu'un mouvement pacifiste doit naître. Déjà, dans *La Bergerie*, il avait isolé un petit groupe de personnes dans le Château-d'en-haut à Joinville, pour faire croire que leur courage, leur discipline et surtout leur amour des arts pouvaient protéger et calmer tandis que la guerre sévissait tout autour. Mais Belleau n'oublie pas les maris de ces grandes dames. La

---

doucces pour lui, les pierres » (Livre de Poche, Paris, Gallimard, 1931, p. 60). Les pierreries (souvent liées aux étoiles) constituent un *leitmotiv* dans ce texte.

1 En ce sens Belleau est beaucoup moins "oblique" que ne le suggère Marcel Tetel dans « La Poétique de la réflexivité chez Belleau » in *Studi francesi* 29 (1985), p. 18.

2 Clovis Hesteau de Nuysement semble se souvenir de Belleau lorsque, dans « Les Gemissemens de la France, au Roy », il déplore la façon dont l'homme cherche « à renverser le cours de l'ordre de nature », à la différence des pierres, puisque « l'argent vif ayme l'or, / L'aymant ayme le fer » : voir *Les Œuvres poétiques*, Livre Ier, éd. Roland Guillot, Textes Littéraires Français 446, Genève, Droz, 1994, p. 130-131, v. 195-216.

façon dont il implique les princes dans les *Pierres precieuses* rappelle *Les Tragiques* d'Agrippa d'Aubigné. Dans « La Turquoise » il prie Dieu de remplir le cœur des princes « de quelque sentiment / D'amitié » (v. 98-99), pour qu'ils puissent protéger leurs villes. Dans la première édition, il pose au centre du recueil le Saphir, symbole de la concorde chez les Anciens, et espère que la gemme pourra apporter la paix « au cueur des Princes » (v. 117). Dans « La Pierre d'arondelle ditte Chelidonius lapis » (19), le poète évoque d'abord la façon dont les hirondelles sont éventrées (v. 19-24), puis la légende terrible de Procné (v. 25-30) ; dans l'avant-dernière strophe il formule le vœu que la pierre dont les origines sont entourées de tant de violence puisse elle-même aider à faire revenir la paix dans son pays en calmant la colère des princes (v. 43-48). Ce sont des paroles courageuses de la part d'un poète qui était au service des Guises.

La violence de « La Pierre d'arondelle » est en rapport avec la description de la souffrance de Prométhée, dans « Promethée, premier inventeur des Anneaux et de l'enchasseure des Pierres ». La dernière partie de ce texte déclare que Prométhée portait un anneau où était enchâssée une pierre taillée dans le rocher caucasien sur lequel il avait été torturé. De là aurait découlé l'habitude de porter, non un morceau de rocher, mais une pierre précieuse. Le poème se termine ainsi :

> *Et cela qui restoit pour marque d'un malheur,*
> *Des Princes et des Rois fust la gloire et l'honneur.*

Le début de l'édition de 1578 rappelle ainsi que les plus grands du royaume appréciaient les gemmes. Henri III et sa cour les aimaient beaucoup, ainsi que Belleau le signale vers le début de sa dédicace au roi. Les Guises avaient des vêtements et des bijoux couverts de pierreries[1]. Mais les vers de Belleau ont

---

1   Voir Doris Delacourcelle, *Le Sentiment de l'art dans « La Bergerie »* *de Remy Belleau*, Oxford, Blackwell, 1945, p. 13-14 – Jacqueline Boucher, *Société et mentalités autour de Henri III*, Lille, 1981, diffusion Champion, p. 337-343.

aussi une tonalité morale : les rois et les princes portent au doigt des anneaux qui devraient les faire penser à la punition qui attend ceux qui désobéissent à Dieu. En cette période troublée Belleau essaie de rappeler aux princes leur devoir, qui consiste à protéger le peuple et à promouvoir la paix. Sa mission est si urgente qu'il dédie « La Pierre du coq, ditte Gemma Alectoria » (18) à la France elle-même – le coq (*gallus* en latin) est un des symboles traditionnels du pays.

Même le roi n'est pas épargné. Malgré le fait que la dédicace loue le goût de Henri III pour la philosophie et la science, Belleau inclut dans son recueil un poème insolite et fragmenté, « Les Amours de Hyacinthe et de Chrysolithe », qui mentionne Chrysolithe au début et à la fin, mais conte longuement la passion d'Apollon pour Hyacinthe (v. 113-202). Cette passion aboutit à la mort de Hyacinthe. Nous pensons à la littérature satirique de l'époque, qui commençait déjà à attaquer Henri III et ses « mignons ». Ce poème, avec sa fin cruelle, contiendrait-il un avertissement pour le roi, nouvel Apollon, coupable peut-être d'avoir oublié les vertus morales qu'il s'était efforcé de cultiver dans son Académie ? Dans l'ensemble du recueil, Belleau semble effectivement pousser le roi à mettre en pratique ce qu'il a appris.

L'urgence que le poète accorde au problème de la guerre civile semble s'accroître dans l'édition de 1578. Le court poème, « Le Beril » (25), se termine sur une prière pour que prenne fin l'effusion de sang (v. 21-24). « La Sardoyne » (28) rappelle sèchement que les princes sont sujets à la fortune. « La Pierre sanguinaire dicte Hæmatités » (30) s'ouvre sur un énoncé direct à la première personne, dénonçant la guerre (v. 1-4). Suit une prière à Dieu : puisse-t-il mettre fin au conflit en France et réconcilier les princes (v. 9-32) !

Les dédicataires des *Amours et nouveaux eschanges des pierres precieuses* et les princes en général ont donc un rôle important. Mais les pierres mêmes symbolisent la croyance selon laquelle il faut chercher à guérir : le poète développe longuement leurs vertus curatives. N'oublions pas que l'emploi des pierres en médecine était répandu[1] et que les apothicaires utilisaient les gemmes sous forme de poudre qu'ils vendaient par petites quantités. Ficin, dans sa *Théologie platonicienne*, affirme que les gemmes peuvent guérir[2]. En passant en revue diverses pierres, Belleau s'apparente à Rabelais, qui met en évidence dans le Prologue de *Gargantua* le puissant symbole des silènes – boîtes d'apothicaire contenant des drogues précieuses – et qui affirme le pouvoir thérapeutique de son texte. En énumérant les vertus de ses gemmes, Belleau souligne leur pouvoir d'apaiser. A la seule exception de l'Onyx, qui rend celui qui le porte « quereleux, / Triste, melancolic, resveur, et cauteleux » (9. 95-96), les pierres calment l'esprit. Le Diamant écarte l'angoisse et combat la « manie » (2. 139-144). « La Carchedoine » (21), le dernier poème dans l'édition de 1576, décrit une pierre qui repousse les cauchemars, la peur et la colère (v. 55-60). La Cornaline apaise la rage (v. 19-24).

La description de la « pierre sanguinaire » met en relief son pouvoir médicinal, qui fait contraste avec son nom (v. 37-60). A côté de ce poème, à la fin de l'édition de 1578, se trouve « La Pierre laicteuse dicte Galactités », qui ajoute au motif du sang celui – tout aussi religieux – du lait. Le poète commence par louer le lait, grâce auquel il se serait remis d'une grave maladie, peut-être la tuberculose. L'évocation de la pierre, qu'il met en rapport avant tout avec la fécondité et avec l'abondance de lait (v. 41-68), et que la légende associe à la Vierge Marie, ne commence qu'au v. 21. Avant de conclure, il se souvient de la croyance selon laquelle la galactite peut effacer le souvenir d'une méchanceté, et prie pour que ceux qui veulent du mal à la France « eussent entierement / La memoire égarée avec le sentiment » (v. 75-76). en 1578, les motifs religieux présents dans les deux derniers poèmes préparent la voie pour les traductions bibliques qui vont suivre.

---

1   Voir H. Brabant, *Médecins, malades et maladies de la Renaissance*, Bruxelles, La Renaissance du Livre, 1966, p. 201-203.
2   Voir Céard, *op. cit.*, p. 88.

Quelquefois les vertus curatives que Belleau célèbre sont fondées sur les couleurs des gemmes[1]. Il a en effet une imagination très visuelle et concentre d'ailleurs son attention, comme les lapidaires anciens et médiévaux, sur l'apparence externe des pierres plutôt que sur les traits susceptibles d'intéresser les géologues modernes, comme la densité relative ou la structure cristalline. La couleur est l'aspect le plus frappant de l'apparence externe. Le rouge, couleur du sang, a des liens évidents avec le corps humain. Suivant la théorie selon laquelle similia similibus curantur, les lapidaires considèrent que les pierres rouges sont capables de guérir les hémorragies et l'inflammation et d'écarter les maladies du sang. Cette croyance est à l'origine des vers des « Amours de Hyacinthe et de Chrysolithe », où Belleau affirme que l'hyacinthe (une espèce de zircon) peut dissiper « l'air corrompu qui de grossiers amas / Prend et caille le sang, et nous meine au trespas » (v. 223-224). Le corail peut arrêter les saignements de nez (8, v. 137). Il est également

> *tresbon*
> *Contre la morsure enflammée*
> *Ou la piqueure envenimée*
> *De l'Aspic et du Scorpion (v. 111-114).*

Le cadre mythologique que Belleau a construit autour du corail confère à ces vers une signification supplémentaire : le poète, se souvenant du pseudo-Orphée, évoque l'histoire de la tête de Méduse, dont les cheveux furent transformés en serpents par Athéna (v. 85-108). Les propriétés curatives ne sont pas un simple ajout à la fin des poèmes, mais font partie intégrante de leur structure et aident à façonner la fable bâtie autour d'elles. Cela est particulièrement clair dans « Le Jaspe » (14), qui signale la variété rougeâtre de la gemme et raconte comment Cupidon se blesse sur une de ses propres flèches, de sorte que

---

1 Voir Jean Braybrook, « The Curative Properties of Remy Belleau's *Pierres Precieuses* » in *Explorations in Renaissance Culture* 16 (1990), p. 111-128.

les gouttes de son sang coulent sur le jaspe et changent sa couleur. Désormais, la pierre aurait le pouvoir d'arrêter l'hémorragie (v. 43-49). Belleau dote aussi ses pierres rouges d'une vertu associée plus souvent aux pierres noires – le pouvoir de chasser les troubles psychiques, notamment la mélancolie. On lira surtout « Le Rubis » (6), v. 156-158, et « Les Amours de Hyacinthe et de Chrysolithe », v. 221-228. L'allusion à la « fantaisie » dans le dernier poème semble indiquer que, tout comme Ronsard, Belleau s'intéresse aux tendances dépressives du tempérament artistique.

La pierre d'once couleur d'ambre illustre le mieux les propriétés, exclusivement physiques, que Belleau attribue aux pierres jaunes. Il indique que la gemme permet à la peau de quelqu'un qui a la jaunisse de retrouver sa couleur normale (v. 34-36), et qu'elle peut combattre les coliques (v. 32). Quant aux pierres bleues, « Le Saphir » a le pouvoir de rafraîchir et de fortifier (v. 71-74), tandis que « La Pierre d'azur, dicte Lapis l'Azuli » (29) a une vertu associée normalement aux pierres vertes – la capacité de « guarir la veuë affoiblie » (v. 35).

Ces rapports entre les couleurs et les *vertus* sont fondés sur l'analogie. Quelquefois, cependant, une sorte de renversement se produit au cœur d'un poème. Dans « L'Amethyste, ou Les Amours de Bacchus et d'Amethyste », la fable que Belleau élabore a pour but de suggérer la raison pour laquelle la gemme est censée protéger contre l'ébriété, ainsi que l'indique son étymologie grecque. Bacchus, navré, assiste à la métamorphose d'Améthyste et déclare que la pierre sera désormais le symbole de la sobriété et d'autres qualités peu bacchiques (v. 281-286). (Ce faisant, il évoque les plaisirs du vin et nous fait penser au rôle inspirateur de la vigne chez Rabelais et chez Ronsard). L'hyacinthe, témoin des troubles de la passion, préservera désormais « son porteur de l'ardeur immodeste / De l'enfant de Cypris » (v. 221-222). Le renversement peut même concerner de petits détails : nous avons déjà vu par exemple que le corail, qui doit sa couleur à la « teste serpentiere » (v. 95) de la

Gorgone, guérit « la morsure [...] / De l'Aspic et du Scorpion »
(v. 112-114). Claude Faisant écrit :

> l'« eschange » ne désigne pas seulement une métamorphose
> (certains récits n'en comportent d'ailleurs pas), mais une
> inversion précise des valeurs, que Belleau conçoit du reste
> sur le modèle d'une sorte d'osmose chimique, la Pierre
> absorbant « en soi toute l'humeur cruelle » du passé pour en
> « purger » ses nouveaux bénéficiaires [« La Pierre
> sanguinaire », v. 33-36]. (p. 104)

Souvent, les qualités médicinales de la pierre dépendent de
la manière dont elle est employée. Les poèmes donnent un
aperçu de quelques pratiques médicales bizarres de l'époque.
Par exemple, Belleau décrit soigneusement les propriétés de la
chrysolithe, qui varient selon la position de la pierre – placée
sous la langue (v. 261-262 : on se demande combien de
personnes fiévreuses sont mortes étouffées à la suite d'un
traitement pareil) ou « sur le costé gauche » (v. 263). Dans le
premier cas ses propriétés sont, à tout prendre, physiques ; dans
le deuxième cas la pierre guérit plutôt l'esprit et l'âme.
Plusieurs pierres doivent être administrées sous forme de
poudre. De la cornaline, par exemple, on peut faire un dentrifice
efficace (16, v. 19-21). La même pierre peut étancher le sang
qui coule d'une plaie (v. 28-30). Réduites en poudre, les perles
ont également des vertus médicinales, affectant et le corps et
l'âme (4, v. 115-132), et exercent « une secrette influance »
(v. 122).

Quelquefois il faut mettre la pierre dans un liquide
bouillant ; le jais (ou « gagate »), chauffé dans du vin, peut,
selon Belleau, être utilisé contre la rage de dents (27, v. 29-30).
Mélangé à de la cire, il peut également donner une pommade
efficace contre la scrofule (v. 33-34), remède employé sans
doute par ceux qui ne pouvaient approcher le roi, qui se targuait
de guérir les scrofuleux en les touchant. Même l'odeur
désagréable du jais peut servir à quelque chose : elle peut être
respirée pour amoindrir les douleurs de l'accouchement (v. 37).

Les Pierres precieuses contiennent beaucoup d'allusions aux problèmes féminins, et surtout aux complications de l'enfantement. « La Pierre d'aigle, ditte Ætités » (17) évoque, en employant l'image d'une femme enceinte, l'inclusion dans la pierre d'une autre pierre qu'on entend bouger à l'intérieur (v. 34-36). Comme le veut le principe de l'analogie, la pierre, attachée au bras gauche de la femme, lui permet d'accoucher sans trop de difficulté (v. 39-42). L'émeraude permet également d'accélérer l'enfantement (10, v. 160-162). L'aimant, attaché à la cuisse, peut aussi aider les femmes qui accouchent (v. 249-250), comme le lapis-lazuli (v. 40-42). « La Pierre laicteuse dicte Galactités » met en relief la capacité de la pierre de faciliter l'allaitement (v. 41-68). Ces thèmes – l'accouchement, l'allaitement – sont susceptibles d'intéresser les lectrices. Mais ce sont également des thèmes qui soulignent l'importance primordiale de la vie, que les guerres civiles menacent.

Les gemmes permettent aussi au poète de mettre l'accent sur la fonction thérapeutique de l'art. Cela est particulièrement évident dans « L'Agathe », poème qui est lié à Ronsard, lequel avait offert une agate à Hélène de Surgères dans ses *Sonnets pour Helene*. Au début de « L'Agathe », on présente à Vénus une agate spéciale, pareille à celle que décrit Pline. En décorant cette pierre, la nature a surpassé l'art (v. 61-62). Mais en même temps la gemme glorifie le pouvoir de l'art : elle représente Pégase, l'Hippocrène, l'Hélicon, les Muses et Apollon (v. 63-84). Puis un passage obscur inspiré d'Orphée considère les agates en général et indique qu'elles portent des taches sanguines à la suite d'une lutte entre les dieux et Saturne, qui essayait de conquérir la terre. Le sang des dieux coula sur la terre, se mélangea peu à peu avec le sol et se transforma en agates (v. 115-44). A la délicatesse de la première partie du poème répond cette évocation d'une lutte cosmique. Pourtant le conflit produit de belles pierres ; et, comme l'indique la description de l'agate de Pyrrhus, le pouvoir qu'a la nature de créer quelque chose de beau est égalé par celui de l'art. Belleau offre à la dame d'honneur de Catherine de Médicis une agate, son poème, qu'il croit capable de produire de l'harmonie au milieu de la discorde.

Pour Belleau dans *Les Amours et nouveaux eschanges,* la fonction du poète en temps de guerre consiste donc à refuser de prendre parti sur la question religieuse et à proposer des remèdes reposant sur la compassion et la créativité humaines. Ainsi que l'a montré le regretté Claude Faisant, tout en refusant d'adopter une position ouvertement protestante ou catholique, il suggère que Dieu prendra soin de ceux qui le cherchent. Son recueil est plein de symboles religieux, tels que le lait dans « La Pierre laicteuse » (de la prétendue galactite en solution faisait partie des reliques de la Vierge conservées sous le nom de « lait de la Vierge ») ou le vin dans « L'Agathe »[1]. Ses pierres ont des rapports avec les dieux – Cupidon, Apollon, Bacchus, Vénus. « Les Amours d'Iris et d'Opalle » mentionne à plusieurs reprises l'arc-en-ciel, ce pont entre le ciel et la terre avec lequel Iris était identifiée (voir Genèse 9. 13). Le motif des larmes des dieux se rencontre souvent. Les pleurs d'Apollon créent l'ambiance mélancolique des « Amours de Hyacinthe et de Chrysolithe » (v. 183-202). Iris pleure son bien-aimé et produit la pierre qui a le même nom qu'elle (v. 111-114). Belleau maintient – comme dans « L'Huistre » de 1556 – que la perle naquit des larmes d'Aurore, qui pleurait Céphale (4, v. 55-66). Il suppose que le « grand Ciel larmoyant » créa le rubis « d'un pleur cramoysi qui rousoye » (6, v. 107-108). Dans « L'Heliotrope » il voit dans les effets de la pierre sur l'eau une preuve de l'influence de Dieu (22, v. 75-76). La conclusion du poème appelle la pierre « sacrée » et loue les « miracles divins » qu'elle accomplit (v. 91-92). Fréquemment Belleau décrit une

---

1 Cf. Hilda Dale: les *Pierres precieuses* « cristallisent sous une forme nouvelle un aspect important de la pensée au XVIᵉ siècle: l'intuition des affinités secrètes entre le monde terrestre et le monde céleste, intuition que vient appuyer le sentiment panique d'un univers où règnent des forces occultes auxquelles n'échappe pas qui veut. » (« Remy Belleau et la science lapidaire » dans *Lumières de la Pléiade - Neuvième stage international d'études humanistes, Tours, 1965*, De Pétrarque à Descartes 11, Paris, Vrin, 1966, p. 231.

gemme comme « celeste » (voir « Le Rubis », v. 151) ou
« sacrée » (cf. le premier vers de « La Pierre inextinguible, ditte
Asbestos », et « Le Saphir », v. 67), son influence comme
« estrange » (voir « Le Diamant », v. 151 et « Le Saphir »,
v. 62), et ses effets comme miraculeux (« Le Diamant », v. 67).
Bien qu'il n'y fasse pas ouvertement allusion, son recueil se
fonde sur les liens entre les pierres précieuses et des passages
bibliques célèbres évoqués entre autres par le protestant Bernard
Palissy, comme la description du pectoral d'Aaron (Exode 39.
8-21) et celle de la Jérusalem céleste (Apocalypse 21. 18-21),
dans lesquels se trouvent toutes les pierres que Belleau célèbre
ou mentionne[1]. Il tâche de rappeler au lecteur qu'il faut
« tousjours admirer les œuvres de ce grand Dieu, qui a
divinement renclos tant de beautez et de perfections en ces
petites creatures » (« Discours des pierres precieuses »). Ce
poeta theologus laisse entendre que ses pierres peuvent nous
apprendre à retrouver les valeurs chrétiennes et à préparer le
deuxième avènement du Christ.

   Il est conscient de tout ce qui peut nous rendre sourds à la
parole de Dieu. Il avertit l'homme des dangers de
l'outrecuidance, représentés par Prométhée et par son anneau. Il
critique la raison humaine. Le début de « L'Emeraude »
s'inspire en partie de Pline mais fait penser aussi à l'« Apologie
de Raimond Sebond » de Montaigne. Belleau maintient que les
animaux et les oiseaux peuvent apprendre bien des choses à
l'homme et que la médecine naturelle est souvent supérieure à
celle des hommes (v. 1-54). Ces idées sont aussi importantes
dans le dernier poème de l'édition de 1576, « La Carchedoine »
(v. 1-42). « La Pierre d'aigle » se termine sur une prière dans
laquelle le poète reconnaît que beaucoup des secrets de la nature

---

   1   Voir Jean Braybrook, « Remy Belleau et les pierres précieuses de
l'Apocalypse » in *B.H.R.* 51 (1989), p. 405-406. Palissy parle des pierres dans
sa *Recepte veritable*: voir l'édition Keith Cameron, Textes Littéraires Français
359, Genève, Droz, 1988, p. 115-117. La *Recepte veritable* a peut-être
également aidé Belleau à apprécier la portée symbolique du motif du jardin
dans le Cantique des Cantiques - Voir ci-après notre introduction aux
Eclogues sacrées.

ne sont révélés qu'aux animaux et aux autres « petites creatures » (v. 49-60). La déclaration la plus véhémente se trouve pourtant dans le dernier poème de l'édition posthume, « La Pierre laicteuse », où Belleau s'en prend à ceux qui rejettent tout ce qui leur paraît incroyable (v. 30-35). Tout cela prépare le terrain pour sa traduction de l'Ecclésiaste.

Malgré la situation difficile dans laquelle se trouve son pays, le poète ne perdra pas son sens de l'humour, déjà évident dans *Les Petites Inventions*. Après tout, le rire est connu pour ses effets thérapeutiques. Belleau décrira par conséquent l'aimant comme un amant ardent. L'aimant à la recherche d'un morceau de fer est comparé à un chien de meute qui poursuit un cerf (v. 39-42). Cette image est en contraste saisissant avec la théorie lucrétienne de l'émanation des atomes, énoncée immédiatement à sa suite. Sur un ton hyperbolique, Belleau évoque sa passion pour une dame qui reste inconnue, juxtaposant ses sentiments avec la vie mythique d'une simple pierre (v. 105-120, 141-148, 257-264). Avec un certain sourire, il décrit dans « L'Onyce » les rognures des ongles de Vénus et utilise cette évocation pour appuyer solennellement l'idée que « de tous corps celestes / Rien ne se deperit » (v. 73-74). « La Gagate » débute par une évocation de la puanteur du jais ; le poète demande à sa Muse de parfumer ses vers et son visage (v. 17-22). « La Pierre laicteuse dicte Galactités » expose en détail comment encourager l'allaitement. Suivant Marbode, Belleau propose que la nourrice boive la pierre en solution après avoir pris un bain ; ou bien la pierre peut être attachée autour du cou sur de la laine prise sur le dos d'une brebis pleine (v. 45-54). Suivent des consignes concernant le bétail (v. 59-60). La galactite doit être réduite en poudre, dissoute dans de l'eau de source, et versée sur le pis de la bête par quelqu'un qui est « tourné vers le levant » (v. 63). Belleau se délecte de cette magie surprenante et y trouve un moyen d'oublier la maladie et la guerre civile. L'optimisme prévaudra dans ce poème, puisque le motif final est « le lait, des enfans le pere nourrisseur » (v. 80). Dans tous ses poèmes Belleau, comme Rabelais dans le Prologue du *Tiers*

Livre, révèle qu'il sait que le rire, qui libère l'imagination, peut être particulièrement utile et thérapeutique en temps de guerre. *La Bergerie*, avec son mélange de prose et de vers, révélait déjà un poète ami de la diversité. La forme et la versification des *Pierres precieuses* se caractérisent également par leur variété, ainsi que l'a montré M. – F. Verdier dans son édition (p. xxxi-xxxviii). Belleau cultive diverses formes strophiques, dans lesquelles figurent les octosyllabes ou les heptasyllabes. Il manie avec une aisance particulière le sizain d'octosyllabes, qui permet à un poème tel que « La Pierre d'azur » de se dérouler lestement[1]. Tout en instruisant le lecteur, Belleau n'oublie pas qu'il faut lui plaire.

Ces poèmes jouent avec l'attente du lecteur en faisant vivre des gemmes et en leur attribuant des émotions que le poète ne trouve pas toujours chez ses contemporains. Même le titre du recueil vise à surprendre : il semble annoncer encore une série de poèmes d'amour pétrarquistes, rappelle ensuite les *Métamorphoses* d'Ovide, et se termine comme pour un lapidaire quasi scientifique[2]. Comme Rabelais dans *Gargantua*, Belleau crée un contraste implicite entre l'apparence externe et les qualités morales : il révèle chez les pierres dures beaucoup de douceur. Les propriétés qu'il attribue aux pierres ne sont pas neuves. Ce qui est neuf, en revanche, c'est le contexte moral et religieux dans lequel il les déploie. Comme dans *La Reconnue*, il refuse de prendre parti ou pour les protestants ou pour les catholiques, mais tient à toucher le cœur même des plus grands du royaume. Il espère que les qualités que les gemmes représentent pourront opérer une transformation radicale dans le

---

1 François Rouget montre l'importance du sizain pour l'ode et souligne sa flexibilité (*L'Apothéose d'Orphée: L'Esthétique de l'ode en France au XVIe s. de Sébillet à Scaliger (1548-1561)*, Travaux d'Humanisme et Renaissance 287, Genève, Droz, 1994, p. 289). On consultera avec profit la 3ème section de cet ouvrage, « Rythmique de l'ode », p. 283-346.

2 Cf. le commentaire de Théophile Gautier sur le titre *Émaux et Camées* dans le *Rapport sur les progrès de la poésie française* (1868), commentaire reproduit dans l'édition des *Émaux et Camées* par Jean Pommier et Georges Matoré, Textes Littéraires Français, Lille / Giard; Genève / Droz, 1947, p. 136-137.

cœur des Français. Loin de diminuer la part du merveilleux dans les lapidaires qu'il consulte, il l'étaye en inventant des mythes dans le style d'Ovide, et accentue les vertus curatives des pierres. Il vise à rappeler à l'homme les liens entre le monde naturel et Dieu, et à encourager l'homme à chercher dans la nature les valeurs qu'il a perdues. Ses gemmes témoignent de l'importance de l'amour et de l'amitié, et sont conçues pour faire honte à ceux de ses compatriotes qui prolongent la guerre civile. Il explore le motif de la transformation, l'« eschange », afin d'ébaucher le changement radical que les cœurs de pierre des hommes devront subir une fois que la parole de Dieu aura été entendue. Il met en évidence le motif de la guérison, qui revêt une signification spirituelle aussi bien que physique et qui donne figure à sa vision d'un univers rédempteur. En fin de compte il met sa confiance en la valeur curative de l'art, et garde, malgré tout, sa capacité de sourire.

Jean BRAYBROOK.

<XVI -a>
AU TRES-CHRESTIEN [* ii]
ROY DE FRANCE ET DE POLOGNE HENRY III[1].

N'AYANT peu recouvrer chose plus rare ny plus digne de vostre Majesté, SIRE, que ces Pierres precieuses tirées du riche et sacré cabinet des Muses, j'ay bien osé vous les presenter, esperant qu'aurez le present agreable, tant pour une particuliere affection que vous portez aux vertus et beautez d'icelles[2], que pour l'excellence et valeur des miennes, que la violance des ans ne sçauroit offenser, comme les vulgaires qui tirent leur naissance de la terre, subjettes à corruption[3]. Aussi (SIRE) que vous estes le Prince de ce monde, qui prend plus de plaisir à discourir des secrets de la Philosophie et choses naturelles, et qui plus honore ceux qui font exercice en ce mestier[4]. Ce qui m'a plus encouragé à vous les presenter, espe- [* ii v°] rant que plus liberalement vous donnerez quelques heures de celles que vous tenez en reserve pour le plaisir, à la lecture de ceste mienne et nouvelle invention d'escrire des Pierres, tantost les déguisant sous une feinte metamorphose, tantost les faisant parler, et quelquefois les animant de passions amoureuses, et autres affections secretes, sans toutesfois oublier leur force, ny leur proprieté particuliere. Ce que j'ay songneusement recueilly de la fertile moisson des autheurs anciens qui en ont parsemé la memoire jusques à nostre temps. Suppliant très-humblement vostre Majesté, SIRE, les recevoir d'aussi bonne main que si elles vous estoyent apportées de l'Inde Orientale[5], mere nourrice de tels presens, et où possible seroit malaisé de recouvrer marchandise de meilleure estoffe que la mienne, que de tres-humble et tres-obeïssante volonté je vous presente.

Vostre tres-humble, et tres-
obeïssant serviteur et subject
REMY BELLEAU.

AD HENRICUM III.   [* iii]
GALLIÆ ET POLONIÆ
REGEM,
DE

REMIGII BELLAQUÆI
LAPIDIBUS PRETIOSIS
IO. AURATUS Poeta Regius[1].

CARMINE dum blando Veneris decantat amores
REMIGIUS bellæ flumine potus aquæ :
Ne non digna suo referatur gratia vati,
Tollit eum concha Diva, vehítque sua.
5 *Utque Deûm celer est currus, maris illicet Indi*
Ad freta pervenit, gemmiferósque sinus.
Et jubet, ut Pelagi gazas populatus Eoi,
Ad Regem referat præmia digna suum.
Sedulus ille legit rubro quodcumque profundo
10   *Nascitur, éque mari pauperiore redit.*
Dúmque redit, quæ vis, quæ nomina cuique lapillo,
Non ignara maris Diva marina docet.
Ille quidem Veneris felix HENRICE favore
Dives Erythræis factus ab exuviis.
15 *Sed tamen et pretium pretiosis grande lapillis*
Accedet, gratum si tibi munus erit.   [* iii v°]
In quo virtutes totidem speculere licebit
Ipse tuas, tibi quas gemma quaterna notet.
Candor Crystallus, Regalis fulgor Jaspis,
20   *Vis Adamas, frugi mens Amethystus erit.*
Cætera virtutum gemmis signare tuarum
Qui velit, huic totus vix satis Oceanus[2].

Des vers Latins de M. D'AURAT.

PENDANT que mon BELLEAU d'un vers doux et facile
Va chantant les amours de Venus la gentile,
Elle de ses faveurs le voulant caresser
Pour ne paroistre ingrate à le recompenser,
5   L'embarque dans sa Conque, et de viste carriere,
Comme est le char des Dieux, le porte mariniere
Sur le rivage Indois, où le flot precieus
Des Pierres se retrouve en l'Ocean perleus :
Luy commande piller la richesse Indienne,
10   Puis porter à son Roy toute la proye sienne,
Et le rare butin de ce larcin nouveau.
Luy de songneuse main recueille dessous l'eau
Du rougissant profond, les Pierres recelées
Dedans le sein fecond des ondes emperlées :
15   Dont laissant la mer pauvre, il revient glorieux
En France, où il apprend de Cyprine aux beaux yeux [* iv]
Deesse de la mer, de mer non ignorante,
Les noms, et les vertus, et la couleur brillante
Que chasque Pierre fine a naturelle en soy.
20   Est-il pas donc heureux ce Poëte, mon Roy,
Ayant sous la faveur de Venus la dorée
Butiné le thresor de la rive Erythrée ?
Thresor plus precieux, et de trop plus grand pris,
S'il t'agrée, mon Roy, et ne l'as à mespris :
25   Où pourras contempler en quatre pierres belles
Les Vertus qui en toy paroissent immortelles.
La candeur au Crystal, au Jaspe la splendeur,
Au Diamant la force, en l'Amethyste l'heur
D'une ame temperée : et qui voudroit encore
30   Le reste des Vertus qui en toy se redore,
Remarquer curieus par ce gemmeus amas,
Tout l'Ocean Indois ne luy suffiroit pas.

IN LIB. REMIGII BELLÆI DE GEMMIS   [* iv v°]
   G. VALENS GUELLIUS PP¹.

    INVIDET humano generi Lyncurion ut Lynx,
    Avia defossum quod nostris usibus aufert,
    Gemmantes chartas, lapidumque arcana premebat
    BELLÆUS, cæca durúsque fovebat in arca,
5 *Quærens divitiis solus gaudere repertis,*
    Stellio² uti, propriam quem fama vorare senectam,
    Erupi, certus communi occurrere damno,
    Extorsit vinclis à vate oracla marino
    Sicut Aristæus³, BELLÆUM ad præla coëgi
10 *Compulsum patriæ famæ servire suæque,*
    Lucifugum et tandem cælo proferre laborem.
    Paruit evictus nostris precibúsque minísque,
    Hanc mihi deberent ventura ut sæcula laudem.
    At, Lector, fruere audaci molimine vatis,
15 *Utilia hîc mixtim confusáque dulcia carpens,*
    Disce potestates gemmarum, usúmque, decúsque,
    Quas canit, expediens genitali semine notas
    Ut sibi, cognata primáque ab origine gentis,
    Nam neque de saxo triviali fingere formam
20 *BELLÆO omniparens potuit Natura, nitenti*
    Verùm illi è gemma duxit primordia et ortus,
    Phœbum ipsum testórque suo cum conjuge Pyrrham⁴.

AU PEUPLE DE FRANCE.   [* v]

CESSEZ de reprocher aus vierges Pierides¹
    La povreté qui suit leurs doctes nourriçons,
    Et qu'en vous repaissant du vent de nos chansons,
    Le seul vent à bon droict repaist nos bouches vuides.

5   Voyez BELLEAU, l'honneur des bandes Aonides[2],
       Qui ses thresors desploye en cent mille façons,
       Vous bienheurant ici de tous les riches dons
       Que l'Orient descouvre à ses rives humides.
       Si celle on prise tant, dont la prodigue main
10   D'un joyau distilé festoya son Romain[3] :
       Que merite cestuy qui fait largesse telle
    Non d'une Perle seule, ains de joyaux divers,
       Qu'il ne consomme pas en vinaigre, comme elle,
       Mais au miel savoureux qui coule de ses vers ?

SCEVOLE DE SAINTEMARTHE[4]   [* v v°]

<XVI –b>
Discours des Pierres precieuses[1]

ESCRIVANT ce petit discours des Pierres precieuses,
j'ay bien voulu suyvre, avec toute religion, l'opinion des
anciens autheurs[2], qui nous ont laissé par leurs doctes et
divins escrits, les vertus et proprietez particulieres d'icelles,
5 comme provenantes des Planetes, et de l'influs celeste des
Estoiles, encores que la plus part des Philosophes subtils et
diligens rechercheurs des causes plus secrettes de Nature,
soyent d'opinion contraire, remettant telle vanité, comme ils
disent, à la superstitieuse religion, loix et ordonnances des
10 Prestres Caldées[3], qui nous ont pu[4] de telle folle et legere
creance : Toutesfois ne voulant faire tort aux cendres, et
precieux restes de la venerable antiquit[é], comme
d'Orphée[5], et autres, je me suis proposé les ensuyvre, non
pour vous deguiser le faux sous une apparence de verité,
15 mais pour tousjours admirer les œuvres de ce grand Dieu, qui
a divinement renclos tant de beautez et de perfections en ces
petites creatures[6] : remettant le tout à l'experience de la force
et vertu d'icelles, et discretion du lecteur.

De la matiere des Pierres[7]. – Aucuns des Philosophes[8]
20   parlans de la matiere des Pierres, disent que celles qui ne se
peuvent dissoudre par le feu, et se faire liquides, se font
d'une vapeur, ou d'une exhalaison seiche et ignée : S'il estoit
ainsi, il adviendroit qu'elles se formeroyent plus
communément en la haute region de l'air, qui n'est que feu[9],
25   que dedans la terre. Parce que le mouvement et conversion
des Astres plus viste et plus hasté eschaufferoit la vapeur, et
la desecheroit plus tost beaucoup que dedans la terre[10]. Aussi
s'il estoit vray ce que d'autres[11] asseurent, que tout ce qui
naist en terre est ou terrestre, ou aqueux : aqueux, comme les
30   metaux d'or, d'argent, et autres : terrestre, comme les pierres,
il s'ensuyvroit necessairement qu'il n'y eust pierre precieuse
qui fust transparente et pellucide[12]. Car celles qui sont
transparentes, sont composées d'un suc et d'une humeur
aqueuse, dedans laquelle y a de l'eau qui gaigne et surmonte
35   la terre de sa pesanteur[13] : les autres qui ne sont pellucides,
sont verita- [* vi] blement plus terrestres qu'aqueuses, estant
composées d'une fange et d'un limon detrampé. Doncques la
vraye matiere des pierres precieuses est une terre detrampée
de quelque humeur, comme fange, ou bourbe limonneuse,
40   que les Latins appellent lutum, dont naissent celles qui sont
obscures et non transparentes. L'autre est une humeur
meslée, plus aqueuse que terrestre, qui s'appelle succus
congelée par un grand froid, ou recuitte par une chaleur
temperée dedans la terre, dont naissent celles qui sont
45   pellucides[14]. Ce que nous voyons ordinairement advenir és
rongnons et vessie des animaux, où les pierres se forment de
trop de chaleur, endurcissant l'humeur visqueuse, dont [s]e
fait la pierre et le gravois[15] : Tout ainsi que le feu violent
d'un fourneau à potier, cuist et endurcist l'ouvrage de terre
50   auparavant mollasse et limonneux, la chaleur ayant chassé
l'humide, ny restant que le sec, cause que les pierres sont
sans odeur et sans vie, ne pouvant recevoir aliment comme

les plantes[16]. Il y a une autre matiere qui fait les pierres, qui est la racleure des pierres mesmes, ou ce qui suinte et distile
55 des metaux : car ce que le flot violent d'une eau courante a sappé, raclé et rongé au fray de son cours, estant rassis au fond de l'eau se caille, et devient pierre, de façon que la pierre engendre la pierre[17].

Des couleurs. – Quant aux couleurs, elles sont telles que
60 la matiere dont elles tirent leur naissance[18], pource nous voyons une mesme pierre avoir couleurs differentes, pour estre composée d'une matiere meslée et diversement bigarrée[19], outre que la chaleur, cause efficiente des pierres, donne teinture à la matiere, ayant puissance d'esclaircir
65 celles qui sont obscures, et obscurcir celles qui sont claires et transparentes, et semble que le froid ait peu de puissance de changer et alterer les couleurs de la matiere[20]. Mais apres qu'elles sont formées, estants un long temps humides et detrampées, puis deseichées, elles prennent teinture selon
70 l'assiette des terres et des minieres d'or, d'argent, cuivre, fer, estain, où elles naissent le plus souvent[21]. Es lieux où le Soleil bat ordinairement se font les pierres [* vi v°] vertes, et noires, aux lieux sombres et ombreus les rouges[22]. Le Crystal est fait d'un suc, ou d'une humeur trespure, pource il est
75 tresclair[23] : l'Iris d'une humeur moins claire, le Diamant d'une humeur plus brune, pourtant il est plus brun que le Crystal. Le suc verd fait les Emeraudes, le celeste le Saphir, le rouge le Rubis, le violet pourprin l'Amethyste et le Hyacinthe, le doré le Chrysolithe, le suc meslé l'Opalle et
80 l'Agathe[24] : les autres qui ne sont transparentes, mais seulement luisantes par le dessus, sont faites d'un suc obscur, terreus, espais et non transparent[25].

Leurs vices. – Les vices des Pierres precieuses sont quand la matiere n'est de mesme couleur, dont il advient qu'elles
85 portent un ombre, ou un petit nuage. Quand on y apperçoit des pailles, filandres, ou qu'elles sont gendarmées, ou qu'on

y voit de petits durillons, ainsi qu'il se rencontre dedans le
marbre, qui sont comme petits clous de matiere diverse, ou
du sel, ou de la mine de plomb[26].

90   De leur naïfveté. – On fait preuve de leur bonté, quand la
lime ou la queux ne peuvent mordre, ny prendre sur icelles[27],
comme sur les contrefaittes, encores qu'il y en ait des vrayes
et naturelles, qui ne peuvent souffrir ny l'une ny l'autre,
estans tendres et molles de leur nature[28].

95   Leur difference. – On découvre les contrefaittes à la veuë,
au poix et au toucher, outre la lime et la queux[29] : à la veuë,
quand le fard et le lustre de la pierre n'est pur et net, ny
agreable à l'œil : au toucher, quand elles sont bossues,
aspres, scabreuses et grumeleuses : au poix, quand elles sont
100   plus legeres que les naïfves.

Voyla le Recueil que j'ay peu faire des vertus et
proprietez des Pierres precieuses, pris de la meilleure part de
ceux qui en ont escrit, tant pour honorer leur memoire que
pour vous faire participans de mon petit labeur. Je ne doute
105   point qu'aucuns ne trouvent estrange la façon dont j'ay usé
en la description d'icelles, m'asseurant toutesfois qu'en les
lisant, ceux là mesmes y prendront plus de plaisir, que si je
les eusse simplement descriptes, sans autre grace et sans
autre enrichissement de quelque nouvelle invention[30].

<XVI -1>
L'AMETHYSTE,
OU
LES AMOURS DE BACCHUS ET D'AMETHYSTE.

MUSE, mon petit œil[1], le soulas de mes peines,
Qui destrampes le soin, recuit dedans mes veines,
Cherchon, Muse, cherchon quelque sentier nouveau,
Et fuyon le chemin de ce tertre jumeau[2] :

5   Il n'est que trop batu, les ondes de Permesse[3]
    Ne sçauroyent contenter une si forte presse,
    Qui pour se refraischir, et sa soif estancher
    Court en foule, alterée, au pié de ce rocher :
    Les ruisseaux espuisez de bouches larronnesses
10 Ne pourroyent satisfaire à ces troupes épesses.
    Je veux seul esgaré par des prez non foulez
    D'autre pié que le mien, et par monts reculez
    Découvrir le premier quelque source cachée[4] :
    Je veux pinser la corde encore non touchée,
15 Voler de mon plumage, et voguer dessus l'eau
    Fraischement embarqué en mon propre vaisseau :
    Je veux puiser au fond d'une source inconnuë,   [1 v°]
    Que les courriers de l'air de leur bouche cornuë
    Ne becquerent jamais, et que le clair soleil
20 N'échauffa tant soit peu de son feu nompareil :
    Eau sourdant dans le creux d'un antre solitaire,
    Pucelle ne suyvant une trace ordinaire,
    Mais qui roule, escartée, et qui d'un nouveau son
    Murmure gazouillant quelque douce chanson[5].
25   L'un a chanté le feu de la torche Hectorée[6],
    Et sous la main des Dieux Ilion deplorée,
    Les ruses des Gregeois[7], le conseil de Nestor,
    L'empire de Pluton, la fille d'Agenor[8],
    Et des marez bourbeux l'onde non violable,
30 Des vents et de la mer la colere indontable,
    Les estranges hazards du soldat Itaquois[9],
    Qui malgré les douceurs des filles d'Achelois,
    Le breuvage sorcier de Circe enchanteresse,
    De Scylle et Charibdon la rage pilleresse[10],
35 Eut avant que mourir ce desiré bonheur
    Voir saillir de son toict la fumeuse vapeur[11].

L'autre dressant son vol de pennes plus hautaines
A recherché, divin, les races plus qu'humaines
Des habitans du ciel : A chanté le Chaos,
40   Et comme en son enfance ayant le ventre gros
D'un meslange confus, par une douce guerre
Nous enfanta le feu, l'air, les eaux, et la terre[12].

L'autre voulant semer son nom par l'univers,
Legerement porté sur l'aile de ses vers,
45   A controuvé, gentil, pour marque memorable,
Des images du Ciel et des Dieux une fable :
Comme si les flambeaux des celestes Cantons   [2]
Empruntoyent de la Terre et l'influs et les noms.
J'en appelle à tesmoin le Verseau Ganymede,
50   Les pleurs et les travaux de Perse et d'Andromede,
Les replis estoilez, et les yeux du Dragon,
Les avirons parlans de la navire Argon,
La Chevre nourrissiere au ravisseur d'Europe,
Le Cancre, le Bellier, Caliste et Cassiope,
55   Le laict qui dans le ciel se fist un nouveau train,
Et mille autres surnoms dont le Ciel est tout plain[13].

L'autre sous les ormeaux de cannes plus legeres
A faict danser de Pan les Nymphes bocageres,
Les brebis porte-laine, et les troupeaux barbus
60   Bondirent sautellant dessus les prez herbus[14].

L'autre navré d'Amour a chanté ses complaintes,
Sa flamme, son destin, et ses larmes non feintes[15] :
Un autre le venin des Serpens escaillez,
Et les chantres Oyseaux de couleurs émaillez[16] :
65   Rien ne reste à vanter, les ondes tant prisées
De la source au Cheval sont toutes espuisées[17].

Mais Muse, mon souci, fay moy ceste faveur,
Que je puisse, animé de nouvelle fureur,

De mes poulmons enflez et poussez d'autre haleine
70 Remplir nostre air François d'une voix plus hautaine,
Que n'est celle de ceux, qui n'osent s'eslever
Hors du commun sentier, à fin de gaigner l'ær,
Butinant et voguant loin des mers estrangeres
D'avirons empruntez comme nouveaux Corseres,
75 De larcins reconnus vainement honorez,
Et des plumes d'autruy impudemment dorez.

APRES que les Titans, vermine de la Terre, [2 v°]
Furent mornez, froissez sous l'éclat du tonnerre
De ce grand Jupiter, colere les noyant
80 Sous un torrent de feu flots sur flots ondoyant
Dans le camp Phlegrean[18] : Après que la victoire
Haussa des Immortels la vaillance et la gloire,
Ces mutins étouffez sous les monts sourcilleux,
Et le Ciel fut paisible entre la main des Dieux[19],
85 Tous pour tenir conseil aussi tost s'assemblerent,
Et d'advis resolu ensemble deliberent
De visiter la Terre[20], à fin qu'en l'appaisant
Chacun d'eux l'honorast de quelque beau present,
Qui larmoyoit encor voyant les corps en poudre
90 De ses enfans meurdris des pointes de la foudre.

Doncques à chef baissé se plongent dedans l'ær
Portez dessus les vents, à fin de s'escouler
Plus doucement çà bas, et d'ailes peinturées
Hachent les plis frisez des plaines azurées.
95 Ainsi que le Faucon espiant son gibier
Mussé sous le rivage, ou dedans un herbier,
Fond de roide secousse : ainsi la troupe belle
Des habitans du Ciel s'eslance à tire-d'ælle :
Le Ciel veuf de secours, pour maintenir son fort
100 Demeure espouvanté à ce nouveau débort.

Arrivez sur la Terre, et l'ayant caressée
Ainsi que leur parente, et l'ayant embrassée,
Ne voulants plus laisser les hommes si grossiers
De paresse engourdis, comme leurs devanciers,
105   A fin de les pollir dessous les loix civiles
Les firent habiter ensemble dans les villes.
Le premier Jupiter leur apprit à bastir,   [3]
Mercure à traffiquer[21], Pallas à se vestir[22],
Domter l'orgueil des Vents, et les ondes coleres
110   Sous les Pins recourbez en Fustes et galeres :
Mars animant leurs nerfs, à devenir guerriers :
Apollon à chanter, et de chastes lauriers
Se couronner le front[23] : Cerés la nourriciere[24]
A tourner sous le soc la terre fourmentiere,
115   Repoitrir le gueret, à dens de faucillons
Moissonner les espis sur le dos des sillons :
Et toy pere Bacchus tu changeas le breuvage
Des cruches d'Achelois, à ce doux pressurage[25],
Que tu fis escouler du raisin pourprissant
120   Par un charme divin, tout soin adoucissant :
C'est toy race de feu, qui deux fois pris naissance,
L'une du ventre enceint de la noble semance
De ce grand Jupiter, et l'autre de la peau
De sa cuisse feconde, où comme en un berceau
125   Emmaillota, benin, le pur et sacré germe
De son enfantement surattendant le terme[26].
Car plus que les humains les Dieux grands et parfaits
Paressent dans les flancs de leur mere imparfaits,
Affranchis de la mort, d'ans, et de pourriture,
130   Riche present du Ciel, et de l'alme Nature :
Comme toy jeune et beau tousjours gaillard et frais,
Grasset et potelé, qui ne vieillis jamais

Ainsi que les humains, à qui la douce vie
Presque sans la gouster en naissant est ravie,
135 A qui la Parque blesme agenceant le berceau
Promte de mesme main foussoye le tombeau.
C'est toy germe divin, c'est toy donc que je chante   [3 v°]
Tiedement arrosé de l'humeur de ta plante :
Mais, Pere, aussi soudain que je parle de toy,
140 Herissé de frayeur je sens je ne sçay quoy
Qui roule furieux çà et là dans mes veines[27].

Or comme le sejour cause nouvelles peines,
Qui proviennent d'Amour, ce Dieu plein de repos
Secrettement nourrist un brasier dans ses os
145 Esperdûment outré d'Amethyste la belle,
Amethyste aux beaux yeux, de beauté non mortelle,
Esclave de ce Dieu qui dessus le gravois
De l'Orient perleus endossa le harnois,
Et demeura vainqueur de la gent bazanée,
150 Qui voit naistre au matin sous l'aube safranée
Le soleil radieux, lors que du bain marin
Moite va ressuyant son visage pourprin[28].

Apres donc que ce Dieu eut gaigné la victoire
Sur les peuples Indois, triomphe de sa gloire,
155 Ce petit Dieu vainqueur des hommes et des Dieux,
Triomphe de ce Dieu, et le rend amoureux :
Luy tire droit au cueur des yeux de la brunette
De sa main delicate une ardente sagette,
Qui luy perce le flanc, volant, bruyant, sifflant
160 Par le vague de l'air, ainsi que plomb coulant
Qui sautelle à boüillons, et frissonnant gresille
Quand dedans la froide eau boüillant on le distile,
S'embrazant tout ainsi qu'une balle au voler
Du ventre d'un canon, qui prend feu dedans l'aer[29].

165   C'estoit au mesme jour, que les folles Menades,
        Et le troupeau sacré des errantes Thyades[30]
        Alloyent criant, hurlant, dodinant, et crollant   [4]
        Leur visage masqué, de Serpens tout grouillant,
        Le javelot au poing entouré de lierre
170   Bouffonnant, bondissant, et trepignant la terre
        Sans ordre pesle-mesle au son du tabourin,
        Sous le bruit esclattant des cornes à bouquin :
        Trop pleine de ce Dieu la brigade chancelle
        Fourvoyant çà et là de piez et de cervelle,
175   De rage époinçonnée errante par les bois.
        La terre gemissoit de leurs confus abois,
        La lumière des yeux se bouchoit retenue
        Sous la brune espaisseur d'une poudreuse nue,
        Les Oyseaux estourdis les entendant hurler
180   Quitterent aussi tost les campagnes de l'ær.
        L'une portoit en main une lance étoffée
        De Lierre ondoyant, où pendoyent pour trofée
        Les despouilles d'un Bouc : l'autre pleine du Dieu
        Qui la pousse en fureur, sur le fer d'un espieu
185   Secouoit embroché, victime de la feste,
        D'un porc gaste-raisin[31] le simier[32] et la teste :
        L'autre portoit d'un Fan tavelé sur la peau
        Les cornichons pointus, comme un croissant nouveau :
        L'autre sur une fourche à deux pointes guerrieres
190   La hure d'un Sanglier, aux defenses meurdrieres :
        De figues et de fleurs l'autre avec le coffin
        Bransloit au ventre creux un vase plein de vin.
        Quand ce Dieu recherchant, ô divines merveilles !
        Les secrets croupissans au fond de ses corbeilles[33],
195   Trouve que le Destin cruel ne vouloit pas
        Qu'il jouist bienheureus des allechans appas

D'Amethyste la belle, ayant pour ennemie   [4 v°]
Diane au chaste sein le secours de s'amie,
Et les Astres aussi : Alors tout esperdu
200   Et rempli de fureur, C'est par trop attendu,
Dist-il, sus sus avant, Evantes[34], qu'on attelle
Mon char au timon d'or, l'ordonnance cruelle
Du Ciel ne fera pas que je n'entre en fureur :
» Sur un Dieu ne peut rien la force ny la peur.
205   D'un pié promt et legier ces folles Bassarides[35]
Environnent le char, l'une se pend aux brides
Des Onces mouchettez d'estoiles sur le dos,
Onces à l'œil subtil, au pié souple et dispos,
Au muffle herissé de deux longues moustaches :
210   L'autre met dextrement les Tigres aux attaches
Tizonnez sur la peau, les couple deux-à-deux,
Ils ronflent de colere, et vont rouillant les yeux :
Un fin drap d'or frisé semé de perles fines
Les couvre jusqu'au flanc, les houpes à crespines
215   Flottent sur le genou, plus humbles devenus
On agence leur queüe en tortillons menus.
    D'or fin est le branquar, d'or la jante et la rouë[36],
Et d'yvoire Indien est la pouppe et la prouë :
L'une soustient le char, l'autre dans le moyeu
220   Des rouleaux accouplez met les bouts de l'essieu,
Puis tirant la surpante, alaigrement habile,
Arreste les anneaux d'une longue cheville
Dans les trous du branquar : le dessus est couvert
De lierre menu, et de ce pampre vert
225   Où pendent à l'envy les grappes empourprées
Sous les tapis rameux des fueillades pamprées.
    Ce Dieu monte en son char, les Tigres vont davant,   [5]
Qui sans piquer[37] voloyent plus legers que le vant,

Sous leurs piez ergottez d'une griffe meurdriere
230   Faisoyent voler menu la bruyante poussiere,
D'un muffle entrefendu remachant pollissant
L'or fin entre leurs dens, d'écume blanchissant :
Jointes à ses costez ces folastres Evantes
Le suyvoyent au galop, hurlantes et courantes.
235   Sus avant, dist ce Dieu, sus Tigres prenez cueur,
Et vous Onces legers armez-vous de fureur,
C'est à ce coup qu'il faut secourir vostre maistre,
Grattez la terre aux piez et me faites parestre
Que vous sentez, divins, coleres dedans vous
240   Quelque peu de l'aigreur de mon juste courrous :
Herissez-vous d'horreur, échauffez, courageuses,
De queüe et de fureur[38] vos costes paresseuses,
Que l'Indois bazané sente comme inhumain
Pour m'avoir dedaigné les rigueurs de ma main :
245   Je veux que le premier qui tiendra ceste voye
Vous soit mis en curée et vous serve de proye.
Mais qu'avint-il (ô Dieu !) Amethyste aus beaus yeux
Humble se pourmenant pour saluer les Dieux,
Et faire sacrifice à la chaste Deesse,
250   Se rencontre premiere en ceste troupe épesse,
Qui se voyant forcée invoque à son secours
Diane : Ayez pitié de mes chastes Amours,
Dist-elle souspirant, et chaste te souvienne
De sauver prontement une ame toute tienne.
255   A peine avoit fini[39], qu'une morne rigueur
Luy fait cailler le sang, les poulmons et le cueur,
Une froide sueur luy bagne le visage,   [5 v°]
Par trois fois essaya de marcher, mais l'usage
Des piez est engourdy, par trois fois essaya
260   De retourner le col qui jamais ne ploya

Aussi dur qu'un rocher, ses larmes espandues
Sur le gravier Indois en pierres sont fondues.
A ce nouveau miracle espouvanté d'horreur,
Encores qu'il fust Dieu, tremble et frémist de peur :
265 Les Tigres en defaut autour de ceste pierre
De griffes et de dents vont poitrissant la terre :
Ces folles vont dançant, hurlant, environnant
Ce beau corps empierré qu'elles vont couronnant.
Donques puisque le Ciel, dist ce Dieu, m'est contraire
270 En s'opposant, cruel, de haine volontaire
A mes desseins rompus, puis qu'il ne permet pas
Que je puisse, amoureux, sinon par le trespas
Savourer les baisers d'Amethyste la belle :
Puisque l'enfant Amour et sa mere cruelle,
275 Diane et le Destin, ennemis de mon heur,
M'ont bani de leur grace, et manqué de faveur :
Puisque devant mes yeux, juges de mon martyre,
Je souffre, malheureux, de tous les maux le pire,
En voyant empierrer celle-là dont les yeux
280 Pouvoyent mesme empierrer les hommes et les Dieux[40].
Je veux à l'advenir que ceste pierre fine,
Nourrissant dedans soy ma colere divine,
Teinte de mes couleurs, engarde son porteur
De jamais s'enyvrer de ma douce liqueur,
285 Attirant les vapeurs qui d'haleines fumeuses
Vont troublant le cerveau de passions vineuses.
Plus je vueil qu'elle rende agreable et gentil,   [6]
Sobre, honeste, courtois, d'esprit promt et subtil
Celuy qui dans le sein la portera celée,
290 Ou dessus le nombril estroittement colée :
Et qu'on la treuve aussi sur le gravier Indois,
Où s'empierrant perdit et la vie et la vois[41].

      Ce disant arracha de la fueille pamprée,
      Qui couronnoit le front de sa teste sacrée
295 Le raisin pourprissant, et dans sa blanche main
      L'espreignant et froissant, en pressura le grain :
      Dont la sainte liqueur escoula rougissante
      Sur l'Amethyste encor de frayeur pallissante,
      Qui depuis en vertu de ce germe divin
300 N'eut le visage teint que de couleur de vin,
      Violette, pourprine en memoire eternelle
      Du Dieu qui pressura de la grappe nouvelle
      Le moust qui luy donna la couleur et le teint,
      Dont l'Amethyste encor a le visage peint[42].
305   Voyla du Bromien[43] l'obseque lamentable,
      Qu'il fist, élangouré, sur le corps pitoyable
      De sa chaste maistresse : Or voyla les douleurs,
      Le funebre appareil, les sanglots et les pleurs
      Qu'il poussa dans le Ciel : les rives emperlées
310 De Gange[44] au sable d'or, les profondes valées,
      Et les coustaux voisins retentirent au son
      Vivement animez de sa triste chanson.

<XVI -2>   [6 v°]

LE DIAMANT[1].

      C'EST trop chanté, Vierge Deesse,
         Dessus les ondes de Permesse[2],
         Autre labeur te faut choisir :
         Car l'usance trop familiere
5   Du plaisir se change et s'altere
         Le plus souvent en desplaisir[3].
         Sus donc avant, que l'on travaille
         Au moulin, et que l'on me taille

Un Diamant, que le marteau
10　　Sur l'enclume ne sçauroit rompre,
Ny l'acier ny le feu corrompre
Ny consommer dans le fourneau[4].
O pierre vrayment indontable,
D'une durté non violable[5],
15　　Naissant du Crystal Indien[6],
Qui ne tremble et qui ne frissonne
Des coups de la main forgeronne
Du grand Sterope Eolien[7].
Le Diamant pour faire preuve
20　　S'il est bon, il faut qu'on luy treuve
L'éclat net, et le feu brillant,
Comme le fer dans la fournaise
Enseveli dessous la braise
Drille et flamboye estincelant.
25　　De couleur un peu plus obscure　　　　[7]
Que le Crystal, mais nette et pure,
Si qu'on y puisse concevoir
Les couleurs de mesme teinture
Que l'arc qui fait une ceinture
30　　Dedans l'air quand il veut pleuvoir.
Comme l'eau d'une fontainette
Prisonniere dans sa cuvette
Brunist d'un obscur argentin :
Ainsi faut qu'il face parcstre
35　　Son teint clair brunissant pour estre
Du vray lustre Diamantin.
Ceste race Diamantine
Naist dans la roche crystaline,
Dedans l'Or ou dedans le sein
40　　Des sablonnieres Indiennes,

Ou dans les mines Cypriennes
Où se prend le Cuyvre et l'Airain[8].
Celle qui de plus pres approche
Au brillant éclat de la roche
45   Du Crystal au lustre argentin,
Est la plus rare et la plus belle :
La seconde apres elle, est celle
Qui se trouve avecques l'Or fin.
La plus blesme et plus jaunissante
50   Est celle qu'on voit pallissante
Dans l'Airain foible estinceler :
La plus pesante et plus blafarde
Est celle qu'on trouve bastarde
Dedans les minieres de Fer.
55   Aucuns disent que ceste pierre   [7 v°]
Se tire des flancs de la terre
De Decan et de Bisnager,
De Mammeluc, et que bien proche
Se trouve encor la vieille roche
60   Es mains d'un Barbare estranger[9].
Qu'oncque ne se trouva meslée
Avec le Crystal, ny fouillée
Des mains avares de l'Indois,
Et que Cypre dedans ses mines
65   Ne trouve point ces pierres fines,
Ny l'Arabe, ny le Medois[10].
Miracle estrange de Nature,
De voir que ceste pierre dure
Qui du marteau ne craint le coup,
70   Ny de l'acier, ny de sa trampe,
Se ramolist et se détrampe
Au plonge dans le sang de Bouc[11].

N'est-ce chose encor plus celée,
Ne pouvant recevoir taillée
75 Le polly que de son sablon[12],
Ne pouvant estre combatuë
Que de soy, se voir abbatuë
Au fray d'une lime de plom[13] ?
Mais quel esprit, quelle science
80 A découvert l'experience
De ce secret ? Il ne vient pas
Des cerveaux humains interpretes,
Mais des puissances plus secretes
Des Dieux qui commandent çà bas[14].
85 Diray-je chose non croyable,   [8]
Chose vrayment espouvantable
De la force du Diamant,
Opiniastre à son contraire
Combattant comme un adversaire
90 La force et vertu de l'Aymant[15] ?
Car estant la pierre voisine
Du Diamant à l'Aymantine,
Au lieu de faire une amitié
Le fer tombe, et luy fait demordre,
95 Exerçant le cruel desordre
D'une secrette inimitié.
Comme le soldat qui s'employe
A ravir quelque riche proye
Au sac d'un ravage mutin,
100 Est forcé de son Capitaine,
Qui le va fraudant de sa peine
Et de l'honneur de son butin[16].
Mesme les Dieux inexorables,
Qui sur les eaux non violables

105   Rigoureux president là bas,
             Ont de pierre Diamantine
             Le cueur, le foye et la poitrine
             Pour ne rompre et ne flechir pas[17].
        Les boucliers aux riches graveures,
110   Les corcelets, et les armeures
             Des Dieux, et les clous du Destin[18]
             Sont-ils forgez d'autre miniere,
             Ny burinez d'autre matiere
             Que du courroy Diamantin ?
115   Diamant la garde fidelle   [8 v°]
             Du maillot et de la mamelle,
             Et du berceau Saturnien,
             Lors que Jupiter dedans Crette
             Nourriçon pendoit à la tette
120   Au fond de l'antre Dictean[19].
        Mais ce grand Roy tenant l'empire,
             Craignant que Celme ne peust dire
             L'avoir veu dedans le berceau,
             A fin d'eviter le reproche
125   D'estre mortel, en corps de roche
             Il empierra ce jouvenceau[20].
        Diray-je la puissance forte
             Qu'il ha pour celuy qui le porte
             Pour se defendre, et pour s'armer
130   Contre les ronds et les figures,
             Et les secrettes impostures
             Des Démons, citoyens de l'ær[21] ?
        Contre la cire charmeresse[22],
             Et la puissance enchanteresse,
135   Qui furieuse nous poursuit ?
             Contre les fourbes des Incubes,

Des Folletons, et des Succubes,
Bourreaux compagnons de la Nuit[23] ?
Contre les horreurs pallissantes
140   Les peurs et les frayeurs naissantes
Des songes qui trompent nos yeux ?
Et contre ceux que la Manie
Travaille tourmente et manie,
Pleins de rage et tout furieux[24] ?
145 Car cil qui porte ceste pierre   [9]
Soit que l'or ou l'argent l'enserre
Prisonniere dans un anneau[25],
Ne craindra l'amoureux breuvage[26],
Les charmes ny le sorcellage
150   Qui nous alterent le cerveau.
Et quoy ? l'on dit (ô cas estrange !)
Sentant le venin, qu'elle eschange
Sa durté, et qu'elle amollist[27],
Ternissant l'éclat et la grace
155   Et le clair rayon de sa face
Par le poison qui l'affoiblist.
Or comme elle est constante et forte,
Celuy qui chastement la porte
Meurt constamment pour trop aimer,
160   Ferme tout ainsi qu'une roche,
L'exercice des vens[28], et proche
Des flots écumeus de la mer.
Propre tant elle a d'efficace
Pour acquerir la bonne grace,
165   Le bon visage et la faveur
D'une maistresse bien choisie,
Qui plustost perderoit la vie
Qu'autre Amour grave dans son cueur[29].

Diray-je que la poudre mesme
170   Du Diamant est si extréme
Et si violente en froideur,
Que prise elle amortist la flame,
Le seigneur souverain de l'ame,
Des veines, du sang, et du cueur[30] ?
175 Ainsi l'ornement de sa grace   [9 v°]
N'est pour la main, ny pour la face
Seulement, ny pour sa valeur :
Mais pour cil qui a plus d'envie
De trancher le fil de sa vie,
180   Que se tramer un deshonneur.
C'est assez travaillé, Mignonne[31],
Car la Princesse à qui je donne
Le riche labeur de vos dois,
Ne veut que soyez davantage
185   Sur le polli de cest ouvrage,
Ce sera pour une autrefois.
Royne constante et non ployable,
Et d'amitié non violable
Vers son Roy et loyal Aymant,
190   D'esprit net, sans paille, et sans nuë
Comme la beauté reconnuë
En l'esclat de ce Diamant.

<XVI -3>   [10]
LA PIERRE D'AYMANT
OU CALAMITE[1].

SE voit-il sous le Ciel chose plus admirable,
Plus celeste, plus rare, et plus inimitable
Aux hommes inventifs, que la pierre d'Aymant[2] ?

Qui le fer et l'acier vivement animant
5   Prompte les tire à soy, et de gente allaigresse
Ces metaux engourdis et rouillez de paresse[3]
Esleve haut en l'air, fait tourner et marcher,
Les presse, les poursuit, pour mieux les accrocher ?
Tout cela que Nature en ses ondes enserre,
10   Sous les replis de l'air, sous les flancs de la terre,
N'est point si merveilleux. Et quoy ? n'estoit-ce assez
Aux rochers caverneus, aux antres emmoussez,
Aux pierres, aux caillous avoir donné en somme
La parolle et la vois, qui respond mesme à l'homme ?
15   Babillant, fredonnant, gazouillant, et parlant
Les accents dedans l'air, qu'elle va redoublant[4] ?
Sans les avoir armez et de mains et d'accroches[5],
De petits hameçons, de secrettes approches,
Des traits mesme d'Amour, pour attirer à soy
20   Le fer opiniastre, et luy donner la loy ?
Se voit-il rien çà bas plus dur et moins dontable
Que ce metal guerrier ? moins dous et moins traitable ?
Mais en ceste amitié le donteur est donté,   [10 v°]
Et le vainqueur de tout d'un rien est surmonté,
25   Courant deçà delà sans esgard et sans guide
Apres je ne sçay quoy, qui s'espand dans le vuide[6].
Chef d'œuvre de Nature, et plus audacieux,
Que d'avoir esbranlé par les cercles des cieux,
De gros Ballons ardans[7], et dans les eaux sallées,
30   Fait faire le plongeon aux troupes écaillées !
Mais quel nœu d'amitié fait joindre ces deux corps,
Que Nature a faict naistre imployables et forts ?
La Calamite errante, et de soif alterée,
De ne sçay quelle ardeur cruellement outrée,
35   Evente ce metal, halletant et soufflant

D'un desir importun, qui chaud la va bruslant :
Puis l'ayant découvert, le cherist et l'embrasse,
Le caresse, le baise, et le suit à la trace[8],
Comme un ardant Limier au plus espais du bois
40   Lance et poursuit le Cerf pour le mettre aux abois,
Et de nez odoreux et d'haleine flairante
Choisist l'air échauffé de la beste courante[9].
Des choses que l'on voit sous le Crystal des cieux[10],
Coulent de petits corps, qui vont battant nos yeux[11]
45   Sans treve et sans repos d'une vive secousse,
S'amasse un air voisin, qui s'eslance et se pousse,
Qu'on ne peut concevoir que par le jugement
Qui vient d'ouir, de voir, du goust, du sentement[12].
Nous sentons en Hyver la froideur des rivieres,
50   En Esté du Soleil les flammes journalieres,
Et les vents orageus des ondes de la mer,
Nous entendons les vois qui s'espandent par l'ær,
Mesmes estants voisins des bords de la marine   [11]
Il vient à nostre bouche un fraichin de saline[13],
55   Qui part de ce grand flot, qui postant nous fait voir
De l'Aquilon venteus jusques au peuple noir[14].
Qui n'a senti de l'air la tempeste orageuse ?
Veu sous les flancs cavez d'une roche orgueilleuse,
Distiler goutte à goutte une fraiche liqueur ?
60   Qui n'a senti le froid, la chaleur, et l'odeur ?
Veu rouler de nos fronts une sueur salée[15] ?
Au travers de l'airain une vapeur gelée
Penetrer la chaleur au travers d'un vaisseau ?
Veu la barbe, et le poil cotonner sur la peau[16] ?
65   Senti le doux parfum et l'odeur des fleurettes ?
La douceur, et l'aigreur ? et des herbes infettes
La puanteur aussi ? Doncques il est certain

Que la semence part comme un nouvel essain
Au retour du Printemps, qui se jette et se cruche
70 Dans un arbre fueilleu au sortir de la ruche[17].
De ceste pierre donc se dérobe et s'enfuit
Un mouvement, un flot, une chaleur qui suit
Ce metal qu'elle anime, ayant de violence
Escarté l'air voisin, qui luy faisoit nuisance.
75 Dans ce vuide aussi tost les premiers elemens
De ce fer à l'Aymant par doux acrochemens
Embrassez et collez, comme par amourettes,
Se joignent serrément de liaisons secrettes[18] :
Qui fait que l'air enclos dedans ces corps pressez,
80 Piquez à menus trous, échauffez, et percez
D'un mouvoir importun, accolle, frappe, et pousse
La semence du fer d'une vive secousse[19] :
Se rencontrant ainsi, se collent serrément   [11 v°]
L'un à l'autre aussi tost d'un dous embrassement.
85 Tout ainsi que la Vierge éperdûment espointe
Des fleches de l'Amour, de forte et ferme estrainte
Serre son favorit, et de bras et de main
Luy pressant l'estomac contre son large sein[20].
Ou comme le lierre en tournoyant se plisse
90 Contre un Chesne moussu, d'une alleure tortisse[21] :
Ce metal tout ainsi, se sentant caressé
Tost s'accroche à l'Aymant, et le tient embrassé.
    Voyla donc les appas, et l'amorce friande
Dont il se paist, goulu : le fer est la viande
95 Et l'aliment confit, et trampé de rigueur,
Qui benin l'entretient en sa force et vigueur :
C'est du fer qu'il prend vie, et par les flancs armée
De limaille de fer ceste pierre animée
Par secrette influence, ainsi que de la main,

100   Tire le fer à soy pour appaiser sa faim :
      De ce metal absente ha les veines beantes
      D'une bruslante soif, ses entrailles mourantes,
      Et son corps affoibly à faute d'aliment
      S'altere languissant, et pert le sentiment[22].
105   Comme un Amant pipé d'une fascheuse attente
      Soupire apres les yeux de sa maistresse absente,
      La cherche, la reclame, et comblé de rigueur
      Ne songe nuict et jour qu'à domter sa fureur[23] :
      Comme moy, plus chetif que n'est la Calamite,
110   Qui vostre cueur ferré, d'une eternelle suite
      Va tousjours desirant, caressant, poursuyvant,
      Mais plus je l'importune, et plus me va fuyant :
      Car le vostre et le mien, comme deux adversaires   [12]
      Vivent separément d'affections contraires[24] :
115   Le mien prompt et subtil, de l'Amour est espoint,
      Et le vostre engourdy ne s'en échauffe point,
      S'ébranlant aussi peu de la force amoureuse,
      Qu'aux soupirs d'Aquilon une roche orgueilleuse,
      Estant plus froid que Marbre, ou que le vent d'Hyver,
120   Qui renglace, cuisant, l'onde, la terre, et l'ær[25].
         Or l'image qui part de tous ces corps spirables,
      N'est de pareil effect, ny de forces semblables[26] :
      Autre est celuy de l'Or, que celuy de l'Airain,
      Du Verre, de l'Argent, du Fer, et de l'Estain,
125   Estant ces corps entre eux de diverse nature,
      Diversement ourdis, d'air, et de contesture,
      Cause [qu'ils][27] vont suyvant, flairant, et recherchant
      Pareilles amitiez qui les vont allechant,
      En fuyant leur contraire : Une guerre immortelle
130   Se couve et se nourrist si fierement cruelle
      Entre le Fer massif, et le corps de l'Airain,

Que mis entre le Fer et l'Aymant, tout soudain
Leur amitié se rompt, le Fer prenant la fuite
A fin de n'éventer l'air de la Calamite.

135 Car apres que l'Airain de ses rayons plus forts
A bouché les pertuis, et comblé jusqu'aux bords
Tout le vuide du Fer, la force et la semance
De l'Aymant se rebouche, et trouve resistance
Qui luy defend l'entrée, estant le Fer tout plain
140 Du flot et du bouillon des rayons de l'Airain[28].

Mais entre nos deux cueurs y a-til point, Maistresse,
Quelque Airain morfondu, qui fait que la rudesse
Du vostre ne s'échauffe, et n'approche le mien ?   [12 v°]
Le mien, qui ne souspire, et qui n'aspire rien
145 Que de vous estre serf, mais las ! plus l'esperance
Trompeuse le repaist, moins prend-il d'asseurance :
Plus je pense estre aimé de vos rares beautez,
Plus je sens de vos yeux les fieres cruautez[29].

N'est-ce merveille encor, outre ces cas estranges,
150 Et les accrochemens de ces nouveaux meslanges,
Voir ce corps Aymantin animé de fureur,
Ainsi que de l'Amour, ou de quelque autre ardeur,
Suyvre les feux dorez des estoiles Ursines[30],
Qui craignent se bagner dedans les eaux marines,
155 Eternelles roulant à l'entour de l'essieu[31] ?
Mais sent il point encor la pointe de l'espieu
D'Arcas le fils bastard, et gardien de l'Ourse ?
Quand chassant par les bois, échauffé, prist la course
Pour enferrer sa mere au poil aspre et rebours,
160 De ce grand Jupiter trop cruelles Amours ?
Qui changea les beautez, et les graces modestes
De Caliston la vierge en ces flammes celestes,
Après l'avoir armée et de dens et de peau,

Pour accroistre des Ours le sauvage troupeau[32] ?

165   Ou c'est l'influs secret des rais et de la flame
De l'Ourse qui l'inspire et qui luy donne l'ame,
Ou quelque cousinage, ou bien je ne sçay quoy
De friand qui l'amorce et qui l'attire à soy.
Car le fer aiguisé sans force et sans contrainte

170   Frotté contre l'Aymant, tourne tousjours la pointe
Vers le Septentrion, qui rend les jours partis
En minutes, en quarts, et les vens assortis
Chacun en son quartier, retranchant mesurée   [13]
La flamme du Soleil, et l'humide contrée[33].

175   Invention des Dieux ! avoir tiré l'esprit
D'un caillou rendurci, qui sans sçavoir apprit
Aux hommes journaliers, de tirer un mesnage
Des jours, des mois, des ans, ruine de nostre âge !
De là nous cognoissons qu'en ce grand Univers

180   Tout se fait d'amitié, rien n'y va de travers,
Tout marche, roule et suit sous la sainte ordonnance
De ce grand Dieu, qui tient tout le monde en ballance[34].
Ha siecle malheureus, et veuf de jugement,
Où les hommes grossiers ont moins de sentiment,

185   Moins de grace et d'amour que le fer ny la pierre,
Armez de cruauté, et tous nez pour la guerre,
Ennemis de la Paix, promts à souiller leurs mains
Au sang de leur voisin, tant ils sont inhumains !
Siecle trop ignorant des douceurs de la vie,

190   Fertile de malheur et pallissant d'envie,
Nous faisant savourer en ce val terrien
Plus aigrement le mal, que doucement le bien[35] !
Or la pierre d'Aymant non seulement attire
La froide horreur du fer, mais le fer qu'elle inspire

195   De sa vive chaleur, attire l'autre fer[36] :

Communiquant sa force, et les rayons de l'ær,
Qui coulent de l'Aymant, au fer qu'il outrepasse :
S'entre-poussant ainsi que sur l'humide espace
Les haleines des vents promts et vistes courriers,
200   Vont poussant par derriere au gré des mariniers
Et voiles et vaisseaux, volant d'ælles legeres
Pour empietter l'Or fin des rives estrangeres[37].
Cause que nous voyons et quatre et cinq anneaux   [13 v°]
Suspendus dedans l'air d'accrochemens nouveaux,
205   L'un à l'autre collez de liens invisibles,
Comme si de l'amour entr'eux estoyent sensibles,
L'un l'autre se couplant de secrette amitié,
Qui ces deux corps inspire à trouver leur moitié[38].
Ainsi de la Torpille une vapeur se jette
210   D'un air empoisonné qui coule à la languette
De l'hameçon pipeur, passant subtilement
Par le fer engourdy d'un estourdissement,
Du fer, il monte au poil de la ligne tremblante,
Et du poil, à la verge, et à la main pendante
215   Du Pescheur dessus l'eau restant morne et blesmy,
En voyant sa main gourde, et son bras endormy[39].
Mesmes l'on tient pour vray, que les costes ferrées
Des vaisseaux arrestez sur les ondes verrées,
Qui vont rongeant les piez du rocher Aymantin,
220   Se deferrent soudain, et n'y a clou en fin,
Esperon, ny crochet, boucle, crampon, ny bande
Qui ne laisse le bois, et prompt ne se débande,
Ne s'arrache et ne sorte, à fin de s'accrocher
Contre les flancs larrons de l'Aymantin rocher[40].
225   Il y a de l'Aymant de couleur noire et perse,
De blanc, et de blaffard, mais de force diverse[41].
Le noir, masle guerrier, n'attire que le fer :

Et le blanc, feminin, n'attire que la chair[42].

On dit que le blaffard de couleur jaunissante
230 Porte ceste vertu, qu'une lame innocente
De ce caillou frottée, entre par le travers
Sans offenser la chair des muscles et des ners,
Qui plus est, sans douleur, et sans que de la playe
Le sang froid et glacé en ruisselant ondoye :   [14]
235 Car le coup se reprend, et se ferme soudain
Sans parestre, restant le corps entier et sain[43].

On conte qu'un Berger decouvrit ceste pierre,
Fichant de son baston la pointe dans la terre
Sur le mont Idean : Car le fer approché
240 De l'Aymant espion, soudain fut accroché[44].

Le plus voisin de nous, est celuy que l'Espagne
Liberale nous vend, l'Itale, et l'Alemagne :
Le meilleur est celuy que l'Ethiope Indois
Trouve dedans le sein de son riche gravois :
245 L'autre et le plus commun, se nourrist és minieres,
Prend la force et le pois des terres ferronnieres[45] :
Nature ne voulant cacher dedans son sein
Le bien qui sert à l'homme, et qui luy fait besoin.

Car on tient pour certain, que l'Aymant est propice
250 Pour les accouchemens attaché sur la cuisse[46] :
Bon contre le venin[47], et pour le mal des yeux
Quand ils sont larmoyans, rouges, et chassieux[48] :
Bon pour la chasteté[49], et pour se rendre aymable,
Courtois, facond, discret, gracieus, accostable[50] :
255 Propre pour alterer, et pour estancher l'eau
Qui flotte entre la chair et le gros de la peau[51].

Va donq, va donq Aymant, va trouver ma Maistresse[52],
Et si tu peux, subtil, détramper la rudesse
De son ame ferrée[53], et l'attirer à toy,

260   Plus fort te vanteray, et plus vaillant que moy,
    Qui n'a peu l'esmouvoir par ouvertes allarmes,
    Cruelle dédaignant mes soupirs et mes larmes,
    Plus dure mille fois que le fer endurci,
    N'ayant de mon malheur ny pitié ny merci[54].

< XVI -4>   [14 v°]

LA PERLE.
A LA ROYNE DE NAVARRE[1].

JE veus de main industrieuse
    Sur les bords de l'onde fameuse[2]
    Choisir une Perle de pris,
    Une Perlette dont la gloire
5   Sur les colomnes de Memoire
    Immortelle emporte le pris[3].
Perle dont jamais ne ternisse,
    Ne s'enfume, et ne se jaunisse
    Le lustre argenté de son eau,
10   Et que la force violante
    Du Temps à la pince mordante[4],
    N'offense et n'entame la peau[5].
Belle et gentille creature,
    Rare merveille de Nature,
15   Thresor[6] qu'on ne peut estimer,
    Plus precieux qu'on ne veit oncques,
    Prisonnier au fond de deux Conques[7]
    Sur le sablon de l'Inde mer.
Divine et celeste semence,
20   Qui tient sa premiere naissance
    Du Ciel, et des Astres voisins[8],
    Empruntant du sein de l'Aurore
    Son beau teint quand elle colore

Le matin de ses doigts rosins[9].
25 Ores qu'elle soit citoyenne [15]
De la plaine Neptunienne,
Si n'y prend-elle ses appas :
Mais comme hostesse dédaigneuse,
Des eaus de la mer escumeuse,
30 Ingratte, ne s'abreuve pas.
Ayant plus de commun usage
D'alliance et de cousinage[10]
Dedans le celeste pourpris,
Qu'avec l'escume mariniere,
35 Or' qu'elle soit son hosteliere,
Et qu'ailleurs son germe n'ait pris[11].
Car quand la saison plus gentille
A concevoir se rend fertile,
La Nacre s'ouvre, et promtement
40 Ceste gourmande creature
Beant reçoit la nourriture
De son perleus enfantement[12] :
Qui vient de la douce rosée
Du grand Ciel, dont l'Huystre arrosée
45 S'engrosse et s'enyvre au matin,
Ainsi que la levre tendrete
De l'enfant se paist et s'allaite,
Suçottant le bout du tetin[13].
Comme la Vierge époinçonnée
50 Des chastes flambeaux d'Hymenée,
Brusle et meurt d'un ardant desir
D'appaiser l'ardeur de sa flame :
Tout ainsi ceste petite ame
Souhaitte l'amoureus plaisir[14].
55 [Qu'il] ne soit vray[15], l'on dit encore [15 v°]

La Perle fille de l'Aurore,
Quand pour alleger ses douleurs
Soupirant apres son Cephale,
Dedans la mer Orientale
60   Pleurant s'emperlerent ses pleurs[16] :
Larmes que les Conques perleuses
Du fruit de leur mere amoureuses,
Mirent au fond de leur berceau :
Puis rondes les emmailloterent
65   Et nourrices les allaitterent
Du fecond germe de ceste eau[17].
Aussi la Perle se colore
Ainsi que sa flamme[18] redore
Et donne teinture au matin :
70   S'elle est palle, elle est pallissante :
S'elle est jaunastre, jaunissante :
Pure, son fard est argentin[19].
Mesme quand Jupiter desserre
Les traits vengeurs de son tonnerre
75   De son bras rougissant d'éclairs,
Ou quand, despit, sur le rivage
Il brasse quelque espais orage
Par ses promts et venteus courriers :
Ceste creature debile
80   Aussi tost dedans sa coquille
Se renferme tremblant de peur,
Cause qu'elle altere sa face
Par trop jeusner perdant sa grace,
Son teint, sa force, et sa rondeur.
85   Car concevant en saison telle,   [16]
Que la tourmente plus cruelle
Trouble les humides cantons :

L'une est platte, louche, bossuë,
L'autre creuse, et l'autre moussuë,
90   Ainsi que petits avortons[20].
N'est-ce cas merveilleus en elles
De remarquer ces meres Perles,
Lors que la chaleur les atteint,
Se plonger dans les eaux profondes,
95   A fin que sous le frais des ondes
Elles conservent leur beau teint[21] ?
Et pour punir les mains avares
Des pescheurs et plongeons barbares,
Ou soit Arabe, ou soit Indois,
100   Les voir de pince vengeresse
Contre l'amorce piperesse
Tronçonner la main et les dois[22] ?
Sachant bien receller enclose
Une richesse qui repose
105   Dans leurs flancs, qui les fait aimer,
Et fait qu'au peril de la vie
Ceste noble proye est suyvie
Jusqu'aux abysmes de la mer.
Puis nagent ces troupes Huytreuses
110   Dessous les campagnes vitreuses
Sous un chef en gros bataillons,
Comme la troupe mesnagere
Des Avettes vole legere
Sous un Roy dans leurs pavillons[23].
115   Perle gentille, mise en poudre   [16 v°]
Qui sçait l'humeur fondre et dissoudre,
Qui nous rend froids et catarreux,
Et qui de vertu non connuë
Eclarcist et chasse la nuë

120   Qui nous flotte dedans les yeux[24].
        Poudre qui retien la puissance
        Par une secrette influance
        Seicher[25] toute mauvaise humeur,
        Et des pasmoisons donteresse
125   Soudain remettre en allaigresse
        Les poulmons, le foye et le cueur[26].
        Poudre secrettement unique
        Pour purger le melancolique,
        Ou cil qui seche languissant
130   D'une fievre, ou d'un mal de teste[27] :
        Poudre qui doucement arreste
        Le flux qui coule rougissant[28].
        Perle, que jamais ne s'efface
        Le lustre argenté de ta face,
135   Et que l'on ne détrampe pas,
        Ainsi que la Perle Indienne
        Que la prodigue Egyptienne
        Gourmanda seule en un repas[29].
        Or va doncques Perle d'eslite,
140   Va trouver ceste MARGUERITE[30]
        Des beautez la Perle et la fleur,
        Et fay tant que tu trouves place
        A son oreille, ou sur sa face[31],
        A fin de gaigner sa faveur.
145   Si tu l'as, Perlette mignonne,   [17]
        Ce Faucheur ailé qui moissonne
        Tout cela qui vit dessous l'ær[32],
        Ne sçauroit offenser la grace
        Des chastes honneurs de ta face,
150   Ny le teint qui te fait aimer[33].

< XVI -5>

LES AMOURS DE HYACINTHE ET DE CHRYSOLITHE.

HYACINTHE[1] enamouré des yeux de Chrysolithe,
Entre cent Damoyseaux de beauté plus eslite[2],
Espoinçonné des traits et de la vive ardeur
De ce Dieu qui sans yeux frappe si droit au cueur,
5   Dissimulant, navré, une playe en ses veines,
Alloit de tels propos assaisonnant ses peines,
Ayant tiré, craintif, de ses poulmons enflez
L'air chaud entrecoupé de soupirs redoublez.
Chrysolithe, mon cueur, mon desir, ma sucrée,
10   Ma Grace, mon souhait, ma Cyprine dorée[3],
Chrysolithe m'amour, si jamais la pitié
Logea dedans tes yeux, ou si quelque amitié,
Ou quelque dous accueil a pris place en ton ame,   [17 v°]
Appaise, Chrysolithe, appaise ceste flame,
15   Qui devore, gourmande, et ma chair et mes os,
Appaise la fureur qui trouble mon repos :
Seule me peux garder, et me perdre Cruelle,
Seule retiens chez toy, comme hostesse fidelle,
Et ma mort et ma vie : Advise donc mon Cueur,
20   Lequel te plaist des deux, et fay que ta rigueur
Ou me plonge au cercueil, ou ta benine grace
Me redonne la vie, et bienheureux me face.
Je sçay que justement je ne puis excuser
L'offense que j'ay faitte[4], et ne puis accuser
25   Autre que mon malheur, ou tes beautez extrémes,
Qui me font oublier mon devoir et moymesmes,
Indigne des faveurs d'un regard adouci
De ton œil rigoureus : Mais si ton ame aussi
Juge sans passion l'offense que j'ay faitte,

30   Pour n'avoir accompli l'entreprise secrette
     Entre nous deux jurée, elle n'est pas, mon Cueur,
     Si lourde, si fascheuse et si pleine d'erreur,
     Qu'ell' ne merite bien, à pardonner facile,
     Quelque douce faveur de ta grace gentile :
35   Excusable vrayment, et digne de pardon,
     Si l'aveugle Tyran du Ciel[5] avoit ce don,
     Comme il n'a pas, cruel, de supporter les fautes
     Des Amoureus pipez de ses ruses trop cautes.
      Il faut gouster le bien avant que s'en gorger,
40   Il faut rougir le fer avant que le forger,
     Quelquefois l'on espargne à fin de mieux despendre,
     On se fait serviteur pour plus libre se rendre,
     On s'altere aux chaleurs pour la soif estancher,   [18]
     On refuse l'honneur que plus on veut chercher.
45   Le Marinier se pend aux vagues de Neptune
     Pour bastir sur la terre, et dorer sa fortune :
     De la terre poudreuse on engerme le sein
     Pour en tirer l'usure et redoubler le grain :
     Pour se mettre en repos souvent on se travaille,
50   Pour gaigner le rempart on vient à la muraille.
      Moy soldat de l'Amour, pour assaillir ton cueur
     J'ai faict breche en tes yeux, dont je reste vaincueur,
     De vaincueur, prisonnier, et de ceste victoire,
     Seule, sans coup fraper tu remportes la gloire :
55   J'en appelle à tesmoin mes soupirs et mes veux,
     Qui pendent pour trofée à tes crespes cheveux[6],
     J'en appelle à tesmoin mon ame prisonniere
     Dedans tes yeux, Maistresse, et ta grace meurdriere
     De mon cueur languissant sous ta fiere rigueur,
60   Qui dédaigne mes pas, et rit de mon malheur.
      Avant que m'embarquer à vous aimer, Cruelle,

Je devois espier de quel temps ma nacelle,
De quel vent, de quel flot, sans trop l'avanturer,
Devoit estre poussée avant que démarer :
65   Je devois remarquer la mer et les estoiles
Propres à voyager, et mettre au vent les voiles,
Mais las ! sans le connoistre, ignorant que je suis,
Malgré l'onde et le Ciel la voile au vent j'ay mis :
Qui fait que maintenant sur les sentiers humides
70   Entre les flancs aigus des rochers homicides
Ma nef est emportée et sans voile, et sans mas,
Voguant à la merci d'un orageus amas,
N'ayant à son secours, dessous les eaux plongée,   [18 v°]
Qu'un image de mort, qui la tient assiegée
75   Et en poupe et en prouë : Ainsi loing de support
Perist veufve d'espoir d'ancrer jamais au port[7].

Ne me dédaigne pas je te supply Maistresse,
Le Dieu qui terrassa en sa blonde jeunesse
De ses traits empennez l'effroyable Serpent,
80   Dont le ventre empesté couvroit plus d'un arpent,
Le Dieu au crin doré, qui des nerfs de sa lyre
Anime les fureurs de celuy qu'il inspire[8],
Me caresse, me suit, et ne dédaigne pas
Pour seulement me voir, de perdre mille pas :
85   Zephyre aux dous souspirs, pour plus humble se rendre
Au service amoureus de ma jeunesse tendre,
D'ællerons bigarrez volle de toutes pars
Pour m'honorer, craintif, de ses baisers mignars :
Je cours, je vais, je viens, et mes peines perdues
90   Par le vague de l'air se fondent dans les nues.
Atant met fin Hyacinthe à ses aigres douleurs,
Baignant ses yeux enflez de gros boüillons de pleurs.
Pres de luy verdissoyent les jeunes revenues

De Lauriers sursemez de perlettes menues,
95 Et les Pins chevelus bras à bras accollez
Espanchoyent à l'envy leurs ombrages mollez[9] :
Là les soupirs coulez des bouches Zephyrines
Esbranloyent surpendus les nouvelles crespines,
Et les tendres jettons des arbres verdoyans
100 Sur les plis argentez des ruisseaux ondoyans :
Là la terre de fleurs et de couleurs parée
Au Soleil évantoit sa robe bigarrée :
Entre ces rangs fueillus s'esgayoit argentin   [19]
Un ruisseau trepillant d'un reply serpentin,
105 Qui d'un murmure doux dans les eaux gazouillantes
Apprenoit le jargon aux pierrettes roulantes :
Lieu digne de l'Amour, m'en soit tesmoin l'oiseau,
Fidelle avantcoureur du beau Printemps nouveau[10],
M'en soit tesmoin celuy qui sur les Aubespines
110 Fredonne, babillard, ses notes argentines,
Hoste de la saison, qui gaye de sa vois
Remet en allaigresse et les mons et les bois[11].
Là le Dieu Delien[12] le Prince de la lyre,
Le Dieu qui souverain tient le celeste empire
115 Sur les Chantres sacrez, fist mourir de sa main
Hyacinthe, dont le sang empourpra le beau sein
Des œillets blanchissans[13], sang qui rougist encore
Dessus le front polly des pierres qu'il colore,
Sang qui rougist encor sur les tapis herbus
120 Le reproche eternel des amours de Phebus.
Car quand le renouveau en s'eschauffant repousse
Les glaces de l'Hyver de son haleine douce,
Et le Belier succede aux Poissons froidureus,
Hyacinthe on te reclame, et fleuris odoreus
125 Dessus le verd gazon de la terre animée

D'un gracieus parfum qui la rend embasmée[14].
Ainsi donc d'an en an quelque part que tu sois,
Tu revis bienheureus au plus beau de nos mois[15],
Et devois luire au Ciel quelque flamme agencée[16]
130   N'eust esté du Destin la contrainte forcée,
Qui choisit pour meurdrier (ha cruauté des cieux !)
Le Dieu qui plus t'aimoit mille fois que ses yeux,
Qui pour toy faict esclave attise dans ses veines   [19 v°]
Un desir importun, compagnon de ses peines,
135   Qui va bruslant son ame, ainsi que peu à peu
La nege sur les monts, ou le suif pres du feu.
Il le hante, il le suit, pas à pas le talonne,
Point ne le perd de l'œil, jamais ne l'abandonne,
Hyacinthe est son souhait, Hyacinthe est son souci,
140   Il le vante le soir, et le matin aussi,
Et dormant et veillant, lors que la nuict muete
Couvre cest Univers sous son aile brunete.
Les replis embrouillez des oracles douteus
Luy viennent à desdain et luy sont odieus,
145   Laisse moisir[17] au croc les cordes de sa lyre,
De Delphe et de Patare[18], amoureus, se retire :
Plus il n'aime, chasseur, que l'ombre des foréts,
Au lieu de trousse et d'arc il porte un pan de réts,
A fin d'accompagner Hyacinthe que la chasse
150   Eschauffe apres un cerf qu'il poursuit à la trasse,
Tant la force d'Amour esperdûment le poind
Qu'en le suivant se perd, et ne repose point[19].
» Mais quoy ? n'est-ce un malheur que la douleur cruelle
» Est tousjours de l'Amour la compagne fidelle[20] ?
155   Car voulant s'exercer à tirer le ballon,
Pour se donner plaisir, le premier Apollon
Le guinde haut en l'air[21], et se courbant le pousse,

Mais en tombant (ô Dieu !) d'une roide secousse
Il rencontre le chef du jeune Damoiseau,
160   Luy écrase le test, luy froisse le cerveau
Qui flotte sur ses yeux, et n'y a medecine,
Charme, drogue, ny jus, ny basme, ny racine
Qui le puisse estancher, ses beaux yeux en mourant   [20]
Entrevirent le ciel, qu'il alloit desirant[22].
165   On chante que Zephyre au branle de ses ælles
Jalousement épris de passions cruelles,
Destournant le ballon autheur de ce méchef,
Pour se vanger d'Amour luy brandit sur le chef[23].
  Comme les Lis froissez de la pince cruelle
170   De l'ongle, ou de la main, ou battus de la gresle,
Flaistrissent aussi tost, et blesmes vont baissant
Leur beau chef argenté, qui panche languissant
En œilladant la terre, et fanissant ne peuvent
Agravez, se dresser, tant foibles ils se treuvent[24] :
175   Ainsi du Damoiseau s'estrange la couleur,
Se dérobe le poux, la force et la chaleur :
Ainsi le corps navré de ce jeune Amyclide[25]
S'affoiblist chancelant, mais le sang qui reside
Dans les vaisseaux rameux en ondoyant repeint
180   Les pierres[26] et les fleurs, marques de son beau teint :
Et ne peut-on juger à leur face blesmie,
Si le mort, ou le vif a plus ou moins de vie.
  On conte qu'Apollon croupit sept mois entiers
Loing du ciel escarté, sous les flancs des rochers,
185   Soupirant son malheur : Les tronches aurillées
Des vieux Chesnes branchus, les monts et les vallées
Larmoyerent transis dessous le contre-son,
Et sous l'air mesuré de sa triste chanson,
Accoisant et flattant les coleres felonnes

190 Des Tigres affamez, et des fieres Lyonnes.
     Comme le Rossignol de lamentable vois
     Fait gemir de douleur et les monts et les bois,
     Ne trouvant plus au nid sa petite nichée   [20 v°]
     Qui beante l'attend pour prendre la bechée,
195 Que[27] le berger a prise, ayant d'yeux trop subtils
     Remarqué le buisson, la mere, et les petits.
     Ainsi le Delien ayant l'ame esplorée
     Et d'extreme regret esperdûment outrée
     Triste se lamentoit, et pleuroit son malheur,
200 L'air comblé de son dueil rechante sa douleur,
     Et les Nymphes des bois, et des ondes parlantes
     Reçoyvent dans leur sein ses larmes ondoyantes[28].
     Le vray teint du Hyacinthe est le rouge vermeil,
     L'autre est rouge blaffard[29], en couleur tout pareil
205 Au grain d'une grenade, et rougissant et palle :
     Le meilleur est celuy que l'Inde Orientalle
     Mere de ces thresors, tire de son beau sein
     Pour embellir des Rois et le front et la main,
     Estant rouge sanguin, n'ayant la face triste
210 De couleur violette ainsi que l'Amethyste[30],
     Sans paille, sans ordure, en pareille grandeur
     Qu'un grain d'une lentille[31], et d'extreme froideur[32].
     L'autre et le plus commun, est celuy qui se treuve
     Au sable Ægyptien, que ce grand fleuve abreuve
215 Ce grand fleuve aux sept huis, qui trouble et poissonneus
     Engraisse le gueret de son trac limonneus[33].
     Porté contre la chair, il rend l'homme agreable,
     Modeste, gracieus, riche, courtois, affable[34],
     Cheri de sa maistresse : il le rend asseuré
220 Des esclats foudroyans du tonnerre ensouffré[35] :
     Il garde son porteur de l'ardeur immodeste

De l'enfant de Cypris[36], de venin et de peste,
Chassant l'air corrompu qui de grossiers amas   [21]
Prend et caille le sang, et nous meine au trespas :
225 Ennemi des frayeurs, qui de melancholie
Troublent l'air plus serain de nostre fantaisie :
Ennemi des Démons[37], et de l'estonnemant,
Dont les songes menteurs nous trompent en dormant :
Retenant sous le mort[38] de ceste pierre dure
230 Quelque douceur encor de sa gente nature,
Qui vivant ne peut onc au torrent de ses pleurs
De sa fiere Maistresse addoucir les rigueurs.
Sur ce nouveau trespas Chrysolithe la belle,
Humble, se souvenant de la façon cruelle
235 Dont elle avoit traitté ce jeune Damoyseau,
Plus douce apres sa mort, et dedans le tombeau,
Que vivante cent fois, pour la demeure sienne
Amoureuse choisit la poudre Egyptienne,
A fin d'accompagner Hyacinthe, que le sort
240 Ne permist d'estre aimé sinon apres la mort.
Ha ruse d'Apollon ! qui poingt de jalousie,
Poingt d'extreme fureur et folle frenaisie,
Pour mieux eterniser les larmes de son dueil,
Cacha ces deux amans en un mesme cercueil :
245 Hyacinthe se trouvant dessous la mesme terre
Qui le cueur empierré de Chrysolithe enserre,
Morte ne retenant d'immortel souvenir
Que l'infame surnom d'ingrate à l'avenir.
Donques la Chrysolithe en couleur verdoyante
250 Tire sur le verd-gay de la mer ondoyante[39],
Ou au jus pressuré des fueilles d'un poreau[40] :
L'autre ha plus que l'or fin le visage et la peau :
Plus jaune et plus doré, on l'appelle Topasse[41],   [21 v°]

Qui de son lustre d'or, l'or mesmement efface,
255   Tant il est jaunissant, semblable, hors le surnom,
A celle qui de l'or emprunte son beau nom[42] :
Car l'une et l'autre en fin n'est qu'une mesme pierre,
Qui molle s'endurcist sous les flancs de la Terre,
De nature semblable et de mesme vertu.
260   Il rend l'homme vaillant et d'honneur revestu[43] :
Plongé dessous la langue, il détrampe et modere
Du fievreus languissant la chaleur qui l'altere[44] :
Mis sur le costé gauche, il repousse la peur,
Mesme aux Démons nuitteux il apporte frayeur[45] :
265   Il arreste le flux d'une playe coulante,
Il appaise de l'eau sur la flamme brillante
Le boüillon sautelant dans les creux de l'airain[46] :
D'une puissance occulte il domte et met au frain
Des songes imposteurs les ruses tromperesses,
270   Qui vont charmant nos yeux d'amorces piperesses.
Voyla de deux Amans et le sang et les pleurs,
Eschangez[47] pour memoire en pierres, et en fleurs[48] :
Fleurettes, du Printemps seures avancourrieres :
Pierrettes, de l'Amour fidelles messageres[49].

< XVI -6>   [22]
LE RUBIS.
A MADAME LA DUCHESSE DE MONTPENSIER[1].

O TOY le patron de la Lyre[2],
Animant de sainte fureur
Le Chantre qu'il te plaist elire,
Pour le combler de ta faveur :
5   Toy qui fais naistre les Poëtes,
Medecins, Devins, Interpretes,
Toy qui premier as inventé

L'honneur de la branche fameuse,
Où ta fuyarde dédaigneuse
10   Vit encor en sa chasteté[3].
Toy qui de flamme non commune
Attiedis jusqu'au fondement
L'humide palais de Neptune,
L'air, la terre, et l'autre element[4] :
15   Dy moy l'honneur de ceste pierre,
Qui dessous les flancs de la Terre
Emprunte le beau teint vermeil
De ton feu, qui trampe et colore
L'or, l'argent, et le cuivre encore
20   D'un artifice nompareil.
L'Escarboucle est cil qui se vante[5]   [22 v°]
Sur le Rubis plus excellant,
Soit Indois, ou soit Garamanthe[6],
Pour son feu vivement brillant,
25   Qui rayonne et vif estincelle,
Ainsi que fait une chandelle
Par les tenebres de la Nuit[7],
Ou comme au vent d'une fournaise
On voit rougir entre la braise
30   Le charbon blüettant qui luit.
Dont le masle ha trop plus de grace
Plus de lustre, et plus de vigueur
Que la femelle, qui de crasse,
De graisse et de noire épesseur
35   Souille sa face languissante,
Entre le vermeil pallissante
Sous un morne affoiblissement :
Tout ainsi qu'en chacune espece
D'animaux le masle ha l'adresse,

40   La force, et le commandement[8].

Dans le feu ceste pierre fine
   Languist et perd son lustre beau,
   Mais aussi tost elle s'affine
   Et reprend son teint dedans l'eau[9] :
45   Mais las ! je vy tout au contraire
   Mal traitté de mon adversaire
   Amour sous ses fieres rigueurs.
   Car son feu me donne la vie,
   Et mon ame palle et blesmie
50   Se noye au torrent de mes pleurs[10].

L'on connoist la bonté parfaitte   [23]
   Du Ballays, quand un petit feu
   Comme de couleur violette
   S'eslance hors de son milieu :
55   Quand on n'y voit paille, ny poudre,
   Mais ainsi qu'un esclat de foudre
   En pointe, un rougissant éclair,
   Une vive couleur pourprine,
   Epesse non, mais cramoisine
60   Sous un lustre brillant et clair[11].

Or le Rubis plus agreable
   Est celuy que[12] l'on voit encor
   Non sur la peau, mais dans sa table
   Comme petites gouttes d'or
65   D'ordre égal, poussant leur lumiere,
   Comme l'humide Poussiniere[13]
   Qui laissant le front du Toreau,
   Est de l'Hyver la messagere,
   Et de l'Esté l'avant-courriere
70   Naissant apres le Renouveau.

Cause que la sainte alliance

          Des Pleiades le sang d'Atlas,
          Fait que ceux qui ont connoissance
          De l'influs qui coule çà bas,
75   Ou par celestes conjectures
          Predisent les choses futures
          Du Ciel dépité contre nous,
          Ainsi que le sage Caldée
          A la vertu recommandée
80   De ce Rubis, par dessus tous[14].
     Le Rubis dedans sa carriere[15]   [23 v°]
          Au lieu d'estre rouge en couleur
          Quelquefois est blanc, sa matiere
          N'estant encore en sa chaleur
85   Cuitte, confitte, assaisonnée :
          Mais debile, et fraichement née,
          Que le Soleil va meurissant,
          Si bien que celuy que l'on tire
          Trop jeunement de son Empire
90   Est tousjours palle et blanchissant[16].
     A l'Escarboucle est la victoire,
          Le Balays le seconde apres,
          Le Rubis emporte la gloire
          Sur la Spinelle, qui de pres,
95   Brave, contr'imite son lustre,
          Mais qui de beauté trompe et frustre
          Le Grenat sallement ombreux,
          Pierre vulgaire, et trop connuë,
          Brunissant d'une épesse nuë
100   Sans grace, et sans trait vigoureus[17].
     Corinthe, Orchomene, Arabie
          Et ceux qui gellent sous le Nort,
          Marseille, Espagne, Ethiopie

Trouvent le Rubis en leur port[18] :
105   Mais je croy que si rare pierre
             Ne s'engendre és flancs de la Terre,
             Et que ce grand Ciel larmoyant
             D'un pleur cramoysi qui rousoye,
             Fait naistre sur la rive Indoise
110   Le Rubis tousjours flamboyant[19].
Mais que fait l'artiste Nature   [24]
             Que l'homme ne vueille imiter,
             Ou soit en la morte peinture,
             Fondre, mouller, tailler, enter[20] ?
115   L'un veut en un fourneau recuire
             Ce que le Ciel ne peut enduire
             Ny digerer dedans mille ans :
             L'un donne la couleur au verre,
             Le fond et en moule une pierre
120   Pour tromper les plus clair-voyans[21].
L'un d'une table redoublée[22]
             De Crystal net et non scabreux,
             Estant bien jointe et bien collée
             Une fueille rouge entre-deux,
125   Sous ce Doublet et faulse glace
             Si bien contr'imite la grace
             Du Rubis, que le plus rusé,
             Ores qu'il ait la connoissance
             Des pierres, et de leur naissance,
130   Bien souvent s'y trouve abusé[23].
D'un Sapphir blanc bien mis en œuvre
             Le Diamant se contre-fait,
             Et n'y a si bon œil d'Orfevre
             Qui ne s'y trompe[24] : Mais s'il sçait
135   Que de toute pierre bastarde,

La dent de la Lime rongearde
Decouvre le lustre trompeur,
Soit Rubis, ou soit Chrysolithe,
Emeraude, Opalle, Hematite,
140   Ou autre glace de couleur.
Encor se découvre la fraude,   [24 v°]
Au poix, et au lustre affoibli
Du Rubis, et de l'Emeraude,
Ou les frayant sur le polli
145   De la pierre dont on affile
De l'acier la pointe subtile,
Ou du fer le taillant scabreux[25] :
Ou s'en la glace mensongere
On voit l'amas d'une poussiere
150   En petits durillons pierreus[26].
Le Rubis tant il est celeste,
Chasse les frayeurs de la Nuit,
Repousse et destourne la peste
Et l'air infecté qui nous nuit :
155   Met le resveur en allaigresse,
Ennemi mortel de tristesse,
Repurgeant en toute saison
L'homme de la melancholie[27],
Sous l'asseurance que sa vie
160   Ne se peut noyer de poison[28].
Va Rubis, et ne te lamente
D'estre repoly de ma main[29] :
Possible une autre plus sçavante
Se voudra travailler en vain
165   Pour faire mieux[30] : Et si l'addresse
Que je te donne à ma Princesse,
T'est favorable et qu'en son doy

　　　　　Elle te porte bien apprise,
　　　　　Il n'y a pierre tant exquise
170　　　　Qui soit plus heureuse que toy[31].

　　　　　　　< XVI -7>   [25]
　　　　LES AMOURS D'IRIS ET D'OPALLE.

　　JE chante le Destin, et la flamme fatale
　　D'Iris la bigarrée, et de l'Amant Opalle[1],
　　Opalle jeune et beau, qui sur le sable Indois
　　Perdit, elangouré, et la force, et la vois :
5　Iris, qui de sa mort cruellement outrée,
　　Ses larmes empierra sur la rive Erythrée[2].
　　　C'estoit le jour qu'au Ciel le Soleil pur et beau
　　Redore de son feu les cornes du Toreau[3],
　　　Le jour que du Belier les estoiles gaucheres
10　Se plongent sur le soir és ondes hostelieres
　　Du grand pere Ocean[4], quand l'image à Persé
　　Découvre au plus matin le pié gauche avancé[5] :
　　En la gaye saison que les humbles fleurettes
　　Embasment de parfum leurs robes vermillettes,
15　Et les chantres oyseaux degoisent, babillars,
　　Les accens decoupez de leurs fredons mignars :
　　　Quand Iris, de Junon la fidele courriere[6],
　　Se trouvant sur les bords de l'Indoise riviere,
　　Lasse d'un long voyage, où les jaloux appas
20　De sa maistresse absente avoyent guidé ses pas,
　　Espiant les larcins en ceste basse terre
　　Du Dieu qui sous ses pieds échauffe le tonnerre,
　　S'assied contre les flancs d'un caverneux rocher,
　　Pour tromper la chaleur, et sa soif estancher :
25　Mais las ! une autre soif a son ame alterée[7].

Car en voyant d'Opalle une grace asseurée,
Une façon gentille, une jeunesse encor   [25 v°]
Luy frisant le menton d'un petit crespe d'or :
Voyant les doux attraits de sa face riante,
30 Ses yeux gros de l'Amour, son ame soupirante
Un orage de feu, qui luy trouble les sens :
Voyant donques Opalle en son gaillard printems,
Opalle grand Berger des troupeaux de Neptune[8],
Aussi tost fut esprise : une flamme commune
35 S'esprend de l'un à l'autre, et s'elle est à son tour[9],
Opalle n'est pas moins echaufé de l'Amour,
Qui chaud luy va brassant un grand feu dans les veines,
Que les froids Aquilons, ny les eaux des fontaines
Ne sçauroyent allenter, tant il est violent.
40 Car la voyant marcher d'un pas et grave et lent,
Luy voyant sur le dos richement colorées
D'incarnat, jaune, et pers deux ailes bigarrées,
Deux ailerons aux pieds, et sous un voile obscur
Une extreme beauté qui le poind jusqu'au cueur[10],
45 Un front large et poly, une tressure blonde
A petits flots ondez çà et là vagabonde,
De Perles, de Coral[11], et de baisers mignars
Sa bouche toute pleine, et ses yeux babillars,
Remarque, bien appris, que ceste grace belle
50 N'avoit rien de l'humain, tenant de l'immortelle.
Une peur aussi tost court tremblante en ses os,
Qui luy dresse le poil, et luy boûche renclos
Les soupirs, recherchant quelque nouvelle issuë
Pour sortir, echaufez, de la flamme conceuë.
55 Il tombe en pasmoison : Mais Amour eslancé
Prompt, de la mesme main, dont il avoit blessé,

Luy dessille les yeux, et du bout de ses ælles   [26]
Entrouvre le rempart de ses levres jumelles,
Luy bagne de parfum les temples et les yeux,
60   Puis le creux de la main, et d'un vent gracieux
Luy redonne l'esprit, qui fait que le teint palle
Se retire, honteux, du visage d'Opalle,
Reprenant, vigoureux, cela que le sommeil
Luy avoit derobbé de son beau teint vermeil.
65   Forcé des traits d'Amour, d'une alleure gaillarde
S'achemine dispos, et vaillant se hazarde
D'accoster son Iris, qui l'attend de pié coy
Pour haster le desir qui la tient en esmoy :
Mais plus le pousse Amour, plus une froide crainte
70   Le retire, honteus[12] : une vergongne emprainte[13]
Luy fait rougir le front : Mais y a til rigueur
Que ce Dieu ne détrampe, et ne domte vainqueur[14] ?
     Car le voyant Iris, encore que la honte
Soudaine la retint, d'une alaigresse promte
75   L'embrasse, le caresse, et d'attraits gracieux
Importune, eschaufée, et sa bouche et ses yeux :
Mais ce pendant Junon rougissant de colere
Pour le trop long sejour d'Iris sa messagere,
Sous les replis cavez d'un nuage ombrageux
80   Soudain les emprisonne, et les voile tous deux :
Appaisant doucement les ardeurs violantes
Qui secrettes brusloyent leurs ames languissantes.
» Mais las ! on dit bien vray, que l'amoureux plaisir
» S'accompagne tousjours d'un nouveau déplaisir.
85   Car Junon, qui du ciel jalousement esprise
Voit de ce dous larcin l'amoureuse entreprise,
D'Opalle jeune et beau (ha cruelle Junon !)   [26 v°]

Fist ceste pierre encor qui porte son beau nom[15] :
Mesme entre les deux bras de sa belle Maistresse
90 Le jarret s'engourdit, une morne paresse
Gelle et morfond les nerfs, boit et suce le sang,
Le poulmon retiré ne s'estend plus au flanc[16].
Comme un chancre malin, s'avançant insensible,
Rampe de nerf en nerf d'une alleure invisible[17] :
95 D'Opalle tout ainsi une froide rigueur
Rendurcit peu à peu les tendons et le cueur.
Un Hyver eternel entre dans les jointures,
Dedans le creux des os et de leurs emboitures,
Une glace, une horreur jusqu'aux ongles s'estend,
100 Un long sommeil ferré jusqu'au foye descend[18],
Qui luy boûche soudain le chemin de la vie,
Transi plus ne soupire, et son ame ravie
Recherche sa maistresse, et son corps bigarré
Sur le gravier Indois se retrouve empierré :
105 N'ayant de ses Amours, pour memoire eternelle
D'avoir baisé, mortel, une dame immortelle,
Que les couleurs qu'il porte[19] : Iris en ce malheur
Ne le pouvant cherir de plus riche faveur,
Soudain la larme à l'œil passe l'onde pourprée
110 Pour revoler au Ciel, de la rive Erythrée,
Du crystal de ses pleurs fait la pierre de pris
Qui maintenant encor porte le nom d'Iris :
Recolorant naïfve en sa face empierrée
De l'arc qui ceint le ciel la trace bigarrée[20].
115   Voyla de ces Amans l'imployable Destin
Qui les poussa, cruel, en si piteuse fin[21].

<XVI -8>   [27]

LE CORAL[1].

A MADAME LA DUCHESSE DE GUYSE[2].

  QUI ne croit les nouveaux eschanges[3]
  Qui se refont en corps estranges
  Au sein de ce grand Univers,
  Qui ne reconnoist que l'ouvrage
5 Qu'icy bas Nature mesnage,
  N'est beau que pour estre divers :
Celuy n'a pas la connoissance
  Que tout cela qui prend croissance,
  Est esclave du changement :
10 Et que la naissance alterée
  Par la mort, se vest reparée
  D'autre et nouvel accoustrement[4].
Qui croiroit[5] que ces fleurotieres,
  Ces abeilles, ces ruchotieres,
15 Naissent du ventre d'un Toreau
  Estoufé vif dessous la terre,
  Quand fourmillante elle desserre
  Ses flancs gros d'un essain nouveau[6] ?
Qui croiroit qu'une branche tendre
20 Tombant dedans l'eau peust estendre
  Ses fueilles en ailes d'oiseaux ?
  Bois, escorces, nouveaux fruitages
  S'emplumer en Oysons sauvages
  Naissant qui flottent sur les eaux[7] ?
25 Qui croiroit que d'une broüée   [27 v°]
  Naisse la Cigale enroüée ?
  D'un Ver rampant les Papillons ?
  Ou d'une vase limonneuse

S'armer une brigade Huytreuse ?
30   Des Chevaux, Guespes et Freslons[8] ?
      Qui croiroit qu'une herbe puante
         Dessous l'escume blanchissante[9],
         Ensevelie au fond de l'eau
         Sentant l'air, devint pierre dure
35   Empruntant la riche teinture
         Des rais du celeste flambeau[10] ?
      Car ceste herbe palle et flestrie
         Sans humeur, et seche et pourrie
         Languissante sur le gravier,
40   Le flot crespant sur le rivage
         Ply sur ply cruel la ravage,
         Et la plonge au fond de la mer.
      Là se confit et devient molle,
         Puis surnageant elle se colle
45   Contre les flancs d'un roc marin[11]
         Quand le vent sur l'onde commande,
         Et la mer avare et gourmande
         Aux bords revomist son larcin[12].
      Le fer s'endurcist à la trampe,
50   Mais ceste plante se détrampe
         Et s'amollist dedans la mer,
         Puis s'endurcist et se congelle,
         Empruntant ceste couleur belle[13]
         Aussi tost qu'elle a senti l'air[14].
55   Car soudain les sœurs Nereïdes,   [28]
         Les Naiades et les Phorcides[15]
         Voyant leurs cabinets pierreus
         Enrichis de ceste merveille,
         Et de ceste herbe nompareille,
60   Au Soleil dresserent tels vœus.

         Pere qui d'œillade feconde
         Fais engrosser la terre et l'onde,
         Concevoir, produire et germer,
         Et qui par la divine flame
65   Attiedis et rechaufe l'ame[16],
         Qui vit sur terre et dedans l'ær[17] :
     Regarde ceste herbe empierrée
         Et de ta lumiere dorée
         Qui rougist de vive couleur,
70   Donne teinture à ceste branche,
         Et fay qu'elle qui se voit blanche[18],
         De ton feu sente la chaleur.
     Baisez de vos levres mollettes,
         Dist-il, ces rameuses branchettes,
75   Je leur donne le teint pareil :
         Soudain ces branches Couralines
         Au baiser devindrent sanguines
         Par les rayons d'un beau soleil[19].
     Cause que nous voyons que celles
80   Qui de leurs bouches immortelles
         N'ont succé le pourpre sanguin[20],
         Sont blafardes et blanchissantes
         Comme les flammes pallissantes
         D'un soleil malade au matin[21].
85   Non, ce n'est pas le sang des veines   [28v°]
         Du chef serpentin, sur les plaines
         Ruisselant qui l'herbe arrosa,
         Lors que Persé de mains sanglantes
         Sur un lict d'herbes rousoyantes
90   Tout groüillant encor le posa[22].
     Quand dessus les rives humides
         Des precipices Atlantides[23]

Ce Chevalier volant et preux[24]
Au fil d'une lame meurdriere
95   Trencha la teste serpentiere
De la Gorgonne à l'œil affreux :
Œil plein d'horreur espouventable
Hideux, cruel, inexorable,
Œil si mutin qu'au decocher
100   Ses traits si fierement il darde
Contre celuy qui le regarde,
Qu'il le fait devenir rocher.
Mesme Pallas qui vive armée
Nasquit de la teste entamée
105   De Jupiter, en eut frayeur,
Craignant la colere homicide
De cest œil, où tousjours reside
Le meurdre, le sang et l'horreur[25].
Soit qu'il emprunte sa teinture
110   De ce Monstre[26], ou que de nature
Il soit tel, si est-il tresbon
Contre la morsure enflammée
Ou la piqueure envenimée
De l'Aspic et du Scorpion[27].
115   En poudre semé sur la terre   [29]
Il rabbat les coups du tonnerre,
Les foudres, et les tourbillons,
Détournant la peste et la gresle
Tombant qui froisse et qui martelle
120   L'espi sur le dos des sillons[28] :
Purgeant les arbres de vermines,
De broüillas, d'épesses bruïnes,
Et toutes injures de l'ær,
Et des pestes qui font la guerre

125   Aux grains, et aux fruits de la Terre,
               Qui croissent pour nous substenter.
        Mortel ennemi des Chenilles,
               Rats, Mulots, bestes inutiles,
               Qui rongent les germes nouveaux,
130   Qui rampent, qui marchent, et glissent,
               Et grattant, leurs maisons bastissent
               Sous la Terre en petits caveaux[29].
        Mesme celuy qui court fortune
               Dessus les vagues de Neptune,
135   Le portant est franc de peril[30] :
               De trenchaisons, de cours d'urines,
               De sang qui court par les narines
               Attaché dessus le nombril[31].
        Or va donq branche Couraline
140   Va trouver la chaste poitrine
               De ta Duchesse, dont l'honneur,
               Les beautez, et les graces belles,
               Bontez et vertus immortelles,
               Du Ciel empruntent la faveur[32].

                    < XVI -9>   [29 v°]
                    L'ONYCE[1].

        LE Sommeil doux et lent sous sa plume endormoire
        Tenoit les bords cousus paupiere sur paupiere[2]
        Des beaux yeux de Cypris[3], foiblette delassant
        Ses membres sous le frais d'un Myrte[4] fleurissant,
   5   Les Graces à l'escart de leurs mains delicates
        Cordonnoyent à l'envy de roses incarnates,
        De thym, de marjolaine, et de mille autres fleurs
        Un tortis bigarré de cent et cent couleurs,

Pour couronner le front de leur belle Maistresse,
10 Lors que son fils Amour d'une prompte alaigresse
Plonge sur son beau chef, du chef coule en son sein,
Où mourant de plaisir, dessus sa blanche main
Se dérobant, accort, il se glisse et la baise ;
De ses doigts yvoirins mignonnement luy fraise
15 Les plis de son colet, s'assiet sur ses genoux,
Admire les beaux traits de son visage doux,
Ores qu'il fust son fils, et qu'il eust connoissance
De ses rares beautez du jour de sa naissance :
Admire, langoureux (comme faisant l'amour)
20 L'yvoire de son sein, et l'humide sejour
De cent baisers mignars dans ses levres jumelles :   [30]
Il évente, subtil, au bransle de ses ælles
Ses cheveux crespelus, admire ses beaux yeux
Non pas comme son fils, sainte race des Dieux,
25 Mais comme un estranger forissu de sa terre
Qui la voulust forcer d'une plus douce guerre,
Ravi de ses beautez : Mais qu'advint-il en fin ?
Ce petit Archerot, ce Démon, ce Lutin
Bavolant sur sa main, veit (comme dans la glace
30 D'un miroir de Crystal) contrefaitte sa grace,
Ses fleches, son carquois, ses ailerons dorez
Dedans le rond poly des Ongles colorez
De la belle Cypris : veit sous la banderole
Qui luy serroit les yeux[5], la levre tendre et mole
35 De sa bouche riante : il veit sans l'éveiller
(Comme dans un crystal) sa flamme estinceler,
Ongles aboutissans de petites perlettes,
Le miroir de l'Amour, et des beautez parfaittes,
Miroir, le passetemps des Graces, et des Ris,

40 Et des Jeux compagnons de le belle Cypris.
    Or comme un jeune enfant qui toute chose admire,
    Dans ces ongles polis se mire et se remire,
    Meu de la nouveauté, voyant un autre Amour
    Ainsi qu'il se miroit se mirer à son tour,
45 Delibere, finet, pendant que la Cyprine
    Dessous les rangs jumeaux de la fueille myrtine
    Tenoit les yeux sillez d'un sommeil froid et lent,
    Faire un nouveau larcin[6] : et de faict violent
    Empongne aussi soudain de sa main prompte et fiere
50 L'acier frais emoulu d'une fleche meurdriere,
    Dont il rongne, asseuré, ainsi que d'un ciseau   [30 v°]
    Le croissant vermeillet et le tendre cerceau
    Des ongles de sa mere, et de si gaye adresse
    Qu'oncques ne s'eveilla la Cyprine Deesse,
55 Tant le somme engourdy avoit sillé ses yeux :
    Cuidant par ce butin se rendre plus heureux
    Que s'il eust dérobé tous les thresors du monde
    Enfouis dans la terre, ou plongez dessous l'onde.
    Riche de ce larcin s'envolle haut en l'ær,
60 Mais sa mere en sursaut se reveille au voler
    Par le siffle bruyant de son aile ébranlée :
    Apperçoit aussi tost de sa main potelée
    Ses ongles raccourcis, se courrouce aigrement
    Contre son fils Amour[7], qui trop effrontément
65 Se mocque et se sourit de la promte colere
    Et des propos mutins de Cyprine sa mere.
    Mais (desastre à l'Amour !) hachant à l'environ
    D'ailerons peinturez comme d'un aviron
    Les campagnes de l'air (ô puissances divines !),
70 Laisse escouler, tremblant, de ses mains enfantines

Le thresor qu'il portoit sur le sable perleux
De l'Indois basané sous ses crespes cheveux.
Or comme il est certain que de tous corps celestes
Rien ne se deperit[8], la retaille et les restes
75 Des ongles de Venus furent aussi soudain
Qu'ils tomberent en bas recueillis de la main
(Par le vouloir des Dieux) des Parques mesnageres[9],
Qui changent aussi tost ces retailles legeres
En pierre, qui de l'ongle a le surnom encor,
80 Ongle de la Cypris plus precieux que l'or[10].
Ongle estant empierré cerné d'une ceinture   [31]
Vermeille blanchissante, ou de grise teinture
Qui tire sur le noir, ou dessus le vermeil,
Ou de l'ongle incarnat à nul autre pareil[11] :
85 S'il ha couleur de chair, on l'appelle Sardoyne,
S'il retient de la corne, ou du miel, Carchedoyne :
Mais toutes trois ensemble, ou bien separément
Ont pouvoir d'appaiser le chaud affollement
Ou les vives ardeurs de la molle Cyprine,
90 Si pendentes au col flottent sur la poitrine[12].
L'Onyce hors ce pouvoir, comme ayant sentiment
Et souvenance encor de son empierrement,
Qui fut par un forfaict commis sur la querelle
D'un petit larronneau, ha la puissance telle,
95 Que celuy [qui la] porte est tousjours quereleux,
Triste, melancolic, resveur, et cauteleux,
Plein de peur comme Amour, qui dérobant sa mere
Surprise de sommeil, l'échaufa de colere,
Cause que son larcin fut mis devant les yeux
100 Du grand Ciel estoilé la demeure des Dieux[13].

< XVI -10>   [31 v°]

L'EMERAUDE.
A MADAME LA DUCHESSE DE NEVERS[1].

IL faut confesser que nous hommes
    Entre les animaux, qui sommes
    Les sers imitateurs premiers
    De ce grand Artisan du monde,
5   Qui sous le frain la terre et l'onde
    Conduit de ses vistes courriers,
Empruntons les sciences belles,
    Ou des peuples qui ont des ælles,
    Ou de ceux qui courent, dispos,
10   Par les forests, et qui herissent
    Fauves ou noirs, ou qui blanchissent
    De laine ou de poil sur le dos[2].
Les uns nous monstrent des racines,
    Les autres font des medecines,
15   Navrez, qu'ils trouvent dans les bois :
    L'un fait la toile, et l'autre file,
    Et de sa trame plus subtile
    Pare les Princes et les Rois.
L'un nous apprend la prevoyance[3],
20   L'autre la legere inconstance
    Des Vents qui vont enflant la mer,
    Les autres par divins augures
    Annoncent les choses futures
    Ou sur la terre, ou dedans l'ær[4].
25 Ibis le ventre se nettoye   [32]
    De son bec crochu qu'elle noye
    Dans les replis de ses boyaux[5],
    Le Cerf navré prend le Dictame[6],

Pour se saigner l'Hippopotame
30   Choisist la pointe des rouseaux[7].
Et quoy ? La Grue passagere
De l'Aigle fuyant la main fiere
Passant la montagne au Toreau,
A fin qu'en volant ne caquette
35   Dans le bec porte une pierrette
Craignant quelque allarme nouveau[8].
La Perdrix, le Merle et la Grive
Dégoustez, si le mal estrive,
Mangent du Laurier[9] : et si l'œil
40   Des petits Coulevreaux se roüille,
Dévestant leur vieille dépoüille,
Se guarist mangeant du fenoil[10].
D'où sçavons nous que ceste Pierre
Soit exquise, que par la guerre
45   Que les Griffons pour elle font
Contre la race ambicieuse
Des Arimaspes monstrueuse,
Qui n'ha qu'un œil dessus le front[11] ?
Comme si cet oyseau barbare[12]
50   Vengeant l'outrecuidance avare
Des hommes, eust le sentiment
De déchirer de sa main croche
La main qui du fond de la roche
Veult tirer son avancement.
55   Mais y a-til en ce bas monde   [32 v°]
Soit en la terre, ou dessous l'onde
Que[13] la venteuse Ambition,
Ou l'Avarice ne s'efforce
De rechercher à toute force
60   Pour assouvir sa passion ?

Outre les montagnes Riphées
   Y a des roches estoufées
   D'ombre espais, sans air, et sans jour,
   Où les neiges perpetuelles,
65   L'hyver, et les nuicts eternelles
   Dressent leur bruïneux sejour[14].
Roches, non roches, mais nuages
   Gros de frimas, et bruns d'orages,
   Du Soleil fuyant la clairté,
70   Sans recevoir la faveur bonne
   Ny du Printemps, ny de l'Automne,
   Ny sentir les feux de l'Esté.
Pres de là sont les monts Scythiques
   Fort voisins des Asiatiques
75   Fertiles de pierres, et d'or,
   Où l'Emeraude verdoyante
   Entre l'Or fin estincelante
   Se découvre, et se trouve encor[15].
Plus noble que la Bactrienne,
80   Laconienne, ou Cyprienne,
   Ou celle qu'on trouve où le Nil
   Dessus les campagnes haslées
   Au flot de ses eaux escoulées
   Attraine son limon fertil[16].
85 Pierre naïfve et verdoyante   [33]
   Ainsi que l'herbe rosoyante
   Sous la fraicheur d'un beau matin,
   Ny blemissante, ny haslée,
   Mais loing du Soleil reculée,
90   Pres d'un ruisselet argentin.
Couleur qui rassemble et rallie
   La force des yeux affoiblie

Par trop longs et soudains regars,
Et qui repaist de flammes douces
95   Les rayons mornes, las, ou mousses
De nostre œil, quand ils sont espars[17].
Couleur belle et gayment brillante,
Couleur en qui se represente
Le fard qui rajeunist les ans,
100   Lors que les Graces par la prée
Troussent leur robe diaprée
Des honneurs d'un gaillard Printems[18].
Couleur, dont jamais ne s'efface
Le teint verdoyant ny la grace,
105   Peignant l'air de son lustre beau,
Qui n'affoiblist et ne s'offense
De l'ombre ny de la puissance
Des feux du celeste flambeau.
Couleur vrayment opiniastre,
110   Qu'on ne peut domter ny combatre,
Tant est constante en sa valeur :
Couleur qui jamais ne s'altere,
Mais tousjours qui demeure entiere
En sa gaye et gente verdeur[19].
115   Si platte ou creuse en est la glace,   [33 v°]
Elle rend l'image et la grace
Comme le Crystal le plus beau :
Et comme dans les eaux dormantes
On y voit les formes vivantes
120   Empraintes comme en un tableau[20].
Mais quand son esclat n'outrepasse
Engourdy, foible, plein de crasse,
Ou trop detrampé de verdeur,
Ou quand une petite nuë

125   S'y voit d'un broüillas soustenuë
            C'est un vice de la couleur.
      Vice s'elle est et grasse et sombre,
            Dedans entrecourant un ombre[21]
            Comme un air brun entreluisant,
130   Qui poitrist quelque espais nuage
            Pour enfourner un grand orage
            Dans ses flancs qu'il va recuisant.
      Les moindres de ces pierres fines
            Qui naissent dans le fond des mines
135   De Cypre, où se trouve l'Airain,
            Ont des pailles et des filandres,
            Du gravois, du sel, et des cendres
            De plomb, qui soüille leur beau sein[22].
      On dit que celuy qui la porte
140   A tousjours une grace accorte,
            Propre et facond en son parler :
            Qu'il peut sans ronds et sans figures[23]
            Predire les choses futures,
            Et celles qu'on veut plus celer[24].
145   Bref elle est si chaste et si saincte   [34]
            Que si tost qu'elle sent l'atteinte
            De quelque amoureuse action,
            Elle se froisse, elle se brise,
            Vergongneuse de se voir prise
150   De quelque sale affection[25].
      Propre contre le mal de teste,
            Et pour destourner la tempeste,
            Mesme pour nous mettre en repos :
            Elle détrampe, elle modere
155   La chaude et boüillante colere
            Qu'Amour recuist dedans nos os[26].

En poudre ell' guarist les morsures
Des Serpens, et toutes piqueures
D'aiguillon qui poind et qui cuit[27] :
160 Propre pour donner allegeance
Au ventre qui veut delivrance
Pour le descharger de son fruit[28].
Or pour conserver sa teinture
Et la remettre en sa nature,
165 La faut tremper dedans le vin,
La frotter ou tenir couverte
Quelque temps dedans l'huile verte,
Pour luy rendre son lustre fin[29].
Or va donc belle et chaste pierre
170 Prisonniere en l'or qui t'enserre,
Va trouver la rare beauté
De la Princesse qui t'honore,
Et te portant, croistra encore
Les honneurs de ta chasteté[30].

<< XVI -11 >   [34 v°]

LE SAPHIR.
A MA DAMOYSELLE D'ELBEUF MARIE DE LORRAINE[1].

NY les roches sourcilleuses,
Ny les abysmes profonds
Des campagnes escumeuses,
Ny l'horreur des plus hauts monts,
5 Ny les haleines mordantes
Du froidureus Aquilon,
Ny du Libyen sablon
Les coleres plus ardantes[2],
N'empeschent que le Marchant

10   Avare n'aille cherchant
            Pour redorer sa fortune
            Quelque butin riche et beau,
            Prisonnier en un vaisseau
            Dessus le dos de Neptune.
15   L'un des minieres profondes
            Grain à grain tire l'Or fin,
            L'autre du plus creux des ondes
            La Perle au lustre argentin :
            L'un du reply des entrailles
20   De la Terre au large sein,
            Tire de songneuse main
            Cent sortes de minerailles :
            Ou soit que l'ardant desir,   [35]
            Ou quelque nouveau plaisir
25   De voyager les y pousse,
            Ny la peur ny le danger
            Ne les sçauroit estranger,
            Tant le gain est chose douce.
        Tesmoin ceste pierre fine
30   Ce Saphir riche en couleur[3],
            Couleur celeste et divine[4],
            Et de petite valeur[5] :
            Mais la vertu qui surmonte
            L'aveugle débordement,
35   Est celle ordinairement
            De qui l'on fait moins de conte.
            Et quoy ? n'est-ce estrange cas
            Que chose on n'estime pas
            S'elle n'est favorisée
40   Ou de quelque affection,

Ou bien de l'opinion
Qui seule en fait la prisée[6] ?
Lors que la mer est armée
De noirs et gros bataillons,
45   Et de colere animée
Par les venteux Aquilons,
Elle pousse, liberale,
Du profond de l'Ocean
Sur le sablon Libyen
50   Le Saphir, pierre Royale :
Mais celuy que le Medois
Trouve, et celuy de l'Indois,
Est de couleur accomplie,   [35 v°]
Plus brun et plus azurin
55   Que n'est pas le Saphistrin
Des arenes de Libye[7].
Pierre la plus precieuse
Qui se trouve dans le sein
De la Terre plantureuse,
60   Pierre qui du Ciel serain
Emprunte la couleur belle[8],
Et qui d'estrange pouvoir
Aux hommes se faisant voir,
Presque se monstre immortelle.
65   Et c'est pourquoy le renom
De sa force et de son nom
La font surnommer sacrée[9] :
Qui fait, saincte, en la portant,
Du front qu'on n'aille heurtant
70   La fortune malheurée.
Qui les corps vains et debiles

De sueur ou de chaleur
Rend prompts, dispos, et habiles
En leur premiere vigueur[10] :
75   Saphir ami de la vie,
Du sang, du foye et des yeux[11],
Qui le breuvage amoureux
Et tous les charmes délie.
Propre contre le pipeur
80   Qui d'un langage trompeur
A la bouche toute pleine :
Qui sous un air empesté
Contregarde la santé,   [36]
Tant sa force est souveraine[12].
85   Bon pour domter la colere
Et les flammes de ce Dieu,
Qui, violant, nous altere
Et nous brusle de son feu :
Contre la fraude et l'envie[13].
90   Bon pour addoucir la peur,
Qui de pallissante horreur
Glace le sang et la vie :
Ami de la Pieté,
De Paix et de Chasteté :
95   Favori de telle sorte
Et des Graces et des Dieux,
Qu'il rend tousjours bien-heureux
Cil qui chastement la porte.
Quand une petite nuë
100   Comme d'un rouge pourprin
Se voit au fond retenuë
Dessous le teint azurin,

De couleur aussi diverse
Que le Soufre, peu à peu
105   Qui commence à prendre feu,
Et l'air de sa flamme perse
Taché de petits grains d'or
Brillans et luisans encor
De leurs vives estincelles :
110   Tel Saphir est le meilleur,
Et de plus riche valeur
Que ceux qui n'ont marques telles[14].
S'il est vray qu'en ta puissance   [36 v°]
Se renforce le lien
115   Et la fidelle constance
De l'amoureux entretien,
Si ta force au cueur des Princes
Apporte et grave la Paix[15],
Vien vien Saphir desormais
120   Au secours de nos Provinces,
Et chasse l'inimitié
Cruelle, qui sans pitié
Contre ses propres entrailles
Fait la guerre, et peu à peu
125   Allume un torrent de feu
Hors et dedans nos murailles[16].
Garde les chastes honneurs
Et les celestes faveurs
De ma Princesse bien née,
130   Favorisant et hastant
Le jour, et l'heur qu'elle attent
Sous les flambeaux d'Hymenée[17].

< XVI -12> [37]

LA TURQUOISE.
A MA DAME LA MARESCHALE DE REZ[1].

    TOUT ce qu'enfante la Nature,
        Quelque ferme ou stable qu'il soit,
        Est suget à la pourriture :
        L'arbre qui jeune florissoit
5   Vieillissant tombe, et la vermine
        Luy perce et ronge la poitrine,
        Les rides, la gomme et les ans
        Soüillent l'honneur de son Printans :
        L'homme affoibli mourant grisonne,
10   Qui jeune estoit auparavant,
        Comme les fueilles de l'Automne
        Qui tombent sous un petit vent[2].
    L'Acier, le Marbre et le Porphyre
        Et le Bronze Corinthien
15   Bronchent moissonnez sous l'empire
        Du Faucheur qui n'espargne rien,
        Les Pyramides orgueilleuses,
        Et les Colomnes sourcilleuses
        De Cuivre, de Jaspe, ou d'Airain
20   Ont senti les coups de sa main :
        De la mort la vie est bornée
        Au fil courant de son Destin,
        Vieillissant toute chose née
        Sous le Ciel chancelle à la fin[3].
25 Mesme les pierres les plus dures   [37 v°]
        Soyent Rubis, ou soyent Diamans,
        Sentent les cruelles morsures,
        La force et la pince des ans[4] :

L'une roussist, l'autre se ride,
30   Se flestrist, l'autre plus humide
S'altere, meurt, perd le teint beau
Qui donnoit couleur à sa peau.
Entre les autres la Turquoise
Devient blesme, et foible se rompt,
35   Ainsi que de la rive Indoise
Toute autre pierre se corrompt[5].
Turquoise qui de couleur perse
Tient du bleu celeste esclarci,
Bleu turquin, mais qui ne traperse
40   Son corps, tant il est espessi :
Turquoise qui perdant sa grace
Et le teint mignard de sa face,
Se renouvelle peu à peu
Quand blesme on l'approche du feu.
45   Pour preuve s'elle est excellente,
Au lustre naïf qui la suit
Il faut qu'elle soit verdoyante
Dessous les ombres de la Nuit[6].
Qui ne diroit que ceste pierre
50   N'eust quelque doux allechement
D'amitié, qui les cueurs enserre
Par un secret enchantement[7] ?
D'amitié si sainte et si forte
A cil qui chastement la porte,
55   Qu'elle aime trop mieux se froisser   [38]
En morceaux, que voir offenser
Son porteur au desavantage
De sa grace et de sa beauté,
Portant la cheute et le dommage
60   De sa trop ferme loyauté[8] ?

   Comme moy chetif qui pour estre
   Serviteur fidelle et loyal,
   Pensant, heureux, mon aise croistre
   Malheureux fis croistre mon mal,
65 Perdant au service fidelle
   Qu'humble faisois à ma Cruelle,
   Le temps, l'esperance et le bien
   S'escoulant, qui finist en rien,
   Ne tirant de ma playe ouverte
70 Que le pus et le desespoir,
   Et pour l'interest de ma perte,
   Un facheux et mauvais vouloir[9].

 Si son porteur devient malade,
   Elle devient malade aussi :
75 S'il porte couleur jaune ou fade,
   Elle a le teint morne et transi :
   Quelquefois mesme se crevace,
   Perdant les beautez de sa face,
   Le turquin et le lustre beau
80 Qui farde l'honneur de sa peau,
   S'imprimant, tant elle est humaine,
   De son porteur l'affection :
   S'il est sain, la Turquoise est saine :
   Malade, elle est en passion[10].

85 Há vrayment ingrate Nature[11]   [38 v°]
   Qui a de sentiment humain
   Animé cette pierre dure
   Plus que l'homme, de son prochain
   En rien qui ne se passionne,
90 Soit fortune mauvaise ou bonne,
   Si ce n'est pour le travailler
   Au lieu, d'humain, le consoler :

         Maudite invention des hommes
         L'avarice et l'ambition,
95   Et la guerre où plongez nous sommes[12],
         Faute d'humaine affection.
      Há bon Dieu fay donc que nos Princes
         Espoints de quelque sentiment
         D'amitié, gardent nos Provinces
100   De ruïne et de changement :
         Et fay que de villes en villes
         Ne rampent les flammes civiles,
         Mais y fleurissent à jamais
         Les honneurs d'une douce paix,
105   A fin que l'orage s'accoise
         Entr'eux, s'alliant tout ainsi
         Qu'avec son porteur la Turquoise,
         Qui se perd pour garder autruy.
      Trouve donc ceste ame agreable[13]
110   Pleine d'honneur et de bonté,
         Rare en sçavoir, rare en beauté[14],
         Present du Ciel trop favorable[15].

              < XVI -13>   [39]
              L'AGATHE[1].
      A MADAMOYSELLE DE SURGERES.

         LES Heures filles immortelles
         Du Soleil, compagnes fidelles
         Du Temps, trepignoyent à l'entour
         De la couchette ensafranée,
5   De la belle Aube encourtinée
         D'un pourpre où couvoit le beau Jour[2] :

Lors que la Royne de Citheres[3]
Du bort de ses lentes paupieres
Secouant la sorciere humeur
10   Du sommeil, s'eveille, et ses filles
En pié se vestirent gentilles,
Prestes pour servir sa grandeur.
La Beauté pleine d'alaigresse,
    Dame d'honneur de la Princesse,
15   S'approche, et de sa blanche main
Luy fait caresse, la mignotte,
Luy baille sa chemise où flotte[4]
L'yvoire blanc de son beau sein.
La vest d'une cotte pourprée
20   De mille fleurons diaprée,
Teinte de cent et cent couleurs,
Ainsi que les vertes prairies
Au Printemps se monstrent flories
Sous un bigarrement de fleurs.
25   Cent petits Cupidons à l'heure   [39 v°]
A l'entour de sa cheveleure
Branloyent leurs ailerons mollets,
Et les bouchetes Zephyrines
Frizotoyent ses blondes crespines
30   En cent tortillons annelets[5].
Les Graces de leurs mains d'Albastre,
    Semoyent sa perruque folastre
De gros Rubis estincelans,
Et paroissoit sa teste belle,
35   Comme une Nuict qui estincelle
Au rayon des Astres brillans.
Là se treuvent les Mignardises
Les Attraits, les Ris, les Surprises,

Les Ruses de son fils Amour,
40   Les Plaisirs, les douces Malices,
Les Soupirs, les Pleurs, les Delices,
Suitte ordinaire de sa Cour.
Ce jour, la Deesse Cyprine[6]
Alloit visiter sa cousine[7]
45   La fille du grand Ocean,
Thetis, esperdûment esprise
De la jeunesse bien apprise
Du grand Thessale Pelean[8].
Si tost que Venus la dorée[9]
50   Arrive richement parée
Au Palais de sa Deïté,
Les Naiades et les Phorcides[10]
Honorent de baisers humides
Les levres de sa majesté.
55 L'une de ses mains yvoirines   [40]
D'un gros carquan de Perles fines
Couronne l'honneur de son front,
L'autre sur la peau delicate
De son beau sein pend une Agathe[11],
60   Qui portoit figure d'un rond.
Rare chef-d'œuvre de Nature,
Qui sans art, burin ny sculpture
Y grava le Cheval volant[12],
Qui sur la croupe tant connuë
65   Ouvrit de sa pince cornuë
La source du ruisseau parlant :
Où s'eslevoit à double pointe
D'Helicon la montagne sainte,
Et la brigade des neuf Sœurs
70   De Jupiter race immortelle,

Qui ceint de la branche pucelle[13]
Le docte front des bons sonneurs.
Chacune portant en la dextre
L'instrument dont elle est adextre,
75   La Trompete à l'eclatant son,
Les Chalumeaux et la Musete,
La Harpe, le Luc, l'Espinete,
La Guiterre, et le Violon[14].
Plus haut, le Dieu aux blondes tresses
80   Qui sur ces Filles chanteresses
Retient l'empire souverain,
Portoit sa perruque enlassée
De Laurier, et l'aube plissée,
Sa Lyre et l'archet en la main[15].
85   Venus admirant la merveille   [40 v°]
De ceste Agathe nompareille
La monstre à la troupe des Dieux,
Qui de vertus et graces belles,
Outre ses beautez naturelles,
90   La douerent à qui mieux mieux[16].
L'un voulut qu'on veist en sa glace
Vivement emprainte la face
D'hommes, et d'animaux divers,
La terre, le ciel, les estoiles,
95   La mer grosse de vents et voiles,
Monts, rochers, fleuves et bois vers[17].
Je veux (dist le facond Mercure)[18]
Que le porteur qui prendra cure
De la tenir dedans son sein,
100   Ait la langue promte et diserte,
L'œil bon, et trafique sans perte
Suyvant le fil de son dessein.

Je veux (dist Phebus) qu'elle garde
Des morsures de la Lezarde,
105   Et du venin du Scorpion,
Qui va trainant, envenimée,
Escaille sur escaille armée
L'aiguille sous le cropion[19].
Je veux (dist Bacchus le bon pere)
110   Que dans la bouche elle modere
La soif ardante du fievreux[20] :
Pallas à celuy qui [la] porte
Donne grace et prudence accorte :
Venus le souhait amoureux[21].
115 On dit que les marques sanguines[22]   [41]
Que l'on voit en ces pierres fines,
S'imprimerent du sang des Dieux,
Quand Saturne broüillant l'empire,
Le Ciel mutiné se retire
120   De l'orage seditieux.
Car voulant estoufer la Terre,
A dos courbé prompt il desserre
Hors des gons les cercles roulans,
Demembre les sommiers qui tiennent
125   Le Ciel doré où se soustiennent
Les gros ballons estincelans[23].
Mais l'air s'opposant à la cheute,
Les Dieux à ceste chaude émeute
Tous coleres viennent aux mains
130   Si fierement, que de la playe
Le sang dessus la terre ondoye
Flots sur flots dont les champs sont teins.
Mais la fatale Destinée
Ne voulant pas que chose née

135   Dedans le Ciel coulant çà bas
            (Comme le sang des Dieux) s'altere,
            Veut que la Parque mesnagere[24]
            Le garde, et ne le perde pas.
       Ce qu'elle feist : Car elle serre
140   Le poitrissant avec la terre,
            Que les rayons du beau Soleil
            Echauffez soudain empierrerent,
            Et les taches y demeurerent,
            Ainsi que d'un pourpre vermeil[25].
145   Voyla l'Agathe bigarrée,   [41 v°]
            L'Agathe à Venus la dorée :
            Mais n'est-ce un estrange malheur
            Pour estre commune et vulgaire,
            Qu'il faut qu'elle altere sa gloire,
150   Perde sa grace, et sa valeur ?
       Mais tu dois estre trop contente,
            Si celle à qui je te presente,
            Agathe, te voit d'un bon œil :
            C'est une ame toute accomplie
155   D'honneur et de vertu, remplie
            De graces, et de doux accueil[26].

                    <XVI -14>   [42]

                    LE JASPE[1].
            A MA DAMOYSELLE DE BRISSAC.

       AMOUR de ses doigts mignards
            Retastoit si tous ses dards
            Avoyent le fil et la pointe,
            Voulant, ainsi que je croy,
5   Tenter par un coup d'essay

Combien forte en est l'atteinte :
Mesme sur le Roy des Dieux
Qui remparé dans les Cieux
Avecques la troupe sainte,
10   Des Rebelles triomfant,
Se moquoit de cet enfant,
Qui nú, sans yeux, et sans armes[2]
Vouloit sa force egaller
A sa main qui dedans l'ær
15   Forge les venteux allarmes,
Et les esclats foudroyans,
Qui bruslerent poudroyans
Les piez-serpentins gendarmes[3].
Mais Desastre inesperé :
20   Car sur un trait asseré
Il se pique, et de la playe
Goute à goute se respand
Ainsi qu'un torrent, le sang[4],
Qui flot dessus flot ondoye :
25   Amour, or' que furieux,   [42 v°]
N'eut recours qu'à ses beaux yeux,
Des larmes la douce proye,
Qui gros et noirs de douleur
Addoucirent la rigueur
30   Qui tenoit l'ame saisie
Et les forces de ce Dieu,
Qui s'escouloyent peu à peu
Avec le sang et la vie,
Sans Apollon qui soudain
35   Laisse le Ciel, et la main
De l'Archerot a guerie.
Or le sang qui cheut en bas

Du coup, ne se perdit pas,
Comme estant d'essence pure[5] :
40   Car tombant donna couleur
Au Jaspe, qui de verdeur
Portoit la gaye teinture[6] :
Mais qui depuis, liberal,
Pour marquer le jour fatal
45   De ceste mesaventure,
Nous a servi du secours
Qu'il a d'estancher le cours
Du sang pourpré qui ruisselle
De la bouche ou des naseaux[7],
50   Seicher et tarir les eaux,
Et l'humeur qui s'amoncelle
Entre le cuir et la chair[8],
Ayant pouvoir d'estancher
Toute piqueure mortelle.
55   Cherche ce divin esprit,   [43]
Jaspe, que la Muse apprit[9]
Dés sa naissance à connoistre
La Vertu sainte, et l'Honneur
Qu'elle a gravé dans le cueur,
60   Comme a l'œil le fait paroistre[10].

< XVI -15>

LA COUPE DE CRYSTAL[1].

CHANTE qui voudra les faveurs,
Les mignardises, les douceurs,
Les soupirs, les plaintes cruelles,
Les pleurs et les soucis mordans,
5   Les charmes, et les traits ardans,

De l'Amour les troupes fidelles[2].
Enfle sous l'ombre des ormeaux
Qui voudra les tendres rouseaux,
Ou de Mars les fieres batailles[3],
10   Ou chante les flammes de l'ær[4],
Ou les peuples qui dans la mer
S'arment de conques et d'escailles[5] :
Quant à moy je ne chanteray,
Et rien plus je ne vanteray
15   Que ceste Coupe crystaline,
Qui pleine de la douce humeur
Du Dieu qui nous met en fureur[6],
Me va rechauffant la poitrine.
Coupe gentille où le secours   [43 v°]
20   De ma vie et de mes amours
Matté de fievreuse colere,
De levre seiche beuvotant,
Gargarizant et suçotant
Se détrampe, et se desaltere[7].
25   O riche et bienheureux Crystal,
Plus precieux que le metal,
Dont Jupiter pour couverture
Et pour masque, fist une fois
De larmes d'or baignant les tois,
30   A ses amours prompte ouverture[8].
Crystal poli dessus le tour
Arrondi de la main d'Amour,
Animé de sa douce haleine :
Crystal où la troupe des Dieux
35   Du nectar pressuré des Cieux[9]
Va trompant sa soif et sa peine.
Crystal enté mignardement

Sur un pié qui fait justement
La baze d'une collonnette,
40   Où regne pour le chapiteau
A fueillage un triple rouleau,
Le seur appuy de la cuvette.
Crystal que jamais on n'a veu
Que promtement on n'y ait beu
45   La liqueur qui plus nous recrée,
Tu connois celle en s'y mirant
Seulement, qui va desirant
D'y moüiller sa levre sucrée[10].
Levre douce où la chasteté,   [44]
50   La douceur et la privauté,
Les baisers et les mignardises
Ont choisi leur benin sejour,
Le siege d'Honneur et d'Amour,
Et des Graces les mieux apprises.
55 L'un vantera le Diamant
L'autre la vertu de l'Aymant,
L'Ambre, la Perle, et la Topasse,
Et moy ce verre Crystalin
Où flotte le germe divin
60   Le secours de l'humaine race.
Ce n'est pas le vase trompeur
De Circe au langage pipeur,
Qui brassant de nouveaux meslanges
Dedans un breuvage sorcier,
65   Eschangea le troupeau guerrier
D'Ulysse en mille corps estranges[11].
Les vases d'or ne me sont rien,
Ny le bronze Corinthien,
Ny tous les emaux de Fagence[12],

70   J'aime trop mieux dedans la main
        Voir jusqu'aux bords ce verre plein
        Que tous les sceptres de la France.
        C'est toy donc qui rens addouci
        L'aigre fiel de nostre souci :
75   C'est toy qui romps et qui deslie[13]
        Par un secret enchantement,
        Le nœud qui serre estroitement
        Le fil courant de nostre vie[14].
        C'est toy, c'est toy Crystal gentil,   [44 v°]
80   Qui plein d'air fumeux et subtil[15],
        Nous mets, resveurs, en alaigresse :
        Toy qui nous plantes sur le front
        Les cornes qui braves nous font[16],
        Quelque pauvreté qui nous presse.
85 Le lustre du Vin est si beau
        Sur la glace de ce vaisseau,
        L'un et l'autre honneur de la Terre,
        Qu'œilladant ce vineux esprit
        Ondoyant, vous diriez qu'il rit
90   Dedans le Crystal qui l'enserre[17].
    Ou soit qu'il nous sille les yeux
        D'un sommeil doux et gracieux,
        Ou soit qu'en l'amoureuse proye
        Nous soyons poussez de son feu,
95   Si tost qu'en ce Crystal j'ay beu
        Mon cueur va sautelant de joye.
    Jamais ne se puisse casser,
        Esclater, feller ou froisser
        De ce Crystal la glace belle,
100   Mais tousjours pres de mon soulas
        Comble de vin ou d'hippocras[18]

          Demeure compagne fidelle.
     En doux et gracieux repos,
          Loing de tous médisans propos,
105   Et toutes coleres dépites,
          Comme de l'orage mutin
          Qui porta le trouble au festin
          Des Centaures et des Lapithes[19].

          < XVI -16>   [45]

          LA CORNALINE[1].

CE petit archerot Amour
          Bavolant s'esgayoit un jour
          Dedans les vergers de Cytheres[2],
          L'arc au poing fait d'yvoire blanc,
5   En escharpe la trousse au flanc
          Grosse de cent fleches legeres.
Mais (malheur) volant dans ce parc
          De branche en branche, de son arc
          Rompt le bout, et perd l'encornure,
10   Depité retranche le cours
     . De son aile, et sans le secours
          De sa mere, il mouroit à l'heure[3].
Humaine, qui pour l'appaiser
          L'ayant caressé d'un baiser
15   De sa bouchete couraline,
          Luy donne en ce nouveau courrous
          Pour soudain encorner les bouts
          De son arc, une Cornaline[4].
Qui depuis ha tousjours cet heur,
20   D'assopir et fondre l'aigreur
          De l'homme eschaufé de colere[5] :
          En memoire que cet enfant

Appaisé se veit trionfant
Du malheur, par l'heur de sa mere.

25 Ceste pierre en poudre, des dens   [45 v°]
Tire la roüille[6], de nos ans
Marque veritable et non vaine :
Estanche les coulans ruisseaux
Du sang qui roule des naseaux,
30 Ou des rameaux d'une autre veine[7].
Elle est d'incarnate couleur,
Languissant d'un peu de palleur :
La vraye et la naïfve est celle
Qui sans nuage se fait voir,
35 Pure et nette, sans rien avoir
Qui ternisse sa face belle[8].

< XVI -17>

LA PIERRE D'AIGLE, DITTE ÆTITÉS[1].
A MA DAME DE VILLEROY[2].

O PROMPTE et fidele courriere
De Jupiter[3], seule heritiere
Du foudre, qui dessous ta main
D'ongles et d'esperons armée
5 Couve sa colere animée
Vengeresse du sang humain :
N'estoit-ce assez porter les armes,
Estre compagne des allarmes
De ce Dieu rougissant d'esclairs,   [46]
10 Avoir l'œil et l'aile plus forte
Qu'autre oyseau qui noüant se porte
Parmi l'air, d'avirons legers :
Sans avoir ceste prevoyance,

Pour mieux faire éclore l'engeance
15   Hors l'œuf, de tes petits Aiglons,
Chercher errante et vagabonde
Ceste pierrette creuse et ronde
Jusques aux Indiens sablons[4] ?
Pour estre garde à la nichée
20   Qui beante attend la bechée,
Lors que tu planes dedans l'ær
Et ton œil espion s'employe
Sur le hazard de quelque proye
A celle fin de l'engorger.
25   Aussi dit-on que de nature
Ell' chasse la mesaventure
Qui peut tomber dessus les nids
De l'Aigle : et pource prevoyante
La laisse en l'aire croupissante
30   A fin de garder ses petits[5].
Ceste pierre retient enclose
Une pierre dont elle est grosse
Que l'on sent bouger au dedans,
Comme une femme en sa grossesse
35   Sent remuer la petitesse
Du fruit qu'elle porte en ses flancs[6].
Elle rend son porteur aimable,
Sobre, vaillant, courtois, affable[7] :
Et fait aisé l'accouchement   [46 v°]
40   De la femme, quand assaillie
Du travail d'enfant on luy lie
Sur le bras gauche estroittement[8].
On découvre aisément par elle
Le larron qui musse et recelle

45   Dedans la terre son larcin[9] :
              Elle est de face rondelette,
              Au ventre creux, un peu grossette
              Portant le teint escarlatin[10].
        Que tu tiens encores de choses
50   Dedans ton large sein encloses
              Sans nous les decouvrir, Seigneur[11] !
              Faisant à bon droit plus de grace
              Aux animaux qu'à nostre race
              Trop indigne de ta faveur.
55   Mais, Seigneur, que ta bonté face
              Ouvrir le thresor de ta grace,
              A ceste ame qui souspirant
              Apres tes promesses plus seures,
              En ces petites creatures
60   Va tes ouvrages admirant[12].

           < XVI -18 >   [47]
    LA PIERRE DU COQ, ditte Gemma Alectoria[1].
              A LA FRANCE.

       OYSEAU qui de garde fidelle
              Dessillé fais la sentinelle[2]
              Sous le silence de la nuict,
              Réveillant d'une voix hardie
5   La troupe de somme engourdie
              Et de paresse, à ton haut bruit.
      Oyseau à la creste pourprée[3]
              Compagnon de l'Aube dorée,
              Trompete des feux du Soleil,
10   Qui te perches à la mesme heure
              Qu'il plonge en mer sa cheveleure[4]

Pour se rendre alaigre au travail[5].
N'estoit-ce assez que l'arrogance
  De vostre œil domtast la puissance
15 Et l'ire des Lyons plus fiers,
  Sans que pour la vaillance acquerre
  S'endurcist encor ceste pierre
  Au ventre creux de vos gesiers[6] ?
Tesmoin ce luteur indomtable,
20 Ce fort Milon inexpugnable,
  Qui remparé de la vertu
  De ceste pierre, pour sa gloire   [47 v°]
  A tousjours gagné la victoire,
  Quelque part qu'il ait combatu[7].
25 On dit plus, que cil qui la porte
  A l'esprit net, la grace accorte
  De bien dire, et qu'en rechaufant
  La froide glace de son ame,
  Des fieres rigueurs de sa Dame
30 En fin demeure trionfant[8].
Dedans la bouche elle modere
  La soif qui bruslant nous altere[9] :
  Elle est noirastre, ou de couleur
  De crystal : et point ne s'en treuve
35 Qui retienne plus qu'une febve
  Ou de longueur ou de grosseur[10].
Fay que la race surnommée
  De ton nom[11], dont la renommée
  Est esparse par l'Univers,
40 N'altere jamais la puissance
  Qu'elle a quise par sa vaillance,
  Par force et par assaux divers.

< XVI -19>   [48]

LA PIERRE D'ARONDELLE
ditte Chelidonius lapis[1].
A MA DAMOYSELLE DE BELLEVILLE.

    ET toy qui d'aile passagere
    Voles pour estre messagere
    Du gaillard et nouveau Printemps,
    Qui d'une cotte parsemée
5   De fleurs, et d'odeurs embasmée
    Fait rire les bois et les champs[2] :
    N'avois-tu pas assez de gloire[3]
    D'avoir honoré la memoire
    Et de ta race et de ton nom,
10   Quand dessus la table funeste
    De Teré tu vengeas l'inceste
    De la fille de Pandion[4] ?
    Sans que tu sois or' recherchée
    Pour une pierrette cachée
15   Au fond de ton ventre petit,
    Thresor funeste et dommageable
    A son hostesse miserable,
    Qui meurt pour un si noble fruit ?
    Car il faut que cil qui desire
20   De l'avoir, cruel, te dechire
    Membre à membre et t'ouvre le flanc,
    Il faut que plein de violence
    Il trempe et soüille l'innocence
    De ta race en son propre sang.
25   Comme toy quand pour l'homicide   [48 v°]
    De ton fils, de main parricide
    Trenchas ses membres innocens,

           Et croy qu'en memoire eternelle
           De l'emprise fiere et cruelle
30   Ce malheur vient à tes enfans[5].
     Ceste pierre en couleur diverse
           Est tantost rousse, est tantost perse,
           Quelquefois brune de noirceur :
           Sa laideur et sa petitesse
35   N'empesche pourtant la hautesse
           De sa force et de sa valeur[6].
     Car en la main gauche portée
           Dans un mouchoir envelopée
           Rend l'affaire en heureux succez
40   Du porteur[7], donne au lunatique
           D'appaiser l'humeur frenetique,
           Aux grands, seur et facile accez.
     Refroidist les chaudes coleres,
           Les rigueurs, les menaces fieres,
45   L'aigreur des Princes et des Rois[8] :
           Que pleust à Dieu que ceste pierre,
           De France peust chasser la guerre
           Sur l'Arabe ou sur le Medois[9].
     Qui t'aura pierre d'Arondelle,
50   Ce sera Vous garde fidelle
           Des honneurs de la chasteté :
           Car en vous les bontez extrémes,
           Les vertus et les graces mesmes
           Ont basti leur felicité[10].

                    < XVI -20>   [49]

               LA PIERRE D'ONCE[1],
                  ditte Lyncurium[2].

     ONCES mouchetez sur le dos,
           A l'œil subtil, au pié-dispos[3],

N'estoit-ce assez que la Nature[4]
Fist des pierres sous le caveau
5   Des mines, sans que de vostre eau
Celle-cy prist sa nourriture ?
Car où vostre urine s'espand
Aussi tost se caille et se prend
Dessous la poussiere menuë,
10   Qu'en gratant vous amoncelez
Sur l'humeur que vous recelez
A fin de n'estre reconnuë.
Cuidant en couvrant ce thresor
De couvrir l'avarice encor
15   De l'homme par vostre industrie[5] :
Mais qu'y a-til dessous les Cieux
Qu'il ne recherche, ambitieux,
Pour survendre sa mercerie ?
Aucuns disent estre les sœurs
20   De Phaëton, qui de leurs pleurs
Firent ceste gomme paillete,
Apres que ce nouveau Cocher
Dans le Po se veit trebucher
Bruslant vif dedans sa charrete[6].
25   L'Ambre aussi porte la couleur,   [49 v°]
La grace, la force et l'odeur
De ceste pierre, qui attire
A soy la fueille et le festu
Retenant la mesme vertu
30   Du basme que l'Ambre soupire[7].
Propre contre les pasmoisons,
La colique, et les trenchaisons,
Et les toiletes de la veuë :
Propre pour remettre en couleur

35   La peau qui de morne palleur,
    Ou de jaunisse est corrompue[8].
  Jamais ne se puisse pasmer
    (Si ce n'est de trop bien aimer)
    La Maistresse à qui je te donne,
40   Et que le frais de son beau teint
    De fievre ou de l'amour atteint
    N'offense sa grace mignonne[9].

< XVI -21>

LA CARCHEDOINE[1].

TOUTE chose qui prend naissance
   Est esclave de l'ordonnance
   De ce grand Dieu puissant et fort :
   Tout ce que la Nature enserre
5   Dans le sein fecond de la Terre
   Se rend prisonnier de la mort[2].
La Terre est la mere nourrice   [50]
   Du bien qui plus nous est propice,
   Comme du mal, qu'elle produit :
10   C'est elle qui retient celée
   Des Serpens la race escaillée,
   Et du metal qui plus nous nuit[3].
Elle ha des plantes souveraines
   Pour empescher les morts soudaines
15   Qui surviennent par le poison :
   C'est elle qui fait le breuvage
   Des venins, dont le prompt usage
   Nous pousse en la noire maison.
Au Printemps les plantes verdissent,
20   Puis croissant peu à peu fleurissent :

Mais atteintes de la chaleur
Aussi tost penchent languissantes
Dessus la terre pallissantes,
Sans jus, sans force et sans odeur[4].

25   Sans plus ces brillantes pierrettes
Au ply des ans ne sont sugettes[5],
Ny se corrompent vieillissant,
Leurs vertus restent immortelles,
De mesme effect et tousjours telles
30   Qu'elles paroissent en naissant.
Tousjours une beauté compagne
De leur vertu les accompagne,
Et mal en elles n'y a pas,
Ainsi qu'aux plantes empestées
35   Qui de leurs poisons éventées
Nous plongent és eaux de là bas[6].
Les plantes n'ont plus grande force   [50 v°]
De fleur, de racine, ou d'escorce
Que les pierres, et n'y a moins
40   De pierres, que de plantes belles,
Propres pour les playes cruelles,
Et pour le secours des humains[7] :
Ainsi que ceste pierre dure
Qui prend du Ciel sa nourriture
45   Sa force et son accroissement,
N'estant assez digne la terre
De renfermer en ceste pierre
Tant de vertus ensemblément.
Car on tient que la Carchedoine
50   (A la graveure mal idoine)[8]
Naist d'une pluye, tiedement
Qui trempe la terre allumée

De chaleur, qui la rend germée
De ce divin enfantement.
55   On dit qu'elle est fort souveraine
Contre le Démon qui nous peine
De songes au fort de la Nuit,
Contre la peur et la colere
Qui trop fumeuse nous altere
60   Des vapeurs d'un gros sang recuit[9].

FIN DES AMOURS ET NOVVEAUX ESCHANGES
des Pierres precieuses.

INTRODUCTION AU *DISCOURS DE LA VANITÉ*

par Jean BRAYBROOK.

Les Amours et nouveaux eschanges des pierres precieuses traitent d'objets que souvent les contemporains du poète collectionnaient pour faire preuve de leur richesse et de leur importance. Cette splendeur a un revers moral, qui n'est guère loin : le *topos* de la vanité de la beauté physique, de la magnificence de la vie humaine en général. En outre les guerres de religion forment explicitement un arrière-plan pour les *Pierres precieuses*. Nous avons vu comment Belleau prend la parole à plusieurs reprises dans ces poèmes pour déplorer l'état dans lequel son pays se trouve ; nous avons également observé qu'un des *leitmotive* de ces vers est la débilité de l'homme face à la nature. Il n'est donc pas surprenant que Belleau – qui avait déjà traduit, et placé au début de la Seconde Journée de *La Bergerie,* des prières de Job (celles qu'utilisait l'office des morts)[1] – ait porté attention à un livre de la Bible qui fait également partie de la littérature de la sagesse (posant des questions telles que : « D'où viens-je ? », « Où vais-je ? », « Quel est le sens de la vie ? ») et qui examine avec mélancolie la vanité de la vie humaine (et même ses « eschanges »)[2].

L'Ecclésiaste est fréquemment cité au XVIe s. dans le contexte des guerres civiles. Il évoquait des poètes grecs tels que Theognis de Mégare, et les exemples de discours gnomiques qu'il contient devaient plaire et servir de guide à des citoyens désemparés[3]. Montaigne, qui traite de la vanité – ainsi que des guerres civiles –, fait allusion à L'Ecclésiaste dans la deuxième phrase de l'*Essai* III, 9 pour développer quelques-unes

---

1   Ils sont reproduits dans *Les Cantiques du sieur de Valagre, et les Cantiques du sieur de Maizonfleur*, Paris, Mathieu Guillemot, 1587, f° 53r° - 56v°. Voir t. IV, 2de J., pièce n° <I>.

2   Voir la traduction de Belleau, <XVII -3>, v. 53-58.

3   Sur le parallèle avec Theognis, voir Harry Ranston, *Ecclesiastes and the Early Greek Wisdom Literature*, Londres, Epworth Press, J. Alfred Sharp, 1925. Sur le goût du XVI^{e}s. pour les discours gnomiques, voir Fr. Rouget, *Apothéose d'Orphée, op. cit.,* p. 166-167.

de ses idées[1]. Il le paraphrase vers le début de « L'Apologie de
Raimond Sebond » (II, 12) pour prouver que nous ne sommes ni
plus ni moins importants que les animaux, et utilise souvent des
expressions empreintes de la sagesse de L'Ecclésiaste. Il avait
fait peindre plusieurs citations de Qohélet (nom hébreu voulant
dire « le Prédicateur ») sur les solives de sa bibliothèque[2]. Dans
son *Second Livre des Mimes* de 1581, Baïf publia un Mime
composé autour d'extraits de L'Ecclésiaste, qu'il établit
(contrairement à son adaptation des Psaumes) d'après la
Vulgate[3]. Baïf intervint d'abord dans la crise politique et
religieuse de son époque avec l'espoir d'apprendre à ses
contemporains la vertu de la poésie gnomique, mais devint
rapidement plus désabusé face à la persistance des guerres
civiles. Son utilisation de L'Ecclésiaste n'est pas exempte de
dérision : il paraît avoir le sentiment que la plupart de ses
lecteurs ne suivront pas les préceptes de la Bible. En traduisant
en entier ce livre de l'Ancien Testament, Belleau semble
indiquer en revanche qu'il reste plus optimiste et qu'il croit
possible d'appliquer la sagesse biblique à une époque agitée. Il
envisage peut-être l'Ancien Testament comme un point stable
auquel il est souhaitable de s'accrocher au milieu des conflits.

Belleau n'est pas le seul au seizième siècle à avoir traduit
Qohélet en vers français. Avant le début des guerres de religion
le protestant Accasse Dalbiac, ou Alcace d'Albiac, dit Armand
Du Plessis, qui avait déjà publié, en 1552, une traduction en
vers du livre de Job (Genève, Jean Gerard), produisit *Les
Proverbes de Salomon, Ensemble L'ecclesiaste, mis en
cantiques et rime Françoise, selon la verité hebraique [...] Mis
en musique par F. Gindron* (Lausanne, Jean Rivery, 1556)[4]. Il

---

1   Voir Mary B. McKinley, « La Bulle de la Vanité : Les Itinéraires de III, 9 », in
Les Terrains vagues des « Essais » : Itinéraires et intertextes, Études montaignistes, 25,
Paris, Champion, 1996, p. 105-126.
2   Voir J. Céard, « Montaigne et L'Ecclésiaste : Recherches sur quelques
sentences de la `Librairie' » in *B. H. R.* 33 (1971), p. 367-374.
3   Voir l'édition des *Mimes, Enseignemens et Proverbes* par J. Vignes, Genève,
Droz, 1992, p. 240-247.
4   Cf. la partition suivante : François Gindron, *À toutes sainctes muses et esprits.*
[Chœur mixte.] Traduction par Accace d'Albiac du Plessis. Réalisation en notation

semble avoir été inspiré par les sermons sur L'Ecclésiaste que le pasteur Michel Cop prononça la même année à Genève. Sa traduction est caractérisée par la variété en ce qui concerne la versification et la forme strophique, comme s'il visait à souligner la discontinuité inhérente au texte de Qohélet. Du côté catholique, Lancelot de Carle, évêque de Riez qui jouissait de la faveur royale et ami de Ronsard, écrivit *L'Ecclesiaste de Salomon, paraphrasé en vers François* (Lyon, Nicolas Édouard, 1561)[1]. Il produisit également une paraphrase en vers français du Cantique des Cantiques en 1562 (Paris, Michel de Vascosan, 1562)[2]. Sa sœur, Marguerite, avait épousé Estienne de La Boetie. Comme Belleau, Carle avait des liens avec les Guises[3]. Pour *L'Ecclesiaste* il choisit le quatrain de décasyllabes à rimes plates. Belleau de son côté optera pour une autre forme, homogène mais plus ample, à savoir des séries d'alexandrins à rimes plates ; s'il sélectionne un vers que Ronsard a employé dans ses *Hymnes* et dans ses *Discours des miseres*, c'est sans doute qu'il veut faire du Livre biblique un discours continu, pour souligner sa portée philosophique, politique et religieuse.

Il est difficile de dire avec certitude quelles éditions et quelles traductions de L'Ecclésiaste Belleau a utilisées[4]). Belleau connaît la Vulgate (que nous citerons ici par commodité), mais il est quelquefois plus proche du sens de l'original. (ce sera encore plus frappant en ce qui concerne le Cantique des Cantiques). Il lui arrive par exemple d'employer le futur, interprété comme une prédiction, à l'instar du texte

---

moderne par Jacques Burdet, Lausanne, Fœtisch, [1958] (Huitain dédicatoire des *Proverbes de Salomon, ensemble L'Ecclesiaste*).

  1 Voir l'article de J. Vignes, « Paraphrase et appropriation : Les Avatars poétiques de l'*Ecclésiaste* au temps des Guerres de Religion (Dalbiac, Carle, Belleau, Baïf) » in *B. H. R.* 55 (1993), p. 503-526 ; Eckhardt, p. 94 ; et L. -C. Harmer, « Lancelot de Carle : Sa Vie » in *Humanisme et Renaissance* 6 (1939), p. 443-474, et, du même auteur, « Lancelot de Carle et les hommes de lettres de son temps » in *B. H. R.* 7 (1945), p. 95-117.

  2 Voir Lm VIII, 117, n. 1.

  3 Voir Harmer, « Lancelot de Carle », art. cit., p. 471.

  4 J. Céard arrive à la même conclusion en ce qui concerne Montaigne (« Montaigne et L'Ecclésiaste »).

hébreu et à la différence de la Vulgate (8. 12 ; traduction de
Belleau 8. 50-53).

Quelles sont les raisons pour lesquelles Belleau entreprit de
traduire Qohélet ? Marc Bizer a examiné chez lui des exemples
d'auto-traduction ou de traduction de Ronsard, mais il n'étudie
pas ses traductions bibliques[1]. Toutefois, Belleau, qui a traduit
Anacréon et qui connaît bien Horace, et qui a en même temps,
dans le domaine de la morale, un côté sévère, voire
intransigeant, a sans aucun doute été attiré par l'originalité de la
philosophie morale du Livre biblique : sa division de la réalité
en deux, le domaine de Dieu et celui de l'homme (5. 1 ; Dieu
est introduit brusquement, 2. 24-26, et tout change) n'exclut pas
un goût pour les joies de la vie humaine[2].

En plaçant sa traduction à proximité de ses poèmes sur les
gemmes, Belleau souligne la portée religieuse de ces derniers.
Qui plus est, il tient par endroits à renforcer le contenu religieux
du livre biblique lui-même, notamment aux vers 91 à 98 du
premier chapitre. Il s'interroge en même temps sur les vertus du
savoir que les *Pierres precieuses* et la poésie scientifique en
général représentent (n'oublions pas qu'il a traduit Aratos). Cela
est particulièrement évident dans un long passage lyrique très
important qu'il ajoute à sa traduction de Qohélet, brodant sur un
seul verset biblique : 1. 59-84. Il passe ici en revue divers
domaines du savoir humain, tels que la cosmologie, la
cosmographie, l'astrologie et l'astronomie, la géologie et la
botanique. La fascination qu'exercent ces domaines sur
l'homme est clairement reconnue et chantée par le poète, avant
que leur vanité ultime ne soit déclarée. La curiosité humaine est
une lame à double tranchant, avec laquelle le poète se permet de
jouer l'espace de vingt-six vers de son invention (Voir aussi 2.
75-76, où le poète accentue le pouvoir de la curiosité et fait
penser à Ronsard). La curiosité fait contraste avec le mot final
de l'ensemble de la traduction : « connoissance », qui désigne le

---

1   *La Poésie au miroir, op. cit.,* ch. 3, « Belleau traducteur : la difficulté d'être
poète à l'ombre de Ronsard », p. 109-145.
2   Voir Jean Vignes, art. cit., p. 525.

savoir de Dieu. Dieu, qui sait et voit tout, n'a pas besoin d'être curieux. Il n'y a rien de pareil à cette envolée lyrique ailleurs dans la traduction de Belleau[1].

La traduction constitue aussi un moyen quelque peu détourné de se déclarer sur les conflits religieux : le poète peut suggérer des parallèles entre le texte biblique et la situation contemporaine, tout en les attribuant à un autre. Il peut se protéger tout en sermonnant ses contemporains, comme le remarque J. Vignes : « L'autorité du livre saint permet à nos poètes d'exprimer sous couvert de paraphrase un certain nombre de critiques qui, sans cette caution, pourraient sembler irrespectueuses, notamment à l'égard des Grands » (p. 524). Belleau avait déjà adopté une approche oblique dans ce domaine : dans le *Dictamen* il avait choisi un genre et une langue hybrides pour jouer avec l'attente du lecteur et pour se protéger tout en formulant des critiques acerbes à l'endroit des huguenots (voir le t. III de la présente édition). Dans *L'Ecclésiaste* il trouve des passages qui critiquent les Grands (4. 1 et 5. 7-8, par exemple) et qui lui permettent de développer implicitement le motif des devoirs des puissants qu'il avait élaboré dans un poème tel que « Promethee, premier inventeur des anneaux et de l'enchasseure des pierres ». Quelques passages – par exemple 2. 89-92, sur les plaisirs des rois, – sont de son invention.

Belleau découvre également dans ce livre biblique un auteur qui refuse les solutions faciles : la tension – entre la vanité de la vie humaine et le bonheur qu'on peut y découvrir ou créer, par exemple est soutenue jusqu'à la fin. Le prédicateur appelle vains tous les efforts pour atteindre la prospérité à travers la sagesse, et déclare que la vie terrestre n'a pas de sens. Il se refuse à remplir avec des personnes et des concepts intermédiaires l'abîme qu'il perçoit entre Dieu et l'homme. Comme lui, Belleau est conscient de la complexité des rapports entre l'homme et Dieu, conscient aussi que le baume qu'il

---

1   Voir J. Vignes, « Paraphrase et appropriation », art. cit., p. 517-518.

cherchait à apporter aux troubles religieux dans le *Dictamen* est fort difficile à trouver. Ayant employé l'ironie dans les *Pierres precieuses*, dans le contraste entre les pierres sensibles et la dureté des hommes, il essaie maintenant une autre voie : il fait goûter ses contemporains à la sévérité et à l'intransigeance de Qohélet, qui semble tenir à libérer le lecteur d'une vie sans Dieu, cynique et amère, et des pièges de la richesse et du plaisir. Pour Belleau, sensibiliser ses concitoyens aux questions essentielles de la vie humaine, les avertir que Dieu les regarde et les jugera, voire leur présenter une sorte d'apologie, qui défend la vie de la foi en un Dieu généreux tout en soulignant la nature sinistre du choix opposé, c'est peut-être les préparer à abandonner leurs différends religieux.

Par-dessus tout, cependant, L'Ecclésiaste devait représenter l'occasion d'introduire dans la littérature française un style et des tournures nouveaux. Belleau ne pouvait pas manquer d'être frappé par la rhétorique de ce livre biblique[1]. Le style de Qohélet est fait pour plaire à un écrivain qui cherche le plus souvent à amplifier son modèle. Tout en critiquant la sagesse de son temps comme inadéquate, Qohélet utilise les formes typiques de la littérature de la sagesse : de nombreuses images (voir p. ex. L'Ecclésiaste 7. 26), la répétition (voir 1. 2 et 12. 8) et des refrains, des aphorismes (p. ex. 1. 14 et 8. 14), des proverbes (4. 12 et 9. 4), des paraboles (4. 13-16 et 9. 14-15), des énoncés fondés sur une comparaison (4. 9 et les premiers versets du chapitre 7), l'allégorie (12. 3-4), l'*interrogatio* (8. 4), l'*antilogion* ou contradiction apparente entre deux opposés (7. 16-17), la narration prétendument autobiographique, qui rappelle certains passages des *Pierres precieuses* (3. 17), l'utilisation de l'observation personnelle (4. 4), l'admonition (7. 9)[2]. En traduisant et en imitant ces procédés rhétoriques,

---

1 Cf. J. Vignes, art. cit., p. 525-526.

2 Voir J. A. Loader, *Ecclesiastes : A Practical Commentary*, trad. J. Vriend, Grand Rapids, Michigan, Eerdmans, 1986. Sur les origines possibles de la littérature de la sagesse, voir M. A. Eaton, *Ecclesiastes : An Introduction and Commentary*, Leicester, England ; Downers Grove, Illinois, USA, Inter-Varsity Pr., 1983, p. 30-31.

Belleau arrive paradoxalement à renouveler son propre style, à enrichir son vocabulaire, et à unir son goût de la *copia verborum* et de l'énumération aux nombreux passages gnomiques de son modèle. Il réussit à renforcer le caractère visuel de ses vers et à développer son goût des adjectifs (voir par exemple 1. 10 ; cf. 10. 1-5, où l'odeur a également un rôle). Belleau aime surtout s'attarder sur les descriptions et rendre concret ce qui risque de sembler abstrait (nous pensons au style de Montaigne). Quelquefois il se contente d'ajouter au texte biblique un seul détail pittoresque : tel est le cas de la mention de « la creste pourprée » du coq dans l'évocation de l'aube (12. 24). Ailleurs il introduit le motif du « poil grison » (2. 129), qui fait penser aux *Sonets pour Helene* de Ronsard. Il peut également, grâce à des détails concrets, produire une impression d'intimité, rapprochant le texte du monde du lecteur (1. 51-54). Mais ses ajouts peuvent être plus longs. Il développe par exemple avec des détails pittoresques le thème de l'*aurea mediocritas* si cher à la Renaissance (5. 35-40). Un très beau passage évoque des jardins, des fruits, l'automne et la vigne, laquelle est vue de très près (2. 23-36). Il invente beaucoup de détails, qui font penser à *La Bergerie* et à sa traduction de Longus. Un peu plus loin, il prend trois versets de L'Ecclésiaste et en produit un long développement sur les ressemblances entre hommes et bêtes, images à l'appui (3. 67-88). Un seul verset biblique donne matière à une attaque contre l'injustice et la violence des Grands (4. 1-14). Ailleurs il se souvient de ses expériences – sur lesquelles nous avons si peu de documents – en Italie, ainsi que de ce qu'il a vu au cours des guerres de religion, ce qui lui permet d'ajouter au texte de Qohélet (9. 71-76) des précisions dans le domaine militaire.

Du point de vue de la *dispositio*, L'Ecclésiaste laisse à Belleau une grande part de liberté. La structure en est assez lâche, bien qu'on y ait distingué quatre parties : – une sur le pessimisme, les problèmes qu'il pose et le remède (les trois premiers chapitres) ; –une deuxième sur la vie « sous le soleil » (jusqu'à la fin du chapitre 10) ; – l'appel à la décision (11. 1 -

12. 8) ; – un épilogue. La longueur des chapitres varie. Tout se passe comme si Qohélet ne cherchait pas à formuler un message spirituel détaillé, équilibré, mais à en esquisser seulement le début en créant le besoin de croire (nous pensons au *pari* de Pascal). Belleau doit se sentir par conséquent relativement libre d'élaborer, d'ajouter, tout en sachant que ces changements seront remarqués par tout lecteur qui connaît bien l'Ancien Testament. En règle générale, sa traduction se meut dans l'intemporel. Quelquefois, cependant, les changements qu'il apporte au texte biblique le rapprochent du XVIe s. Il lui arrive d'omettre des précisions topographiques afin de mieux adapter son poème au lecteur français (2. 40). La fin de son quatrième chapitre, évoquant le temple de Dieu, met l'accent sur la proximité de la Divinité d'une manière qui fait penser au culte protestant plutôt qu'à l'Ancien Testament (101-108). Vers la fin du Livre, il ajoute quelques vers qui rappellent ce que la Pléiade a écrit sur les *prisci poetæ* et sur le poète considéré comme *vates* (12. 58-62).

À tout prendre, Belleau trouve dans L'Ecclésiaste un texte qui exprime avec énergie et avec intransigeance une philosophie morale susceptible d'aider les lecteurs du XVIe s. à se détourner du monde et à avoir confiance en Dieu ; un texte qui le pousse à s'adresser aux Grands de son époque pour leur rappeler leurs devoirs ; un texte finalement qui, grâce à ses images, ses anaphores et ses refrains, lui permet d'enrichir son style et de développer son goût pour la *copia*.

DISCOURS   [51]
de la Vanité, pris de l'Ecclesiaste de
Salomon.

<XVII -1>

A MONSEIGNEUR, FILS ET FRERE DE ROY[1].   [52]

MONSEIGNEUR, il y a trois ans passez que le feu Roy
vostre frere estant à Fontainebleau me commanda luy faire
lecture des quatre premiers chapitres du Discours de la
Vanité, où il prist tant de plaisir qu'il se les fist relire
5 plusieurs fois apres, me commandant tresexpressément que
j'eusse à parachever le reste[2] : Ce que plustost j'eusse fait
n'eust esté sa mort inesperée, et une griefve maladie qui m'a
tenu en langueur deux ans entiers[3]. Depuis le recouvrement
de ma santé j'ay pris peine à le parfaire le mieux que j'ay
10 peu, en devotion de vous le presenter, esperant que prendrez
plaisir en la contemplation de si graves et si sages propos,
pour l'affection que vous portez à la vertu, et à toutes choses
dignes d'un vaillant et magnanime Prince tel que vous estes,
qui desire composer la felicité de sa vie et entretien de sa
15 grandeur[4], à l'exemple et imitation de ce grand et sage Roy,
autheur de ce discours[5]. A Paris ce X X X. Juillet
M. D. LXXVI.
Vostre tres-humble, et tres-obeissant
serviteur REMY BELLEAU.

<XVII -2>

À MONSEIGNEUR,   [52 v°]
FILS ET FRERE DE ROY.

AUTRE ne puis choisir pour sacrer mon labeur
Que vous, qui d'un grand Roy receustes en partage,
Favorisé du Ciel, la force et le courage,

La grace, la façon, la vaillance et l'honneur[1] :
5   Puis l'œuvre est d'un grand Roy, qui fils et successeur
Des vertus de son pere, eut le surnom de sage[2] :
Vous frere et fils de Roy, naissant pristes l'image
Du pere et de l'ayeul[3], l'esprit et la grandeur.
Jouissez donc, heureux, des graces immortelles
10   Que vous avez de Dieu, recognoissant que d'elles
Vient le doux entretien de la prosperité :
Tirant de ce Discours, que le cours de la vie
N'est qu'une passion, qu'un desir, qu'une envie
De travailler soymesme, et pure vanité.

R. BELLEAU.

DISCOURS de la Vanité,   [53]
PRIS DE L'ECCLESIASTE DE SALOMON.

<XVII -3>

CHAPITRE I.

Tout ce qui est soubs le soleil, n'est que Vanité. La trop curieuse
recherche des choses, Vanité.

DE PURE Vanité la terre est toute pleine[1],
Tout n'est que vanité des vanitez tres-vaine[2] :
Mais quel heur plus benin sent l'homme des travaulx
Qu'il prend sous le Soleil, qu'un orage de maulx ?
5   Toute chose prend fin, l'autre vient en sa place,
Nouvelle renaissant, pendant que l'autre passe :
Mais la Terre immobile et seure en ses contours,
Dure eternellement et demeure tousjours
Ferme comme un theatre, où de l'humaine vie
10   Se joüe tour-à-tour la vaine Comedie :

L'un faisant le Berger, l'autre le Bucheron,   [53 v°]
Le Prince, le Marchant, l'autre le Vigneron[3].
Le Soleil dans la mer la nuict venant se couche,
Puis se leve au matin de son humide couche,
15 Tournoyant et roulant, gauche, par le travers
De l'écharpe animée en ce grand Univers[4].
Le vent souffle au midi, puis aussi tost retourne
Aux bouches d'Aquilon, où en soufflant se tourne
Balloyant terre et mer de son aile qui bruit,
20 Puis s'accoisant revient en son mesme circuit[5].
Tous les fleuves courans, les torrens, les rivieres
Dressent dedans la mer leurs humides carrieres,
Et pour ce grand amas ne regorge la mer,
Puis dedans leurs canaux ils se vont renfermer :
25 Ainsi vont et revont, et de plus viste course
Roulent és flots marins, puis recherchent leur source[6].
Tout ce qui sous le Ciel soupire, et prend vigueur,
Est trop plus difficile, et de plus grand labeur
Qu'on ne peut concevoir, et l'œil qui veut apprendre
30 N'est jamais soul de voir, ny l'oreille d'entendre[7].
Tout cela qui doit estre, est ce qui a esté,
Qui fut, et qui sera reconneu, inventé,
Desja faict et refaict, subjet à l'entresuitte,
Qui renaist en mourant par certaine conduitte[8] :
35 Bref la vive clarté du Soleil pur et beau
Ne voit rien sous le Ciel, qui soit faict de nouveau[9],
Et n'y a chose au monde ou si rare, ou si belle,
Que l'on puisse juger estre chose nouvelle :
S'elle semble nouvelle à nos siecles derniers,
40 Desja la connoissoyent nos peres devanciers.
    Des choses advenir, et des choses presentes,   [54]
Qui furent, et seront et vives et absentes,

La memoire se perd, et les ouvrages tous
De ceux qui ont esté, et seront apres nous :
45   Tout s'escoule en fumée, et se glisse et se plonge
Sous les flots de l'oubli et se perd comme un songe[10].
J'ay porté d'Israel le sceptre dans la main,
J'ay pressé sous le joug les ondes du Jourdain[11],
J'ay fouillé, j'ay cherché pour sçavoir et connestre
50   Toute ame qui soupire, et qui vivant prend estre
Sous la voûte du Ciel, pour sçavoir les raisons,
Le tour et le retour des temps et des saisons,
Ouvrant le sein fecond de la mere Nature,
Qui donne le tetin à toute creature[12] :
55   Et croy que ce grand Dieu transmist ce vain desir
Dans le cueur des humains, non pas pour le plaisir,
Mais pour les travailler, et les tenir en crainte,
Alterez de sçavoir sous honneste contrainte[13].
J'ay discouru, sçavant, des Astres radieux,
60   Et des cercles dorez qui roulent dans les Cieux[14],
J'ay fouillé dans le creux des ondes emperlées[15],
Et mesuré le fond des plaines estoilées,
Entendu le jargon des prophetes oyseaux[16],
Des Princes et des Rois les accidents nouveaux :
65   Espluché grain à grain les semences fertiles
Des plantes, en naissant qui revestent gentiles
La terre de verdeur, la bigarrant de fleurs
Sous l'émail contrefait de cent et cent couleurs[17] :
Recherché, curieux, les causes plus secretes
70   Du flot et du reflot[18], la course des Planetes,
Et sous les flancs cavez des hauts monts sourcilleux [54 v°]
Les souffles animez de soupiraux venteux[19] :
Descouvert les thresors et les veines dorées,
Du ventre de la Terre avarement tirées[20] :

75   Les poutres, les chevrons, les neiges, les frimas,
     Les tourbillons roüans, et le gresleux amas
     Rebluté dedans l'air, en pelottes menuës,
     Et le Soufre esclattant empierré dans les nuës[21],
     Les fantosmes de l'air, les Chevres, les Dragons[22],
80   Et le feu menaçant de l'Astre aux cheveux longs[23],
     Les images cloüez dans la voûte azurée[24],
     Les troupeaux escaillez de l'humide contrée[25],
     De la Terre et du Ciel les accidens divers,
     Et bref ce qui se brasse en ce grand Univers[26] :
85   Mais en fin j'ay trouvé estre chose inutile,
     Un labeur mal choisi, une peine sterile,
     Et un tourment d'esprit. Ce qui est mal poli
     Raboteux et tortu, ne peut en autre pli
     Se tourner ou dresser : Tout cela qui se monte
90   Et court à l'infini, ne se peut mettre en compte :
     La seule Majesté du grand Dieu tout puissant
     Est par tout infinie, et son bras rougissant
     De tonnerre et d'esclair, retient dessous la bride
     De ce grand Univers, et le plein et le vuide.
95   Ce qui est corrompu et banni du sentier
     De ce commun voyage, en son estre premier
     Ne retourne jamais, or' que de ceste vie
     Tousjours se corrompant, la fin soit infinie[27].
     Je disois en mon cueur, Je suis fait un grand Roy,
100 Surpassant en grandeur tous ceux qui devant moy
     Dessus Jerusalem ont eu quelque puissance,   [55]
     Soit en gloire d'honneurs, science, ou prevoyance :
     Je me suis travaillé, pour connoistre et sçavoir
     Tout cela par labeur que peut l'humain pouvoir,
105 Employant sans repos, les beaux jours de ma vie[28]
     Pour sçavoir bien et mal, et prudence et folie,

Mais en fin j'ay conneu que c'est pour verité
Affliction d'esprit, et pure vanité[29].

Car pour trop de sçavoir l'ame devient fascheuse
110 Et pleine de chagrin, chetifve et langoureuse,
Et qui veut achepter le sçavoir par labeur,
Aux plaisirs de sa vie il adjouste douleur :
Ne pouvant embrasser tant de sçavoir ensemble,
Que travail sur travail en se rongeant n'assemble[30].

<XVII -4>
CHAPITRE II.

En trop de delices, Vanité. En bastimens superbes, jardinages, complants,
richesses superflues, Vanité. Mesme fin et mesme evenement du sage
prevoyant, et du fol mal-advisé.

SUS (disois-je) mon ame il te faut esprouver
Les douceurs de la vie, il te faut abreuver
Au lac de volupté[1] : Avant, il te faut suyvre
Les pas et les appas du miel qui nous enyvre
5 Et nous plonge en liesse : Arriere desplaisir,
Or' je me veux gorger et noyer de plaisir,
Et charmer le souci qui ses griffes allonge
Acharné dessus nous, et sans trefve nous ronge[2].
Esprouvant ce discours, j'ay conneu clairement   [55 v°]
10 Que le plaisir n'est rien que vain enchantement,
Asseurant que le ris n'est qu'une frenaisie,
Qu'un charme, qu'une erreur, troublant la fantaisie[3],
Et que la volupté n'est qu'un vain aliment
Qui trompe nos esprits d'une amorce de vent.
15 Alors je proposé traittant la Sapience,
Retirer, desbordé, ma chair de l'indulgence,
Du vin et du plaisir du tout me bannissant
Pour trouver, bienheureux, où gist l'heur fleurissant

Et le bien souverain, que les enfans des hommes
20 Vont ainsi recherchant sous le Ciel où nous sommes.
J'ay faict des actes grands, et des œuvres parfaits,
J'ay faict rougir le Ciel de superbes palais[4],
J'ay planté, j'ay semé, j'ay fait le jardinage,
Dressé complant nouveau, choisi le pasturage,
25 Gras fertile et fecond, enté dans mes vergers
Toutes sortes de fruits, Orangers et Figuiers,
Les uns pour le Printemps, les autres pour l'Automne
Qui de raisin muscat son beau chef environne[5] :
Sous le soc argenté fait geindre les toreaux,
30 Marié de ma main aux branches des ormeaux
Le rejet tendre et mol des vignes ondoyantes,
Qui leur serroyent le flanc, et de leurs mains rampantes
A petits doigts crochus sur les branches grimpoyent :
Puis la saison venue, ensemble ils estrivoyent
35 A qui se chargeroit, et sembloit que Nature
Prist quelque doux plaisir en mon agriculture[6].
J'ay faict des reservoirs, et canaux et ruisseaux,
Pour tenir le pié frais des jeunes arbrisseaux,
Qui dedans mes jardins en tout temps reverdissent,   [56]
40 Et pour mes beaux vergers qui sans cesse florissent[7] :
J'ay tenu sous ma main suitte de serviteurs,
J'ay tenu court ouverte à tous les grands Seigneurs,
J'ay nourry plus de beufs, et de troupes vestuës
De laine sur le dos, plus de chevres barbuës,
45 Que tous ceux d'Israel, qui seigneurs devant moy
Ont retenu l'empire, et puissance de Roy.
J'ay songneux amassé l'avoir et la richesse
Pour soulager les maux, compagnons de vieillesse[8] :
J'ay fait fondre et tailler cuves, et vases d'or,
50 J'ay suant espargné le plus riche thresor

Que pourroyent desirer et les Rois et les Princes,
Et les Seigneurs plus grands des avares Provinces :
Je me suis ordonné Chantres de toutes parts,
Chanteresses aussi, qui de leurs sons mignards
55   Enchantoyent mes ennuis, j'ay gousté les delices
Des enfans de la Terre, et les douces blandices
Des esclaves de chois prises en guerroyant[9] :
Je me suis fait grand Roy, sur terre me voyant
Plus avancé de biens, d'honneurs, et de chevance,
60   Que tous les autres Rois : Aussi la Sapience
M'a si bien commandé, hostesse de mon cueur,
Que sur tout Israel je demeuray Seigneur.
    J'ay de tous les plaisirs que les yeux sçauroyent prendre
Rendu les miens contens, et mon oreille tendre,
65   Sans point leur refuser ce qu'ils ont desiré :
J'ay donné à mon cueur ce qu'il a soupiré
Sans rien luy dérober de plaisir, ou de joye
Le soulant des appas de l'amoureuse proye[10],
Et douces voluptez : Ainsi doncques mon Cueur   [56 v°]
70   A jouy bienheureux du fruit de son labeur :
Et ceste jouissance, a resté le partage
Du travail que j'ay pris en cet humain voyage,
N'ayant rien de plus cher ny de plus precieux
Remarq[u]é sous le Ciel, que repaistre nos yeux
75   Affamez de plaisir, et rechaufer nostre ame
Froide et palle d'ennuy, de quelque douce flame[11].
    Lors voyant à part moy l'effect de mes dessains,
Et l'ouvrage achevé du travail de mes mains,
J'ay reconneu, chetif, que cela n'est que peine,
80   Qu'affliction d'esprit, et vanité tres-vaine :
Et que dessus la terre il ne se trouve en fin
Chose qui soit durable, et ne trouve sa fin.

Apres j'ay travaillé les beaux jours de ma vie
Pour coupler la sagesse avec la frenaisie,
85 Et la gaillarde humeur de la folie aussi :
Mais qu'est-ce que de l'homme, et mesme de celuy
Qui voudroit imiter, ambitieux, l'ouvrage
Formé de ce grand Dieu, pour l'humain avantage ?
Apres Dieu, sont les Rois qu'on ne peut imiter,
90 Soit à prendre plaisir, ou soit à l'inventer :
Et qui veut essayer de leurs plaisirs le moindre,
Il ne luy reste en fin qu'un regret pour se plaindre[12].
Or comme la lumiere esparse dans les cieux
Est plus belle cent fois, et plus douce à nos yeux,
95 Que n'est l'obscurité : Ainsi la Sapience
Apparoist plus cent fois que l'aveugle Imprudence[13] :
Car le Sage ha deux yeux attachez sur le front[14],
Et le Fol chancelant ne connoist pas où vont
Ses piez malasseurez : car il marche en tenebres,   [57]
100 Sans discerner du bien les accidens funebres[15] :
Si sçay-je bien pourtant que tous également
Courent mesme fortune, et mesme evenement.
Et pourtant mille fois j'ay dit dedans mon ame,
Puis qu'il me faut, contraint, ourdir la mesme trame
105 Que le fol, que me sert avoir tant travaillé
Pour estre le plus sage et le mieux conseillé ?
Puis j'ay dit en mon cueur, que ce labeur extrème,
N'estoit rien que du vent, et la Vanité mesme :
Car du sage et du fol en mesme monument
110 La memoire et le nom dort eternellement,
Et meurt ensevelie : et ce qui est en estre
Sera mis en oubly, sans plus jamais parestre
Sur terre, dedans l'air, ny sous le marbre mol[16] :
Car le plus sage meurt tout ainsi que le fol.

115 Cause que je veux mal aux beaux jours de ma vie :
    Car tout ce qui se brasse, et vivant se manie
    Sous le crespe doré de ce Dieu radieux[17],
    Me vient à contrecueur, et desplaist à mes yeux,
    N'estant que vanité, et meche qui enflame[18]
120 Affliction d'esprit, et tourment dedans l'ame.
    Je porte haine aussi mesmes à mon labeur,
    Dont jouist apres moy un nouveau successeur :
    Hé qui sçait si celuy sera ou fol ou sage,
    Qui viendra possesseur à mon riche heritage[19] ?
125 Toutesfois, bienheureux, il jouira seigneur
    De l'or de mon espargne, et de tout ce labeur
    Que vivant j'ay souffert, et de ceste sagesse
    Qui m'a servi de guide au cours de ma jeunesse
    Jusques au poil grison[20], reconnoissant aussi   [57 v°]
130 Que cela n'est que vent, que peine, et vain souci.
    Dont revenant à moy, je m'osté ceste envie
    De jamais travailler, voulant tramer la vie
    D'un homme de plaisir, savorant le beau jour,
    Pour me rendre contant en cet humain sejour[21].
135 Car l'homme or' qu'il ait pris, armé de sapience,
    Tant de labeurs guidez d'adresse et de prudence,
    Si laisse-til la part où il a tant veillé,
    A celuy qui jamais n'y aura travaillé :
    Ce qui est vanité, et mal insupportable.
140   Hé qu'ha l'homme ici bas de l'espoir lamentable
    Et de l'affliction qu'il nourrist en son cueur[22] ?
    Les jours fascheux et longs, ne luy sont que douleur,
    Le Soleil luy desplaist, et quand la nuict est close,
    Au lieu de reposer son ame ne repose[23] :
145 Ce qui n'est rien que vent, et vaine passion.
    Car l'homme n'a de bien en ce monde, sinon

De boire et de manger, faire jouir son ame
Du fruit de son labeur[24], ce qui vient, et se trame
De la grand main de Dieu. Mais quel Prince, ou quel Roy
150   A gousté le plaisir plus doucement que moy ?
Il donne à qui luy plaist et le sens et la vie
Pour se donner plaisir : au malheureux, l'envie
De tousjours assembler, recueillir, amasser
Or, argent, et chevance, et biens qu'il faut laisser
A celuy qui à Dieu est du tout agreable,
155   Qui prend sans travailler l'heur de ce miserable :
Ce qui n'est rien encor que pure Vanité,
Trop fidele compagne à nostre infirmité[25].

<XVII -5>

CHAPITRE III   [58]

Toutes choses croissent et perissent en leur temps[1].

TOUTE chose qui croist, qui vit, et qui soupire,
Naissant et vieillissant sous le celeste empire
De la voûte du Ciel[2], ha sa propre saison :
Tout cela qui se range à l'humaine raison,
5   Qui se fait, qui se brasse, et qui se delibere,
A son cours limité, et sa juste carriere[3].
    Temps de naistre en ce monde, et de mourir aussi :
Temps de prendre plaisir, et de prendre souci[4] :
Il y a temps prefix et certaine ordonnance
10   D'ensemencer la terre, et cueillir sa semence,
De planter, d'arracher : de tuer, de guarir[5] :
De ruiner le vieil, et de nouveau bastir :
Temps de pleurs, temps de ris, de joye et de tristesse[6],
De sauter, de gaudir, de se mettre en liesse :
15   Temps de jetter la pierre, et temps de l'amasser[7] :

Temps propre d'embrasser, et temps de s'en passer :
Temps d'acquerir des biens, et temps de les despendre :
Temps de cueillir les fruits, et temps de les espandre[8] :
Temps de coudre, et descoudre, et temps de dechirer :
20   Temps propre de se taire, et temps propre à parler[9] :
Temps de haine, et d'amour, temps de paix, temps de guerre[10] :
Qu'a l'homme davantage en ceste basse terre,
Suant, et travaillant, entre tant d'accidents
Qu'il prend sous le soleil, que le cours de ces temps[11] ?
25   J'ay songneux regardé sous le Ciel où nous sommes,[58 v°]
Ce labeur journalier[12], que Dieu au fils des hommes
A prudent ordonné : Car pour les travailler
Il a faict et basti tout beau, et bien entier,
Chacun en sa saison, nous laissant une flame,
30   Un poignant aiguillon, qui va piquant nostre ame
D'un desir importun d'apprendre, et de sçavoir
Ce qui est hors de nous, et de nostre pouvoir[13].
Car des œuvres de Dieu les raisons sont cachées,
Mesme à ceux qui de pres les ont plus recherchées[14],
35   L'esprit ne pouvant pas comprendre tant soit peu
L'œuvre et le bastiment qu'a dressé ce grand Dieu
Dés le commencement jusqu'à la fin derniere.
    Dont sage ay rapporté connoissance tresclaire,
Qu'il n'est rien de meilleur en ce grand Univers
40   Que s'esjouir heureux de passetemps divers,
Faire bien en sa vie, et que l'homme reçoyve
Le fruit de son labeur, si qu'il mange et qu'il boyve
En se donnant plaisir, sans espargner le sien :
Car c'est un don de Dieu de jouir de son bien.
45   L'œuvre de ses saints doigts, que nous voyons parestre,
Est tel, et sera tel, et retiendra son estre,
Autant qu'il luy plaira : car l'homme n'a pouvoir

D'oster ou d'adjouster à son juste vouloir.
Cause qu'espouvantez de ses divins ouvrages,
50   Le genoil recourbé luy faisons les hommages
Deuz à sa majesté, en eslevant aux Cieux,
Admirant sa grandeur, et la teste, et les yeux[15].
Ce qui est forbanni du sentier de la vie
Retourne une autrefois, et sa course finie
55   Par l'eschange ordonné qui se fait en la mort   [59]
A son tour reviendra : Car Dieu puissant et fort
Par un nouveau rapel retire, et fait renaistre
Ce qu'il avoit chassé et banni de son estre[16].
Pour redoubler encor ces inconstans labeurs,
60   J'ay veu l'iniquité, et cent nouveaux malheurs
Regner entre les grands, et au lieu de Justice
Souffrir l'impieté, l'erreur et l'injustice[17],
L'homme de bien moqué, le mechant caressé,
Sous la main des plus forts l'innocent oppressé[18] :
65   Lors je dis en mon cueur : Dieu jugera le juste
De juste jugement comme il fera l'injuste.
Soudain je repensé sur le faict des humains,
Que Dieu les a faits grands, excellents, neantmoins
Pour domter leur orgueil ne veut pas qu'ils dédaignent
70   Aux brutes qui çà bas vivant les accompagnent,
Faire comparaison : car presque egalement
S'affligent sans raison, vivant ensemblément[19].
Et vrayment quant au corps ils sont comme la beste :
Car qui tombe sur l'un, il tombe sur la teste
75   De l'autre, ayant semblable et pareille action[20],
Tous ont mesme soupir, et mesme passion.
L'esprit commun leur donne et sentiment, et force,
Et mouvement pareil[21] : et sous la vive escorce
De ce tige mortel[22], l'homme ne sçauroit voir

80   Qu'il ait dessus la beste avantage ou pouvoir.
      Tout ainsi que l'un meurt, l'autre meurt, et n'a l'homme
      Rien de plus precieux que la beste : et en somme
      Tout n'est que vanité, tout court en mesme lieu,
      Tout s'en retourne en poudre, et se fait peu à peu
85   Ce qu'il estoit alors que sa lente matiere   [59 v°]
      Trempoit confusément en sa masse premiere,
      Despouillant en la mort le mesme accoustrement
      Qu'il avoit pris naissant de son propre element[23].
      Mais qui sçait si l'esprit de l'humaine semence
90   Vole au Ciel, et celuy des animaux s'eslance
      Sous les flancs de la terre[24] ? Il n'y a rien meilleur
      Que jouir bienheureux du fruit de son labeur :
      Et ceste jouissance, est l'unique partage,
      Et le fruit mieux choisi de ce commun passage.
95   Doncques ne trouvant rien, ny plus cher, ny plus doux
      Que jouir de ce bien qui coule jusqu'à nous
      Par les avares mains de quelque miserable,
      Vivons vivons heureus, rien n'est au monde stable[25].
      Hé qui ramenera l'homme pour revenir
100   Juger apres sa mort ce qui doit advenir[26] ?

<XVII -6>

CHAPITRE IIII.

Les miseres et afflictions des innocens, le labeur des hommes ambitieux,
vain et inutile : mesme de celuy qui vit seul et solitaire, sans heritier et sans
ami.

      PUIS détournant les yeux sur les maux ordinaires
      Que soufrent ici bas les bons, de leurs contraires,
      Haletant et soufflant[1] sous les fieres rigueurs
      Des hommes violens, j'ay veu les chaudes pleurs,

5   Les torts et les ennuis, les sanglots et les plaintes[2]
     Du peuple soupirant sous les fieres contraintes
     Des grands, et nul d'entre eux eschaufé d'amitié   [60]
     N'avoit de son malheur tant seulement pitié,
     Ingrat et plein d'orgueil qui pas ne le console
10   Pour flater son malheur d'une douce parole[3].
     Car ceux qui sous le joug le fouloyent inhumains,
     Estoyent ceux qui la force avoyent entre leurs mains.
     Ainsi nul se trouvoit sous ceste violance,
     Aux pauvres affligez, qui donnast allegeance[4] :
15   Estimant plus heureux encor cent et cent fois les morts
     Que les vivans, subjets à si cruels efforts,
     Et plus heureux encor cent et cent fois quiconques
     Sous vn air desastré avorté ne veit oncques
     Toutes les malheurtez qui au monde se font[5],
20   Et qui mourant n'a veu les outrages qui vont
     Menaçant nostre chef. J'ay bien veu d'avantage
     Jettant l'œil sur l'emprise et le commun ouvrage
     De l'homme de travail, qui ne tasche qu'à fin
     D'avancer sa fortune, et nuire à son voisin[6].
25   Autres époinçonnez de contraire folie
     Vivent sans travailler, et travaillent leur vie,
     De paresse engourdis, mornes d'oisiveté,
     Rongeant leur propre chair d'extréme pauvreté,
     Ennemis de labeur, et disent à chasque heure,
30   Jambes et bras croisez, que la vie meilleure
     Est celle qui se prend sans peine, et sans sueur,
     Plus douce estant la mort, que vivre par labeur,
     Ne faisant cas entre eux de celle que l'on prise,
     Si pour se travailler elle doit estre acquise :
35   Disant qu'un petit bien dans le creux de la main
     Est trop plus savoureux, pour appaiser la faim,

Que d'avoir par labeur l'une et l'autre main pleine[7]. [60 v°]
    J'ay remarqué encor une chose plus vaine,
    C'est de l'homme seulet, qui se perd et se rompt
40   De travail et de peine, et n'ha point de second,
    Veuf de frere et d'enfans, et tout autre lignage,
    Pour venir successeur à son riche heritage,
    Seulement un ami luy manque, et le souci
    Pourtant ne l'abandonne, ains le tourmente ainsi
45   Que si par le travail qui le mine et le sonde,
    Il devoi[t] enrichir, et nourrir tout un monde :
    Et si l'argent ny l'or, ny le bien qu'il attent,
    Ne pourroyent satisfaire à le rendre content,
    Tant il est miserable, et ses deux yeux avares
50   Ne peuvent estre souls de richesses barbares[8],
    Sans qu'il pense en soymesme, Hé pour quel successeur
    Travaillé-je mon ame, en la privant de l'heur
    De gouster le doux fruit du labeur de ma vie ?
    Ce qui est vanité, et pure frenaisie :
55   Car il ne faut jamais tant estimer le bien,
    Que l'on mette en oubli et soymesme, et le sien[9].
     Il vaut doncques trop mieux d'amitié mutuelle
    Faire chois d'un ami, qui soit ferme et fidelle,
    Tel qu'on le peut choisir pour en avoir secours,
60   Et couler doucement le fil de nos beaux jours :
    Si l'un d'eux bronche bas, l'autre prompt le releve,
    Mais s'il tombe estant seul, compagnon il ne treuve
    Qui luy donne secours, et luy preste la main,
    Tant il est miserable, et se travaille en vain.
65   Malheureux est celuy qui n'ha l'adresse prompte
    D'un ami bien choisi, pour déguiser sa honte :
    Et qui durant la nuict contregarde songneux   [61]
    Que le mordant hyver ne luy soit outrageux,

Le defendant, benin, des malheurs ordinaires
70 Où sont reduits en fin les hommes solitaires[10].
Celuy qui dort seulet n'ha force ny chaleur,
Il n'ha pour compagnon que le Songe et la peur :
Aussi deux en un lict prenans repos ensemble,
S'echaufent aisément. La force qui s'assemble
75 De deux hommes contre un, est plus forte beaucoup
Que celle de celuy qui seulet n'ha qu'un coup :
La corde à trois cordons n'est pas si tost rompue[11].
L'enfant qui de plaisir n'ha l'ame corrompue,
Estant et pauvre, et sage, est plus heureux cent fois
80 Que le Roy fol et vieil, qui mesprisant les lois
Dedaigne son conseil[12]. Il advient qu'un estrange
De serf devienne Roy, et par nouvel eschange[13]
Prenne le sceptre en main[14] : et cil qui est nay Roy
Mesme dans son Royaume aille chercher dequoy
85 Trainer sa pauvre vie, et meure miserable[15].
J'ay veu l'ambitieux, qui d'un pié favorable
Marche devant les Grands, suivre le premier fils
Qui devoit successeur au Royaume estre mis
Apres la mort du Pere : on le suit, on le presse,
90 Chacun luy fait la court, le prise et le caresse,
Nombre de serviteurs ne luy manquent jamais[16] :
Il advient toutesfois que ce nouveau succés
Dechet avec le temps, comme celuy du pere,
Bref il tombe en mespris : la puissance s'altere
95 Et du jeune et du vieil, l'une et l'autre à son tour :
Le vieil perd son credit, le jeune a le bon jour
Et la faveur de tous, en fin en decadence   [61 v°]
S'escoule avec le temps la Royale puissance :
Ce qui n'est rien encor que vaine ambition,
100 Qu'affliction d'esprit, et vaine passion[17].

Quand tu voudras, devôt, entrer dedans le temple
Du Seigneur tout puissant, voy de pres, et contemple
L'honneur que tu luy dois : Car luy doux et benin
De ton humble priere est tousjours bien voisin :
105 Il te voit, il te sent (ô divine merveille !)
Il s'approche de toy, et te preste l'oreille,
Tant il est amoureux de nous pauvres humains,
Qui ne sommes rien plus que l'œuvre de ses mains[18].

<XVII -7>

CHAPITRE V.

Ne faut parler ny promettre legerement à Dieu : ny s'esbahir de
l'oppression des pauvres.

SOIS sobre de la langue, et ton cueur ne s'avance,
Trop hasté, de parler devant Dieu, dont l'essence
Reside dans le ciel, toy qui es ici bas
Citoyen de la Terre : Et pource il ne faut pas
5   De babil importun travailler sa hautesse.
Car le trop de langage est la source et l'hostesse
Des songes mensongers : puis en trop de babil
Le fol se manifeste, et se monstre inutil.
Si tu promets, devôt, de chastement appendre
10   Quelque vœu devant Dieu, haste toy de luy rendre[1] :
Car aux fols et menteurs Dieu son plaisir n'a mis.
Rends luy doncques les vœux que luy auras promis.
Car mieux vaut ne voüer, et trop soudain promettre,   [62]
Que faillir à son vœu. Garde toy de permettre
15   Que ta bouche en parlant face pecher ta chair[2] :
Et ne t'excuse point devant l'Ange trescher
Qui sonde tes pensers, et marque ton offense
En tes propos legers, que soit par ignorance[3].

Car Dieu, nostre secours et l'entretien commun,
20 Se courrouce, irrité de babil importun :
Bref de trop de langage, ainsi que de vains songes⁴,
Ne s'engendrent sinon vanitez et mensonges.
Crains donc pauvre chetif la main de ce grand Dieu,
Trembler sous sa fureur il nous faut en tout lieu,
25 Et ranger nos desseins à sa grand' providence,
Excusant le defaut de l'humaine impuissance⁵.
Si tu vois d'avanture en ce grand Univers
L'avarice des Grands, et leurs maux descouvers,
L'oppression du peuple, et au lieu de justice
30 Regner l'iniquité, la force, et l'injustice,
Ne t'esbahis pourtant des saintes volontez
Du Seigneur, qui du Ciel marque les cruautez
Des hommes d'ici bas, et d'enhaut les regarde,
Trop plus haut eslevé, que ceux qui sous sa garde
35 Commandent sur la terre⁶ : Où n'y a rien plus seur
Qu'avoir un peu de bien, et le mettre en valeur,
Avoir le champ fertil, dont la motte feconde
Peut nourrir son seigneur, du fruit dont elle abonde.
Qui cet heur a conquis pour les siens, et pour soy,
40 Celuy vit plus contant et plus heureux qu'un Roy⁷.
Quiconque aime l'argent, jamais ne ressasie
Ses poulmons alterez de ceste frenaisie :
Et qui veut amasser tousjours or dessus or   [62 v°]
Jamais n'est jouissant du fruit de son thresor⁸.
45 Quel bien tire celuy de ses terres fertiles,
Sinon voir de ses yeux, cent bouches inutiles
Gourmander tout le sien ? Car où sont les Seigneurs
Riches et opulents, là sont force mangeurs.
Le sommeil de celuy qui ses membres travaille
50 Est doux et gracieux, soit qu'à son ventre il baille

Trop ou peu de viande. Et l'Or traistre en couleur,
Desrobe le repos sans fin à son seigneur.

N'est-ce sous le Soleil un autre mal estrange
De l'avoir superflu, qui plus souvent se change
55 Au peril de celuy qui en est possesseur[9],
Tout son or perissant és mains d'un dispenseur,
Qui le fond et l'employe en un mauvais mesnage,
Pour luy ny pour les siens ne luy restant l'usage
(Tant il est malheureux) d'un seul morceau de pain
60 Pour couvrir sa misere, et pour tromper sa faim[10] ?
Comme il est sorti nú du ventre de sa mere,
Tout ainsi s'en retourne en la masse premiere
Dont il estoit issu, sans que de son labeur
Remporte avecques soy tant soit peu de bonheur[11].
65 Mais n'est-ce un grand regret qu'il faut que l'homme sorte
Ainsi qu'il est venu, sans que rien il emporte
Pour avoir travaillé soupirant et vivant,
Et que tout son labeur s'envole avec le vent ?
Ores qu'il ait trainé les beaux jours de sa vie
70 Tous confits de rigueur, de colere et d'envie ?
Doncques ce que j'ay veu de bon sous le soleil,
C'est de boire et manger, et jouir du travail
Qu'on a pris en sa vie : estant la part meilleure   [63]
Qui nous reste en vivant, et en mourant demeure[12].
75 Aussi c'est don de Dieu de sçavoir bien jouir
Des graces qu'il nous donne, et vivant s'esjouir
Du fruit de nos labeurs, rire, manger et boire.
Celuy qui vit ainsi, vivant perd la memoire
Du malheur de son temps[13], de Dieu ayant cet heur
80 D'avoir tousjours liesse et plaisir en son cueur.

<XVII -8>

CHAPITRE VI.

La miserable vie du riche avaricieux : La difference du sage, et du fol.

AUTRE malheur j'ay veu sur la terre où nous sommes
Qui tourmente sans fin, et travaille les hommes,
C'est de cil à qui Dieu a departi du bien
Gloire, faveur, richesse, à qui ne defaut rien
5   Des plaisirs que son ame et desire et pourpense,
Seulement luy defaut l'heureuse jouissance
Et bonne volonté d'en vouloir bien user :
Puis l'estranger en fin alteré d'épuiser
Le fond et le thresor de cet insatiable,
10   En sera l'heritier, mal vrayment incroyable[1].

   Quand l'homme de son tige auroit fait cent enfans,
Chargé son poil grison d'un fort grand nombre d'ans,
Sans avoir de son bien rendu sa vie heureuse,
Son corps n'estant pressé sous la lame poudreuse,
15   Gisant nú sans tombeau, je dy que l'abortif   [63 v°]
Est cent fois plus heureux que ce pauvre chetif[2]
Qui naist en vanité, et retourne en tenebres,
Son nom enseveli sous les cendres funebres :
Pource que l'abortif n'ayant veu de ses yeux
20   Ny senti la clarté du Soleil radieux[3],
Dort en plus doux repos que celuy qui le vice
A vivant embrassé, de bruslante avarice,
Sans avoir savouré de son bien tant soit peu[4].
Puis ne courent-ils pas tous deux en mesme lieu ?
25   Le labeur que prend l'homme est pour nourrir sa vie,
Et son ame pourtant n'est jamais assouvie.

Le riche n'a rien plus que cil qui doucement
Conduit ses actions, et qui modestement
Pauvre entre les vivans chemine, et se comporte,
30   Vivotant du profit que sa main luy rapporte[5].
Mais le riche dira qu'il est plus doux à voir
Un thresor en espargne, et tout contant l'avoir
Qu'esperer l'incertain, et d'esperance vaine
Se repaistre affamé, et vivre de sa peine.
35   Il s'abuse pourtant, car conter et peser
Un grand nombre d'escus, est la flamme attiser
De l'avare desir qui brusle et qui entame
Le cueur jusques au vif, et jusqu'au fond de l'ame[6] :
Ce qui n'est rien en tout que pure Vanité
40   Et passion d'esprit. Ce qui est, a esté
Nommé de mesme nom, et devant la naissance
L'homme tire du Ciel son nom et son essence,
Trop foible, contre Dieu ne pouvant guerroyer,
Qui le peut d'un clin d'œil abatre et foudroyer[7].
45   La Vanité prend cours en beaucoup de paroles,   [64]
Et se multipliant rend les choses frivoles[8] :
Si tant de vanitez en ce monde ont le cours,
Qu'a l'homme de plaisir au plus beau de ses jours ?
Mais sçait il de quel bien durant sa pauvre vie
50   Il a plus de besoin, et de quel heur suyvie
Est la course à ses jours, trop vainement roulez ?
Sçait-il ce qui luy faut en ses jours, escoulez
Et passez comme en l'air passe l'ombre legere[9] ?
Sçait-il ce qu'il doit estre, apres que sa paupiere
55   Sera close une fois d'un dur et long sommeil,
Banni des beaux rayons du clair-voyant Soleil[10] ?

<XVII -9>

CHAPITRE VII.

Ne faut embrasser choses plus grandes que la force ne peut porter.

MIEUX vaut la suave odeur de bonne renommée
Que du plus doux parfum la senteur embasmée[1],
Et le jour de la mort est cent fois plus heureux
Que le jour où l'on naist sous un air malheureux.
5   Trop meilleur est aller en la maison de larmes,
De soupirs, de sanglots, qu'en celle où sont les charmes
Des douces voluptez, la dance et le festin[2] :
Car en l'une de l'homme est la derniere fin,
En l'autre, un vain espoir de prolonger la vie.
10   Plus doux est le chagrin, et la melancolie
Que le ris desbordé : car le triste regard
D'un visage abaissé rend l'esprit plus gaillard.
En la maison de pleur les bien sages resident,   [64 v°]
En celle de plaisir les ignorans president.
15   Plus doux est le tancer du sage mille fois
Que le chanter du fol : car son ris et sa vois
Bruit ainsi que le son des espines mordantes
Craquant sous le chaudron dans les flammes tremblantes[3] :
Ce qui est vanité. L'injure et le desdain
20   Troublent la douce humeur du cerveau le plus sain,
Et fait perdre le sens[4] : le present favorable
Trompe et gaigne le cueur : cent fois plus desirable
Est la fin de nos jours, que le commencement[5].
     L'homme est trop plus heureux qui vit modestement,
25   Que l'orgueilleux hautain. Ne sois prompt à colere,
Qui fascheuse tousjours repose familiere

Dans le giron des foulx. Ne dy point en ton cueur
Que de nos peres vieux le siecle fust meilleur
Que celuy de present : c'est imprudence vaine
30   Se plaindre de son temps. Car c'est chose certaine
Que les siecles passez, que nous crions heureux,
Tout ainsi que le nostre, ont esté malheureux[6].
Pendant que du Soleil la lumiere agreable
Se decouvre à nos yeux, la Vertu remerquable
35   Du sage est mieux seante avec un peu de bien,
Qu'elle n'est à celuy qui mendiant n'a rien[7].
Le secours de vertu, sont les biens, la richesse
Est le seul entretien et l'appuy de Sagesse,
Pour la faire paroistre il faut avoir dequoy :
40   La Sagesse pourtant a d'excellent en soy
Qu'elle donne la vie à celuy qui la garde,
Vivant apres la mort. En admirant regarde
L'œuvre de ce grand Dieu : redresser on ne peut   [65]
Ce qu'a plié sa main, si puissant ne le veut.
45   Sois sage, de façon qu'en saison oportune
Sous le vent gracieux de la bonne fortune,
Ton œil soit prevoyant le temps d'adversité,
Que Dieu a faict compagne à la prosperité :
Assaisonnant ainsi d'un malheur necessaire
50   Nostre heur empoisonné tousjours de son contraire,
A fin qu'on ne trouvast hors luy rien de parfait,
Et l'homme reconneust comme il est imparfait
Pendant la vanité des beaux jours de sa vie[8].
J'ay remarqué le juste accablé de l'envie
55   Perir en sa justice, et j'ay veu le mechant
Plus heureux que le bon, prosperer en pechant[9].
Pour vivre heureusement, ne faut estre trop sage,
Trop juste, ny trop bon[10] : ne fay jamais outrage,

N'autre folle entreprise, à fin qu'avant le temps
60   Ne tranches, malheureux, le cours à tes beaux ans.
      Doncques pour eviter les traverses du monde,
      Il faut craindre ce Dieu, ce grand Dieu qui nous sonde
      Jusques au fond du cueur : Car qui craint le Seigneur,
      Heureux peut aisément eviter tout malheur[11].
65   Le Sage est plus puissant que dix des plus grans Princes,
      Et des plus grands Seigneurs qui tiennent les provinces :
      Mais on ne trouve point en ce terrestre lieu
      Homme qui face bien, et qui n'offense Dieu[12].
      Ne preste point l'oreille aux bavars qui devisent,
70   Et destourne ton cueur des propos qui se disent
      Des hommes langagers, à fin de n'ouir point
      Mesme ton serviteur, qui mesdisant te poind,
      Reconnoissant en toy qu'en pareille impudence   [65 v°]
      As usé quelquefois de mesme médisance[13].
75   J'ay tenté tout cela esperant par le temps,
      La Sagesse acquerir, mais trop loin de mes sens
      Elle s'est esgarée : aussi c'est chose vaine
      De la penser trouver, car elle est trop lointaine.
      La Sapience en fin est un gouffre de mer,
80   Un abysme profond, qu'on ne sçauroit sonder[14] :
      J'ay tourné j'ay viré pour la penser connoistre,
      Espié pour sçavoir, et rechercher son estre :
      Trouvé l'invention de sçavoir par labeur
      Et le bien et le mal, la sottise et l'erreur :
85   Mais en fin j'ay trouvé et conneu dans mon ame
      Que plus fiere, et plus dure, et plus aigre est la Femme
      Mille fois que la mort[15] : son cueur est de laçons,
      Ses yeux servent d'appas, et ses mains d'ameçons.
      Celuy seul pourra bien eschaper de ses ruses
90   Qui est bon devant Dieu, qui ses graces infuses

Depart comme il luy plaist : mais le pecheur (helas !)
Pipé de ses attraits sera pris en ses laqs.
Voyla que j'ay trouvé en ce mondain empire,
Recherchant la raison que mon ame desire,
95   Et qu'elle cherche encor, sans avoir eu cest heur
De la pouvoir trouver, pour resoudre mon cueur.
J'ay retrouvé sans plus entre mille un preud homme,
Mais une preude femme onc ne trouvé, en somme
Je sçay que Dieu a fait les hommes droits et bons,
100   Mais ils ont recherché beaucoup d'inventions[16],
Beaucoup de vains discours et raisons vray-semblables,
Dont ils se sont rendus eux-mesmes miserables[17].

<XVII -10>

CHAPITRE VIII. [66]

Qu'il faut prendre garde aux paroles des Rois : obeir aux Princes et aux Magistrats, vivre joyeusement. Que les œuvres de Dieu sont incogneues aux hommes.

RIEN n'est à comparer aux paroles profetes
Du sage qui connoist des choses plus secretes
La cause et la raison, la Sapience en fin
Addoucist le visage et le rend plus benin[1].
5   Mon fils si tu me crois, songneux tu prendras garde
Aux paroles du Roy, et paresseux ne tarde
De rendre devant Dieu ce qu'a promis ta foy[2].
Ne t'absente, hastif, des faveurs de ton Roy,
Et ne retiens ton ame en actions mauvaises :
10   Car il fait ce qu'il veut, et faut que tu luy plaises.
La parole du Roy s'anime de pouvoir
Et de puissance armée, haute veut apparoir :
Hé qui seroit celuy qui voudroit entreprendre

Luy dire, Que fais-tu ? et qui l'osast reprendre ?

15 Quiconque gardera les saints commandemens,
Ne fera point de mal : le Sage sçait le temps
Qu'on punist les mechans : Ce qui se delibere
A temps et jugement[3] : mais grande est la misere
De l'homme qui n'a pas en vivant ce bonheur

20 De connoistre son mal[4], et prevoir son malheur,
Ignorant des raisons, et des choses futures.
Mais dites je vous pry, par quels divins augures
Peut-il sage prevoir les choses advenir[5] ?
Ainsi que l'on ne peut contraindre ou retenir

25 Le vent dedans la main : Aussi l'homme sur terre   [66 v°]
N'a pouvoir sur la mort : la mort est une guerre
Dont le plus grand guerrier ne peut estre vaincueur[6] :
La force sur la mort n'a pouvoir ny faveur[7].
J'ay conneu tout cela, et recherché les choses

30 Qui sont sous le Soleil secretement encloses :
Mais tousjours par le fort le foible est oppressé,
Le moindre par le grand tousjours est offensé.
Puis j'ay veu les mechans jusqu'à la sepulture
Vivre heureux et contens : et ceux qui en droiture

35 Et saintes volontez, et crainte du grand Dieu
Avoyent, bons, cheminé, et hanté le saint lieu,
Desdaignez et moquez dedans la cité mesme
Où ils avoyent vescu d'une justice extréme[8].
Or que soit vanité. Les juges paresseux

40 D'executer soudain le jugement de ceux
Qui sont souillez de crime, ou d'autre malefice,
Sont cause de nos maux, à faute de Justice[9] :
Qui fait que les enfans des hommes ont le cueur
Plus prompt à faire mal, et plus duit au malheur.

45 Or si la main de Dieu en grands honneurs avance

Et prolonge les ans du mechant qui l'offense
En vices desbordé, si sçay-je bien pourtant
Qu'il sauvera celuy qui le va redoutant,
Et qui tremble, craintif, sous les traits de sa face.
50   Au pecheur, au mechant il denira sa grace,
Et comme ombre legere escouleront ses jours
Tranchez et raccourcis au plus beau de leur cours :
Car il ne craint de Dieu la force espouventable[10].
Une autre vanité sur la terre habitable
55   Se fait de jour en jour, C'est qu'il advient au bon   [67]
Ce qui deust advenir au mechant pour guerdon,
Et mesmes il eschet bien souvent à l'injuste,
Mechant et reprouvé, selon l'œuvre du juste :
Ce que j'ay dit encor n'estre que vanité[11] :
60   Estimant dessus tout l'honneste volupté.
Car sous le Ciel voûté n'y a rien d'agreable
Que boire et que manger joyeusement à table,
Et se donner plaisir, et cela pour le moins
Reste pour tout le fruit du labeur des humains,
65   Qui trainent ici bas la trame de leur vie,
Que Dieu benin et doux, à tous a departie.
    Plus cherchant j'ay trouvé que l'homme curieux
D'estre grand en sçavoir, n'a repos en ses yeux
Soit de jour soit de nuict : et si sçay davantage
70   Quant aux œuvres de Dieu, mesme que le plus sage
N'en peut rendre raison, ores que sur ce poinct
Il se travaille en vain, et ne le trouve point[12] :
Et si de le sçavoir il se vante, il s'abuse :
Car Dieu seul qui le sçait aux hommes le refuse[13].

<XVII -11>

CHAPITRE IX.

L'homme ne peut cognoistre par ses œuvres s'il est aimé de Dieu, ou non.
Mesmes accidents aux bons et aux meschans, quant aux passions corporelles.

J'AY mis tout mon travail pour sainement apprendre[67 v°]
Ces beaux secrets, à fin de vous les faire entendre,
C'est que l'ame du Juste, et du Fol importun[1]
Est en la main de Dieu[2], qui depart à chacun
5   Les graces qu'il luy plaist, et ne sçait pourtant l'homme
S'il est aimé ou non[3], ne connoissant en somme
Ce qui provient de Dieu, tant il est ignorant :
    Le juste et le mechant ensemble vont mourant[4],
Courant l'accident mesme, et la mesme fortune :
10   Egalement la mort à tous deux est commune,
A cil qui sacrifie, et à celuy aussi
Qui de sacrifier au Seigneur n'a souci[5].
    Le bon, et le mechant, et le jureur infame,
Et cil qui de jurer a crainte dedans l'ame
15   Sont de condition et d'accident pareil,
Rien n'est franc de la mort, le pis sous le Soleil
Est qu'il advient à tous evenement semblable.
Aussi l'homme est chargé de mal insupportable,
Et n'a rien que malheur et travail en son corps
20   Jusques à tant que mort il dorme entre les morts[6] :
Mais vivant il espere, et passe en esperance
Le mort, banni d'espoir d'amender son offense[7] :
Comme le chien qui vit est plus fort en valeur,
Que n'est le Lyon mort[8]. Les vivans pour le seur
25   Sçavent bien qu'ils mourront, et les morts rien ne sçavent
Ignorans oubliez, puis les vivans les bravent

Ne faisant plus cas d'eux, aussi tout leur honneur
Est mort enseveli avecques leur labeur[9] :
Plus on ne parle d'eux, leurs beaux noms et leur gloire
30 Sont en mesme tombeau avecques leur memoire.
Ils sont privez d'honneur et de tous biens démis[10],   [68]
Privez de sentiment, d'amis et d'ennemis,
Et n'ont plus de partage en ce qui reste au monde :
Car rien n'est pour les morts sous la machine ronde.
35   Tien toy doncques gaillard, en paix mange ton pain,
Boy doucement ton vin, vivant joyeux et sain :
Car telle œuvre est à Dieu agreable et parfaitte[11].
Ta chemise soit blanche, et ta vesture nette
Quelque temps que ce soit, et ton cheveu retors
40 Soit tousjours emmusqué et dedans et dehors
De quelque doux parfum[12], et joyeux t'accompagne
De la femme que Dieu te donra pour compagne[13],
Pendant la vanité du plus beau de tes jours,
Jours pleins de vanité trop hastez et trop cours :
45 Estant le vray loyer de la peine infinie
Et labeur familier qui travaille ta vie.
Ce qui te surviendra pour estre mis à fin
Trouvant l'occasion, fay-le soudain, à fin
De n'attendre le temps d'une courbe vieillesse[14]
50 Qui te traine au tombeau, où ne se trouve adresse,
Sapience, industrie, art, mestier, ny sçavoir[15].
Recherchant[16], curieux, cela qui se peut voir
De beau sous le Soleil, j'ay connoissance bonne
Que le viste coureur, n'est cil à qui l'on donne
55 La course pour courir, ny les meilleurs guerriers,
Ne sont jamais choisis pour estre chevaliers,
Ny moins pour commander[17] : j'ay veu mesme le Sage
Avoir faute de pain, et faute d'heritage,

De faveur, de moyen, et les meilleurs esprits
60   Mocquez et dedaignez et tenus à mespris :
Mais à tous le bonheur ou le malheur s'adonne   [68 v°]
Comme le cours du temps ou fortune l'ordonne.
Car l'homme ne cognoist l'heure de son trespas
Non plus que le poisson qui cherchant ses appas
65   Se prend à l'hameçon, ou la troupe legere
Des oyseaux peinturez surpris à la pantiere[18] :
Ainsi survient la mort doucement pas à pas,
Qui, fine, nous surprend, et nous meine au trespas[19].
Sous le flambeau doré du Soleil venerable
70   J'ay veu une autre chose et vraye, et remerquable :
Une petite ville, et peu forte au dedans,
De peu d'armes munie, et de bien peu de gens,
Fut ceinte d'un grand Roy, qui la bat, et l'assiege
D'un camp puissant et fort : Il y dresse le siege,
75   Employe son effort, dresse de toutes pars
Des gabions flanquez de tours et de rempars[20].
Se trouve en ceste ville un pauvre homme, mais sage,
Qui sauva la Cité de sac et de pillage[21],
Un pauvre homme sans nom, sans moyen, inconnu,
80   Et qui pour ses vertus n'estoit pas reconnu.
Doncques la Sapience ores que mesprisée,
Vaut trop mieux mille fois que force autorisée[22].
La parole du Sage et ses divins propos
Sont trop mieux entendus et en plus de repos,
85   Que l'importun babil d'un Roy, ou d'un fol Prince[23].
La Sagesse vaut mieux pour l'heur d'une province,
Que le fer ny l'airain, coutelas ou pavois,
Que morions gravez, ny lances, ny harnois[24] :
Toutesfois le mechant, qui le Seigneur offense,
90   Est cause de grands maux par sa folle imprudence.

<XVII -12>

CHAPITRE X. [69]

Peu de folie perd l'honneur et la renommée de l'homme. La difference du
sage et du fol. Heureux le Royaume où commande un Roy sage et craignant
Dieu. Qu'il ne faut mesdire de son Prince.

COMME un amas bruyant de mouches engluées
Dans un onguent confit de senteurs emmusquées,
Enyvré de parfum, gaste et corrompt l'odeur,
Et fait comme un crousteau de mauvaise senteur
5   Sur la paste gommeuse[1] : Ainsi peu de folie
Faite sans y penser une fois en la vie,
Gaste et perd de celuy le renom et l'odeur
De sage auparavant qui remportoit l'honneur[2].
    Le cueur de l'homme Sage est tousjours en sa destre
10   Et le Fol tient le sien tousjours en la senestre[3],
Et quelque part qu'il aille il porte dans le sein
L'arrogance, l'orgueil, l'envie et le desdain[4] :
Et comme si luy seul en ce monde estoit sage,
Se mocque de chacun, le dédaigne et l'outrage.
15   Or si de commander il te vient quelque ardeur
Qui te hausse le vent, et t'allume le cueur[5],
Ne delaisse aisément la premiere entreprise,
Ny le premier degré où ta place avois prise :
Car celuy qui retient en main ses volontez,
20   Evite bien souvent beaucoup d'adversitez.
    Puis un malheur est grand qui vient de l'insolence
Du Prince mal nourri, et de son imprudence.
    Les fouls ont des honneurs les charges sur les bras, [69 v°]
Et le sage est assis au ranc du peuple bas :

25   Le valet est monté sur un cheval adestre,
      Et bien souvent à pié marche le pauvre maistre.
      Qui premier fait le piege, y tombe volontiers[6] :
      Qui essarte et qui rompt les espineux halliers,
      La couleuvre le mord : Qui les pierres remuë
30   S'y blesse et s'y offense, et bien souvent s'y tuë[7].
      Qui fend à coups de coing, ou de hache, le bois,
      Dessous le fer trenchant se coupe quelquefois[8] :
      Si le fer est moussu, le plus fort aura peine
      De le mettre en esclats : La vertu souveraine
35   De la Sapience est, ce qui est malaisé
      Le rendre promptement facile et bien aisé[9].
      Celuy ressemble en tout, qui mesdit de son proche,
      Au Serpent recelé dans le creux d'une roche
      Qui mord coy sans siffler[10]. Ce que le Sage dit
40   A grace, mais le fol qui plaisante et mesdit,
      Par le trop de babil des levres se devore :
      Car le commencement du parler qui se dore
      Dans sa bouche n'est rien que folie, et la fin
      Que pure frenaisie, et dangereux venin[11].
45   Le bavard parle tant qu'on ne sçauroit apprendre
      Un mot de ce qu'il dit, ne se faisant entendre,
      Tant s'en faut que de luy l'on puisse recueillir
      Chose pour le futur[12] : Qui le fait affoiblir
      Et qui plus le transporte, est qu'il n'a l'industrie
50   De se rendre civil és beaux jours de sa vie[13].
      Malheureux le païs qui a un jeune Roy,
      Et où les Princes grands, et ceux qui ont de quoy
      Mangent au poinct du jour[14]. O terre bien heureuse   [70]
      Où le Roy craignant Dieu, de race genereuse
55   Commande au peuple bas, et les Princes en temps
      Mangent à leur repas, et non pour passetemps,

Ny moins pour yvrongner, ains pour la seule envie
Qu'ils ont d'entretenir les forces de la vie[15].
    Par paresse le toict et le mur se dement,
60   Par paresse la pluye, et la gresle, et le vent
Font breche à la maison, et tombe en decadence.
    La viande, le vin, le banquet, et la dance,
Le trop d'or et d'argent[16], l'excés, l'oisiveté
Plongent l'homme en erreur, appas de volupté.
65   Garde toy de mesdire, et mesme en ta pensée,
De ton Roy souverain, ny de race avancée
En grandeur plus que toy, ou des Princes plus forts,
Mesme dedans la chambre où libre et seul tu dors :
Car les oyseaux du ciel, s'autre ne le peut dire,
70   Rediront tes propos, s'il t'advient d'en médire.

<XVII -13>

CHAPITRE XI.

Qu'il faut departir de son bien aux pauvres : Remettre toutes choses en la
providence de Dieu.

    SI tu jettois ton pain dans le coulant des ondes,
Voire dedans le creux des mers les plus profondes[1],
Departi par aumosne, asseure toy pourtant
Qu'en fin le trouveras multiplié d'autant.
5   Fay part à l'indigent des biens que la fortune   [70 v°]
T'a departis, à fin qu'elle qui est commune
Egallement à tous, ne te moleste point
Du malheur familier, qui les hommes estreint,
Et qui dessus leur chef pend tousjours ordinaire :
10   Car Dieu dedans le Ciel t'en garde le salaire[2].
    Quand l'air est plein d'humeur, aussi tost la respend

Sur la terre, de soif qui beante l'attend.
   Quelque part que le fruit tombe meur de la branche,
   Soit devers le midy, soit du vent qui s'espanche
15 Des ourseaux Aquilons, hommes se trouveront
   Pour appaiser leur faim, qui le recueilleront[3].
   Qui trop songneux regarde au vent, jamais semence
   Ne fera qui profite : et qui sous l'inconstance
   De l'air se veut regler, espiant les saisons,
20 Jamais ne jouira de fertiles moissons.
   Comme l'on ne sçait pas, par quel moyen se lie
   L'esprit avec le corps, s'altere, et se meslie,
   Ny comme de l'enfant et les nerfs et les os
   Se revestent de chair, estant au doux repos
25 Du ventre de la mere : Ainsi n'as connoissance
   De ce que Dieu conduit, fait, dispose et pourpense,
   Et si n'en peux sçavoir la cause ny l'effect,
   Tant ce qu'il brasse est grand, admirable et parfait[4].
   Seme donc au matin, et tes mains estourdies
30 Ne chomment sur le soir de paresse engourdies,
   Ne sçachant pas au vray si le grain du matin
   Jetté sur le sillon, aura meilleure fin
   Que celuy qui du soir sera semé sur terre[5].
   Dous est voir la lumiere, et le soleil qui erre
35 Tout à l'entour de nous, et remarquer des yeux   [71]
   Les beaux rayons dorez de son feu precieux[6] :
   Ce pendant s'il advient qu'heureux tu puisses vivre
   Quelque grand nombre d'ans, sain, gaillard et delivre
   De toute passion, te souvienne du temps
40 Des tenebreuses nuicts, et des courses des ans
   Qu'il faut que sans soleil, et banni de lumiere
   Tu dormes en repos sous la noire fondriere[7] :
   Car lors bien advisé tu jugeras soudain

Tout ce qui est au monde estre inutile et vain.
45 Doncques esjouy toy pendant que la jeunesse
Te rechauffe le sang, et de gente alaigresse
Passe ton beau Printemps, enyvrant de plaisir
Ton cueur, et ne refuse à tes yeux de choisir
Ce qu'ils auront à gré : Mais aussi te souvienne
50 Que de tes actions, et que de l'œuvre tienne
Il te faut rendre compte au Seigneur tout-puissant.
Vy dispos et gaillard[8], loing de toy banissant
La colere et le vice, et jamais le malaise[9]
Ne travaille ta chair, mais vy tousjours à l'aise
55 En ta jeune saison[10] : car ce qui reste apres
De meilleur de nos ans, va tallonnant de pres
La misere et la peur, qui ont pour compagnie
La Vanité qui suit le fil de nostre vie[11][.]

<XVII -14>

CHAPITRE XII.

Qu'il faut craindre et reconnoistre Dieu dés la jeunesse, sans attendre les maux et incommoditez de la viellesse. Description de l'homme vieil. Que la Sapience vient de Dieu, et non de l'estude.

DONCQUES souvienne toy des graces du Seigneur,[71 v°]
Pendant que ta jouvance est en sa prime fleur,
Avant que les douleurs d'une courbe vieillesse
Te chargent sur le dos une morne paresse,
5 Lors que tu n'auras plus en vivant de plaisir,
Et les jours te seront regret et desplaisir :
Avant que du Soleil la lumiere dorée
Se soit de tes yeux morts par les ans esgarée :
Avant que du grand Ciel les flambeaux radieux

10   Soyent voilez d'épesseur, et le feu de tes yeux
       Soit mort enseveli sous un espais nuage[1] :
       Avant que la clarté de la Lune s'ombrage[2] :
       Ce qu'alors adviendra quand les deux mains qui sont
       Gardes de la maison, foiblettes trembleront
15   Sans force et sans chaleur, et les soldats habiles
       A soustenir le char se courberont debiles :
       Quand morte la chaleur le languissant portier
       De l'aliment commun bouchera le sentier[3] :
       Quand les deux espions qui font la sentinelle
20   Par deux petits caveaux de leur flamme jumelle,
       Ne pourront plus rien voir, et les portes seront
       Closes de la grand'rue, et plus ne chanteront
       Les meules qu'à vois basse, et casse, et alterée :
       Quand au cri de l'oiseau à la creste pourprée[4]
25   L'homme s'eveillera, sans donner tant soit peu
       De repos à ses yeux, d'ans et de maux recreu :
       Quand muettes seront les filles chanteresses,
       Et chancelant de piez, et surpris de foiblesses
       Il craindra de marcher mal asseurant ses pas   [72]
30   Par les lieux raboteux, et par hauts et par bas,
       Tousjours tremblant de peur, de frayeur et de crainte :
       Alors que l'Amandier aura la teste peinte
       De blanchissantes fleurs[5], ayant foible la vois
       Comme le Sautereau enroué par les bois[6] :
35   Alors que l'appetit et le ventre inhabile
       A cuire l'aliment, sera froid et debile[7],
       Signes certains et vrais qu'il nous faut desloger,
       Et qu'en autre contrée il nous faut ramager,
       Compagnons de la nuict, de pleurs et de tenebres,
40   Puis on fera le deuil, et les pompes funebres.
       Avant le jour dernier que la chaine d'argent

     Se rompe deseichée[8], avant qu'entierement
     De ceste esguiere d'or la liqueur engraissée
     Coule de toutes parts[9], quand la cruche versée
45   Se casse à la fontaine[10], et la rouë en esclas
     Tombe sur la cisterne, et le poudreux amas
     Retourne dans la terre, et l'ame s'en retourne
     A Dieu, qui dans le Ciel à tout jamais sejourne[11].
     O vanité tres-vaine ! ô estrange malheur !
50   Tout n'est que vanité, dist le sage Prescheur[12],
     Qui passant en sçavoir les sages de son âge
     A voulu enseigner, et laisser en partage
     La Science aux humains, la faisant escouter
     Aux peuples ignorans, pour mieux les inciter
55   A l'engraver dans l'ame, estant les ordonnances
     De ses graves discours et divines sentences
     Comme clous asserez, ou pointes d'aiguillon[13] :
     Car les propos divins de ceux qui ont le don
     De sagesse et prudence, et leurs parolles saintes   [72 v°]
60   S'impriment en nos cueurs, où vivement empraintes
     Allument dedans nous la paresseuse humeur
     Qui nous tient engourdis et nous glace le cueur[14] :
     Aussi c'est le vray don de Dieu pasteur unique,
     Qui pour en faire part benin leur communique.
65   Soy contant de ce peu, car le trop long discours,
     Mon fils, n'a point de fin, et s'enfile tousjours[15],
     Et bref, le trop escrire et la trop longue estude
     Attraine avecques soy une grand' servitude
     Pour travailler le corps. Or tu sçais maintenant
70   Quelle est la fin de tout, qui sous le firmament
     En se mouvant soupire, et se brasse, et se trame.
     Ayes donc du Seigneur la craincte dedans l'ame[16],
     Garde de poinct en poinct ses saints commandemens :

Car c'est luy qui benist et prolonge nos ans,
75 Et qui vrayment heureux nous rend apres la vie[17].
Et ne pense jamais que ce qui se manie
Des hommes en secret, luy soit clos ou couvert :
Il voit tout, il sçait tout, tout luy est decouvert,
Et le bien et le mal, mesme ce que l'on pense
80 Estre le plus caché, vient à sa connoissance[18].

Fin du Discours de la Vanité.

ECLOGUES SACRÉES

INTRODUCTION
par J. Braybrook.

Le Cantique des Cantiques fait partie d'un groupe de cinq livres lus à l'occasion des fêtes juives majeures[1]. Récité notamment le huitième jour de la Pâque juive, il appartient aux *Kethubim* («Écrits Sacrés»), la troisième division de la Bible en hébreu comprenant onze livres, dont L'Ecclésiaste (attribué, comme le Cantique, à Salomon). Les études linguistiques suggèrent que le Cantique fut composé tardivement dans l'histoire de la littérature biblique classique, peut-être au IVe ou au IIIe s. avant Jésus-Christ, mais assez tôt pour avoir été accepté comme un livre religieux. Le texte présente des parallélismes et des refrains qu'on trouve fréquemment dans la poésie en hébreu et qui se prêtent à un usage musical. Dans la tradition chrétienne, la version latine du texte (la Vulgate), accompagnée de musique, est utilisée pour honorer la Vierge Marie.

Ce texte d'un genre inclassable –dont l'auteur de *La Bergerie* et de *La Reconnue* devait apprécier le style pastoral et la forme dramatique– décrit toute une gamme d'humeurs amoureuses, et célèbre à la fois la pureté et la sensualité de l'amour humain et la joie que deux amants trouvent en présence l'un de l'autre (3. 4 ; 7. 6-12)[2]. Ce type de dialogue, sans équivalent dans l'Ancien Testament, est interrompu seulement par les remarques d'un chœur, constitué par les filles de Jérusalem[3]. Bien qu'il apparaisse comme la simple représentation des amours d'un couple, le Cantique des Cantiques est, tout comme L'Ecclésiaste, considéré comme un texte difficile. Les commentateurs

---

1 Sur le Cantique, voir notamment Max Engammare, *Le Cantique des Cantiques à la Renaissance, op. cit.* plus haut, Préface du t. V (cet auteur n'a retenu que Marot et Marguerite de Navarre comme poètes qui s'inspirent du Cantique) ; Georges Casalis, *Un chant d'amour insolite* : le *Cantique des Cantiques,* Paris, D D B, 1984 ; John G. Snaith, *The Song of Songs,* The New Century Bible Commentary, Londres, Marshall Pickering et Grand Rapids, Michigan, Eerdmans, 1993 ; P. Ricœur et A. LaCocque, Penser la Bible, Paris, Seuil, 1998, p. 373-457. Stéphane Mosès, *L'Eros et la Loi. Lectures bibliques*, Paris, Le Seuil, 1999.

2 Nous sommes loin de la brutalité de l'épyllion religieux des « Amours de David et de Bersabée », à la fin de la 2de Journée de *La Bergerie.*

3 Ces « filles de Jérusalem » peuvent être les femmes du sérail de Salomon, les compagnes de la jeune fille, ou des spectatrices représentant le peuple.

qui ont tenté de l'élucider ont souvent condamné la « lecture littérale », à cause à la fois de l'érotisme du texte et de son manque d'allusions explicites à des valeurs religieuses ou éthiques : sans tenir compte des lieux et des personnages réels qui sont nommés, ils dénient tout fondement historique aux événements racontés. Cette *allegoria in verbis* voit le livre entier en termes des rapports de Dieu avec Israël (interprètes juifs) ou du Christ avec son Église (interprètes chrétiens). Pour beaucoup d'auteurs, le Cantique est une prophétie – sous forme d'un dialogue entre le Christ et l'Église – rédigée par Salomon sous l'inspiration du Saint Esprit. Sur le même mode, observent-ils, Osée, Jérémie, Ézéchiel et Isaïe dépeignent le rapport entre Dieu et son peuple comme une douloureuse histoire d'amour entre mari et femme. Cette attribution du Cantique au roi Salomon, ainsi que son interprétation allégorique, ont aidé à le faire entrer dans le Canon hébreu. D'autre part, l'interprétation typologique juge valable l'aspect historique du Cantique, mais lui confère une nouvelle dimension en trouvant des parallèles avec un événement ou un enseignement des Evangiles. Le Nouveau Testament est censé accomplir l'Ancien (voir Luc 24. 27). Selon une interprétation répandue au Moyen-Âge, la bien-aimée représenterait la Vierge, et le Cantique 4. 7 ferait allusion au dogme de l'Immaculée Conception[1]. Il n'y a cependant aucun passage dans le Nouveau Testament indiquant que le Cantique serait susceptible d'une interprétation christologique. Une lecture mystique, comme celle de Bernard de Clairvaux ou de Guillaume de Saint-Thierry, voit dans ce Chant nuptial une préfiguration des noces de l'âme avec son Sauveur, dont le baiser apporte à la fois l'ivresse de la béatitude et la révélation transmise par le souffle spirituel du Logos ; certains Baisers de Belleau peuvent révéler une influence de cette lecture.

Selon d'autres savants, le Cantique est lié à des *rites* de fertilité, ou bien c'est un *drame* célébrant le triomphe de la vertu (mais l'intrigue ne se développe guère, et les récits sont longs), ou un *épithalame* pour un mariage royal (c'était l'interprétation d'Origène), ou une espèce de *chant funèbre*, ou même une *critique* non seulement de la vie

---

1   Pour les réactions du Moyen-Age au Cantique, voir Ann W. Astell, *The Song of Songs in the Middle Ages*, Ithaca et Londres, Cornell University Pr., 1990 et 1995.

personnelle de Salomon et de sa polygamie, mais de tout son royaume. Comme l'Epouse est originaire d'Arabie (voir 1. 5, 7. 2, 6. 12), certains commentateurs ont maintenu que le Cantique doit être replacé dans le contexte de la controverse juive du IVe siècle avant Jésus-Christ sur le mariage avec les femmes étrangères[1]. Le Cantique est probablement d'esprit anti-raciste, démocratique, fait pour attirer l'esprit tolérant de Belleau. D'autres encore s'intéressent à la *forme* du Cantique : il peut s'agir d'un groupe de petits poèmes originellement séparés, organisés selon des associations entre leur contenu ou leur forme ; il est souvent difficile d'en identifier le début et la fin (surtout en ce qui concerne le chapitre 8), mais la plupart sont énoncés par un *je*, et composent un monologue ou un dialogue. Certains critiques y voient une série de rêves (3. 1-5 et 5. 2-8) et de souvenirs (2. 3-7 et 8. 5, ou 2. 16 et 7. 11), par lesquels les protagonistes se rappellent le début de leur vie conjugale.

Le lexique du Cantique est très riche, comprenant plus d'un tiers de mots si peu courants qu'il est difficile d'en déterminer leur sens exact (- 47 hapax dans l'Ancien Testament, alors que les vocables religieux majeurs de l'A. T., tels que *trône, temple, sanctuaire*, sont absents, ce qui rend l'interprétation typologique du texte entier moins convaincante). Il contient aussi des calembours et des jeux sur le son et le sens des mots. Ces difficultés sont faites pour attirer et rendre nécessaires les traducteurs. Plusieurs traductions avaient effectivement été produites peu avant celle de Belleau. Comme Belleau, Lancelot de Carle, cet évêque qui soutenait Ronsard, traduisit et l'Ecclésiaste et le Cantique. Son *Cantique des Cantiques de Salomon, paraphrasé en vers françois* (Paris, Vascosan, 1562), que nous avons mentionné dans notre introduction au *Discours de la Vanité*, est dédié à « Monseigneur le duc d'Orléans », le futur Henri III, auquel Belleau présentera ses *Pierres precieuses*. Marin Le Saulx publia une série de sonnets inspirés du Cantique : *Theanthropogamie en forme de dialogue par sonnets chrestiens* (Londres, 1577)[2]. Le Cantique a également inspiré

1 Voir Goulder, *The Song of Fourteen Songs*, p. 75.
2 Voir Terence C. Cave, *Devotional Poetry in France c. 1570-1613*, Cambridge, Cambridge University Press, 1969, p. 71-72. – Selon la préface de Marin Le Saulx, ses poèmes furent écrits entre 1568 et 1569.

les musiciens du seizième siècle, qui accentuent le caractère religieux du texte. Le Quatrième Livre des Motets à cinq voix de Palestrina, par exemple, est un cycle de vingt-neuf motets tirés du Cantique.

Comme pour l'Ecclésiaste, il est difficile de déterminer quelles éditions du Cantique Belleau a utilisées. Il semble connaître le texte grec, ou des traductions du texte grec ou hébreu (Dans nos notes nous citons la Vulgate, par commodité). Les « arguments » qu'il a mis en tête des chapitres du Cantique indiquent que Belleau a consulté des traductions récentes, puisqu'ils proviennent de l'édition de la Bible préparée par Robert Estienne en 1553 : ils résument ou présentent quelques versets du chapitre et sont centrés sur le Christ et sur l'Église. Le découpage du texte entre différents interlocuteurs est en revanche une pratique ancienne ; mais le partage dramatique des versets entre « espoux, espouse et pucelles » était celui d'Olivétan, dans sa Bible de 1535[1].

Le Cantique, bien connu au XVIe s., fut employé à diverses fins. Il fut utilisé par exemple pour les Entrées de François Ier dans plusieurs villes[2]. La ville de Poitiers s'adressa au Roi avec ces mots, entre autres : *Inveni quem diligit anima mea* (Cantique, 3. 4). Luther, en s'attribuant une grande liberté interprétative, adapta le texte à la situation présente et exploita son potentiel politique[3]. De tels emplois politiques du texte indiquent que Belleau, en produisant sa traduction, pense probablement, comme dans les *Pierres precieuses*, à la situation dans laquelle se trouve son pays, et qu'il tente, encore une fois, d'apporter quelque remède aux souffrances de ses compatriotes – peut-être même de promouvoir, à travers le motif du mariage, l'union entre catholiques et protestants.

Il est clair que Belleau a choisi un texte qui porte à la réflexion religieuse. Au niveau rhétorique, l'*énumération* qui se rencontre dans plusieurs passages du Cantique est un signe linguistique de la

---

1   Voir l'étude essentielle de M. Engammare, *op. cit.*
2   Voir Engammare, p. 458-459, et Anne-Marie Lecoq, *François Ier imaginaire : Symbolique et politique à l'aube de la Renaissance française*, Paris, 1987, ch. 10, p. 361-391.
3   Voir Engammare, p. 318.

méditation, comme dans les litanies[1]. Au niveau thématique, le jardin et la floraison étaient des symboles traditionnels de la contemplation, ainsi que le suggère le commentaire d'Alain de Lille, *Elucidatio in Cantica canticorum*[2]. Le Cantique nous invite à considérer le jardin (avec ses fleurs, ses parfums, ses vignobles et ses murailles) comme une métaphore (2. 1-2). L'encadrement même du Cantique est ainsi conçu de manière à favoriser la méditation pieuse. Ailleurs dans l'Ancien Testament, le jardin peut représenter un endroit où l'on retrouve la présence et la bénédiction de Dieu. Dans la *Recette véritable* du protestant Bernard Palissy, le jardin – dont les aspects physiques sont soigneusement décrits – peut revêtir un aspect spirituel et représenter un refuge[3]. Le motif du jardin est également important dans le contexte plus laïque de *La Bergerie*, où Belleau décrit les abords du Château du Grand Jardin à Joinville et célèbre le pouvoir qu'ont les rythmes de la nature de guérir l'homme malade ou troublé par la guerre. Là aussi, le jardin a une signification quasi religieuse, paradisiaque. En traduisant un texte organisé autour de la notion du jardin, Belleau veut sans doute pousser ses contemporains au moins à une prise de conscience de leur situation désespérée. Il les encourage à se recueillir et à rechercher la paix. Il essaie de leur donner de l'espoir : après tout, les promesses de Dieu de sauver son peuple sont souvent accompagnées d'allusions à un paradis édénique (voir par exemple Nombres 24. 6 ; Isaïe 58. 11 et 65. 21 ; Jérémie 31. 12 ; Ézéchiel 36. 35 ; Amos 9. 14). Si, dans sa version de L'Ecclésiaste et dans ses *Pierres precieuses*, Belleau tente de rappeler les Grands à leurs devoirs, dans cette traduction du Cantique il réconforte avant tout le menu peuple.

---

1 Comparer Fr. Rigolot, *Louise Labé Lyonnaise ou la Renaissance au féminin*, Paris, Champion, 1997, p. 220-221 : Louise Labé semble parfois s'inspirer des passages énumératifs du Cantique pour célébrer les beautés du bien-aimé.

2 Voir Perrine Galand-Hallyn, *Le Reflet des fleurs : Description et métalangage poétique d'Homère à la Renaissance*, Genève, Droz, 1994, p. 447-448.

3 Voir l'éd. Lestringant et Barataud, Paris, Macula, 1996, p. 14, ainsi que celle de K. Cameron, Genève, Droz, 1988, p. 33 : « Symboliquement, c'est le paradis tel que l'homme de foi peut encore espérer le trouver [...]. Effectivement, c'est une exhortation aux fidèles de se retrancher, de se séparer de leurs ennemis et de créer leur propre communauté. »

Il ne faut évidemment pas étudier à l'exclusion de toutes les autres
les connotations pieuses du jardin, puisque le jardin est également un
symbole érotique, représentant les charmes sexuels de la femme.
Belleau en est pleinement conscient, ainsi que le montre le v. 64 de la
septième églogue. Il sait que le Cantique contient beaucoup de mots à
double entente, que la sensualité et la spiritualité y sont indissociables.
Le texte biblique célèbre avant tout l'amour, que ce soit un amour
érotique ou un amour religieux (Il ne fait aucune allusion explicite à
l'union avec Dieu, qu'il ne mentionne même pas : le seul autre livre de
la Bible qui ne nomme pas Dieu est Esther). Le lien entre le thème
majeur de la traduction de Belleau et les passions décrites chez les
pierres précieuses est évident ; et, comme dans les poèmes sur les
gemmes, la célébration de l'amitié et de l'amour fait contraste avec la
violence de la guerre qui sévit autour de Belleau. Il y a dans le texte
biblique des évocations détaillées de la beauté physique de l'être aimé,
évocations souvent fort érotiques. Il y a aussi une exaltation de ce que
nous apportent les sens (voir le Cantique, 4. 9 ; 2. 8 ; 2. 6 ; et 7. 8),
ainsi qu'une grande franchise. Belleau semble surtout sensible à
l'évocation des odeurs dans le Cantique, et ajoute parfois à leur
nombre (voir par exemple 3. 35). La joie que le corps peut nous
procurer, omniprésente dans le Cantique, est proposée aux lecteurs de
1576 pour leur redonner espoir contre leur abattement. Nous ne
sommes pas loin de l'essai de Montaigne « Sur des vers de Virgile »
(III. 5).

Belleau, créateur du rôle d'Antoinette dans *La Reconnue*, prenait
peut-être aussi plaisir à lire un texte biblique dans lequel la femme a
un rôle important. Elle y prononce presque deux fois plus de vers que
l'homme. Elle exprime son ardeur, tout en restant fidèle à celui qu'elle
aime (la fidélité est une vertu qu'elle partage avec les pierres
précieuses de Belleau). L'Épouse décrit ce qu'elle ressent, son
humilité et sa passion, ses espoirs et ses craintes. Elle n'est pas
présentée comme une victime, ni l'homme comme un agresseur.

Le Cantique était également fait pour plaire à quelqu'un qui avait
observé les saisons dans *La Bergerie* et dans sa traduction d'Aratos et
qui avait produit une évocation détaillée de la petite communauté de
Joinville. Le livre biblique a en effet un arrière-plan pastoral et

contient beaucoup de notations sur les forces de la nature et sur les rythmes naturels, sur la géographie, sur la faune et la flore ; sur l'économie, l'agriculture et le commerce ; sur l'architecture ; sur les institutions sociales et la moralité ; sur la famille et sur l'art. Il offre aussi une évocation des plaisirs de la vie rustique qui fait penser non seulement à un poème tel que « La Salade » de Ronsard, mais aussi à la conclusion du *Dictamen metrificum*. Le poète s'y attarde (7. 53-60).

Belleau a dû être attiré avant tout par les talents descriptifs manifestes dans le Cantique, dont il se plaît parfois à orner certaines descriptions déjà fleuries. Il fait montre d'un goût de la parure qui forme un lien avec les *Pierres precieuses*, ainsi qu'avec quelques-uns des ajouts de la *Vanité*. Aux vers 79 à 82 de la première Églogue, il accumule les substances précieuses, là où la Vulgate est très sobre. Aux vers 83 à 88, il aligne des objets artistiquement travaillés, manifestant pleinement combien il apprécie la façon dont l'artisan arrive à embellir la nature. Ailleurs il décrit un collier splendide pour rendre plus claire une comparaison militaire de la Bible (4. 37-44). Quelquefois il construit une périphrase, que ce soit pour l'aube (2. 89-92 ; 4. 51-56) ou pour la lune (6. 55-56). Il aime décrire le mouvement et la couleur des cheveux (4. 3-6 ; 4. 28 ; 4. 73 ; 5. 27 ; 5. 35) : nous pensons à Pétrarque et à Ronsard[1]. Il crée une comparaison centrée sur le miel, s'appuyant sur le mot « *dulce* » de la Vulgate (4. 27). Il énumère là où la Bible est plus concise (1. 67 ; 1. 103-106). Il développe l'image du jardin, dont nous avons remarqué le symbolisme, et insiste sur la façon dont l'art et la nature s'y mêlent (5. 86-90). Il fait tendrement une liste des plantes qui y poussent, décrit des bourgeons, montrant son intérêt pour les formes naissantes (6. 64-70) et nous rappelle son évocation de la terrasse dans la première *Bergerie*. Il se révèle encore une fois un observateur très fin de ce qui l'entoure. En même temps il traduit le Cantique dans un « style doux-coulant » qui aura une influence déterminante sur la poésie dévote de la fin du siècle (voir par exemple le début des *Eclogues*, les diminutifs de 1. 93-94 ou la mignardise de 2. 77-78)[2].

---

1 Comparer la façon dont Belleau emploie une antithèse pétrarquiste, 5. 65-66.
2 Voir Cave, *Devotional Poetry*, p. 263-264.

Traduire le Cantique des Cantiques permet à Belleau, non seulement d'explorer à nouveau un cadre pastoral et de déployer ses talents dramatiques, mais aussi d'introduire dans sa palette des couleurs plus exotiques, plus sensuelles, de faire pénétrer dans son œuvre la chaleur et les parfums du Levant. Son recueil de 1576 s'ouvre sur une série de poèmes dans lesquels les gemmes provenues de divers points de la terre perdent leur dureté et s'engagent dans des aventures amoureuses. Le recueil se termine sur un texte consacré à la passion humaine, et nous invite à apprécier sa puissance et sa pureté, et aussi à y voir des parallèles avec l'amour divin, seul capable de sauver le monde tourmenté du poète et de ses lecteurs. Il faudra que ces derniers ouvrent leur cœur à la charité que le monde des pierres représente, qu'ils se souviennent de la vanité des choses terrestres analysée par Qohélet, pour enfin accéder à l'amour de leur prochain et de Dieu.

ECLOGVES
sacrées, prises du Can-
tique des Cantiques
de Salomon.

<XVIII -1>

A LA ROYNE[1]. [74]

MADAME, n'ayant rien de plus propre, ny de mieux seant à
vostre chaste et modeste grandeur, que ces petites
chansons pastorales que j'ay tirées du Cantique des
cantiques de Salomon, j'ay bien osé vous les presenter, et
5   leur donner jour sous la faveur de vostre nom. Mais parce
qu'en icelles ne se chante que d'amoureuses passions, et
que par adventure quelques uns les pourroyent interpreter
à leur advantage, et selon leur affection particuliere, à fin
de ne tomber en ceste erreur j'ay bien voulu les advertir[2],
10   que c'est un amour tout divin et tout spirituel[3], par lequel
on peut juger l'heur, la felicité, et le souverain bien, qui
provient d'estre estroittement uni par vive et ardente
amour avec l'Eglise et JESUS-CHRIST, figuré sous le
nom de l'Espous, et l'Eglise sous le nom de l'Espouse :
15   discourant ensemble humainement de la douceur de leurs
baisers, de leurs chastes et parfaittes amours,
embrassemens, graces, et de leurs rares et immortelles
beautez, comme vous pourrez [74 v°] voir plus aisément,
par les petits arguments que j'ay mis sur chacune
20   Eclogue, où n'y a rien qui ne soit sainct et divin, et digne
des chastes oreilles d'une grande Royne, telle que vous
estes[4] : Vous suppliant tres-humblement

MADAME, prendre plaisir à la lecture d'icelles, et les
recognoistre d'aussi bon œil que de tres-humble et tres-
25 obeissante volonté je les vous presente. A Paris ce XII.
d'Aoust M. D. LXXVI.

Vostre tres-humble, et tres-
obeissant serviteur et subject
REMY BELLEAU.

ECLOGUES SACRÉES, PRISES   [75]
DU CANTIQUE DES CANTIQUES DE SALOMON.

<XVIII -2>

ECLOGUE I.

L'Eglise divinement esprise d'amour spirituel, souhaitte jouir de la presence de JESUS-CHRIST son cher espous, desirant recueillir les souefves odeurs des baisers de sa bouche : et pour le suyvre, le prie d'estre enseignée et guidée de sa parolle sainte[1], à fin de ne fourvoyer de la droite voye, et ne tomber en erreur.

L'ESPOUSE.

DONCQUES mon cher Espous, mon mignon, ma chere ame
En fin est de retour[2] ? que sa bouche de basme
Me donne promptement pour ma flamme appaiser,
Le nectar ensucré d'un amoureux baiser[3] :
5   Ton amour est plus doux, et plus douce ta grace,
Que le vin muscatel[4], encores qu'il surpasse
Les plus souefves odeurs, et les baisers mignars   [75 v°]
Animez de soupirs, qu'en baisant tu depars,
Mieux fleurans que le thym, que la rose espanie,
10   Et tout l'air emmusqué des parfums d'Arabie[5].
    Ton nom m'est aussi doux que l'odeur qui s'espand
D'un vase de Crystal, plein de musq qui se fend
En pieces et morceaux, ou froissé d'une pierre,
Ou par trop eschaufé, ou versé contre terre :
15   Aussi doux que le basme, aussi doux que le miel
Qui s'escoule espuré des grands ruches du Ciel :
Ou comme au Renouveau le gracieux ramage

Du Rossignol tapy sous un espais bocage[6] :
Cause que le troupeau des filles de Sion
20   Va recherchant ta grace, et reclame ton nom[7].

Sus donc, mon cher Espous, sus avant qu'on me tire
Apres toy[8], que mon ame esperdûment soupire :
Tost tost que l'on me monte en mon char azuré,
Pour te suivre au galop en ton palais doré :
25   Sans toy je ne puis rien, c'est ton œil qui me guide,
Ton œil qui ma raison tient serve sous la bride[9].
Ce Prince entend ma vois, et dedans son serrail[10]
Me conduit pour tromper mon amoureux travail :
Mes flammes appaisant de douces mignardises,
30   Flammes aux chauds rayons de ses beaux yeux esprises[11].

LES FILLES DE SION[12].

Nymphetes de Sion nous nous esjouirons
Maintenant à bon droit, et gayes chanterons
Pour marque memorable, et pour la souvenance
De vos chastes amours, l'heureuse jouissance :
35   Amours, dont la douceur et l'honneur immortel
Surpasse la liqueur du raisin muscatel[13].   [76]

L'ESPOUSE.

Je suis noire vrayment[14], vous le voyez, Filletes,
De la sainte Cité citoyennes Nymphetes[15],
Mais ce teint brun pourtant n'efface la beauté,
40   Qui reluist sur ma face en grave majesté.
Il resemble en couleur aux tentes basanées
Du peuple Cedrean[16], aux toiles courtinées
Des pavillons tendus en l'ost de ce grand Roy,
De ce grand Salomon, qu'il conduit apres soy[17].

45   Doncques ne me blasmez si je suis trop brunete,
        Errant parmi les champs vagabonde et seulete
        Le Soleil radieux de sa vive chaleur
        A changé mon beau teint, et tanné ma couleur :
        De ses rayons plus chauds la face il m'a bruslée,
50   Restant comme voyez toute noire et haslée[18].
        Les enfans de ma mere[19] animez contre moy
        Me chasserent, jaloux de l'honneur que j'avoy :
        D'une vigne champestre me firent gardienne,
        Que pas je ne gardé, ores qu'elle fust mienne[20].
55   Mais je te pry, mon Cueur, dy moy en quels coustaux,
        Sous quels antres moussus, et pres de quels ruisseaux,
        Repoussant de l'Esté les chaleurs alterées,
        Tu retire' à l'escart les troupes esgarées
        De ton petit bestail ? et en quelles foréts
60   Broûtent sur le my-jour pour y prendre le frez ?
        A fin qu'en te suyvant seule je ne fourvoye
        Errante par les bois : car ne tenant la voye
        Courant deçà delà, je pourrois arriver
        Entre tes compagnons, seul te voulant trouver[21].

             L'ESPOUS[22].   [76 v°]

65   Belle dont la beauté seule fait que je meure,
        Si tu ne sçais au vray le lieu de ma demeure[23],
        Dessous quels antres frais, en quels bois, sur quels monts[24]
        A la chaleur du jour repairent mes moutons[25],
        Marche, et de ce troupeau suy la voye tracée,
70   Il guidera tes pas où tire ta pensée,
        Il connoist le chemin, puis range tes chevreaux
        Pres l'ombrageux sejour des autres pastoureaux.
        Que puis-je comparer à tes graces, Mamie,

Que le front asseuré de ma chevalerie,
75   Ondoyant, flamboyant, marchant en escadron
Entre les chars dorez de ce grand Pharaon[26] ?
Le teint frais et douillet de ta face vermeille
Rougist estincelant sous deux pendans d'oreille,
Tout ainsi que l'Aurore[27] : et l'yvoire poli
80   De ton col blanchissant se presente anobli
De perles, de rubis, et de pierres exquises
Dans le fond d'un carquan naïfvement assises[28].
Je te donray encor un autre riche attour,
Qui sera pour jamais tesmoing de nostre amour :
85   Deux bracelets d'or fin taillez en Damasquine,
Une chaisne, un carquan, et de soye plus fine
Un tissu marqueté de beaux gros boutons d'or
Mis en œuvre d'espargne, et des bagues encor[29].

L'ESPOUSE.

Si tost que mon ami entre dedans sa couche,
90   Et pour prendre un baiser entre mes bras se couche,
Un gracieux parfum part et coule de moy,
Qui parfume le lict et la chambre et mon Roy[30].
Mon ami reposant entre mes mammelettes   [77]
M'est aussi odoreux que les branches tendrettes
95   Et les rameaux couplez de myrrhe bien fleurant[31] :
Il resemble en douceur et parfum odorant
Au raisin Cyprian, que la vigne muscade
Nourrist sur le coupeau des montagnes d'Engade[32].

L'ESPOUS.

O divine beauté, l'esmail de tes beaux yeux
100   Resemble aux yeux mignards des Pigeons amoureux[33] !

L'ESPOUSE.

Que ton visage est beau et plein de bonne grace[34] !

Avance toy, mon Cueur, et vien choisir ta place
Pres de moy, mon souci[35] : nostre lict est dressé
Sur le coussin mollet d'un amas entassé
105   De fueilles et de fleurs, de mousse et de branchage,
Basti dessous le frais d'un verdissant boccage[36] :
Que ce palais rustic ne te vienne à mespris,
Il est faict de Cyprés, de Cedre est le lambris[37],
De fueilles et de fleurs nostre chambre est parée,
110   De nos chastes amours la retraite asseurée.

<XVIII -3>

ECLOGUE II.

L'Eglise se vante estre belle comme la fleur, fraische comme la rose,
tendre comme les lis qui croissent au fond des vallées, desire ardemment
prendre son repos sous l'ombre des ailes de JESUS-CHRIST son espous.

L'ESPOUSE.   [77 v°]

JE suis la jeune fleur qui belle par les champs
Croist l'esmail de la prée, et l'honneur du Printemps[1],
Ou le lis tendre et mol aux fueilles argentées
Qui blanchist dans le fond des secretes vallées[2].

L'ESPOUS.

5   Mamour paroist ainsi sur celles de Cedron[3]
Excellente en beauté, que le jeune fleuron
Au lever du Soleil, ou la rose pourprine
Dans le fort espineux de la ronce aiglantine[4].

L'ESPOUSE.

     Comme un pommier enté, entre les sauvageons[5] :
10   Ainsi paroist mon Roy entre ses compagnons.
     Há que j'aime à dormir sous le touffu branchage
     De cet arbre fecond, qui rend si doux ombrage[6] !
     Há que j'aime à gouster de son fruit gracieux,
     A la bouche agreable et plaisant à mes yeux !
15   Il me prend par la main, me conduit et me guide
     Doucement pas à pas au lieu frais et humide,
     Où se garde le vin[7], puis me jette à l'entour
     De la bouche et des yeux le voile de l'Amour[8].
     Hé que diray-je plus ? soustenez moy je pasme,
20   Apportez moy du vin pour refraischir mon ame[9],
     Et des pommes aussi, je tombe en pasmoison,
     Fillettes je languis d'amoureuse poison[10] :
     Las ! je meurs, je transis, secourez (je vous prie)
     Celle qui pour l'Amour abandonne sa vie[11].
25   Mais, mon Dieu ! quel plaisir, quel refraichissement,
     Quand sous mon chef lassé il coule doucement
     La main gauche, et la dextre au dessous de l'esselle,   [78]
     Pour plus fort embrasser son Espouse fidelle[12] ?

L'ESPOUS.

     Filles je vous supply par les jeunes Brocars,
30   Par les Cerfs de ces bois, et par les Daims fuyars,
     Par le long poil frisé de mes Chevres barbues,
     Par les Fans mouchetez de ces forests chenues[13],
     Ne faites point de bruit, et retenez la vois
     De vous et de vos chiens, à fin que leurs abois
35   Ne troublent le repos de celle qui ma vie
     Retient dedans ses yeux mollement endormie[14].

L'ESPOUSE.

J'enten de mon Ami la parole et la vois,
C'est luy mesme c'est luy, il brosse par les bois,
Et bondist sautelant sur le haut des montagnes
40 Alaigre traversant les pierreuses campagnes,
Viste comme un Chevreuil, ou un Fan marqueté
De taches sur le dos, du Limier eventé[15].

C'est mon ami, c'est luy, il est en eschauguette
Derriere la paroy de nostre maisonnette,
45 Il se cache, il se monstre à travers du chassis,
Par les treillis barrez, par les fentes de l'huis[16],
Tournoyant çà et là à fin que je l'appelle :
C'est luy mesme c'est luy, je voy sa face belle,
Il est triste et pensif, et n'ose se monstrer :
50 Il se cache, et s'enfuit, et voudroit bien entrer.
Mais j'enten qu'il m'appelle, hà j'enten sa vois douce,
Qui me presse d'aller, où nostre amour le pousse[17].

L'ESPOUS.

Maistresse levez-vous, sus donc hastez le pas,
Ma Colombe, mon cueur, mon miel, mon dous appas[18],[78 v°]
55 Venez avecques moy, suyvez moy à la trace,
L'Hyver morne de froid, blanc de nege et de glace[19]
S'est desrobé de nous, et l'Astre pluvieux
Se plongeant a faict place au Printemps gracieux[20],
La Terre de couleurs et de fleurs bigarrée
60 Descouvre son beau sein, et sa robe pourprée,
Espandant ses thresors[21] : c'est la belle saison
Qu'il faut tailler la vigne, et laisser la maison
Pour habiter les champs : desja la Tourterelle
Dessus cest arbre sec redouble sa querelle[22] :

65 Desja sur le figuier la figue s'engrossist
Pleine et gonfle de laict[23], et le vent s'adoucist :
Les vignes sont en fleur, dont la fleurante haleine
Embasme de parfum l'air, les monts, et la plaine[24].
Leve toy donc ma Belle, avant depesche toy,
70 Haste le pas Mamour, et vien avecques moy,
Ma Colombe, mon cueur, vien sous ces pierres dures,
Ou sous les flancs cavez de ces vieilles masures :
Monstre moy de ton sein le petit mont jumeau[25],
Et le teint vermeillet de ton visage beau :
75 Vien dessous ces degrez, et prompte fais entendre
La douceur de ta vois à mon oreille tendre.
Car ta voix est mignarde, et les attraits mignars[26]
De ta face, mon cueur, et plaisans tes regars.

L'ESPOUSE.

Prenez les Renardeaux, car leur dent venimeuse
80 Ronge et perd du bourgeon l'esperance vineuse[27],
Maintenant que la grappe en sa prime verdeur
Espand le doux parfum de sa gentille fleur,
Mon Espous est tout mien, et je suis toute sienne[28],   [79]
Je sçay qu'il m'aime aussi, et que son ame est mienne :
85 Il vit entre les fleurs, et paist ses jeunes ans
De la tendre moisson des beaux lis blanchissans.
Retire toy, mon Cueur, ja la lumiere belle
De Vesper au crin d'or, pour t'avancer t'appelle :
Demain au plus matin que le jour renaissant
90 Des ombres de la nuict au voile brunissant
Aura chassé l'horreur, et que l'Aube dorée
S'esveillant sortira de sa couche pourprée[29],
Retourne ici Mamour, viste comme un chevreuil,
Que j'admire ta grace et contente mon œil[30].

<XVIII -4>

ECLOGUE III.

L'Eglise sous la figure de l'ame pecheresse, estant pressée du sommeil
d'ignorance, et sommeillant és tenebres de peché, cherche JESUS-CHRIST,
au hasard et danger de sa vie.

L'ESPOUSE.

LE sommeil doux et lent sous ses plumes legeres,
Tenoit les bords cousus de mes lasses paupieres[1],
Je dormois en mon lict, quand j'estens (mais en vain)
Pour trouver mon amy, et l'une et l'autre main,
5   Pour retrouver celuy que mon ame desire,
Que mon ame poursuit, que mon ame soupire :
Je taste çà et là, mais las ! ne trouvant point
Celuy qui de ses yeux trop vivement me poind[2],   [79 v°]
Je me leve en sursaut, puis quand je fus vestuë
10   De mon manteau de nuict[3], errante par la ruë
Je cours de toutes parts, et n'y eut ny canton,
Ny place, ny marché, qui n'entendist son nom.
Mais ayant tracassé par toute la contrée,
Et ne trouvant celuy qui m'a si fort outrée,
15   Je rencontre le Guet, moy pleine de fureur
Des gardes de la nuict n'ayant peur, ny frayeur,
Armée de l'Amour, leur demande hardie
S'ils avoyent veu celuy qui commande à ma vie[4].
Passant outre, sans plus rien esperer, soudain
20   Trouve mon cher Espous, que je pren par la main,
Et ne l'abandonnay jusqu'à tant que le veisse
Dedans le cabinet de ma chere nourrice,
Ma mere, et le retiens, mais presque maugré soy,

Où il faignoit, mauvais, de s'eschapper de moy,
25   Pour tousjours eschaufer le feu dans la fournaise
De mes poulmons enflez, qui jamais ne s'appaise[5].

L'ESPOUS.

Je vous pry par les Daims qui courent sur ce mont,
Par le troupeau ramé de branches sur le front,
Filletes de Sion, n'esveillez pas Mamie,
30   Dedans son pavillon mollement endormie,
Tenant les yeux sillez d'un gracieux sommeil,
Laissez-la reposer jusques à son reveil.

LES FILLES DE SION[6].

Mais qui est celle-là qui court par le travers
De ces monts sourcilleux pour monter aux desers,
35   Et d'ambre, et de parfum souefvement embasmée[7] ?
Ainsi que parmy l'air un long trait de fumée   [80]
Qui vague se respand, quand on verse dedans
Des branches de Cyprés[8], du Myrrhe ou de l'Encens,
Ou le plus doux parfum, ou la plus fine poudre
40   Pour emmusquer la peau, que l'on sçauroit dissoudre[9] ?
Or voyci l'appareil du riche pavillon
Où pour se refraischir ce grand Roy Salomon[10]
Va prendre son repos : Il a sa garde armée
De soixante Soldats des plus forts d'Idumée[11],
45   Aux armes bien adroits, bons et vaillans guerriers[12],
Des bandes d'Israël les meilleurs chevaliers,
Portans tous aux costez leurs trenchantes espées
Encontre le danger des jeunes eschapées
Qui surviennent de nuict[13], tous faisant tour à tour
50   Et la garde et le guet jusques au poinct du jour.

Or ce grand Salomon a faict un edifice[14]
Magnifique, orgueilleux, et de grand artifice
Pour y faire la feste, et celebrer l'Hymen :
Les poutres, les chevrons sont des bois du Liban,
55   Les colonnes d'argent artistement gravées,
Sur un plancher d'or fin richement eslevées :
Le ciel est d'escarlatte, où triomphe au milieu
L'honneste Chasteté[15], honneur de ce beau lieu,
Mise pour honorer sous ces tentes royales
60   Des vierges de Sion les dances nuptiales.

Sus donc troupeau sacré, sus filles de Sion,
Sortez et venez voir ce grand Roy Salomon[16],
Que tant de majesté et de grace environne,
Venez voir sur son chef la royale couronne[17]
65   Que sa mere luy mist le jour qu'il espousa,
Le jour qui de son cueur les flammes appaisa   [80 v°]
Sous les liens d'amour, ce beau jour qui rassemble
Tant de faveurs du Ciel, et de plaisirs ensemble[18].

<XVIII -5>

ECLOGUE IIII.

En ceste Eclogue sont naifvement descriptes les graces immortelles et beautez particulieres de l'Eglise sous une infinité de comparaisons rustiques, mais admirables.

L'ESPOUS.

QUE de rares beautez sur ta face Mamie !
Mamour que tu es belle, et de grace accomplie !
Sous ton poil gredillé en menus crespillons[1]
Estincellent tes yeux comme ceux des Coulons,
5   Et paroissent ainsi les tresses vagabondes

De tes cheveux retors, et repliez en ondes[2],
Que la molle toison de ce jeune troupeau,
De ce troupeau barbu qui nourrist sur sa peau
Le poil blanc et frisé d'ondoyantes crespines[3]
10   Sur les tapis herbus des croupes Galadines[4],
Lors que sur le my-jour il cherche les foréts
Alteré de chaleur pour y prendre le frez[5].
L'yvoire blanchissant de tes dens bien couplées[6],
Ainsi que le troupeau des brebis despouillées
15   De leur robe de laine, en revenant du bain,
Le poil blanc et poly des ondes du Jourdain[7],
Qui fecondes tousjours portent d'une ventrée
Deux petits aignelets à la peau bigarrée[8],   [81]
Sans qu'une seulement d'entre elles ait le flanc
20   Ou sterile ou brehain : Ainsi sont ranc à ranc
Les deux rampars jumeaux de tes dens agencées,
D'une egale blancheur justement compassées[9].
    Les deux bords rougissans de tes levres, mon Cueur,
Semblent en polliceure et naïfve couleur
25   A un ruban tissu de soye cramoisine,
Un peu large et grosset[10] : Ta parole divine
Plus douce que le miel, fraischement espuré[11] :
Sous les floccons dorez de ton poil esgaré[12],
Le vermeil delicat de tes joues mignardes
30   Se monstre tout ainsi que le teint des Grenades
Rougissant au milieu de la fente, où le grain
Dans le pourpre sanguin se monstre tout à plain[13].
    Ainsi que de la Tour jusqu'au Ciel eslevée
Ouvrage de David[14], de tous costez flanquée,
35   De bastions armez, pendent sur le dehors
Les targues, les boucliers, despouilles des plus forts[15] :

Ainsi de ton beau col, comme un nouveau trofée,
Pend une chaisne d'or richement étoffée
De Perles, de Rubis à l'esclat rougissant,
40   Ornement precieux de ton col blanchissant,
Qui de couleur naïfve, et de lueur brillante
Esbloüissent les yeux de la troupe beante
Apres tant de beautez, qui de crainte et de peur
Se reglace le sang, et rechauffe le cueur[16].
45   De ton sein relevé l'enfleure aboutissante
D'une framboise tendre, à demi rougissante[17],
Est pareille en douceur aux petits Fans jumeaux
Que la mere nourrist entre les fleurons beaux   [81 v°]
Des Roses[18], et des Lis, tant est lisse et douillette
50   La mollette rondeur de sa peau tendrelette[19].
Demain au plus matin que l'Aurore à son tour
Aura de ses longs doigts entamé le beau jour,
Et chassé l'ombre espais de la nuict sommeilleuse,
J'iray dessus les monts, où l'escorce gommeuse .
55   Des hauts Cyprés larmoye, et le myrrhe, et l'encens,
Qui parfume d'odeurs et les bois, et les champs[20].
Or en toutes beautez M'amie est toute belle,
Et sans tache, et sans fard, et n'y a rien sur elle
Qu'on puisse blasonner : car tout y est parfaict,
60   Et n'y a que reprendre[21] en ce corps si bien faict[22].
Vien du mont du Liban, vien ma chere compagne,
Laisse ce lieu desert, laisse ceste montagne,
Sur les coupeaux d'Hermon[23] tost il vous faut venir
Pour voir les hauts sommets d'Amane et de Senir[24] :
65   Ces lieux sont plus plaisans, que ces forests desertes,
De hauts Pins chevelus et de buissons couvertes,
Outre que les Lyons, les Pardes, et les Ours,
Pour se mettre en repos, y repairent tousjours[25].

    Ma Nymphete ma sœur, une amoureuse flame
70 Qui sort de ce bel œil, m'a bruslé dedans l'ame
    Et desrobé le cueur : c'est cet œil amoureux,
    Cet œil gauche[26], ma Sœur, qui me rend langoureux :
    C'est ce poil d'or frisé[27], qui flottant se replie
    Autour de ce beau col, qui tient serve ma vie :
75 C'est ce carquan brillant sur ton beau sein, ma Sœur,
    Qui m'altere le sang, et me fait playe au cueur :
    Ton haleine est plus douce, et plus douce ta face[28],
    Ton sein plus delicat, et plus douce ta grace,   [82]
    Mon Espouse, ma sœur, que le nectar sucré,
80 Mieux fleurante cent fois que le vin pressuré
    Du raisin muscatel : et l'odeur souefve et bonne
    Qui sort des menus plis de ta robe, Mignonne,
    Plus douce mille fois que le parfum plus dous
    Qui se pourroit confire excellent dessus tous[29] :
85 Le miel frais espuré des ruchettes gaufrées,
    Distile, savoureux, de tes levres sucrées[30] :
    Sous ta langue mignarde un ruisseau doucelet
    S'escoule gracieux et de manne[31], et de laict :
    La senteur du Liban n'est point si gracieuse,
90 Ny plaisante à sentir que l'odeur precieuse
    Et le parfum qui sort de ton accoustrement[32].

    M'amie est un jardin entouré proprement
    D'une enceinte fort haute[33], elle est la source vive,
    Dont mesmes les Bergers ne connoissent la rive,
95 Secrete, recelée et dont le clair ruisseau
    Est enclos et sellé à la marque d'un seau[34].

    Le Verger de M'amie est de plantes exquises,
    C'est un vray paradis de pommes, de cerises,
    En tout temps florissant de tous arbres fruitiers,
100 D'orangers, grenadiers, de canfre, de figuiers,

D'aspic et de saffran, de cyprés, de murtelle,
De lavande, de thym, de basme, et de canelle :
Et bref de tous les bois, qui moittes de sueur
Distilent ou l'encens, ou quelque autre liqueur[35].
105 M'Amie est du jardin la vive fontainette,
Le puits de vive eau qui sourd argentelette
A petits flots ondez des cimes du Liban[36].
Sus donc laisse cet air, orage Borean,   [82 v°]
Ruine du Printemps, et des fleurs tendrelettes[37] :
110 Vien Soulerre au dous flair, et d'ailes plus mollettes
Au mignard eventail sous un souffle benin[38]
Evente promptement les fleurs de mon Jardin,
A fin que son parfum et son odeur gentile
Sur moy son cher Espous de toutes parts distile.

L'ESPOUSE.

115 Si de mon jardinet la fleur et le fruit dous
Te plaist comme tu dis, descen mon cher Espous,
Vien manger de son fruit, qui meurissant se panche,
Et ja prest à cueillir jaunist dessus la branche[39].

<XVIII -6>

ECLOGUE V.

JESUS-CHRIST vient au secours de son Eglise, invitant toute ame fidelle
à l'aimer, et s'enyvrer de sa parolle, à fin de tenir la porte ouverte et tousjours
preste à le recevoir, quand il nous fera la grace de s'y presenter.

L'ESPOUS.

OR je suis descendu à ta vois douce et lente,
Dedans ton jardinet, ma Sœur, ma chere amante,

Où j'ay faict la moisson des fleurantes odeurs
De Myrrhe[1], de Cyprés et de mille senteurs :
5   Où j'ay mangé, friant, la gaufre canelée
Où se confist le miel, et se caille en gelée,
Où j'ay pris, bienheureux, et beu à mon souhait,   [83]
Le vin plus delicat, et la cresme, et le laict[2].
Doncques mes chers Amis, mangez je vous supplie,
10   Et beuvez la liqueur, qui les soucis deslie,
De ce vin muscatel : sus donc enyvrez-vous,
Cueillez de ce jardin le fruit plaisant et dous[3].

L'ESPOUSE.

Le sommeil paresseus tient ma paupiere close,
Et mon corps travaillé sous ses ailes repose :
15   Mais las ! pour mon Ami, et pour l'amour vaincueur,
Sans trefve et sans repos tousjours veille mon cueur[4].
J'enten de mon Ami la voix prompte et accorte,
Il m'appelle, il me huche, et frappe à nostre porte.

L'ESPOUS.

Ouvre moy tost, mon œil[5], mon Espouse, ma sœur,
20   Ma chere ame, mon tout, ma grace, ma douceur[6],
Ouvre à ton cher Espous, ma perruque arrosée,
Pour te chercher la nuict, est moitte de rosée[7] :
Je suis tout trapercé, M'amie avance toy,
Sus leve toy, M'amour, sus m'amour ouvre moy[8].

L'ESPOUSE.

25   Comment puis-je mon Cueur, honorer ta venuë ?
Comme te puis-je ouvrir ? hé je suis toute nuë !
J'ay les piez blancs et nets, je les ay faict laver

Ce soir en me couchant, et s'il me faut lever
Je les pourray souiller : hé je suis au lict ores,
30 Comment me vestiray-je une autresfois encores ?
Pendant que je paresse, il avance soudain
Par la fente de l'huis sa belle et blanche main :
A ce bruit dous et lent, tout promptement je meure
Si mon cueur ne tressaut, et si je ne demeure   [83 v°]
35 Presque toute esperdue, une froide sueur
Coule dedans mes os, toute tremblant de peur[9].
Estant en ce frisson, et presque demi morte
Je me leve soudain, à fin d'ouvrir la porte
A mon loyal Espous, lors du myrrhe plus dous
40 Distilerent mes doigts[10], qui dessus les verrous
Et dedans le ressort de la serrure coule,
Qui fait que dans le gond plus aisément se roule[11] :
Bref j'ouvre à mon Ami, mais le pensant trouver
Je ne le trouve point[12] : puis en l'oyant parler
45 Ainsi qu'il passoit outre, et se mettoit en fuite
Pour eschaper de moy, ma pauvre ame despite
Et noire de courroux se distile et se fond[13].
Courant je le poursuy d'un pié leger et prompt,
Par toute la cité je le cherche et l'appelle,
50 Venez à moy, mon Cueur, et ne fuyez pas celle
Qui vous cherche et vous suit, et qui vous aime mieux
Mille fois que sa vie, et cent fois que ses yeux :
Mais il ne respond point, et fait la sourde aureille
A celle qui n'eut oncq en amour sa pareille[14].
55 Le Guet qui pour la nuict fait garde sur les murs
Me rencontre bagnée et de pluye, et de pleurs :
Il me meurdrist de coups, il me frappe, et m'outrage,
M'oste le crespe noir qui couvroit mon visage[15].
Nymphes le seur appuy et l'unique secours[16],

60   L'enseigne et le guidon de mes chastes amours[17],
     Si de mon cher Espous sçavez quelque nouvelle
     Secourez je vous pry son Espouse fidelle,
     Et m'enseignez au vray le canton et la part
     Où il s'est retiré pour se mettre à l'escart :   [84]
65   Car je languis d'Amour, nourrissant pour sa flame
     La glace sur le front, et le feu dedans l'ame[18].

LES FILLES DE SION.

     Mais qu'a plus ton Ami, ô Belle entre cent mille,
     Ou de rare, ou de beau, ou grace plus gentille
     Que les autres amans ? a til plus de beauté,
70   Plus de perfections, ou plus de majesté,
     Pour adjurer ainsi toutes les troupes belles
     Des filles de Sion, tes compagnes fidelles ?

L'ESPOUSE.

     Le teint de mon Ami est blanc, frais, et douillet,
     Delicat, tendre et mol, un petit vermeillet[19],
75   Choisi entre cent mille, et vaillant, et honneste :
     Il porte enrichi d'or et le front et la teste,
     Il a les cheveux tors, recrespez longs et beaux[20],
     Noircis de la couleur que portent les Corbeaux.
     Ses yeux sont tout ainsi que ceux des Colombelles,
80   Sur le Printemps nouveau quand sur les rives belles
     Du coulant argentin de quelque ruisselet
     Ils vont faisant l'amour et se lavent de laict[21].
     Un petit crespe noir en se frisant cotonne
     Autour de son menton, et fait une couronne
85   A l'une et l'autre joüe, aboutissant ainsi
     Que les bords d'un jardin sursemé de Souci,

De thym, de marjolaine, et de fleurs embasmées
De main industrieuse artistement semées,
Dont l'amas bigarré d'une moisson de fleurs
90 Va parfumant nostre air de leurs souefves odeurs[22].
Le coural soupirant de ses levres molletes,
Ainsi que le bouton des roses vermeillettes   [84 v°]
A l'œil à demi clos, qui s'entrouvre au matin,
Le sous-ris de l'Aurore, et l'honneur du jardin,
95 Ou le Lis espani, dont la fueille embasmée
Va distilant le Myrrhe en sa bouche sucrée[23].
Ses beaux doigts delicats, potelez, ronds et longs[24],
De pierres de valeur en cent et cent façons
Assises en or fin sur la molle jointure
100 Se monstrent à mes yeux, chef-d'œuvre de nature.
Son ventre est aussi blanc que l'ivoire poli,
Marqué sur le milieu d'un Saphir embelli,
Douillet et potelé : Ses greves compassées
Comme de marbre blanc deux colonnes dressées,
105 Et mises proprement sur une baze d'or :
Sa façon gracieuse, et son regard encor,
Son port, sa majesté, sa taille haute et droite
Apparoist dessus tous de grace aussi parfaite
Que le tronc haut et droit d'un Cedre verdissant,
110 Qui sur le mont Liban va le chef herissant[25].
Sa bouche et son palais ne parlent rien que roses,
Ne souspirent que Lis et fleurettes écloses[26] :
Bref, il est tout parfait, et n'y a rien en luy
Qu'on puisse desirer, tant il est accompli.
115 Aussi c'est mon Espous, mon cueur, ma chere vie,
Mon mignon, mon desir, qui m'a l'ame ravie :
C'est mon ami c'est luy, filletes de Sion,
Bien vous le connoissez et sçavez bien son nom[27].

LES FILLES DE SION.

Mais où s'est-il perdu ? ô Belle entre les belles,
120　　Dy nous en quel destour, ou en quelles ruelles
Il s'est si promptement derobé de tes yeux ?　　　　　[85]
Où il s'est escarté, quelle part, en quels lieux ?
Nous irons avec toy, te ferons compagnie,
Pour chercher l'Amoureux qui se perd de s'Amie.

<XVIII -7>

ECLOGUE VI.

JESUS-CHRIST descend une autre fois au jardin odoriferant de son
Eglise, se paist du gracieux parfum de sa parolle : puis estant asseuré de son
Amour, fait une naifve description de ses beautez.

L'ESPOUSE.

NYMPHES, mon cher Espous est entré ce matin
Au petit poinct du jour seulet en mon jardin,
Non ne le cherchez plus, il vient cueillir les roses
Dans ce parc emaillé de mille fleurs écloses,
5　　Dans ce jardin fleuri, qui d'un air souef et dous
Nous parfume, odoreux, et nous embasme tous :
A fin qu'en ce verger plaisant et delectable
Il se paisse à souhait de ce fruit desirable,
Et pille, bienheureux, de ses beaux doigts polis
10　　L'odorante moisson des Roses et des Lis[1].
Je suis sienne, il est mien, et d'une mesme flame
Doucement dedans nous brusle l'une et l'autre ame[2] :
Il se paist, amoureux, de la jeune blancheur
Des beaux Lis sursemez d'une souefve douceur.

L'ESPOUS. [85 v°]

15 M'Amie ha plus de grace en son port venerable
Que Thirse la gentille[3], elle est plus honorable,
Et porte sur le front trop plus de majesté
Que n'eut oncq de Sion la superbe cité :
Elle ha dedans ses yeux une force animée,
20 Telle que la fureur d'une vaillante armée
Qui marche rang à rang en escadrons quarrez,
Enseigne desployée, et soldats bien parez[4].
   Há je brusle d'Amour ! Há je brusle, ma Belle,
Destourne tes beaux yeux, qui font que je chancelle
25 Esbloüy de leur grace et de leur vive ardeur,
Tant me rendent honteux, et m'abaissent le cueur.
   Ton cheveu crespe et long en tresses blondissantes[5]
Resemble au poil frisé de ces Chevres paissantes
Ensemble d'un beau ranc sur le mont Galadin[6] :
30 L'yvoire de tes dens, à ce troupeau benin
Qui marche flanc à flanc, quand revenant de l'onde
Il porte la toison nette, pollie, et blonde,
Ayant de fans jumeaux tousjours le ventre plain,
Sans que jamais il soit ou sterile ou brehain.
35   Sous les flots annelets de ta blonde crespine[7]
S'entrevoit sur ta face une couleur pourprine,
Ainsi qu'une Grenade au premier temps nouveau
Porte un blanc detrampé de rouge sur la peau.
   J'ay dedans mon Serrail quatre vingts Concubines[8],
40 En leur jeunesse tendre et belles et poupines,
Et des Roynes soixante en leur premiere fleur,
Belles comme le jour : J'ay des filles d'honneur
Un nombre non fini, mais ma Sœur toute belle
Est la perfection, l'unique colombelle, [86]

45   La grace de sa mere, et le chois plus parfaict
      De celle dans le bers qui luy donna le laict.
      Les filles de Sion ont veu mon amoureuse,
      Les Roynes l'ont prisée, et ditte bienheureuse :
      Les femmes l'ont vantée, et luy faisant honneur
50   Toutes ensemblément ont loué sa grandeur.

LES FILLES DE SION.

      Mais dites je vous pry, dites nous qui est celle
      Qui paroist à nos yeux, et se monstre aussi belle
      Que l'Aurore qui sort de ses rideaux pourprez
      Pour allumer le jour de ses rayons dorez[9] ?
55   Aussi belle en son teint que la chaste Courriere
      Qui court au grand galop par la noire carriere[10] ?
      Exquise en ses beautez, et en son teint vermeil,
      Autant qu'au plus beau jour les rayons du Soleil ?
      Grave en sa majesté, en port, et en parolles,
60   Ainsi qu'un escadron fourny de banderolles,
      D'enseignes, de guidons, et de soldats guerriers,
      La gloire de l'armée, et le pris des lauriers[11] ?

L'ESPOUSE.

      Or je suis descendue en ce lieu de plaisance
      Au jardin amoureux, pour voir la jeune enfance
65   Des boutons avancez, et voir si le bourgeon
      Avoit laissé sa bourre et jetté son cotton :
      Pour voir si le rejet de la vigne mollette
      Poussoit sa belle fleur, si la branche tendrette
      Des jeunes Grenadiers florissoit boutonné
70   Pres ce ruisseau, de fleurs et d'herbes couronné[12] :
      Mais voulant approcher une voix redoublée

Comme de mon Ami, m'appellant m'a troublée   [86 v°]
Et rompu mon dessein, lors je double le pas
Pour retrouver celuy qui de ses doux appas
75   A mon ame charmée, et pleine d'alaigresse
Je cours deçà delà d'aussi prompte vistesse
Que les coches dorez de roüe, et de limon
Du Roy Aminadab, roulent sur le sablon[13].

L'ESPOUS.

Retourne Sulamithe, et me monstre ta face,
80   Que je contemple, heureux, et tes yeux, et ta grace[14].

LES FILLES DE SION.

Es yeux de Sulamith' que verrez-vous sinon
La guerriere fureur, comme d'un bataillon
Ondoyant tout ainsi qu'une troupe assemblée,
Qui trepigne en dançant d'une douce meslée[15] ?

<XVIII -8>

ECLOGUE VII.

En ceste Eclogue est une autre description des particulieres beautez de l'Eglise, enrichies de comparaisons rares et divinement appropriées aux perfections d'icelle.

L'ESPOUS.

NOBLE et gente Princesse, et de beauté divine,
Que ton alleure est grave et ta chausse poupine[1]
Assise proprement dedans ton escarpin,
A l'endroit du genoil où la cuisse prend fin !
5   La jointure est si juste, et si bien emboitée,   [87]

Qu'on diroit proprement estre une œuvre taillée
De quelque grand ouvrier, tant elle est au mouvoir
Et mignarde, et gentille, et gracieuse à voir.
Ton nombril delicat, qui sert comme d'un centre
10   Sur un arc arrondi[2], marque de ce beau ventre,
Resemble à la rondeur d'un vase fait au tour,
Tousjours plein de parfum et de fleurs à l'entour.
Ton ventre potelé, doüillet, grasset[3], resemble
Au monceau de fourment en rondeur mis ensemble,
15   Remparé tout autour de beaux Lis blanchissans,
Qui couronnent ce rond haussé entre deux flancs.
Le petit mont jumeau de tes deux mammelettes
Semblent deux petits Fans, qui parmi les fleurettes
Folâtrent à l'envi[4]. L'yvoire blanc et mol
20   Qui flotte à menus plis par dessus ton beau col,
Est semblable à la tour en rondeur eslevée,
Toute d'yvoire blanc richement achevée[5].
De tes yeux languissans le clair et doux rayon
Resemble au beau crystal des fontaines d'Hesbon[6],
25   Qui vont lechant mouillant la porte plus secrete
Des murs de Bathrabin[7], d'une onde argentelete[8].
Le profil de ton nez est semblable à la Tour
Assise au mont Liban, qui découvre à l'entour
La ville de Damas et les champs de Syrie[9].
30   Ton chef paroist ainsi que la cyme florie
D'oliviers pallissans du grand mont Carmelin[10].
Comme les bords frangez d'un bord escarlatin[11]
Ton poil est recrespé en tresses vagabondes,
Ondoyant tout ainsi que le coulant des ondes,
35   Qui court par les replis de ses canaux retors[12].   [87 v°]
M'amie est toute belle et dedans et dehors,

Ce ne sont que plaisirs, ce ne sont que blandices,
Qu'amitié, que douceur, que beautez, que delices :
Sa taille haute et droitte est comme un grand Palmier
40   Sur la forest branchue haut eslevé dans l'air[13] :
Ses tetins pommelez d'une enfleure jumelle[14]
Sont douillets tout ainsi qu'une grape nouvelle[15] :
La bonne odeur qui part de tes levres, mon Cueur,
Aussi douce à sentir que la plaisante odeur,
45   Et le flair doucereux, que rend la pomme franche
Sans fueilles jaunissant meure dessus la branche[16].
Le nectar savoureux qui coule de ta vois
Est comme la liqueur de ce bon vin Gregeois,
Que l'on donne à l'ami, et qui la levre tarde
50   Et pesante des vieux, rend souple et babillarde[17].

L'ESPOUSE.

Je suis à mon ami, et mon ami est mien :
Son plaisir est le mien, et le mien est le sien.
Sus donc mon cher Espous, sortons, il n'est que d'estre
Eslongné de la ville en quelque lieu champestre[18],
55   Demeurons au village, et nous levons matin
Pour mieux prendre le frais, entrons dans le jardin
Pour voir si le bourgeon de la vigne tendrette
Avance d'espanir sa petite fleurette,
Comme le Grenadier[19], et voir en ce temps beau
60   De la terre et des bois l'enfantement nouveau.
Là de mille baisers je souleray ton ame,
Là je te donneray, prodigue de ma flame,
De mon sein blanchissant l'un et l'autre tetin,
Et l'honneur florissant de mon petit jardin[20] :   [88]
65   Là je te donneray et fleurs et fruits encore.

Desja devant nostre huis florist la Mandragore[21]
Et respand ses odeurs sous les tiedes soupirs,
Et le doux eventail des ailes des Zephyrs[22].
J'ay des pommes aussi et vieilles, et nouvelles,
70   Que je garde pour toy, jaunes, grosses et belles :
Si ce present au moins, comme de petit pris,
Mon Cueur, mon cher Espous, ne te vient à mespris.

<XVIII -9>

ECLOGUE VIII.

En ceste Eclogue l'Eglise desire JESUS-CHRIST estre comme son jeune
frere, à fin qu'avecques plus de liberté elle puisse estre instruitte de sa parolle.

L'ESPOUSE.

FUSSES tu mon Espous, comme mon petit frere
Suçant dans le giron le tetin de ma mere,
A fin que plus souvent pour ma flamme appaiser,
Je peusse devant tous librement te baiser,
5   Pour n'estre blasonnée, et qu'une belle excuse
Tint nostre feu couvert sous une douce ruse :
Lors tu viendrois content et libre en la maison
De ma mere, enseigner ma premiere saison,
Des graces que la Vierge en sa jeunesse tendre   [88 v°]
10   Doit suyvre bien apprise, et chastement apprendre.
Là de ce vin confit tu beurois, amoureux,
Et de mon Grenadier le surmoust savoureux :
Là sous mon chef lassé souvent ta main senestre
Douce se glisseroit, m'embrassant de la destre[1].

L'ESPOUS.

15 Ce pendant que M'amie est en son doux repos,
Et que pour mieux le prendre elle tient les yeux clos,
Filles je vous supply que point on ne l'esveille
Du sommeil doux et lent, jusqu'à tant qu'elle vueille².

LES FILLES DE SION.

Mais qui est celle-là sous ces ombrages verds,
20 Pleine de doux parfum qui monte des deserts
Dessus son cher Espous mollement appuyée³ ?

L'ESPOUS.

C'est dessous ce Pommier que je t'ay réveillée,
Dessous l'ombre duquel ta mere te conceut
Et accoucha de toy : Pommier gentil, qui fut
25 Le fidele tesmoin de nos flammes secretes,
Et des baisers mignars de nos levres molletes.
Grave moy dans ton cueur comme un image beau
Mignonnement taillé dans le fond d'un anneau,
Ou le brasselet d'or qui ton bras environne⁴.
30 Car ainsi que la Mort, l'Amour entiere et bonne
A la main dure et forte⁵, et sur nous ha pouvoir
Des hommes le vainqueur. Comme un sepulcre noir
Qui nous embarque tous, dure est la Jalousie⁶ :
C'est un brasier ardant, c'est un feu qui prend vie,
35 Et s'amorce, et s'allume, et s'accroist peu à peu.
L'eau ne sçauroit esteindre ou amortir ce feu,   [*90 - *sic*]
Les grands flots de la mer, ny les eaux des rivieres
Ne le pourroyent noyer, tant sont fortes et fieres
Les flammes de l'Amour, l'Amour ne cede à rien :

40   Si quelqu'un me donnoit sa chevance et son bien
      Il n'auroit pas de moy l'amour que je soupire,
      J'aurois mesme à desdain le sceptre d'un Empire[7].

                     L'ESPOUSE.

      Nous avons une sœur, petite et jeune d'ans,
      Qui ne découvre encor la fleur de son Printemps,
45   N'ayant point de tetin, mais jeune, tendre et belle[8] :
      Lors que viendra le jour qu'on tiendra propos d'elle
      Pour luy donner espous, qu'en ferons-nous ma Sœur ?

                     LES FILLES.

      Si c'est un mur d'airain[9], ferme, fort, et bien seur,
      Un beau palais d'argent edifirons sur elle[10] :
50   Et si c'est un portail, d'une planche immortelle
      De Cedre bien choisi, nous la fortifirons[11].

                     L'ESPOUSE.

      Je suis le mur d'airain, mes tetins beaux et ronds
      Comme petites tours[12], aussi dans la lumiere
      De ses yeux languissans je suis l'avancouriere,
55   Et celle qui au monde a retrouvé la paix.
      Ce grand Roy Salomon est seigneur pour jamais
      Dedans Bathalamon[13] d'une vigne tres-belle
      Qu'il a baillée en garde, et chacun doit pour elle
      Mille pieces d'argent à payer chacun an[14].

                     L'ESPOUS.

60   La vigne est toute à moy, et mon œil gardien
      Tousjours veille sur elle, et l'a prise en sa charge,
      J'y commande tousjours, et l'ay dessous ma targe[15]. [90 v°]

LES FILLES.

Aussi pour le raisin tu reçois tous les ans
Mille pieces d'argent, et les Gardes deux cens.

L'ESPOUS.

65   Belle, de ce Verger gardienne fidelle,
Par les sons redoublez de ta voix immortelle
Tu as derobé l'ame à ce peuple voisin[16],
Fay donc que je l'entende, et que ce beau jardin,
Ces plaines, et ces monts, et ce touffu bocage
70   Ne s'anime sinon de ce plaisant ramage[17].

L'ESPOUSE.

Fuy tost mon bien aimé d'un pié prompt et leger
Aussi viste qu'un Daim ou un Fan bocager,
Brossant, fuyant, courant, par ces forests ramées,
De Cedre et de Cyprés aux gommes embasmées[18].

FIN DES ECLOGUES SACRÉES.

EXTRAIT DU PRIVILEGE.   [91]

Par grace et privilege du Roy il est permis à Remy Belleau faire imprimer par tel Imprimeur que bon luy semblera, tous et chacuns les livres par luy composez en ryme françoise, sans que pendant et durant le temps et terme de dix ans ensuyvans et consecutifs, à commencer du jour et datte que lesdits Livres seront achevez d'imprimer, autre que ledit Imprimeur qui aura esté esleu et choisi par ledit Belleau les puisse imprimer, sur peine d'amende arbitraire, et de confiscation de tous lesdicts livres qui se trouveront imprimez sans le congé et permission dudit Belleau. Ledit privilege donné à Blois le xi. jour de Septembre 1571. Signé NICOLAS. Et séellé du grand séel en cire jaune sur simple queuë.

INTRODUCTION AU *TUMULUS*
par Maurice-F. Verdier.

Le *Tumulus* poétique bâti à la mémoire de Belleau par ses amis a été publié dès 1577 et figure donc, conformément à nos principes éditoriaux, dans ce tome V des ŒUVRES. Ces poèmes, qui révèlent les qualités humaines de l'écrivain et l'accueil réservé à ses vers par les lettrés de l'époque, seront tout naturellement repris dans l'édition posthume ainsi que dans la suivante, en 1585.

1) Etablissement du texte :

Nous reproduisons l'édition originale de cet opuscule : *Remigij Bellaquei / Poetæ / Tumulus /* Lutetiæ, / Apud Mamertum Patissonium, in officina / Roberti Stephani / MDLXXVII. (exemplaire de la Mazarine, cote 10629). L'édition posthume suit scrupuleusement l'original, en respectant l'ordre des poèmes[1]. Les variantes concernent seulement l'orthographe, avec deux corrections : *larme*>*s*< (IIIc, v. 10) et le tréma ajouté sur le *u* de *Doua* (IX : mot dissyllabique).

---

1 Gouverneur, le seul éditeur moderne à avoir publié le *Tumulus* (t. III, 365-78) a procédé à des changements et à des ajouts :

a) Le quatrain de Ronsard (originalement le V) remonte à la 3ᵉ place, juste après les pièces de Dorat et de son gendre. Suivent immédiatement les traductions de ces vers, latine pour Passerat (III), transcrite à son tour en grec par Rob. Estienne (XVIb).

b) À la même place que dans l'édition des *Œuvres* de 1585 (que j'ai consultée à Aix, Méjanes, cote C 2977), Gouverneur insère, entre le sixain d'A. Jamyn et le sonnet de Troussilh, 49 vers latins de Binet (*Claudii Bineti ad Ronsardum*). Ce poème ne figure pas dans l'éd de 1577 ni dans celle de 1578. Vraisemblablement, Binet n'a pas pu faire parvenir cette pièce assez tôt à l'imprimeur.

c) Enfin Gouverneur ajoute les 18 sixains adressés à Claude Binet par Jacques de Courtin, sieur de Cissé (1560 ? -1584), gentilhomme percheron, qui mourra à 24 ans, après avoir publié un recueil de poésies en 1581. Selon Gouverneur (*op. cit.,* p. 382, n. 1), « il a laissé en outre une Bergerie dans le goût de celle de Remy Belleau, dont la publication serait fort intéressante ».

J'ai pensé que le lecteur serait sans doute curieux de connaître d'autres textes rédigés par des amis de Belleau, et qui auraient pu figurer dans le *Tumulus*. On pourra les lire à la fin des Notes.

2) Composition du Tumulus.

S'il n'est pas comparable au *Tombeau* de Ronsard, publié en 1586, qui comporte 103 poèmes, il apparaît cependant comme assez fourni : 25 textes, écrits par 17 amis ou admirateurs du poète. On pourrait redouter que cet assemblage de pièces en vers, écrits et envoyés dans la précipitation à l'éditeur (à preuve, leur brièveté et le fait que le poème latin de Binet est arrivé hors délai), ne fourmille de redites et ne lasse par sa monotonie. Or c'est la variété qui prime, sans doute parce que chacun a souvent utilisé des souvenirs personnels[1]. Et ne peut-on penser qu'un maître d'œuvre a communiqué les textes déjà reçus à ceux qui ne les avaient pas encore écrits et leur a suggéré des formes et des thèmes différents ? Ne serait-ce pas le professeur de Coqueret, aidé de son gendre, dont les poèmes figurent en tête du recueil ? N'avait-il pas dirigé, en 1569, la publication des *Pœanes sive Hymni in triplicem victoriam* [...], où différents poètes (dont Ronsard, Baïf, Jamyn et Belleau) célébraient la victoire de Moncontour (voir notre t. III, p. 119) ? Malheureusement les 8 feuillets in quarto du *Tumulus* ne comportent ni privilège ni préface, qui pourraient confirmer mon hypothèse.

Quoi qu'il en soit, l'un compose des vers rapportés (XIc), l'autre un *distichon numerale* (XVa). Ceux-ci s'adressent à un passant, qui s'attarde devant le sépulcre (VII et XVII), celui-là donne la parole au tombeau (XVIa)[1]. Du Tronchay mentionne *Elbeuf*, l'ancien élève de Belleau, dont il fit son conseiller et l'intendant de sa Maison (XII). L'utilisation du grec et du latin, qui rappelle au lecteur l'amour du défunt pour l'Antiquité, est aussi un élément de variété.

3) Thèmes traités.

– La croyance religieuse à l'immortalité de l'âme et à sa séparation d'avec le corps est omniprésente, au point que pour certains l'intérêt porté au tombeau n'a pas lieu d'être (Passerat,

---

[1] Sur la diversité et l'ingéniosité du genre chez les Anciens, voir Denis Roques, *Tombeaux grecs. Anthologie d'épigrammes*, Paris, Le Promeneur, 1995, p. 13-15.

IIIa, Desportes, VII, v. 13-14, etc.). A cette idée se joint celle d'une immortalité terrestre, obtenue par les écrits du poète, qui seront lus et appréciés par la génération suivante (Baïf, VIa et b, Jamyn, VIII, et *passim*).

– Il y a incontestablement un jeu de la traduction, que Belleau avait pratiqué d'abord avec Ronsard (notre t. I, 177-79), puis avec Scévole de Sainte-Marthe (t. III, 137 et 153-56), enfin avec Léger du Chesne (voir dans ce tome le *Généthliaque*). Ainsi Dorat traduit son texte grec en latin et Baïf fait l'inverse, comme L. Martel en fin de recueil, sans parler des versions du quatrain de Ronsard, signalées plus haut.

– C'est toute l'œuvre de Belleau (mis à part les écrits en faveur de Condé, de 1561 et le *Dictamen*), qui est citée ou évoquée : pour Goulu, il est tout à la fois l'Orphée, le Théocrite et l'Anacréon français. Selon Desportes, on a enterré avec Belleau « Phebus, Amour, Mercure, et la plus chere Grace ». La Gessée cite des titres : *Hymni* (Petites Inventions), *Basia*, les Bergeries (*Ovile*) et le grec Anacréon naturalisé français (XIa).

– Les *Pierres précieuses* sont présentes dans presque tous les poèmes. Elles sont la dernière œuvre publiée (six mois avant la mort du poète) et les contemporains les considèrent comme son chef-d'œuvre. Cet engouement a donné lieu à des inventions d'un goût que l'on peut qualifier de baroque : l'abbé de Pimpont dans son *Epitaphium* rappelle la légende de Pyrrha et Deucalion, rescapés du déluge (voir la note 14) et suggère (v. 8-9) que Belleau, arrivé aux Champs Elysées, s'est peu à peu pétrifié, sous une forme « précieuse[1] », à l'instar du Soleil, pierre scintillante, qui s'éteint dans l'Océan, pour de nouveau diffuser la lumière. Quant à Passerat (III b et c), il affirme que le poète est pleuré en Italie, mais aussi en Orient, sur les lieux de gisement des gemmes, ce qui provoque la crainte de voir toutes

---

1 Cette métamorphose est un des motifs du thème de la gloire : le buste survit à la cité, le marbre a l'éternité ; cf. Rabelais, Prologue du *Quart Livre*, éd. du Seuil, p. 836 : « Vu que tant ils convoitent perpetuer leur nom et memoire, ce seroit bien leur meilleur estre après leur vie en pierres dures et marbrines convertis ».

celles-ci, dans leur chagrin, se liquéfier en larmes, à l'inverse de la *Perle* de Belleau qui, elle, est issue des pleurs de l'Aurore.

– Mais le plus notable est l'importance donnée aux qualités humaines du défunt et à leur formulation. Déjà Du Bellay, dans un de ses *Regrets* (CXLV), qualifiait son ami de « sçavant et vertueux ». Mais bien d'autres qualificatifs élogieux sont donnés dans le *Tumulus*. Goulu, le premier, l'a connu doux, aimable, sans haine, sans désir de s'enrichir et de rechercher le pouvoir. Baïf évoque l'homme, avant l'écrivain : il ajoute qu'il était intègre, courtois et distingué (*elegans*). Il n'avait pas d'ennemis et faisait la conquête de tous ceux qui l'approchaient. Desportes est enthousiaste : « Ce n'estoit que douceur, que sçavoir, que vertu ». Troussilh affirme que sa langue ne fut pas *vanteresse* et qu'avec ses autres qualités il est un modèle pour la jeunesse (v. 7-8), jugement que l'on peut rapprocher de Le peuple <pleure> son *patron* de vie (XII, v. 6) ». La Gessée nous transmet son émotion. Il nous fait pénétrer dans l'intimité du poète disparu, qui le recevait souvent et lui récitait des vers, sans doute les siens.

4) Sincérité ou éloge convenu ?

Chamard conseille de « se montrer circonspect envers ces témoignages d'admiration et de regret que l'on appelle les *tombeaux*[1] », mise en garde qu'il réitère[2] à propos du *Tumulus,* « monument artificiel, où l'éloge est *hyperbolique* ». Je ne le crois pas. La vie de Belleau en témoigne :

– Roturier de naissance le poète dut, grâce à un travail acharné, assurer sa subsistance et par ses études et son talent rivaliser avec les meilleurs poètes. S'agissant de ses protecteurs, il faut les considérer aussi comme des *employeurs*. En 1560, dans le Commentaire du Second livre des *Amours* de Ronsard[3], il dit qu'il doit « plus d'obeissance et d'humble service » à Chretophle de Choiseul et évoque la permission de séjour à

---

1   *Histoire de la Pléiade*, t. I, p. 23.
2   *Ibid.*, t. III, p. 282
3   Éd. cit., p. 17.

Paris (accordée par lui) pour terminer la traduction des *Odes* (voir t. I, p. 75). En 1563, le marquis d'Elbeuf l'entraîne au château de Joinville, où il lui confie l'instruction de son fils ; ce dernier l'attachera plus tard à sa Maison, comme conseiller et intendant. Une seule exception : le don d'une « *cure* », en 1561, qu'il semble avoir dirigée de loin[1] et qu'il a assez vite abandonnée, au plus tard en nov. 1563, date de son départ pour Joinville. Il ne quémandera pas régulierement, comme d'autres, abbayes et pensions.

– Il était *discret et secret* à la fois. Il fallait du courage pour participer à la campagne d'Italie (1556-57) et dans la relation qu'il en a faite, il ne parle jamais de ses propres faits d'armes, comme chevau-léger. Des circonstances de son départ, malade et déprimé, pour Joinville, il n'en dira mot dans la *Bergerie* de 1565. Il l'évoquera seulement dans la dédicace de la *Seconde Journée*, en 1572.

– Il ignorait *la haine et la vengeance.* S'il désapprouve les agissements de son premier protecteur, l'abbé de Mureaux, qui avait ruiné les moines dont il était responsable (voir t. I, p. 18), il n'en parlera jamais plus, se contentant d'adresser à un autre ses *Odes d'Anacréon.* Seule exception, les attaques contre Bèze et Calvin dans le *Dictamen,* mais c'est une œuvre polémique, écrite en pleine guerre civile.

– Belleau était *généreux.* A preuve, son testament, où figure un certain nombre de dons, en faveur de son domestique et de sa garde-malade, des Augustins et des pauvres de la paroisse. Se souvenant de ses débuts difficiles, il avait, à plusieurs reprises, aidé les jeunes dans leurs études : son neveu, en 1562, quand il était apprenti-apothicaire, avant qu'il n'entre dans un ordre monastique, son serviteur, Delacroix, en 1575, pour un apprentissage chez un chapelier, avec promesse de pourvoir à son entretien pendant 5 ans[2] ; enfin (dans son testament) en faveur du fils de son barbier pour la poursuite de ses études. Il

---

1   M. Jurgens, *Minutier Central des notaires - Ronsard et ses amis*, p. 201.
2   *Ibid.*, p. 210.

pousse l'honnêteté très loin : dans un additif à son testament, le poète précise aux notaires que sur la reconnaissance de dette signée Bahuet, d'un montant de 4.000 livres tournois, la moitié appartient au s^{r}de l'Isle [...], « qui n'en a aucune promesse dud. testateur[1] ».

– De caractère égal, sachant rester à sa place, traitant les gens avec délicatesse, reconnaissant volontiers la supériorité des autres, Belleau ne comptait que des amis, qui lui sont toujours restés fidèles. On peut s'étonner, dans ces conditions, de l'absence, dans ce *Tumulus,* de compagnons très proches comme Robert Garnier, son compatriote, Tabourot (tous deux avaient écrit des liminaires pour la *Bergerie* de 1572) et surtout Scévole de Sainte-Marthe (qui se rattrapera dans ses *Elogia*). Ils avaient, à coup sûr, des empêchements graves.

– Ce *Tumulus* est l'oeuvre de poètes déjà célèbres, comme Ronsard, Baïf, de professeurs comme Dorat, Goulu, Léger du Chesne, d'historiens comme Le Frère et d'un « connaisseur de médailles », sans doute protestant, qui jugent le défunt comme un poète de premier plan, méritant vraiment d'appartenir à la Pléiade. C'est aussi l'opinion de jeunes admirateurs comme La Gessée, Robin du Faux, Courtin de Cissé, qui le considèrent comme un maître en poésie. Espérons que les lecteurs et étudiants du 3e millénaire feront de même !

Maurice F. Verdier

N. B. Les poèmes sont numérotés en chiffres romains, suivis des lettres a, b, c, etc., quand plusieurs textes sont proposés par un même écrivain. Pour éviter toute confusion avec les poèmes de Belleau, seul le terme *Tumulus* figurera dans la Table des matières.

---

1 *Ibid.,* p. 212-213.

Remigii Bellaquei Poetæ

TUMULUS

<*Ia >

ΡΗΜΙΓΙΟΥ ΒΕΛΛΑΚΟΙΟΥ
Επιταφιον

Κυκνοιν ος διδυμοιν νεον αμπολεεσκες αοιδας,
    Κασταλιης αθολω ναματι τεγγομενος.
Θρηικιου κελαδῶν παρ Στρυμονι κρουματα κυκνου,
    Τοισι λιθοις τιμην πηκτιδι προσθεμενου.
Ειτα δ'Ιδουμαιοιο μελικυκνοιο μελιζων,
    Ψυχης ηδε θεου σεμνοπρεπεις δαρους.
Νυν αρα και κυκνου μορον εμμορες, οστις αμ'αμφω
    Μελπεο τε θνησκων, μελπομενος τ'εθανες.
                        Ιω. Αυρατος ποιητης Βασιλικος[1]

<*Ib >

IN REMIGII BELLAQUEI
TUMULUM

Qui modó cycnorum repetebas orsa duorum[2],
    Castaliæ puro fonte rigatus aquæ
Threicii modulans ad Strymona carmen oloris,
    Dum pretium gemmis per sua plectra facit,
Dein et Idumæi resonans pia cantica cycni,
    Atque dei atque animæ basia sancta piæ.
Nunc et olorina venisti ad funera sorte,
    Dum cantas moriens, dum morerisque canens[3].
                    Io. Auratus *Poeta Regius*

<*II >[1]

Μειλιχιον Φοιβου ποθεω τεθνηκοτα κυκνον,
Ηδυεπη προσπολον Μνημοσυνης θυγατρῶν,
Τον δ'αυται κλαιουσι θεαι κατα δακρυ χεουσαι
Πιεριδες, Νυμφῶν αμφιλαφης τε χορος.[2]
θηρες οδυρονται, πετραι, δρυες ουατοεσσαι,[3]
Κεινος τας ερατη τοπριν εθελγε λυρη.
Τουνομα καλον υδωρ κρηνης λιβας, ην ποτε πτηνου
Και προπετους ιππου σκληρος επηξεν ονυξ.
Λαοδαης Ορφευς, νομιος τε Θεοκριτος αλλος,
Αλλος Ανακρειων Φραγκιγενῶν γενετο.[4]
Αφθονος, εσθλος εην, και πασιν ερασμιος ανηρ,
Ουποτε χρυσομανης, μηδε μεριμνοσοφος.
Θεια νοῶν και θεια λεγων, μελοποιος αριστος.
Αξια τῶντε βροτῶν μελψατο τῶντε θεῶν.
Αλλα τι τυμβον εδειμαμεν; αυτος ετευξεν εαυτῶ[5]
Αφθιτον, αιδιον μνημα σοφη γραφιδι.

N. Γουλονιος.

<*IIIa >

In R E M. B E L L Æ I *obitum* I o. P A S S E R A T I U S

Professor et Interp. Regius.[1]

Quid nostro inferias, quid inania busta paramus
BELLÆO ? hæc campis ridet ab Elysiis[2].
Ipse sibi suprema tulit, struxitque poetæ
E gemmis tumulum gemmea Musa suo.

<*IIIb>

In eundem

Non infletus abis, ocelle vatum.
Te flent Hesperii, diúque flebunt :
Sed plus Hesperiis dolent Eoi[1],
Nec jam divitibus tument lapillis.
Quin magno ille metus subest dolori,
Audito interitu sui poetæ
Ne gemma in lacrymas liquescat omnis.

<*IIIc>

Sur le mesme sujet.

Ta mort, ô cher BELLEAU, *ta mort n'est demeurée*
Sans regret d'un chacun, et estre bien pleurée.
Nous te pleurons icy, et pleurerons souvent :
Et nos pleurs couleront jusqu'aux mers du Levant[2]
Qui pleurera ta perte, et son propre dommage,
Despouillée de l'honneur de l'Indique rivage.
Car ses Pierres de prix au bruit de ce malheur
Ne perdront seulement leur naïfve couleur,
Ains y a grand danger que ce thresor de l'onde
Regretant son Poete en larmes ne se fonde.

PASSERAT.

<*IV>

REMIGII BELLÆI   [A. iij.]

EPITAPHIUM[1].

BELLÆUS lapidum ingenium gentile canebat,
Ista fuit cycnæa viro musa ultima Phœbi.

Credo tamen, nec vana fides, rediise priorem
(Pyrrha fave generis solers sarcire ruinas)
In nitidæ formam gemmæ, natale trahebat[2]
Unde genus, sic Parca illum volvente revolvi,
Si quid habent veri vatæmque effata priorum,
Et scintillantem lapidem fas credere solem
Oceano extingui, et rursum diffundere lumen,
Fœlices vatem Elysii lapidescere nuper
In solem stupuere novum, et convalle micantem
Purpurea, totæque animæ plausere theatro.

P. P. <abbé de Pimpont>

<*V>

Ne taillez, mains industrieuses[1],
Des pierres pour couvrir BELLEAU,
Luymesme a basti son tombeau
Dedans ses Pierres precieuses[2].

RONSARD.

<*VIa[1]>

QUALEM ô feretrum capsula virum tegis ?
O quale condi fers humo carum caput.
Probus, suavis, comis ille BELLAQUUS,
Prudénsque, doctús, elegansque heic jacet
5   Invisus ille nemini, carus simul[2]
Ut cuique notus extitit. Sed is fuit
Stipes, silexve, nesciit qui BELLAQUUM.
(Mens destitutum deserat corpus licet,
Nomen superstes mille chartis manserit,
10   Vel inter hos qui BELLAQUUM non viderint

Deflere damnum pristinum damnum est recens.
Laudanda sors est, ut collatur BELLAQUUS.
Heu porta quænunc excipit talem virum,
Ultro patebit optimis, vix pessimis.

I. A. BAIFII.

<*VIb>

Φερετρον, οιον ανδρα κιστη κεκρυφας;
Οιον καλυπτειν γη φιλον καρη φερεις;
Καλλυδρος η δυς καλοκαγαθος γεγως,
Σοφος σαοφρων εκφορηθεις κεισεται,
Κεινος γ' απεχθης μηδενι. Φιλος δε ωτινι
Γνωστος φαανθη. Αλλ' αναισθητος γ'εφυ
Καλλυδρον οστις ουκ εγνωκεν συγχρονος.
Ψυχη γαρ ει και σωμα νεκρον λιμπανει,
Καν αγνοουσιν ομμα Καλλυδρου φιλον,
Κλεος σαωθεν μυριοις χαρταις μενει.
Κλαιειν παλαιον πημα πεμ' εστι νεον.   [A. iiij.]
Φευ, ανδρα τοιον αι δεδεκται νυν πυλαι,
Καλοις γ' ανεωκται ραστα, δειλοις δ' αυ μογις.

I A. Βαιφιου.

<*VII¹ >

O qu'un grand reliquaire² est clos en peu de place :
Passant, prens y bien garde. En ce lieu si serré
Avec un seul BELLEAU tu peux voir enterré
Phebus, Amour, Mercure, et la plus chere Grace³.

J'avois creu jusqu'ici que la celeste race
S'exemptoit du passage aux mortels préparé :

Mais sa fin m'a rendu le contraire averé,
Voyant mourir en lui tout le Choeur de Parnasse.

Jamais plus rare esprit d'un corps ne fut vestu,
Ce n'estoit que douceur, que sçavoir, que vertu,
Dont mainte grand' lumiere en terre estoit rendue[4].

Maintenant d'un cercueil tous ces biens sont enclos :
Non, je faux[5] : le Tombeau n'enserre que les os,
Et par tout l'Univers sa gloire est espandue.

P H. DES PORTES.

<*VIII[1] >

LES Dieux devoyent changer en eau de Castalie[2]
Ton corps, pour ton beau nom et pour ta belle voix,
Et faire que celuy qui en boiroit neuf fois
Se vist l'esprit tout plein de belle poësie,
Mais il n'estoit besoin, car tes livres bien faits
Sont l'eau de Castalie et seront à jamais.

AMADIS JAMYN.

<*IX>

LE *Ciel d'abondante largesse*
Doua l'esprit heureux et beau
De cil qui gist sous ce Tombeau,
Plein de vertus et de sagesse.

Qui n'eut ny langue vanteresse
N'ambition en son cerveau,
Ains fut comme un parfaict tableau
Mirouer d'honneur à la jeunesse.

BELLEAU, *nos fontaines n'ont pas*

De si belles sources çà bas,
La tienne au ciel print origine :
Aussi sont logez en repos
Au sein de la mere tes os,
Ton ame en sa source divine.

TROUSSILH[1]. [B. j.]

<*X>
AD REMIGIUM BELLÆUM
PROSOPOPŒIA

Auctore LEODEGARIO A QUERCV[1]
Lectore Regio

Quòd Veneris lusus, placidique Cupidinis artes
Tam bellè omnigeno carmine condideris,
Et quòd pastorum proscenia ludicra, bellè
Cantando, reliquos viceris artifices :
5 En tibi semineces pulla cum veste parentant
Sylvani, Fauni, Pan, Satyri, Dryades.
Se comites illis udæ junxere Napææ
Naiades æquoreæ, rusticæ Hamadryades[2].
Téque poetarum decus immortale fatentes,
10 Ornarunt lauro Pieria feretrum :
Quæ ne temporibus possit marcere futuris
Vastum amnem lacrymis constituêre suis :
Gemmato tumulo sculpentes nobile lemma,
Gallorum Orpheus hîc, hîcque Theocritus est.

<*XIa >

De REMIGIO BELLAQUEO *defuncto*

Ad P. RONSARDUM[1].

Ille BELLAQUEUS tuus, meúsque,
Immò Pieridum comes Dearum,
Cujus scripta venusta, tersa, docta,
Communi studio student probare
5   Phœbus, et Charis, et novem Sorores :
Ille inquam tuus, ac meus vicissim,
Sive REMIGIUM libet vocare
Sive BELLAQUEUM vocare mavis[2],
Pro ! (RONSARDE) tibi, mihi, omnibúsque
10   Ereptus modò: nos reliquit inter
Planctus, murmura, lacrymationes !
O Parcæ ! ò nimis astra inauspicata !
Vobiscúmne tamen Dii, Deæque,
Noster BELLAQUEUS morans quiescit ?
15   Extinctum inficias eunt et ibunt[3],
Et Francæ, et Latiæ simul Camœnæ,
Hymni, Basia, Ovile, Gallicóque
Pollens Graius Anacreon lepore :
Hoc Gemmæ pariter vetant, et ipsis
20   Si Gemmis pretiosius quid extat :
Gemmæ, carmine quas legens supremo
In lucem ediderat, daturus olim   [B. ij.]
Plura, si Lachesis rapax tulisset[4] :
Et tamen velit, atque nolit illa,
25   Cuncta hæc restituent suo Poetæ
Seclis oppositam perennitatem !

Ergo BELLAQUEUS tuus, meúsque
Inter gaudia nota collocatus,
(Nam, RONSARDE, viros mori negamus
30   Assertos superûm beatitati.)
Civis gaudet eo recens Olympo
Quem spretis adiit merendo terris !
Ergo BELLAQUEUS poli colonus,
Ille BELLAQUEUS tuus, meúsque,
35   Inter gaudia mille collocatus,
Nos mundi gravis incolas retorquet
Inter tædia mille derelictos :
Quid si BELLAQUEUS necat redemptus
Viva morte superstites amicos ?

                         J. GESSEUS.

<*XIb>
DU MESME
Par le mesme.

LE cruel Mars[1], et la Parque infidelle,
L'un de son glaive, et l'autre de son trait,
Ont (peu s'en fault) à la France soustrait
Et sa valeur, et sa gloire immortelle.
     Telle est leur force, et nostre perte est telle
Mais ce trespas agrave le forfaict
De celle-là qui de mesme a défaict
Un Bellay doux, voire un grave Jodelle[2].
     Amy BELLEAU, pendant que tu vivois
T'oyant chanter quelque desir j'avois
De suyvre encor les neuf vierges accortes :
     Ore ayant veu ta mort et ton convoy,
Je quiers sans plus de mourir comme toy[3]
En ce dur siecle, où les lettres sont mortes !

<*XIc>

Le mesme.

Mort, Libitine, Dieu, tuë, serre, cherit[1],
Au lict, en terre, au Ciel, vie, corps, esperit.

<*XII>

ELBEUF *son Precepteur regrete[1],*
Les Muses plorent leur mignon[2],
Les Poëtes leur compaignon,
La France son sacré Poëte :
5   *Les Nymphes d'Huine leur Belleau,*
Le Peuple son patron de vie[3],
Et la Mort mesme sacrifie
Des larmes dessus ce Tombeau.
D'où vient que seul le Ciel s'égaye
10   *Riant d'un front clair et serain,*
Et que la Terre alaigre et gaye
Pare de fleurettes son sein ?   [B. iij.]
Ceux-là lamentent leur dommage :
La Mort ne pleure que de rage
15   *De voir surmonter son pouvoir :*
La Terre orgueillit[4] de se voir
De ce corps divin honorée,
Et le Ciel prend gloire d'avoir
Entre ses feux ceste ame heurée[5].

GEORG. DU TRONCHAY.

<*XIII[1] >

OUBLIEUSE *Lethé, laisse croupir ton eau,*
Et demeure cachée au profond des abysmes,
Puis que par les efforts des neuf Soeurs mon BELLEAU
Malgré toy monte aux cieux sur l'aile de ses rymes[2].

PAS ROBIN DU FAUX

<*XIV>

Qu'allez-vous faire en Parnasse pour boire
Au ruisselet des filles de Memoire[1] ?
Après la mort de leur divin BELLEAU
Las ! plus n'y reste un seul trait de belle eau.

J. LE FRERE[2].

<*XVa>

In eundem, à P. Ronsardo, I. A. Baifio, Ph Portio,
et Am. Iaminio Poetis clarissimis elatum,
Distichon numerale[1].

Postera **LVX** SeXtæ est MartI, tIbI, BeLLaqVa, Vates
QVa faCIVnt soCIo **LV**CtIbVs eXeqVIas[2].

LUD. MARTELLI

<*XVb>
Εις αυτον

Καλλιυδρον νεκυν οι περιλοιποι αωτον αοιδῶν
Ρωνσαρδος, Βαιφος, Πορτιος, ηδ' Αμαδις,
Πιεριδων προσπολον πρσπολοι, τον εταιρον εταιροι
Τεσσαρες ενθαδ' εον θηκαν οδυρομενοι.

Λοδ. Μαρτελλου

<*XVIa>

Εις τον αυτον.

Ισχεο πευθομενος τευ εγω ταφος ; αλλο γαρ ουδεν
Πλην οστῶν κατεχω, ουρανος αυτον εχει[1].

<*XVII>

Εις τον αυτον εκ του Πασσερατιου[2].

Ημετερω ταφον εντυνειν τι ματαιοπονουμεν
ΒΕΛΛΑΙΟ ; ταδε νυν ουρανοθεν γελαα.
Αυτος οι αυτῶ ετυμβοδομα, χρυση τε ποιητη
Μουσα ω ηωοις τυμβον εδειμε λιθοις.
                                                Ρωβ. Στεφανου.

<*XVIII>

Passant[1], *ce marbre cy, qui enferme les os*
De BELLEAU, *nourriçon des Muses de la France,*
Ne te peut faire voir rien[2] *beau en apparance,*
Pour quoy ayes[3] *envie au lieu de son repos.*

Plustost la pitié doit animer tes sanglots,
Et joindre à nostre dueil tes pleurs en abondance :
Donc ensemble pleurons l'injuste violence[4],
Qui nous ravit ce bien, de l'avare Atropos.

Rien que perte et regret ceste tumbe n'enserre,
Dès que le pauvre corps fut mis sous ceste pierre.
Mais son divin esprit ce lieu ne comprend pas[5] *:*

Ne le cherche au pourpris[6] *de la mortelle Lune,*
Le Ciel l'a retiré du pouvoir de Fortune,
Son nom sans plus demeure, et ses vers icy bas.

                                                F. D. B. H[7].

APPENDICE

Nous proposons à la curiosité du lecteur les 49 vers latins de Cl. Binet qui figurent dans l'éd. de 1585 du *Tumulus,* et, à la suite de Gouverneur, les 18 sizains de J. Courtin de Cissé (voir ci-dessus, *Introduction,* n. 1).

< A >

CLAUDII BINETI AD RONSARDUM.

Ergo mortuus est meus, tuusque
BELLÆUS tuus et meus Poeta !
Ronsarde unio, flos amorque Amoris,
Ille molliculus Poeta totus,
5   Mellitusque magis, magisque tersus
Quam mel, quamque suo artifex in alveo,
Seu per gaudia rusticationum
Mille et delicias juvat jocari,
Seu lubet posita severitate
10 Tot bella oscula dissuaviari.
O bella ut solida esse non potestis ?
Bellus mortuus est, meus Poeta,
Ille candidulus bonusque amicus,
Quo nil candidius amiciusque.
15 Illum ergo Aoniæ rigate Musæ
Vestris et lacrimis pioque fletu
Quicquid atque hominum est politiorum
Lugeant simul Indici lapilli
Rari illi et lacrimis licet medentes,
20 Politi Inda ope Thynicoque torno,
Tam rarum caput atque perpolitum :

Et prius solitæ virere gemmæ,
Prius et solitæ rubere gemmæ,
Adsuetæ digitis micare gemmæ,
25 Furvas en patiantur et tenebras
Tam bellum mihi quæ abstulere amicum.
En corallia perdito rubore
Pallescunt, adamantinæet tabellæ
Nunc nativam anim æexuere guttam.
30 Beryllus quoque et igneus Pyropus
Sordent, fulgor abest nitorque purus.
Nequicquam Herculeo admoves lapillo
Ferri pabula, mortuo vigore
En gratas prius osculationes
35 (Oblitas modo et osculationes)
Amatum prius en cibum relinquit.
Ipsa et candida Margarita nuper,
Luteam ecce modo induit senectam :
Bellus mortuus est meus Poeta.
40 Dignus scilicet Indicis lapillis,
Gemmeo undique dignus et sepulchro.
At, Phœbe, incolumen tuum meumque
Ronsardum Aoniæ arbitrum Camœnæ
Mi servare diu et suis amicis,
45 Immo Galliæ ut orbi et universo
Sit cordi tibi, namque vix sepulchro
Possit sufficere orbis universus.
Nedum Gallia, nedum et acciti una
Gemmei undique et Indici lapilli.

< B >

AU SEIGNEUR CLAUDE BINET

1

Donc la mort fiere inhumaine
A ravi mon gentil Belleau,
Belleau qui d'une douce peine
Avoit épuisé toute l'eau
5 Qui va distillant cristaline
De la fontaine chevaline.

2

Il est mort et sa docte bouche
Sur qui la meilleure mouche
Avoit épanché ses douceurs
10 Veuve de la grace plus douce
Ne dit plus les gentes ardeurs
Que dans nos cueurs Cythere pousse.

3

Hé quoi n'as-tu pas souvenance
Mon docte Binet, mon demi,
15 Que le Soleil à son absence
Obscurcit son visage ami,
Et sa clarté non plus connüe
Voila ses rayons d'une nüe.

4

Cette large et pesante masse
20 S'opposa droit contre la face
De sa Sœur au front de toreau,
Tousjours depuis ce jour pleureuse
Elle verse un mal-heur nouveau
Dessus la Terre mal-heureuse.

5

25 Huigne adonq retarda la course
De ses ruisselets argenteux,
Et reboursant contre sa source
Il s'en retourna larmoieux,
Ses eaux temoignerent plaintives
30 Leurs detresses longues-chetives.

6

Hé que feront par cette plaine
Les brebis toffües de laine,
Qui aujourd'hui les conduira ?
Lui mort les herbes sont pourries,
35 Le thim et le trefle mourra
Et les prees seront fletries.

7

Les forez ores depouillées
De l'ombrage de leurs rameaux,
Ne presteront plus desolées
40 Leur couverture aux patoureaux,
Les Dryades quittront desertes
L'ombre de leurs perruques vertes.

8

La brebis ores egarée
Ira troubler l'onde sacrée
45 A Pan et aux Dieux villageois.
Les lous enragez de furie
Laisseront aujourd'hui les bois
Pour depeupler la Bergerie.

9

Toute cette ronde machine
50 Pleurera son cruel destin

10

55 L'aurore de fleurs embellie
Ternira sa couleur pallie,

Mesmes où la charette orine
Du jour commence son chemin
On detestera la colere
De la Deesse filandiere.   60

Et sur le rivage perleux
De l'Inde mer les gemmes belles
Depouilleront l'honneur fameux
De leurs raritez naturelles.

11

Ah Muses, divines princesses
Que ne pleurez vous aujourd'huy
Ces impitoyables detresses
Qui vous comblent de tant d'ennui, 70
65 Perdant Belleau votre brigade
Pert un des feux de la Pleiade.

12

Combien de fois troupe sacrée
Dessous la nuiteuse serée
L'avez vous veu suivre vos pas
Quand yvre de vos gentillesses
Il savouroit les doux apas
De vos graces enchanteresses.

13

Je sçai que les pointes serrées
De Parnasse vostre saint nom   80
75 Applaniront malencontrées
Les deux cornes de son beau front,
Et que ses verdissans boccages
N'eleveront plus leurs ombrages.

14

L'eau qui gazouille doux-coulante
Le long de la grotte plaisante
Qui se creuse à son pié jumeau,
N'arrosera plus ecoulée
Des petits flots de son ruisseau
Les fleurons de cette vallée.

15

85 Desja vos lyres assourdies
Laissent moisir leurs nerfs tendus
Et le long de ces grand's prairies
Vos chants ne sont plus entendus
Ou s'ils le sont, vostre parolle   95
90 Pleure le mal qui vous affolle.

16

Venus et son fils accompagnent
Vos soupirs, et pleureux ils bagnent
De larmes leur sein sanglottant.
Amour romt son arc, et la flame
De son brandon ja se mourant
Petit à petit se deflame.

17

Les Charites mignardelettes
Laissent pallir l'honneur vermeil
De leurs bouchettes doucelettes   105
100 Combles d'un miserable dueil,
Et leurs baisers et leurs œillades
Sont maintenant devenus fades.

18

Ah cruauté trop impiteuse,
Ah Parque par trop rigoureuse
Du Bellay mort, tu nous devois
Laisser Belleau tenir sa place,
Mais tousjours tu range' à tes lois
Ce qui çà bas a plus de grace.

Jacques de Courtin de Cissé.

VARIANTES ET NOTES

« PIÈCES À RONSARD, GARNIER, HELVIS »

PAGE 17

1   Cette pièce figure parmi les liminaires de la *Franciade* dans les éd. de 1572 (B. N. Rés. Ye 506, que nous reproduisons), 1573 et 1578.

2   Ruisseau des Muses issu de l'Hélicon. Cf. v. 8.

3   L'eau du Léthé, fleuve infernal qui engendre l'oubli, ne réussit pas à éteindre la flamme du souvenir.

4   Apollon. L'inspiration martiale de la *Franciade* est un démenti à une proclamation de jeunesse de Ronsard comme celle de l'Ode III – 18 : « Les autres de Mars diront l'ire / Mais ma lire / Bruira l'amour qui me point » (Lm II, 51).

5   Aucun autre.

6   Dans leurs liminaires à la *Franciade*, A. Jamyn, Troussilh et G. Vaillant vantent le mécénat de Charles IX, qui trouve en Ronsard son Homère. Finalement, la protection des Princes est une inspiration plus efficace que les « fureurs » divines (d'Amour, de Mars, des Muses).

7   Selon Laumonier (Lm XVI, 26), le sonnet aurait été signé A. I. (c'est-à-dire Amadis Jamyn) antérieurement à 1578, ce qui n'est pas le cas de l'exemplaire dont nous reproduisons le texte.

1578 : titre : ODE <à Monsieur Garnier.>

1   Pièce liminaire à CORNELIE, / TRAGEDIE/ DE ROB. GARNIER/ CONSEILLER DU ROY/ au siege Presidial & Sene-/chaussee du Maine [...] De l'Imprimerie de Robert Estienne. / M. D. LXXIIII (Arsenal : 8° B 12689-3). – Pour la même œuvre, Ronsard a composé un sonnet liminaire : « Le vieil cothurne d'Euripide / Est en procés »... Comme par exemple l'*Epithalame sur les nosses de Dolu* (t. III, XIV), cette Ode est formée de sizains octosyllabiques (aabccb) d'attaque féminine et de conclusion masculine ; cf. plus bas, <XIV -6>. Sur Garnier, voir t. I, p. 172, n. 1.

2   Sur cette « doctrine », voir notamment, G. Demerson, *Mythologie de la Pléiade*, ch. 4 ; J. Lecointe, *L'idéal et la différence*, Genève, 1993, ch. 2.

PAGE 18

3   Oxymore définissant la tonalité tragique.

4   L'*Art Poétique* d'Horace avait montré que l'art de la tragédie devait aux Grecs son origine et son excellence.

5   Selon Garnier (Préface de la *Troade*), la tragédie « ne représente que les malheurs lamentables des Princes ».

6   Comme l'indique la manchette, il s'agit de Porcie ; cf. Belleau, t. III, p. 179, n. 2.

7   Dans la tragédie d'*Hippolyte* (1573), l'amour chaste est celle d'Hippolyte, l'amour folle, celle de Phèdre ; les *Ombres infernales* font allusion à la descente de Thésée aux Enfers, dont il revient lors de son apparition sur scène.

8   Tel est le sujet de la tragédie de Garnier : après la défaite de Pharsale, Cornélie assista depuis son navire, à l'assassinat de Pompée, son époux qui allait débarquer en Afrique ; après la défaite de Thapsus, Metellus Scipion, père de Cornélie, « pour ne tomber vif entre les mains de son ennemy [César], se donna du poignard dans le corps et soudain se lança courageusement dans la mer » (*Argument de la Tragedie* par Garnier).

9   Garnier se considérait comme le compatriote de Belleau ; cf. t. III, p. 69.

PAGE 19

1578 : v. 39 : [t]'oublira

10 Avec cet unique élément, l'adynaton traditionnel est réduit à sa plus simple expression.

1   Cette Ode a été publiée dans *LES* / TOMBEAVS / ET DISCOURS DES / FAIS ET DEPLORABLE MORT, DE / tresdebonnaire & magnanime Prince CLAVDE DE / LORRAINE Duc d'Aumalle, Pair & grand/ Veneur de France, Gouverneur de Bourgongne / & des plus signalez de ce Royaume, occis / és guerres civiles meües pour le fait de / la religion, depuis l'an 1562 / jusqu' à present. /- A la tresillustre et tresconstante maison / DE LORRAINE / Par Jean Heluis de Beauvoisis / A Paris / Par Denis du Pré, Imprimeur demeurant / en la rue des Amandiers, à l'enseigne de / la Verité / Avec Privilège du Roy. (Arsenal : 8° H 6437). – Le Liminaire est daté du 19 mars 1573, alors que le Privilège d'ensemble du recueil est du 25 janvier 1568 (pour *Les discours des faicts de feu Mgr. le Duc d'Aumale*, la mention de « feu » s'explique par la date d'impression). Le duc d'Aumale, né en 1526, a été tué le 14 mars 1573 au siège de La Rochelle. D'après Brantôme (*Grands Cap.*, éd. Lalanne, t. IV, p. 284), sa mort remplit de joie les huguenots, car il était considéré comme un des plus farouches massacreurs de la St-Barthélemy.

L'Ode est composée de 5 strophes de 12 heptasyllabes (sur ce vers, voir le compte rendu de notre t. III par Y. Le Hir, in *B. H. R.* LXI (1999), p. 283) ; chaque strophe résulte de la combinaison de deux sizains d'attaque masculine et de conclusion féminine (aabccb).

2   Cf. Ronsard, Lm I, 73 : *L'honneur que mon arc enfonce.*

3   Cf. Ronsard, Lm I, 81 : *maugré l'an qui tout mange.*

4   Cf. Ronsard, Lm III, 80 : *L'airain, le marbre et le cuivre...* ; I, 92 : *Le marbre ou l'airain... / N'animent pas la vertu / Comme je fais par ma plume.*

5   Le mausolée, une des sept merveilles du monde, était le tombeau édifié par la reine Artémise en l'honneur de son époux, roi de Carie, en Asie Mineure et non en Egypte. Cf. Ronsard, Lm III, 7 : *Cette veufve Carienne...*

PAGE 20

1573 B : v. 22 : [de] labeur
1573 B : v. 28 : [ni] si fort

6   Cf. Ronsard, Lm I, 98 : *Les neuf divines Pucelles / Gardent la gloire chez elles...*

7   Cf. Ronsard, Lm I, 75 : *Le vilain monstre Ignorance.*

8   Sur cet orgueil des nouveaux poètes de la génération de 1550, cf. plus bas, <XII>, Préface à Jules Gassot (fin du premier paragraphe), et l'*Ode* I, V de Ronsard sur la victoire de Cerizoles, Lm I, 82 : « L'hinne que Marot te fit »...

PAGE 21

9   Cf. Ronsard, Lm I, 170 : *Par les campaignes étranges / Je cornerai tes louanges...*

10   Sur ce vocabulaire poétique, voir notes de la pièce <II> ci -dessus.

PAGE 36

Voir t. I, p. 277-308.

1574 A et B ; 1578 : v. 1 : [M]aitresse

1574 B ; 1578 : v. 2 : l'ho[nn]eur – 1574 A : v. 2 : [compagnie] – 1577 B : v. 2 : [campagne]

1   Une interprétation de cette pièce est fournie par M. –F. Verdier dans son Introduction ci-dessus.

PAGE 37

1573 A et B ; 1574 A et B : v. 7 : [autre] *cf. v. 181
1574 A et B : v. 9 : [la] flamme
1574 A et B : v. 17 : [Adieu]
1574 A et B : v. 25 : [Adieu]
1578 : v. 23 : [in] tenues
1573 A ; 1574 A et B : v. 26 : [Orphclins]
1573 B ; 1574 A et B : v. 34 : [qui]

2   Sur le thème de l'opposition des Muses aux *villes presumptueuses*, auxquelles elles préfèrent *tertres bossus* et *antres bien moussus*, voir p. ex. Ronsard, *Ode* V, iii, *à Mme Marguerite*, Lm III, 100 ; il cherchait l'inspiration dans l'onde de quelque *source sacrée, loing de gens et de bruit...* (Lm VIII, 163 ; cf. les *ondes sacrées / Par les prées...* des *Bacchanales*, Lm III, 187). Le même Ronsard avait inventé le diminutif *mousselet* (Lm V; 31 ; VI, 139 ; sur la rime bucolique *moussu / bossu*, voir p. ex.

Bacchanales, Lm III, 209, *Bergerie*, Lm XIII, 82, etc.). Mais il est vraisemblable que Belleau a dans l'esprit le célèbre Son. 57 des *Amours* de 1552 : *Ciel, air et vents...* En particulier ses étranges *antres fourchus* semblent combiner *tertres fourchuz* (v. 2) et *antres moussus* (v. 5). D'entrée, l'écriture ronsardienne habituellement adaptée au topos des louanges de la vie rustique signale que l'attitude de la Maitresse est une protestation contre les clichés à la mode, notamment contre ceux que vulgarisent les *Bergeries* de la Pléiade ; la tonalité de cette « élection » est donc annoncée comme celle des *paradossi* italiens, à la fois humoristiques et amers, s'obstinant à accumuler des raisons pour justifier sans illusion l'inattendu de la louange ou de la détestation (G. D.).

3   Belleau ne répugne pas à faire rimer un mot avec son composé ; cf. plus bas, v. 47-48. La Maitresse étant l'incarnation de Vénus, elle dispense à l'Amour la nourriture allégorique qui lui permet d'agir dans les cœurs.

4   Cet adieu aux Dryades, Oréades, Napées et autres divinités champêtres module un motif mythologique typiquement ronsadien pour mieux le récuser. Mais Belleau n'a jamais abusé de la Fable païenne.

5   Ces dieux *ne* sont connus *que* sur leur fief rustique.

6   Adjectif substantivé typiquement ronsardien. (voir en particulier Sonnet 121 des *Amours* de 1552, v. 3 : *L'obscur m'est jour...* ou *Ode de la Paix*, Lm III, 19).

PAGE 38

1574 A et B : v. 45 : [ces]
1574 A et B : v. 55, 61 et 77 : [cœur]
1574 A et B : v. 64 : sa [face]

7   L'interprétation la plus immédiate de cette allégorie fait comprendre que la Maitresse s'est consacrée à des études savantes qui nécessitent une présence proche des Salons et autres Académies. Mais un second système allégorique peut se superposer à celui-ci : Pallas aux yeux pairs peut représenter une Princesse protectrice des arts et des lettres. Sur les yeux *azurins* de Minerve, voir Hésiode, *Lês Bezognes é Jours*, trad. Baïf, M. -L. V, 330. Le poème de Belleau apparaît comme une réponse à la proclamation de Baïf, qui deviendra l'*Eglogue I, Au Roy : Sur tout j'aime les chams : sur tout les Pierides / Aiment les chams aussi, les fontaines liquides [...] Et des antres deserts les retirez manoirs. / Que Pallas face cas de ses villes gentiles / Qu'elle a voulu garder : je n'aime point les villes...* (M. -L. III, 9 ; d'après Virgile, *Buc.* II, 61).

8   Le texte porte *ces*, confusion alors fréquente ; cf. *ce* au v. 78.

9   La rime du verbe avec son composé n'est pas signe de désinvolture, mais volonté d'expressivité ; cf. plus haut, note 3.

10   *Epineux* (latinisme : *spinosus*) peut signifier à la fois « douloureux » (voir t. I, p. 177 v. 15, d'après Catulle) et « trop subtil » ; Belleau dévoile-t-il sa méfiance à l'égard d'une poésie alambiquée, ou apprécie-t-il un esprit « très subtil » ? Apollon symbolise évidemment l'inspiration poétique, plus rayonnante à la ville qu'à la campagne ; il peut également représenter le mécénat du Roi déjà comparé au soleil. Si l'on se fie aux décryptages de l'allégorisme civil, on peut voir ici une allusion à quelque

savante production de Mme de Villeroy, Madeleine de L'Aubespine : voir le Sonnet de Ronsard : *Madelene, ostez moy ce nom de L'Aubespine / Et prenez en sa place et Palmes et Lauriers / Qui croissent sur Parnasse* (Lm XVIII, 223). Sur le mécénat de Mme de Laubespine, voir notamment ci-dessus, Introduction aux nouvelles pièces des éditions de 1573 et 1574 par M. -F. Verdier ; Laumonier, *Ronsard poète lyrique*, p. 236 n. 1 ; J. Lavaud, *Desportes* (thèse), p. 308 et suiv., et, ci-dessous, « La Pierre d'Aigle » (<xvi -17>).

11 Ainsi la langue où se reconnaît le poète est celle de la haute culture et non le langage du simple peuple.

12 Belleau aime imaginer les temps primordiaux, où se mettent en place, sous le regard de la divinité, les premières expressions du génie humain. Est-ce en toute « sincérité » qu'il prend le contre-pied de la nostalgie de Marot (Rondeau lxii, *De l'amour du siècle antique* : Au bon vieulx temps ung train d'Amours regnoit...) ? – Est-ce de bon cœur qu'il suit sa Maîtresse dans la Cité des temps modernes, où Amour a dérouillé ses armes, a appris la cruauté et la feintise (v. 84) ? Au v. 69, l'exclamation *las !* n'est-elle pas un discret indice invitant à une lecture au second niveau ? (G. D.)

13 Amour est armé de deux flèches, l'une d'or, l'autre de plomb. Voir J. Second, *Bas*. 18, v. 18-19 et Ronsard, *Folastrie I*, Lm V, 10 : *Si je mentz, Amour archer / Dans mon cœur puisse cacher / Ses fleches d'or barbelées, / Et dans vous les plombelées...*

PAGE 39

1574 A et B : v. 69 : las < ! >

1573 A et B : v. 78 : [ce] rendre ; 1574 A et B : v. 78 : [te] rendre

1574 A et B : v. 95 : Dieu < ! >

1574 A : v. 98 : [M]aitresse

14 La rime *enchaînée*, rebond d'un mot qui produit un effet de sens, doit ère distinguée de la rime annexée, simple jeu phonique, qui répète la dernière syllabe accentuée du vers précédent. Cf. pièce suivante, v. 42-43.

15 Topos, apprécié de Belleau, d'Amour vainqueur des dieux. Sur le même thème, cf. Lm VII, 233 ; XII, 260, etc.

PAGE 40

1574 A et B : v. 132 : quan[d ell' le]

16 Voir l'interprétation de ces vers par M. -F. Verdier, t. I, p. 23.

17 Cette indication semble bien montrer que la Maîtresse est une femme réelle. Il faut noter cependant qu'un motif traditionnel de la poésie amoureuse associe volontiers à la Belle sa cousine, témoin de ses amours ou de sa rigueur ; cf. les *Folastries* de Ronsard, Lm V, 16, 22, 36 et le célèbre Sonnet 16 du L. I des *Sonets pour Helene : Te regardant assise aupres de ta cousine...*

18 Expression courante de la supériorité, à l'imitation d'Horace, *Ode* I XII, v. 48.

19 Ce mépris pour le teint bronzé s'oppose à la louange de la femme à la peau foncée chantée par Marot puis par Bellau dans *La Bergerie* : cf. t. II, p. 42 et t. IV, 2ᵉᵐᵉ J., pièce XXII.

20 La canicule ; cf. la traduction d'Aratos par Belleau, t. VI, « Le Chien ».

21 Epithète traditionnelle de l'Automne : cf. t. II, p. 40, v. 5 et La Boétie, *Vingt Neuf Sonnetz*, IV, v. 2-3 : *Le sale Automne aux cuves va foulant / Le raisin gras dessoubz le pied coulant...*

22 *Rousoyant* : larmoyant ; l'auteur des *Pierres Précieuses* est-il sincère dans cette détestation ? (cf. XVI, pièces VI, v. 108 ; VIII, v. 89, X, v. 86).

23 Apollon se fit bouvier pour garder les troupeaux du roi Admète sur les bords du fleuve Amphrise en Thessalie ; cf. notamment Virgile, *Buc*. III, 2 ; Belleau, *Commentaire des* Amours *de Ronsard*, éd. cit., 56v°) ; Du Bellay, Chamard III, 7 ; IV, 106, et Ronsard, début de l'*Ode à Phœbus*, Lm XVII, 54 : *Pasteur auprès d'Amphrise...*

PAGE 41

1574 A et B : v. 140 : [M]ajesté

1574 A et B : v. 140 : [j]alousie

1574 B ; 1578 : v. 151 : En [laurier]

1573 A et B : v. 163 : [d'estre] ; 1574 A et B : v. 163 : [dextre]

1574 A et B : v. 166 : [C]igne ; [T]oreau

24 La suite (voir v. 151) va montrer que cette rebelle est Daphné, qui symbolise toutes les filles qui résistèrent aux avances d'Apollon.

25 Cette apologie du dieu reprend le discours qu'il tenait à Daphné tout en la poursuivant à la course ; cf. Baïf, « Le Laurier », *Premier Livre des Poèmes*, v. 256 et suiv. et Belleau, *Bergerie*, t. II, p. 34-35.

26 La métamorphose est plus prestigieuse que la transformation en arbre ; certaines mortelles aimées des dieux furent transformés en astres, telles les Hyades, les Pléiades, les Ourses, Cassiopée... (voir, au t. VI, la traduction d'Aratos par Belleau).

27 La jalousie de Junon expliquerait la relative fidélité de Jupiter à l'intérieur de l'Olympe...

28 Il est fait peu de cas de la chasteté de Léda et d'Europe.

PAGE 42

1578 : v. 169 : on [n'a] point

1573 A et B ; 1577 B : v. 180 : [autre] ; *cf. v. 7

29 Mars et Jupiter sont supposés avoir vécu un roman d'initiation à l'instar d'Apollon chez Admète. Mars est un dieu de Thrace, région riche en chevaux ; c'est en

Thrace qu'il conçut ses filles, les Amazones. L'enfance de Jupiter fut bucolique : nourri de miel sur les pentes de l'Ida, il but également le lait de la chèvre Amalthée (cf. pièce suivante, v. 37 et suiv.) ; c'est lorsque Ganymède gardait un troupeau qu'il s'éprit de ce berger.

30 L'interprétation allégorique la plus immédiate voit ici le symbole de trois vocations : l'amour, la poésie, la science (cf. plus haut, pièce n° <I>, fin). Mais il n'est pas interdit de recourir à l'allégorisme civil, qui cherche des visages connus sous les masques divins...

PAGE 43

1574 B ; 1578 : v. 10 : [clairement] il se peut >*bien*< vanter
1578 : v. 11 : [fust ce]
1574 A et B : v. 25 : [D]ieux
1574 A et B : v. 26 : [c]ieux (* cf. v. 70)
1574 A et B : v. 30 : [ce]
1574 A et B : v. 35 : [ô] cas estrange [!] – 1578 : v. 35 : [(ô cas estrange !)]
1574 A : v. 37 : Quoy [?]

Sur ce «Blason», voir ci-dessus, Introduction de M. -F. Verdier, et G. Demerson, *Mythologie de la Pléiade*, p. 305 et suiv.

1   Jupiter Ammon était représenté sous la forme d'un bélier ; son oracle était consulté en Libye. Voir Ronsard, Lm VII, 73.

PAGE 44

1577 B : v. 42 : A >*t'*< il
1573 A et B : v. 60 : [Quel] ; 1574 A et B : v. 60 : [Qu'ell']
1574 A et B : v. 62 : [T]oreau
1574 A et B : v. 69 : [tes] yeux
1574 A et B : v. 70 : [c]ieux

2   Voir pièce précédente, n. 14.
3   Comme l'écrit Du Bellay, Bacchus « aux cornes est cogneu» ; sa mère Sémélé était enceinte de six mois lorsqu'elle eut l'imprudence de contempler la splendeur foudroyante de son amant Jupiter ; celui-ci enferma l'enfant dans sa cuisse, qui fit office de mère porteuse. Voir Ovide, *Métamorphoses* III, 256-315, ainsi que Ronsard, *Dithyrambe* (Lm V, 57, n. 2) et *Hinne de Bacus*, (Lm VI, 177, v. 17-36).
4   Belleau accumule les énigmes ; il faut avoir en mémoire la fin de l'ode d'Horace à Bacchus (II, 19), souvent utilisée par Ronsard et Du Bellay : *te vidit insanus Cerberus* (le portier à la trogne de chien) *aurea cornu decorum* ; la « déroute Gigantine » fait allusion à la participation de Bacchus à la défense des Olympiens contre

les Géants qui tentaient de les détrôner. – L'expression « *Satyres cornus* » revient sous la plume de Ronsard, notamment dans ses *Elegies* contemporaines de sa *Bergerie* (Lm XIII, 21 et 339).

5   Le poète-archéologue aurait pu nommer *corniche* cette décoration de l'autel d'Apollon ; cf. Callimaque, *Hymne d'Apollon*, v. 60 et suiv. ; Politien, *Miscellan.* (1489), cap. 52.

6   Cf. la *Bergerie* de Ronsard, Lm XIII, 112. La Corne d'abondance est issue par métamorphose de la corne qu'Hercule arracha au dieu-fleuve Acheloüs. Belleau s'inspire du début du l. IX des *Métamorphoses* d'Ovide, mais les détails qu'il retient ici sont ceux que Du Bellay avait mis en valeur dans « Le combat d'Hercule et d'Acheloys » inséré dans les *Jeux Rustiques* (1558).

7   Si la Toison conquise par Jason était d'or, les cornes du Bélier dépouillé étaient sans doute plaquées du même métal.

8   Cf. 2ᵈᵉ J. de *La Bergerie*, pièces III, *Ixion*, v. 18 et XI, *Apparances de la Lune*, v. 2-. 6 et *passim*.

PAGE 45

1574 A et B : v. 75 : s'enorgu<e>illssant
1573 A et 1577 B : v. 89 : [Chevries] ; 1573 B et 1574 A : v. 89 :
    Cheu<v>ries
1573 A et B : v. 90 : [berges] ; 1574 A : v. 90 : berg<i>es ; 1577 B :
    v. 90 : [bergers]

9   Cf. 2de J. de *La Bergerie*, pièce II, *Prométhée*, v. 179 et la traduction d'Aratos par Belleau, t. VI, « Le Taureau », « Le Bellier », « Le Capricorne ».

10   Cf. *La Bergerie*, t. II, p. 81.

11   Il semblerait que, selon une croyance populaire, ce soient les démons souterrains qui provoquent les tremblements de terre (Ronsard : les démons « font trembler la terre, ilz crevacent les champs », Lm VIII, 132).

12   La ville du Somme « a deux portes, l'une de corne faite et taillée d'un merveilleux artifice [...] ; l'autre est d'yvoire très blanc » (Conti, *Mythologie*, III, 14). Cf. Homère, *Oyssée* XIX, 562 ; Virgile, *Enéide* VI, 893 et suiv.

PAGE 46

1577 B : v. 130 : [L]es boutz
1573 B et 1577 B : v. 134 : [l'escritoire]

13   Cf. *La Bergerie*, t. II, p. 32, v. 2 et Valerius Flaccus, au L. I des *Argonautiques* : *Dabit auratis et cornibus igni / Colla pater...*

14   On songe naturellement à la fameuse « pompe du bouc » à laquelle participa Belleau : pour fêter la représentation de la *Cleopâtre* de Jodelle, la joyeuse Brigade des amis de Ronsard, couronnés « du lierre amy des vineuses caroles », mima avec la

complicité involontaire d'un malheureux bouc, le sacrifice qui accompagnait les tragédies antiques (cf. Ronsard, *Dithyrambe*, Lm V, 62).

15 Cf *Dictonarium* de R. Estienne, qui cite Térence et César. Curieusement, les éléments d'un *corps* de bataille rappellent les parties d'un corps animal.

16 S'agit-il de la *gens Cornelia* ?

17 Ce jeu étymologique (*Ægée* évoque le mot grec *aïx, aïgos*, la chèvre) n'est pas une plaisanterie : Nicocrate pense que cette mer doit son nom à l'île des Chèvres et non à Egée, père de Thésée.

18 Jeu sur le mot *pécune* : le latin *pecu* désigne à la fois le bétail et l'argent. Cette énigme compliquée s'explique si l'on sait que le mot *cornu* désignait une petite pièce de monnaie.

PAGE 47

1573 B : v. 140 : [à] main

1577 B : v. 143 : puis >*qu*<elle

1574 A et B : v. 145 : [A]dvocats

1574 A et B : v. 146 : [D]octeurs ; [P]relats

1574 A et B : v. 161 : * le retrait commence à ce vers et non au suivant
– 1578 : v. 161 : l'[aer]

1574 B ; 1578 : v. 168 : co[nar]dise

19 Cf. les louanges du Sifflet (t. IV, 2de Journée, pièce XXIV).

20 En effet, on pourrait continuer à l'infini cette énumération ; telle est la règle du jeu dans le Blason ; cf. « Le Sifflet » (*Bergerie*, 2de J., t. IV, pièce XXIV, vers 39, 45, 63, 67.

PAGE 48

1574 A et B : v. 170 et 171 : Vivez <,> vivez

1577 B : v. 176 : [C]ompere

21 Formule traditionnelle pour clôturer un *Vœu*.

1574 A et B: titre et v. 2: [M]aitresse

1578: v. 1: le fond<s>

1574 A et B; 1578: v. 3 et 4: qu>'<el

1573 A et B: v. 13: ny [à]; 1574 A et B: v. 13: n<'>y [a]

1574 B: v. 14: vag>*u*<e

1574 A et B: v. 16: v[a]gue

1578: v. 18: [ne] port

1 Cette allégorie pétrarquienne de l'amant-navire ballotté par les flots de l'amour a déjà été mise en scène par Belleau ; voir t. IV, *Bergerie*, 2de Journée, XV -42.

PAGE 49

1573 A et B ; 1574 A et B : v. 5 : sauve [z]
1574 A : v. 13 : [madame] ; 1577 B : v. 13 : [ma dame]
1574 A et B : v. 19 : las <!>
1574 A et B : v. 20 : pro[mp]tement
1574 A et B : v. 16 : v[a]gue

1 Nouveau développement d'une allégorie néo-pétrarquiste : la fièvre qui dévore l'amant transforme ses soupirs en exhalaisons brûlantes (voir t. IV, 2ᵈᵉ Journée, XV -40).

PAGE 50

1574 A : v. 7 : pourrist <?>
1574 A : v. 8 : flaitrist <?>
1574 A et B : v. 9 : [B]ize ; 1574 B et 1578 : v. 9 : [englace]
1573 B et 1574 A : v. 12 : grace [?]
1574 B et 1578 : v. 14 : monstr[ez]
1574 A : v. 29 : [rigorieux]
1574 B et 1578 : v. 32 : dard[ent]
1574 A : v. 34 : [r]oulant

1 Junon est l'allégorie de l'air, comme Vulcain désigne le feu ou Zéphyr le vent des « dous moys ». On reconnaît dans cette pièce de nombreux motifs mis en œuvre dans *Avril* et *May* (t. IV, 1ᵉʳᵉ J., pièces v et vi).

2 Belleau développe l'allégorie néo-pétrarquiste ébauchée dans la pièce précédente (cf. plus bas, v. 31 et suiv.) : les larmes, les regards et les soupirs de la Belle ont la puissance cosmique des trois Eléments, Eau, Feu et Air qui fécondent la Terre.

3 Souvenir du célèbre sonnet ronsardien à Marie, *Mignonne levés-vous, vous estes paresseuse*, commenté par Belleau (*Commentaire des* Amours, éd. cit ; f° 31 r°-v°).

4 La germination est la mort des graines : si le grain ne meurt...

5 La grossesse de la Terre au printemps est un thème cher aux poètes de la Pléiade. Cf. G. Demerson, *Mythologie de la Pléiade*, p. 101 et suiv.

6 Apollon, le Soleil.

PAGE 51

1574 A et B : v. 39 : [Cherchans d'eux] ; 1577 B : v. 39 : d'eux<->
1574 B et 1578 : v. 42 : [N]ature

7 Métaphore désignant les semailles, le « petit rien » étant la graine. Belleau garde la nostalgie d'un âge d'or où la nature développe ses puissances sans que l'homme ait recours à la technique ; cf. p. ex. Prométhée, t. IV, 2ᵉᵐᵉ J., pièce II, v. 181 et suiv.

1   Ce sonnet est un *Baiser* dans le style de ceux que Belleau publia dès 1565 ; cf. t. II, pièce XXVI et note de la p. 86. Il semble par ailleurs avoir été remodelé dans un *Baiser* de l'édition posthume (t. VI, pièce XI -15).

PAGE 52

1   Comparer ce sonnet du Serviteur souffrant aux pièces XV- 47 et 48 du T. IV, 2de Journée.

1   Le texte présenté dans notre t. III, p. 107-110, proposait une lecture complète et commode du *Dictamen* (voir les variantes établies par les soins de M. F. V. et la n. 45). Conformément aux principes de la collection, nous reproduisons dans le présent volume le texte avec la physionomie qu'il avait dans la première version datée actuellement connue, en respectant son orthographe et sa ponctuation. A cette occasion, nous signalons les principaux *errata* intervenus dans le t. III :

Texte correct :	*au lieu de :*
v. 75 quo	*quos*
v. 89 faciuntque	*faciunt*
v. 93 cordis	*cordi*
v. 154 populi, timor arma	*populi, arma*
v. 155 brocham	*brancham*
v. 158 barras	*barram*
v. 163 Nocturnus Guettus	*Nocturnum Guettus*
v. 184 uva	*uvas*
v. 185 giroflus	*giroflum*
v. 199 Calvinus	*Calvinum*
v. 208 pressim	*pressis*
v. 216 cultus	*cultum*
v. 218 colubræ	*colubras*

PAGE 53

1574 A et B : v. 25 : [N]unc

PAGE 54

1573 B : v. 34 : [sancta nimis]
1577 B : v. 41 : Fran[ci]am
1574 A et B : v. 57 : [c]aponis

PAGE 55

1577 B : v. 73 : C>h<rucifixos

1574 A et B : v. 97 : [f]loft

PAGE 56

1573 A : v. 105 : [fredunive]

1573 A : v. 119 : [ni]

1573 A : v. 121 : ne ferme pas la parenthèse

PAGE 59

1573 B : v. 2 : mell[æ]

1573 B : v. 3 : perit[a]

1573 B : v. 4 : [D]edaleo

1 Sur le travail de Belleau traduisant en latin des poèmes français, dont ses propres œuvres, voir Marc Bizer, *La Poésie au miroir. Imitation et conscience de soi dans la poésie latine de la Pléiade*, Paris, Champion, 1995, p. 109-146. Belleau avait déjà traduit trois sonnets de Ronsard dans la *Nouvelle Continuation* de 1556 ; voir notre t. I, p. 177-179 et, p. 341-344, l'annotation de M. M. Fontaine.

1 Voir t. II, pièce XXXII -1, p. 111 et t. IV, 1ère J., pièce XV -1. Belleau a besoin de 18 hexamètres latins et de quelques allusions érudites pour transposer son sonnet. Le 1er quatrain français est paraphrasé dans les v. 1 à 9 ; la matière des v. 5 à 10 se retrouve dans les hexamètres 10 à 14 ; le quatrain final a son équivalent dans les 4 derniers vers latins. Il est intéressant de comparer cette composition au *Basium* XIX, *Mellilegæ volucres*, de J. Second, dont elle est plus proche que le Sonnet français (voir t. II, notes de la p. 111).

PAGE 60

1 Ces initiales désignent J. A. de Baïf. Sur Baïf poète latin, voir Augé-Chiquet, *Baïf*, p. 465 ; Marc Bizer, *La Poésie au miroir, op. cit.*, p. 153-187. La présente épigramme est consacré aux abeilles de Pologne, qui, selon une tradition constante et véridique, façonnent les rayons d'un miel doucelet, mais le nectar produit par Belleau est digne de réjouir non le palais des hommes, mais celui de Jupiter.

1573 B : v. 7 : mor[a]

1574 A et B : v. 9 : me[o]

1 Voir t. II, pièce XXXII -8 et t. IV, 1ère J., pièce XV -2. – 17 hexamètres pour rendre le sonnet. Le 1er quatrain français est traduit par les 6 premiers hexamètres, le second par les v. 7 à 11, le sizain final par les six derniers. Comparer à Second, *Basium* V et deuxième moitié du *Basium* XIII.

PAGE 61

1574 A et B : v. 9 : A[e]qualis

1   Voir t. IV, 2de J., pièce XV -3 : vingt hexamètres pour rivaliser avec le
sonnet. Certes, les diminutifs qui contribuent au charme du poème français ont leurs
équivalents dans le latin, mais le rapport entre le *Basium* et la matière du texte français
est très lointain : ici, il s'agit essentiellement d'une évocation sensuelle des charmes de
la Belle, capables de faire descendre Jupiter sur terre (v. 1-17) ; les trois derniers vers
décrivent l'impression de désastre physiologique provoquée par la volupté du baiser.

1574 A et B : titre : S[u]mnum
1574 A et B : v. 2 : ro[r]as

1   Cette prière de 23 hendécasyllabes est une transposition d'un sonnet de
Ronsard, largement imité de Bembo (Lm IV, 32) :

> *Si mille œilletz si mille liz j'embrasse,*
> *Entortillant mes bras tout alentour,*
> *Plus fort qu'un sep, qui d'un amoureux tour*
> *La branche aymée impatient enlasse :*
> *Si le souci ne jaunist plus ma face,*
> *Si le plaisir fonde en moy son sejour,*
> *Si j'ayme mieulx les ombres que le jour,*
> *Songe divin, cela vient de ta grace.*
> *Avecque toy je volleroys aux cieulx,*
> *Mais ce portraict qui nage dans mes yeulx,*
> *Fraude tousjours ma joye entrerompuë.*
> *Et tu me fuis au meillieu de mon bien,*
> *Comme l'esclair qui se finist en rien,*
> *Ou comme au vent s'esvanouit la nuë.*

Le premier quatrain est rendu par les v. 1-6, le second par les v. 7-11, le premier
tercet par les v. 12-15 et le dernier par les v. 16-23. Belleau est plus rigoureux dans sa
traduction de Ronsard que dans la paraphrase de ses propres poèmes.

PAGE 62

1578 : v. 4 : strict>i<us
1578 : v. 5 : strict>i<us
1578 : v. 23 : [in] tenues

1   Cf. notre t. I, p. 177. Comparer ces 18 hendécasyllabes au sonnet de Narcisse
dans Ronsard (Lm IV, 122) :

Que laschement vous me trompez mes yeulx
Enamourez d'une figure vaine :
O nouveaulté d'une cruelle peine,
O fier destin, ô malice des cieulx.

Faut-il que moy de moymesme envieux,
Pour aymer trop les eaux d'une fontaine,
Je brusle après une image incertaine
Qui pour ma mort m'accompaigne en tous lieux ?

Et quoy, fault-il que le vain de ma face,
De membre à membre amenuiser me face
Comme une cire aux raiz de la chaleur ?

Ainsi pleuroit l'amoureux Cephiside,
Quand il sentit dessus le bord humide,
De son beau sang naistre une belle fleur.

Au premier quatrain correspondent les 5 premiers hendécasyllabes, au second les 5 suivants, au premier tercet les 5 suivants, au dernier tercet les 3 derniers vers latins.

PAGE 63

1   Comparer ces 22 vers au sonnet de Ronsard (Lm V, 120) :

Voïant les yeus de toi, Maistresse eluë,
A qui j'ai dit, seule à mon cœur tu plais,
D'un si dous fruit mon ame je repais,
Que plus en mange, et plus en est gouluë.

Amour qui seul les bons espris engluë
Et qui ne daigne ailleurs perdre ses trais,
M'alege tant du moindre de tes rais,
Qu'il m'a du cœur toute peine toluë.

Non, ce n'est point une peine qu'aimer :
C'est un beau mal, et son feu dous-amer
Plus doucement qu'amerement nous brûle.

O moi deux fois, voire trois bienheureus,
S'Amour m'occit, et si avec Tibulle
J'erre là-bas sous le bois amoureus.

Cf. notre t. I, p. 178. Les 7 premiers hendécasyllabes délaient le premier quatrain ; les 5 suivants traduisent le second, les 5 suivants traduisent le premier tercet, et les 5 derniers le second tercet.

PAGE 64

1   Déjà dans la « Seconde Journée » de la *Bergerie* de 1572, Belleau avait offert à Monsieur Nicolas une Chanson (XV -50) rattachée au corpus des *Baisers*. Il lui dédiera, dans l'éd. des *Odes d'Anacreon* de 1574, la pièce *Sur l'importunité d'une cloche* (XIV - 5). Ce Secrétaire du roi et de ses Finances signait les privilèges, et notamment celui qui figure en tête de la Sec. Journée.

2   On apprendra, au v. 127, qu'il s'agit d'une fièvre *quarte*, qui résiste à tous les traitements. A rapprocher de VI -1, v. 91 et suiv.

3   L'enjambement met en valeur ce remède insolite. *L'entrepas* est une allure douce entre le pas et l'amble (trot d'un cheval, qui lève en même temps les deux jambes du même côté, allure très appréciée par les cavalières). Belleau se moque gentiment de son ami, qui recherche en toute occasion le confort et le plaisir.

4   Insolence de poète, dans la tradition satirique. Mais Belleau était devenu familier de Charles IX (voir la n. 37 de VI -1, *supra* et notre t. I, p. 24). D'autre part Nicolas « estoit fort heureux à faire des vers et en rencontrer de tresbons et plaisans qu'il addressoit au roy Charles IX » (Brantôme, éd. Lalanne., V, 281). On peut donc supposer que les relations de ces trois hommes autorisaient cette liberté. – *acheter au double* : compenser le don soit par un surcroît de travail soit par un abaissement de salaire.

5   *te... purger de ce trouble :* t'en débarrasser, jeu verbal avec la purge des apothicaires. Il est vrai que Belleau mêle la maladie au rêve obsessionnel de la possession d'un mulet.

6   *Resvant* : alors que tu dors debout. A rapprocher de *L'Ombre du cheval* (1569) de Ronsard (Lm XV¹, 142), qui a reçu de Monsieur de Belot, « conseiller et maistre des requestes de l'hostel du Roy » une gravure ou une peinture de son magnifique cheval, vu et sans doute monté par le poète, pendant un séjour à Bordeaux. Ronsard le revoit dans ses rêves : « Ainsy qu'on voit en noz songes de nuit / Se presenter je ne scay quelz Images /... Qui çà qui là revolent haut et bas » (v. 8 et suiv.).

7   Sans doute les meilleurs, puisque Ronsard les cite aussi, en 1563, dans sa *Response à un ministre* (Lm. XI, 143) : « Sus, boufons et plaisans que la Lune gouverne / Allés chercher un Asne aux montaignes d'Auvergne » (v. 495-96).

8   Exagération comique, à moins qu'ils tirent un carrosse ou une diligence ! Evidemment, ce léger reproche d'avarice se fait sur le mode plaisant, car Nicolas était connu pour sa générosité à l'égard des poètes, notamment Ronsard et Baïf, et sans doute l'auteur lui-même.

9   *le trot*, c'est celui du mulet (ou des mulets en général, à cause de leur amble).

PAGE 65

10   Il faut rattacher la proposition complétive à *il me semble* du v. 26. A noter la répétition (la 6ᵉ fois depuis le début) du mot *mulet* pour bien marquer l'obsession et l'entêtement de l'ami.

11 Ici entre en lice le mulet poétique, nous dirions « virtuel », que Belleau va façonner peu à peu avec sa *plume*. Il modèlera son mulet, comme le forgeron travaille au marteau le fer incandescent pour ferrer l'animal, geste indispensable en vue d'un long usage.

12 *engraissé,* employé au fig., car son portrait va être peu à peu enrichi de tous les détails que le poète donnera.

13 *bouchon :* poignée de paille tortillée pour nettoyer et frictionner la bête. Le style est ici celui de la conversation à bâtons rompus, car le v. 38 se termine par deux points, alors qu'il devrait faire corps avec le v. suivant, comme *engraissé* avec *ne mange.*

14 *pensé de la main :* jeu verbal, car l'adjectif avait parfois le sens de « soigné, bien traité » (donc très proche de « toiletté »), mais il peut signifier aussi « pensé par le poète et transmis par la main, qui tient la plume » (cf. v. 33-34).

15 Cet argument (vraie lapalissade, puisque cet animal n'a qu'une existence scripturale) a été aussi utilisé par Ronsard dans *L'Ombre du cheval* (Lm XV[1], 143, v. 29-31).

16 Il ne peut être attaché, comme un mulet en chair et en os. Une façon d'affirmer son existence.

17 Jeu verbal : il est fait pour porter son maître, mais c'est le poète qui le porte dans sa tête, comme une femme enceinte a la charge de son enfant.

18 *fantosme* a ici le sens de « créature imaginaire ». Mais à nouveau Belleau profère des négations inutiles, car évidentes (voir aussi les v. 51-52) Pour l'absence de *laquais* et de *valet* (v. 48), cf. Ronsard, *op. cit.,* v. 32).

19 Aborder un équidé par sa croupe peut déclencher une redoutable ruade.

20 Le mulet, comme l'âne, est assez peureux, surtout en présence des objets cités ici.

21 *qui* (court) : graphie pour « qu'il », associé à *telle façon.*

22 Toujours le même procédé : *un mulet peint dans le vuide,* qui fait écho à *que l'on ne voit point* du v. 52, mais juste après un rappel de ce que sont les vrais mulets et que celui-ci n'est pas.

PAGE 66

23 Ne pas oublier que le mulet a pour père un âne et que celui de Belleau mérite sa glorieuse ascendance. Pour la divination astrale de l'âne, voir G. Demerson, *Mythologie de la Pléiade,* p. 311 : « Cette légende peu connue transcrit une courte étiologie, donnée par Hygin (*Poet. Astron.,* 2, 23) sur les *Aselli,* mis par Bacchus au nombre des Astres ». Elle est reprise par Berni.

24 Ces vers font allusion à la traversée par le jeune Bacchus, juché sur un âne, d'un lac marécageux. Il se rendait à l'oracle de la forêt de Dodone, dont les arbres étaient pourvus de la parole (*parlantes).* Le qualificatif *flammeuse* indique que le jeune dieu est encore rouge du feu natal (voir les n. 13 et 14 des *Cornes).*

25 Les bacchantes, dans le cortège de Bacchus, brandissaient des thyrses et des tambours. Les *poilles* (ou paelles) *mouvantes* sont des sortes de cymbales, frappées

l'une contre l'autre. Cf. Rabelais, *Cinquiesme L.*, ch. 1 : « Ce triballement de poilles, chaudrons, bassins, cimbales corybantiques de Cybèle ».

26 Jalouse de Sémélé, Junon avait frappé son fils, Bacchus, d'une sorte de folie *(fureur)*. Curieusement Belleau reprend les rimes des v. 17-18, qui s'appliquaient à l'obsession de Nicolas. Le dieu de la vigne est présent dans toute l'œuvre du poète. Sans parler de l'hymne traduit d'Anacréon, il évoque « le bon père Denis » et détaille les *Vendanges* dans la *Bergerie* de 1565 (p. 20 et 40-41). Le dieu est cité dans les v. 19-22 de la *Cerise* de 1573. Il a sa place dans *Les Cornes* et *Les Pierres Précieuses* qui débutent par *Les Amours de Bacchus et d'Amethyste*. A noter que Ronsard, en 1555, avait écrit un *Hinne à Bacchus* (Lm VI, 176 et suiv.).

27 Parce que le poète détaille encore les défauts de mulets bien vivants et que son mulet n'a pas, ce dernier acquiert une certaine consistance et *existe* grâce à ses qualités.

28 A rapprocher, semble-t-il, de Berni, dont la mule sous-alimentée (*sbiadata*) est devenue transparente (*traspare, como un corpo diafano*) au milieu des âmes célestes.

29 Pour la *corne d'une lanterne*, voir *Les Cornes, v.* 131.

PAGE 67

30 La mule de Berni prédit, un jour d'Epiphanie, un mal que Dieu envoyait à son maître. C'est peut-être à partir de là que Belleau a, sur un mode baroque, évoqué les haruspices anciens (qui, cependant, ne sacrifiaient que de très belles bêtes et non un animal squelettique !)

31 Les v. 105-110 sont sans doute en rapport avec la mule de Berni, qui « regarnirait un *letto sfoggiato* (un lit déformé), *tanta lana si trova in su la schina* ».

32 *pour ne bouger* : parce qu'il ne bouge (de la page où il est décrit).

33 Les mulets sont recherchés pour des déplacements dans des zones montagneuses, car ils ont le pied sûr.

34 Ce mulet, qui devait transporter Nicolas, reste dans le domaine de l'invisible. Il va débarrasser le malade de sa fièvre quarte et d'une manière définitive.

PAGE 72

Cette préface en prose apparaît seulement, à notre connaissance, dans l'éd. 1574 B conservée à l'Arsenal. Elle semble donc remplacer l'Elégie de Ronsard, également adressée non plus à Chretofle de Choiseul, mais maintenant à Jules Gasssot dédicataire du livre (voir Lm VIII, 351, n. 1). En fait, la présente pièce XII a été rédigée en février-mars 1572 (voir plus bas, n. 7). Peut-être figurait-elle donc dans la seconde édition, actuellement perdue, des *Odes* de Belleau, avant d'être remplacée par l'Élégie en vers de Ronsard au même Jules Gasssot. La présente éd. (1574 B de l'Arsenal) pourrait être une copie directe de cette édition.

Sur Jules Gassot, voir la note de Lm VIII citée ci-dessus et également le *Sonet* de Ronsard dans les *Mascarades* de 1571 et 1573 (Lm XV, 364-365).

1 Sentiment caractéristique de l'esprit « moderne » en littérature.

2   Cf. Du Bellay, *Deffence*, notamment I, VII.

3   Redoublement de la conjonction destiné à soutenir l'expression de la subordination, gênée par l'antéposition d'un complément.

4   Expression toute faite qu'il ne faut pas prendre au pied de la lettre : voir ci-dessus, pièce n° III, v. 37.

5   Conformément au titre général du volume, cette préface, placée en tête de l'édition 1574 B concerne d'abord la réédition de la traduction des *Odes* d'Anacréon.

6   La célèbre citation d'Horace (*Carm.* IV, IX, 9) est également reproduite en partie sur la page de titre de la traduction latine d'Anacréon par Hélie André (Paris, Thomas Richard, 1555).

7   Cette fois, une date précise est désignée : l'édition H. Estienne étant datée de 1554, cette Préface a dû être rédigée en 1572.

PAGE 73

8   Ce lieu commun chez les poètes vieillissants, dont le cheveu se fait rare et gris, prépare l'excuse, non moins conventionnelle, relative à l'inspiration qui fut lascive lors des années de jeunesse.

1   Ronsard retrouve *L'Heure,* donnée en 1573 à Baïf.

PAGE 74

1   Le *Coral* est rendu à sa Maistresse.

2   Denisot est mort en 1559. Belleau, qui avait maintenu, par fidélité, sa dédicace dans la 3ème éd. (1573) des *Odes,* le remplace ici par un autre peintre, sans doute un ami, comme Rabel, qui fit un portrait de Belleau, reproduit en tête de ses *Pierres Précieuses* de 1576.

3   Belleau salua, chaque fois, par un poème les tragédies de son ami et presque compatriote. Cf. ci-dessus, pièce n° II. Il lui dédie ici *L'Escargot,* qui avait été enlevé à Ronsard, en 1573.

PAGE 75

1   Ce poème et le suivant sont de structure identique : double quatrain en alexandrins à rimes embrassées. Ces courtes pièces accordent au lecteur un peu de repos après l'*Election de sa demeure* (188 v.) et *Les Cornes* (176), en octosyllabes, qui fourmillent de souvenirs mythologiques.

2   Belleau s'amuse sans doute à traduire par ce pléonasme burlesque l'adjectif *cœcus* (aveugle) d'un probable modèle latin : ce huitain doit être rapproché d'une Epigramme de Passerat, *In gemellos luscos*. De son côté, Geronimo Amaltei avait mis en scène un pacte proposé logiquement, non pas, comme chez Passerat et Belleau, à un frère et à une sœur, mais à un fils et à sa mère. On en attribue à J. du Bellay (qui a pu connaître Amaltei à Rome) une adaptation latine ainsi traduite au XVIIe s. : *Jeanne et André, son fils, sont beaux comme le jour, / Mais chacun d'eux d'un œil a perdu la*

lumiere. / *André, donne celui qui te reste à ta mere :* / *Elle sera Venus, et tu seras l'Amour* (*Jardin des Muses*, 1642, p. 58-59 ; cf. Tourneur, « *Beauté poétique* ». *Histoire critique d'une Pensée de Pascal*, Paris, 1933, p. 22).

1   Oxymore caractéristique de la poésie érotique dérivée de Pétrarque ; cf. ci-dessus, pièce n° II, v. 7.

2   Il ne s'agit pas d'une « perte de connaissance » ; le mot *sentiment* désigne les *sens* (ici l'ouïe, indiquée par l'adj. *sourd* du v. 7), comme le confirme une phrase de *La Bergerie* de 1565 (p. 5) : le séjour de Belleau à Joinville lui fait « perdre le *sentiment*, fust de l'œil, de l'ouye, du sentir, du gouter et du toucher ».

3   C'est seulement au début du XVIIe siècle que Harvey a découvert la circulation du sang. Ici, le poème bouscule deux pathologies : le sang de l'amoureux transi aurait dû se glacer, mais, en fait, c'est de la sueur qui s'écoule dans ses veines. Un tel bouleversemnt physiologique explique l'*eschange* que subit l'être en proie à une violente passion (thème cher à Belleau).

PAGE 76

1   Voir *supra*, introduction aux nouveautés de 1573-1574 (p. 27 sqq).

PAGE 77

2   Pour que l'octosyllabe soit juste, il faut faire sentir la synérèse.

3   Non pas le premier de plusieurs fondeurs, mais celui qui a *pris l'initiative* de fabriquer la cloche.

4   Subjonctif de souhait à rattacher à *que* (du v. 1), *estranglée* poursuivant par un jeu verbal l'idée de *pandue* du v. 2).

5   L'âpreté des sons de la cloche décèle une *révolte* contre les lois de la musique.

6   Boileau retrouvera dans la Satire des Embarras de Paris ce motif de la *torture* que provoquent les sonneries de cloches ; le thème du jaloux malencontreusement tiré de son sommeil appartient à la tradition de la Nouvelle italienne.

7   Du fait que les cloches des églises sont parfois utilisées pour des concerts profanes de carillons, on infère malicieusement que leurs noms de baptême sont ceux de sympathiques héroïnes de chansons populaires. Mais les vers suivants les assimilent à d'anonymes filles, bonnes à tout faire.

8   L'usage d'horloges très perfectionnées etait répandu : elles donnaient toutes sortes d'indications, sonnant les heures, demies et quarts ; certaines faisaient entendre un air à chaque heure. *L'Heure* de 1555 (t. I, p. 164, v. 50-56 et p. 322) évoque la fabrication de montres, bijoux raffinés *dans des clotures* / *D'un ivoire, ou d'un cristal.*

9   Cf. *L'Heure* « au pied lentement glissant » (v. 9). La métaphore s'explique par la mythologie : Théocrite, *Syracusaines*, v. 102-105 : « Elles sont, les Heures chéries, les plus lentes des déesses ».

10 L'horloge a rendu obsolète le cadran solaire. Cette façon de placer l'Art des artisans, la création technique (cf. *ajustes*... *au compas*) au dessus de la Nature n'a pas toujours, chez Belleau, cette connotation légèrement burlesque (voir son interprétation de la figure de Prométhée dans le poème liminaire des *Pierres Précieuses*, et, dans la Seconde Journée de *La Bergerie* (t. IV, n° 2), la *Complainte* qui lui est attribuée).

11 Le moteur de l'horloge est un poids qui fait tourner un cylindre par l'intermédiaire d'une corde, un contrepoids annulant le poids de cette corde.

12 On notera la ferveur, exceptionnelle chez Belleau, de cet éloge de l'amitié.

PAGE 79

1578 : v. 72 : Entiers<,> [et] jamais à demy.

13 Ces verbes peuvent désigner des genres littéraires : *chanter* est l'activité d'un musicien, mais aussi celle de l'auteur d'Odes qui célébrent quelqu'un en vers. *Mignarder* est le fait du poème érotique, *flatter* (effleurer) celui de l'élégie, *pinceter*, celui de la satire légère.

14 Il ne faut pas se représenter matériellement les *languettes* d'un instrument à vent, mais comprendre les « petites langues », *organes* de la voix lyrique ; une variante de Ronsard (*Ode* II, 2 – Lm I, 178) confirme cette équivalence : 1550 : Sus debout, ma lire / Un chant je veil dire / Sus tes *cordes* d'or –(1555 : «à, page, ma Lyre, / Je veus faire bruire / Ses *languettes* d'or.

15 Adjectif à valeur proleptique : le métal rendait *misérable* Nicolas lorsqu'il l'offensait de son bruit épouvantable.

16 On se retrouve dans l'imaginaire du *Mulet*. Le poète va, *en imagination*, promener la petite cloche ici et là, dans les mains d'un lépreux obligé de signaler son approche dangereuse, ou accrochée au collier d'animaux, fauves dressés par un montreur, ou bête vautrée dans une fange épaisse, ou cheval employé à des transports harassants et nauséabonds.

PAGE 80

17 L'enjambement fait apparaître l'étymologie de l'adj. *clairsemé*.

PAGE 81

1 Voici un nouveau poème strophique : 9 sixains octosyllabiques (2 rimes plates, 4 embrassées ; cf. plus haut, pièce II). Comme on l'a noté, Belleau fait suivre, par souci de variété, un long poème sur l'amitié par une pièce plus courte, inspirée par l'amour.

2 *Loger* : se loger, se fixer.

3 *Repose… repos* : la « figure étymologique » évoque les poèmes grecs ou latins.

4 *J'honore* = je respecte. Il semble bien que Madame de Retz ne lui ait pas accordé souvent « le premier point » (M. -F. V.).

5 La réminiscence de Ronsard est évidente (*Ode à Cassandre,* Lm V, 196).

6 L'emploi de l'infinitif substantivé était recommandé par *La Deffence et Illustration* de J. du Bellay. Belleau est obsédé par le changement (physique et spirituel) qui intervient jour après jour dans le monde et dans l'homme.

7 *aussi tost que fait :* aussi rapidement que coule un rêve nocturne.

PAGE 82

8 La belle Hélène, cause de la guerre de Troie. Cf. t. IV, Ière J., XXXIII, v. 60.

9 Il s'agit de Briséis, que se disputaient Achille (*le Péléïde*) et l'orgueilleux Agamemnon (*l'Atride*). Achille, qui aimait sa prisonnière, avait dû la céder au fils d'Atrée. Rendu furieux, il voulut tuer son rival. Athéna l'en empêcha. Le pronom *dont* a la valeur de *pour laquelle.*

10 Singulier collectif désignant la beauté jeune, en général, dont Hélène et Briséis sont des symboles. A l'instar de la silhouette d'une vieille accroupie au foyer que Ronsard dessine pour Hélène de Surgères, l'image de cette décrépitude est donc une menace pour la jeune maîtresse, dont l'*Election* (VI -1, v. 98-102) vantait la souple démarche, vouée à devenir traînante malgré l'aide d'une canne (*crosse*).

11 Sur le naulage de Charon, le passeur cruel, voir *Enéide* VI, v. 298 sqq.

12 *Passager... passer... passant* : : la « figure étymologique » développée par le polyptote amplifie l'idée que la mission du barbare nocher est de transférer dans l'au-delà les valeurs de ce monde-ci.

13 Le caractère « menteur » du Styx est une conséquence de l'oubli que ses eaux provoquent, faisant perdre le sens du réel : le Sommeil « puise en la riviere / De Styx une vapeur qui endort le paupiere »... (Ronsard, Lm XII, 81).

14 Les lecteurs sont supposés croire vraie cette histoire de maîtresse malade ; comme dans les chansons populaires, ils sont heureux en amour tandis que le poète fait constater aux belles rebelles que la vertu a de tristes conséquences.

PAGE 84

1576 B : titre : du Roy. < Plus une autre traduction des carmes dudit du Chesne. > (...) de Nevers < M. D. LXXVI. >

1578 : v. 3 : [Favorisé] du ciel

1577 : v. 6 : [par] absence

1578 : v. 6 : <l'> absence

1578 : v. 7 : [paix] [peuple]

1578 : v. 9 : pour [ces] bons

1578 : v. 17 : [Commencement] heureux

1577 : v. 23 : [bien-nay]

1578 : v. 23 : [Lors que] voudras [bien nay]

1578 : v. 26 : que [devois]

1578 : v. 29 : Beante<s> l'attendo<yen>t preste<s> à l'englouir

1578 : v. 30 : qui [l'en] vint

1577 et 1578 : v. 34 : [d'un] si beau

1578 : v. 39 : [Dieu] Janus

1578 : v. 40 : [chaisnes]

1578 : v. 44 : [Blandice]

1578 : v. 46 : col [pendillent]

1577 : v. 49 : [Ayeuls]

1578 : v. 49 : [illustres ayeux]

1 Léger du Chesne (1503-1588), professeur d'éloquence latine au Collège des trois langues, figurait aux côtés de Belleau et d'autres disciples et amis de Dorat dans le jury qui, en 1567, déclara le gendre de Dorat, Nicolas Goulu, digne d'enseigner le grec et le latin au Collège Royal. Auteur de nombreux poèmes de circonstance, dont la *Nænia* sur la mort de François de Lorraine, duc de Guise (1563), il composa le *Genethliacum* pour le fils de Louis de Gonzague, prince de Mantoue, duc de Nevers (1539-1595) dont on connaît les célèbres *Mémoires* publiés par Gomberville au XVIIe s. ; le poète se montre ici aussi solidement anti-huguenot que son dédicataire. Louis de Nevers était le protecteur des poètes, et Baïf le chante comme un des meilleurs défenseurs de l'Académie qu'il avait fondée (M-L II, 322). – Les Génethliaques ne pouvaient prévoir que le petit François ne survivrait pas.

Le texte que nous reproduissons est celui de l'*Amplissimæ spei / pupulo* [*par méconnaissance du latin, les bibliographies transcrivent souvent : *populo*], *Francisco Gonzagæ, / nobilissimi Principis, Ducis Nivernensis filio / [...] genethliacum*, M. D. LXXVI, 3 ff., B. N. Rés Yc 1655 (= ici « 1576 A »). Ce sont les vers français qui figurent sur les deux rectos, face au texte latin.

Un autre tirage de ce texte (*Amplissimæ/ spei pupulo, Francisco Gon-/ zagæ, nobilissimi Principis, Ducis Nivernensis [...]*, B. N. Yc 1656 = « 1576 B »), de 4 ff., annonce au titre une autre traduction française (celle de Baïf) qu'il fait figurer à la suite. En 1576, le poème de Belleau n'était pas signé (tout comme une autre traduction due à Baïf, M-L V, 291).

En 1577, la pièce latine figure parmi les liminaires d'une traduction de Chalcondyle par Blaise de Vigenère, *L'Histoire de la decadence de l'empire grec, et establissement de celuy des Turcs*, Paris, Nicolas Chesneau (B. N. Rés. J 3290, f° D-Dv, = « 1577 ») ; elle est suivie des deux traductions françaises, cette fois signées des initiales des auteurs (R. B. et I. A. D. B. ; voir Baïf, M – L V, 316-317 et 408 et Belleau, M – L I, 338-339). L'éd. de 1578 donnera en clair le nom de Belleau.

2 Le *mellite puer* de Du Chesne était plus « pindarique ».

3 Il s'agit de la Paix de Monsieur (6 mai 1576), confirmée par l'édit de Beaulieu, qui réhabilitait les victimes de la Saint-Barhélemy et accordait aux protestants huit places de sûreté et le libre exercice du culte.

4 Le 15 septembre 1575, Monsieur Frère du Roi (le duc d'Alençon) s'était enfui du Louvre et de Paris où il était retenu prisonnier ; par la paix de 1576, il obtenait en apanage la Touraine, l'Anjou et le Berry.

5 Le peuple de France est représenté aussi bien par la noblesse que par le « peuple bas ». En décembre 1576 vont s'ouvrir les Etats de Blois prévus par la Paix de Monsieur. La composition du Conseil du Roi et le pouvoir des Etats Généraux provoquent des dissensions entre les députés à l'intérieur des trois ordres. Tout comme plus bas au v. 33, la traduction de Belleau évoque ces problèmes politiques plus nettement que celle de Baïf.

6 *Curia* chez Du Chesne. Depuis le XVe s., les parlementaires parisiens soulignaient les analogies entre le Parlement et le Sénat romain, prétention contre laquelle s'était vivement élevé François Ier en mars 1524. Depuis Louis XI et François Ier, les parlementaires refusaient d'être représentés par le Tiers Etat, ce qui conduisait pratiquement à la constitution d'un quatrième Etat.

7 Il semble que cet adjectif se prononçait déjà *mûr* ; la rime est donc « pour l'œil ».

8 Ce pluriel, en 1576, provoque un vers faux.

9 *Charitum fœtus* chez Du Chesne.

10 *Phosphorus* chez Du Chesne.

11 La guerre civile obscurcit la monarchie comme un brouillard émané du fleuve d'enfer, le Styx.

12 A la différence de Baïf, Belleau ne rend pas le jeu de mots du latin : *trophæa mirari, nec non* imitari *posse studebis*.

13 Du Chesne ne mentionne pas *la Lance*. Selon Brantôme (Lalanne, IV, p. 377 et suiv.), Louis de Gonzague était « fort jeune en la bataille de Sainct-Quentin, où il combattit fort vaillamment et acquist beaucoup de reputation » ; il fut un héros non seulement dans les guerres contre les Anglais, mais aussi lors des luttes contre les protestants ; on peut noter que c'est lui qui était chargé de courir à la poursuite de François d'Alençon dans la lutte confuse qui aboutit à la Paix de Monsieur évoquée ici.

14 « Le seigneur Ludovic de Mantoue espousa madamoyselle Henriette de Nevers ou de Clèves, fille aisnée, et pour ce la duché luy escheut » (Brantôme). Le mariage eut lieu en 1565.

PAGE 85

1578 : v. 52 : [et toy] celle [de l'olive]

1576 B : FIN : <Autre traduction des vers dudit Chesne> (*par Baïf, voir M -L, V, 291)

15 Sur cet épisode (février 1568), voir Brantôme, t. IV, p. 381.

16 Les Etats constitutifs de la nation ont déjà été évoqués plus haut dans la première strophe ; chez Du Chesne, le Peuple n'est pas « bas ». On notera que *Curia* est maintenant traduit par *la Cour*, expression qui pourrait inclure les nobles fidèles à la Royauté, à une époque où se développait un malaise nobiliaire ; or, les « Malcontents »

étaient particulièrement hostiles à Louis de Gonzague, duc de Nevers... (Arlette Jouanna, *La France du XVIe s.*, Paris, P U F, 1996, p. 503).

17 Motif de généthliaque : voir *Chant d'alaigresse*, t. II, p. 94, v. 19-20.

18 Janus ayant sauvé les Romains par une intervention miraculeuse lors d'un siège, il était prudent de laisser ouverte la porte de son temple en temps de guerre pour lui permettre d'intervenir rapidement en cas de danger. La fermeture de cette porte était donc symbole de paix. Cf. t. VI, pièce XVIII –3, v. 29.

19 Les compagnons allégoriques de Vénus émigrent dans l'entourage de l'enfant. Belleau fait allusion au thème néo-platonicien de Vénus, déesse de la paix, accompagnée de *putti* chargés de désarmer le dieu de la guerre, de veiller sur son sommeil et de célébrer la victoire de l'amour. De nombreux tableaux sont consacrés à ce motif, que l'on trouve dans l' *Hymne* II, 7, *Veneri*, de Marulle ou dans l'*Eridan* de Pontano, comme dans le *Chant de triomphe* de Belleau (t. III, p. 131, v. 265 et suiv.).

20 La variante *Ainsi soyent* constitue un latinisme, parallèle à celui du v. 50 ci-dessous : la formulation d'un vœu solennel est introduite par l'adverbe *sic*.

21 Du Chesne concluait : *Deo gloria et gratia*.

« LES AMOVRS ET NOVVEAVX ESCHANGES »

PAGE 115

1 Troisième fils d'Henri II et de Catherine de Médicis, il fut fait duc d'Anjou, puis d'Orléans. Sa mère le fit élire roi de Pologne en 1573. Il revint bientôt en France pour succéder à son frère Charles IX, mort le 30 mai 1574, et épousa Louise de Lorraine.

2 Henri III portait beaucoup de bijoux. Urban Tigner Holmes, Jr. cite le secrétaire de l'ambassadeur vénitien Geronimo Lippomano, qui décrit en 1577 le goût du roi pour les « Monili e braccialetti e pendenti all'orecchie » (« The Background and Sources of Belleau's *Pierres Précieuses* » in *P. M. L. A.* 61 (1946), p. 626).

3 Belleau distingue entre les pierres réelles et les poèmes, qui visent « l'"Idée même de Pierre ». Voir Claude Faisant, « Gemmologie et imaginaire : Les *Pierres precieuses* de R. Belleau » dans *L'Invention au XVIe siècle*, Textes recueillis et présentés par C. -G. Dubois, Presses Univ. de Bordeaux, 1987, p. 88.

4 L'*Académie du Palais* se réunissait deux fois par semaine dans le *Cabinet du roi*, au Louvre, probablement à partir de janvier 1576. Parmi les membres se trouvaient le frère du roi, Henri d'Angoulême, sa sœur la reine de Navarre, le duc et la duchesse de Nevers, Madame de Retz, Madame de Lignerolles, Desportes, d'Aubigné, Jamyn, Baïf, Ronsard, Tyard, et Pibrac, qui, selon la *Vie de Ronsard* de Binet, était responsable de cette entreprise. Le roi, désireux de réunir en sa personne le philosophe et le prince, invitait les membres à traiter surtout de thèmes philosophiques ; Belleau s'adresse à un

monarque qui a témoigné de son amitié pour les poètes et de son intérêt pour les sciences. Voir R. J. Sealy, S. J., *The Palace Academy of Henry III*, Genève, Droz, 1981.

5 « L'Inde Orientale » était censée être le principal lieu de gisement des pierres.

PAGE 116

1 Sur Jean Dorat (1508-1588), voir Geneviève Demerson, *Dorat en son temps*, Clermont-Ferrand, Adosa, 1983. Principal du collège de Coqueret, il sut révéler à ses élèves l'importance de l'héritage grec. Il soutenait les écrivains en composant des liminaires pour leurs ouvrages (notamment pour les *Odes d'Anacreon*, voir t. I, p. 80, et pour *La Bergerie* de 1572, voir t. IV). Il composera un poème grec et un poème latin pour le « Tombeau » de Belleau (voir ci-dessous).

2 En associant les pierres aux vertus du roi, Dorat rappelle la technique de Jean Lemaire de Belges dans sa *Couronne margaritique*, Lyon [publié par Claude de Saint-Julien, seigneur de Balleurre], 1549.

PAGE 118

1 Sur Germain Vaillant de Guélis, voir t. IV, liminaire de *La Bergerie* de 1572. Reçu conseiller au Parlement de Paris en 1558, il avait embrassé l'état ecclésiastique. Il semble avoir fréquenté le « Salon verd » de la comtesse de Retz – voir J. Lavaud, *Un Poète de cour au temps des derniers Valois : Philippe Desportes*, Paris, Droz, 1936, p. 99. Dans l'édition des *Pierres precieuses* de 1578, ce poème sera traduit en vers français.

2 Il s'agit du lézard (voir Virgile, IVe *Géorgique*, v. 241-242).

3 Aristée, pour savoir la cause de la mort de ses abeilles, alla consulter Protée, devin de Neptune. Pour l'obliger à parler, il dut l'enchaîner dans son sommeil. Voir Virgile, IVe *Géorgique*, 318-530.

4 Pyrrha et son mari Deucalion, les seuls justes sauvés du déluge provoqué par Jupiter, repeuplèrent la terre en jetant derrière eux des pierres, les « os de leur mère », selon l'oracle des dieux (Ovide, *Mét.* I, v. 230-429).

1 Les Muses, nées dans l'*Olympus Pierius*, un bois et une montagne aux frontières de la Thessalie et de la Macédoine.

PAGE 119

2 Nouvelle périphrase pour les Muses ; le mont Hélicon s'élevait en Aonie, une région de Béotie.

3 Pour prouver à Antoine qu'elle pouvait dépenser plus que lui en nourriture, Cléopâtre fit dissoudre dans du vinaigre une perle de grande valeur, et but ce liquide. L'anecdote, qui figurera plus loin, dans «La Perle», v. 135-39 et que Lemaire de Belges mentionne dans sa *Couronne margaritique* (Lyon, 1549, p. 31), vient de Pline, *Histoire naturelle*, IX, 35. Vincent de Beauvais la reproduit (*Speculi Maioris Tomi quatuor*, Venise, apud Dominicum Nicolinum, 1591, I. 8, chapitre 83, f° 91 r°, col. 1-2).

4 Sur S. de Sainte-Marthe, voir notre t. III, p. 193 n. 2.

1 En 1578, ce *Discours* sera remplacé par une paraphrase en vers, que nous reproduisons au t. VI.

2 Belleau suit des auteurs anciens tels que Pline, Dioscoride, Solin et Orphée, mais passe sous silence ses contemporains tels que Cardan et La Rue.

3 *Les Chaldéens* désignaient dans l'Antiquité classique diverses sortes de prêtres et d'astrologues orientaux. Belleau distingue ici entre les sciences occultes – surtout l'astrologie – et le savoir plus rationnel ; mais science et magie se mêleront dans ses vers. Pour l'allusion aux planètes, qui ouvre le « Discours » mais qui est rédigée sur un ton sceptique, voir Schmidt, *Poésie scientifique, op. cit.,* p. 272. Dans le corps de son recueil, Belleau s'abstient de signaler sous quel astre se forme le minéral dont il vante la beauté.

4 Il s'agit du participe passé du verbe *paistre*.

5 Belleau pense aux *Lithica*, poèmes sur les pierres précieuses conservés sous le nom d'Orphée.

6 Belleau signale que son ouvrage présente un aspect religieux, mis en relief par la présence dans le même volume du « Discours de la Vanité » et des « Eclogues sacrées ».

PAGE 120

7 Comme l'a montré M. F. Verdier, Belleau traduit ici de près quelques passages du traité de Georg Agricola, *De ortu et causis subterraneorum* (Livre IV). Nous utilisons l'édition des *Opera*, Bâle, per H. Frobenium et N. Episcopium, 1558. Voici le premier passage d'Agricola que Belleau imite : « Aristoteles ex exhalatione sicca ignescente fieri dicit lapidum genera non liquescentia » (p. 46). – Pour la section sur la « naïfveté » des pierres, Belleau semble s'être souvenu de Cardan. Nous utilisons l'éd. du *De subtilitate Libri XXI,* nunc demum ab ipso autore recogniti atque perfecti (Lyon, apud Philibertum Rolletium, 1554, p. 271-273). Mais en même temps qu'il suit fidèlement ses sources savantes (dont les idées rappellent celles qu'exposent Aristote, Théophraste et Posidonius), Belleau souligne leurs contradictions.

8 Ces philosophes sont Aristote (*Meteorologica*) et Posidonius, qui s'intéressait particulièrement aux pierres.

9 Le feu, celui des quatre éléments qui, dans la théorie d'Empédocle et dans la cosmogonie du *Timée* de Platon, ayant pour principe la légèreté, tend vers le haut. Selon Aristote, il tend constamment du centre vers la circonférence.

10 Voir Agricola, p. 46-47 : « tum si ex eo [vapore] lapides efficerentur, crebrius fierent in supera regione, quae ignis est, quàm intra terram, etenim motus et conversio astrorum concitatior eam citius accendit ».

11 Il s'agit de Théophraste (*De lapidibus*), que réfute Agricola (p. 48) : « in hoc peccat Theophrastus[...]. Inquit enim : eorum quæ in terra consistunt alia sunt aquea, alia terrena, aquea quidem sunt metalla, ut aurum, argentum, et reliqua : terrena vero lapis, et lapidum species preciosæ ».

12 Agricola (p. 48) : « nam si vera esset Theophrasti sententia, nulla inveniretur gemma quæ transluceret : jam vero multo perlucent ».

13 Agricola (p. 48) : « omnia solida simul et crassa, quæ translucent, aquea sunt : id est constant ex humore, in quo inest aqua, quæ terram vincit pondere ».

14 Agricola (p. 48) : « Avicenna quibus modis congregetur materia, lapis futura, non explicavit : sed qualis esset, voluit tradere posteris. Dicit vero lutum esse in primis lentum, et aquam : non simplicem quidem illam, sed permistam cum terra. [...] itaque si permistio abundaverit terra, dicitur lutum : sin aqua, *succus* ».

15 Agricola, p. 48 : « quod in animantibus est evidens. lapides enim in eorum renibus aut vesica generatos, ex humore crasso et lento factos esse ipsa res demonstrat ».

PAGE 121

16 Les pierres poétiques de ce recueil prouveront le contraire.

17 Agricola écrit (p. 49) : « tum ramenta [= raclures] quoque saxorum sunt materia novi lapidis : gignitque isto modo lapis lapidem ». Encore une fois, le discours des savants contemporains ne correspond pas à ce que le lecteur des poèmes apprendra sur l'origine des gemmes. Belleau semble vouloir montrer les limites de la science.

18 Agricola, p. 55 : « et primo coloris. Itaque lapides maxime talibus coloribus ornatos videmus, quales materiæ fuerint, ex quibus sunt orti ».

19 Agricola, p. 55.

20 Agricola, *ibid.* : « deinde calor cum ipse lapidum fuerit effector, materiam colorat. nam ejus colores obscuros illustrare, contrà illustres obscurare potest. frigus vero parum immutare de materiae coloribus videtur ».

21 Agricola, *ibid.*

22 Agricola, *ibid* : « quo modo in locis apricis virides fiunt et nigri : in opacis rubri ».

23 Agricola, p. 56.

24 Agricola, p. 56 : « sive factæ [gemmæ] fuerint è succis viridibus, ut smaragdi [...] sive e cæruleis, ut sapphiri [...] sive è rubris, ut carbunculi : sive è purpureis, ut amethysti, et hyacinthi : sive ex aurei coloris, ut chrysolithi : sive ex misti coloris succis, ut opali ».

25 Agricola, *ibid.*

PAGE 122

26 Agricola signale aussi les vices des pierres, *ibid* : « sed vitia gemmarum ex eo oriuntur quòd succus non fuerit concolor. Cum autem coloris vitia potissimum sint umbra et nubecula : corporis capillamentum, sal, plumbago ». Cf. Cardan, p. 273.

27 Cardan, p. 271 : « At veræ gemmæ dicuntur, quæ non sentiunt limam ».

28 Le poète personnifie les pierres en les dotant de qualités morales. Agricola écrit (p. 58) : « sed ob mollitudinem lapides fiunt fragiles, aut friabiles, ut tophus ».

29 Cf. Cardan, p. 272 : « Cognoscuntur gemmæ, tactu, visu, lima, substantia ».

30 Belleau se propose de transmuer poétiquement le réel grâce à l'invention artistique. Ayant résumé le discours des savants qui, depuis l'Antiquité, se sont intéressés à la gemmologie, il s'en éloigne pour souligner ce que ses vers offrent de plus.

1 « Petit œil » traduit *ocellus*, terme de tendresse utilisé par les néo-latins à la suite des élégiaques latins.

2 Le Parnasse, montagne de Phocide à deux sommets, consacrée à Apollon et aux Muses, au pied de laquelle se trouvait Castalie, fontaine de l'inspiration poétique.

PAGE 123

3 Permesse, rivière de Béotie, issue du mont Hélicon et dont les eaux inspiraient les poètes. Comme ses contemporains, Belleau semble confondre la source du Permesse et Castalie (erreur dont Servius est probablement responsable, puisqu'il donne l'Hélicon pour un des sommets du Parnasse, Comment. d'*Enéide*, 7. 641).

4 Cf. ouverture du L. IV de *De Natura* de Lucrèce, livre dans lequel il aborde la question de la sexualité – un des thèmes majeurs du poème de Belleau. Sur sa lecture de Lucrèce, voir Simone Fraisse, *L'Influence de Lucrèce en France au XVI*e *siècle*, Paris, Nizet, 1962, p. 140-142.

5 Souvenir du début de l'*Hymne de la Mort* de Ronsard (Lm VIII, 161-164), inspiré des *Astronomica* (2. 48-58) de Manilius. Ronsard écrit p. ex. : « il me plaist pour toy de faire icy ramer / Mes propres avirons de sur ma propre mer » (v. 37-38 ; cf. Belleau, v. 15-16).

6 Belleau admire, mais ne va pas imiter, Homère. Il évoque l'*Iliade*, puis l'*Odyssée* (v. 28-36). La « torche Hectorée » fait allusion au chant 16 de l'*Iliade* (v. 112-123), où Hector, à la tête des Troyens, poursuit les Grecs jusqu'au rivage et met le feu à leurs vaisseaux.

7 « Les ruses » des Grecs évoquent la construction du cheval de bois. Nestor dans l'*Iliade* était un vieillard sage et éloquent, aussi courageux sur le champ de bataille qu'habile dans ses conseils.

8 Ulysse consulte les morts dans le Chant XI de l'*Odyssée*. La fille d'Agénor est Europe, dont le ravissement par Zeus est décrit par Ovide, *Mét.* 2. 836 – 3. 27.

9 Ithaque, royaume d'Ulysse, est une île de la mer Ionienne.

10 Achéloüs, dieu-fleuve, fils de Téthys et de l'Océan, était le père des Sirènes, qui figurent dans le Chant X de l'*Odyssée*. Dans le même chant, Circé transforme en pourceaux les compagnons d'Ulysse. Dans le détroit de Messine, Scylla était un écueil et Charybde un tourbillon fameux (Chant XIII de l'*Odyssée*). Peu de distance séparait le gouffre du rocher, de telle sorte que le pilote qui cherchait à échapper à un danger pouvait tomber dans l'autre. De là le proverbe célèbre.

11 Ces vers rappellent le S. 31 des *Regrets* de Du Bellay et un *Adage* d'Erasme (I. 2. 16 : « *Patriæ fumus* » d'après Homère, *Od.* 1. 57-59 et Ovide, *Pont.* I. 3, v. 33-34).

PAGE 124

64. émaillez[,]

12 Résumé du début du L. I des *Métamorphoses* d'Ovide.

13 Il s'agit d'Aratos (IIIe s. av. J-C), dont Belleau a traduit partiellement les *Phænomena*, poème astronomique (voir *Bergerie*, 2e J., t. IV, pièces <X> et <XI>). Ganymède, prince troyen d'une beauté merveilleuse, remplaça Hébé dans l'Olympe comme échanson des dieux. Jupiter le plaça dans le zodiaque sous le nom de « Verseau ». Persée, fils de Jupiter et de Danaé, brisa les chaînes d'Andromède exposée à un monstre marin. Sa constellation est située entre Cassiopée et le Cocher et celle d'Andromède avoisine le pôle arctique. La constellation du Dragon est dans l'hémisphère septentrional. Argo, le navire qui transporta les Argonautes en Colchide, donne parfois son nom à la constellation du Navire dans l'hémisphère sud. Athéna enchâssa dans la proue d'Argo un morceau de bois qui « parlait » en rendant des oracles. « La Chevre nourrisiere » est Amalthée, dont le lait nourrit Jupiter lorsque sa mère l'eut dérobé à la voracité de Saturne ; elle fut mise au rang des astres avec ses deux chevreaux. Callisto, nymphe compagne de Diane, engrossée par Jupiter, fut changée en ourse par Junon et tuée par Diane. Jupiter la plaça au ciel, où elle forma la constellation de la Grande-Ourse ou du Chariot. Cassiopée est une constellation boréale, qui se trouve toujours en opposition à la Grande-Ourse, par rapport à l'étoile polaire. La Cassiopée mythologique irrita Neptune en se proclamant plus belle que les Néréides. Le v. 55 fait allusion à la Voie Lactée. Sur cette poésie cosmique, voir la *Complainte de Prométhée*, 2de J. de *La Bergerie*, t. IV, pièce <II>, v. 165 et suiv. et Baïf, *Premier des Météores*, éd. Demerson, Grenoble, P. U. G., 1975, où Baïf semble reconnaître, après L'Ecclésiaste, la vanité de la recherche scientifique.

14 La silhouette de ce poète pastoral désigne aussi bien le Virgile des *Éclogues* que Théocrite.

15 Il s'agit probablement des *Amores*, des *Tristia* et des *Epistulæ ex Ponto* d'Ovide.

16 Il pourrait s'agir de Pline l'Ancien, qui décrit les oiseaux dans le livre 10 de sa *Naturalis Historia* ou d'un de ses successeurs comme Pierre Belon (*Histoire de la nature des oyseaux*, Paris, Guillaume Cavellat, 1555).

17 La fontaine d'Hippocrène, source de l'inspiration poétique, que le cheval ailé, Pégase, fit jaillir d'un coup de sabot sur l'Hélicon, et que J. -A. de Baïf chanta dans un de ses *Poëmes*, « L'Hippocrene ».

PAGE 125

18 « Les Titans », fils d'Ouranos et de Gaïa, étaient, à l'époque de Belleau confondus avec les Géants, qui furent vaincus par Zeus sur le champ de bataille de Phlégra avec l'aide notamment d'Athéna, de Styx et d'Héraclès. Voir t. I, p. 337, n. 11, et Fr. Joukovsky-Micha, « La Guerre des dieux et des géants chez les poètes français du XVIe s. » in *B. H. R.* 29 (1967), p. 55-92.

19 Formulation elliptique : « Après que ces mutins eurent été étouffés et que le ciel fut devenu paisible ».

20 C'est la Gaïa d'Hésiode, ancêtre maternel des races divines et des monstres. Unie à Ouranos, elle engendre les Titans ; fécondée par le sang issu des testicules d'Ouranos tranchés par Cronos, elle enfante les Géants.

PAGE 126

21 Mercure est, entre autres, le patron des commerçants.

22 Pallas-Athéna protège les travaux féminins, notamment textiles.

23 Apollon est le dieu de la musique et de la poésie.

24 Cérès est la déesse de la terre cultivée.

25 Selon Virgile (*GéorG.* 1. 9), les eaux du fleuve Acheloüs furent utilisées par Bacchus quand il inventa le vin. Belleau se souvient de *L'Hinne de Bacus* de Ronsard (Lm VI, 177, v. 5-6) : *Qui changea le premier (ô change heureus) l'usage / De l'onde Acheloée en plus heureus bruvage ?*

26 Sur Sémélé embrasée par la gloire de Jupiter et Bacchus enfermé dans la cuisse de son père, voir ci-dessus, *Petites Inventions* de 1573, « Les Cornes », n. 3.

PAGE 127

27 Comme Rabelais dans ses prologues, Belleau prétend composer en buvant. Il explore le concept des « fureurs », poétique et autres. Cf. Tyard, *Solitaire premier* : « En quatre sortes […] peut l'homme estre espris de divine fureur. La premiere est par la fureur Poëtique procedant du don des Muses. La seconde est par l'intelligence des mysteres, et secrets des religions souz Bacchus. La troisiesme par ravissement de prophetie, vaticination, ou divination souz Apollon : et la quatriesme par la violence de l'amoureuse affection souz Amour et Venus ». (Ed. Baridon, Genève, Droz / Lille, Giard, 1950, p. 17). Tandis que la fureur du poète est bénéfique, celle de Bacchus devient excessive et mène à la perte d'Améthyste. Les v. 235 à 246, où le mot « fureur » figure deux fois à côté de « coleres », « courrous », « horreur » et « échauffez », montrent un Bacchus qui perd la maîtrise de lui-même.

28 Après avoir combattu les Titans, Bacchus partit pour une expédition en Orient. Monté sur un âne, environné de faunes, de satyres, de bacchantes portant tambours et thyrses, il combattit les Indiens ; cf. Rabelais, *Cinquiesme Livre*, ch. 38-39.

29 La flèche de Cupidon, si redoutée du Belleau des poèmes amoureux, a la puissance des diaboliques armes modernes.

PAGE 128

169. lierre<,>

30 Dionysos meurt, est enterré et ressuscite tous les trois ans. Les Thyades sont une troupe de femmes de Delphes ayant pour fonction de le rappeler à la vie au cours de tumultueuses cérémonies. Belleau se souvient ici des *Dithyrambes* (Lm V, 47) et de

L'Hinne de Bacus (Lm VI, 176) de Ronsard ; de Marulle (*Hymni* 1. 6, « Baccho »), et de Catulle, 64, v. 251-264 : *Thyades passim lymphata mente furebant... / harum pars tecta quatiebant cuspide thyrsos, ... / pars sese tortis serpentibus incingebant, / pars obscura cavis celebrabant orgia cistis... / plangebant aliæ proceris tympana palmis / aut tereti tenuis tinnitus aere ciebant. / multis raucisonos efflabant cornua bombos / barbaraque horribili stridebat tibia cantu.*

31 Mot composé à la mode de la Pléiade.

32 M. Verdier écrit : « en termes de vénerie, c'est la croupe du cerf, offerte, lors de la curée, au maître d'équipage ; par extension, une pièce charnue prise sur la croupe d'un animal ».

33 La *cista*, petite boîte, normalement en osier, contenait des objets sacrés utilisés pendant la célébration des mystères religieux.

PAGE 129

203. fureur[.]
212. rouillan[s]
224. *1585* ver[d]<,>

34 Bacchantes, celles qui criaient « Evan » (titre de Bacchus).

35 Les Bassarides sont les prêtresses de Bacchus Bassareus (cf. Ronsard, Lm V, 69 ; VI, 184 et n. 4).

36 Dans l'*Hymne de l'Esté* (Lm XII, 42), Ronsard avait décrit un chariot construit avec de l'or d'après Ovide évoquant le char d'Hélios, emprunté par Phaéton (*Métam.* 2. 103-110 – voir Margaret McGowan, *Ideal Forms in the Age of Ronsard*, Berkeley, Los Angeles, London, Univ. of California Press, 1985, p. 148-150). Nous savourons le talent descriptif de Belleau : il reproduit les moindres détails et s'attache à suivre les mouvements et à peindre les couleurs. Voir Fr. Joukovsky, *op. cit.*, p. 458 ; et M. Raymond, *Influence de Ronsard*, p. 194.

37 Tournure elliptique = sans être piqués.

PAGE 130

233. [c]es costez
244. main[.]

38 Ce zeugma saisissant met sur le même plan la force physique des tigres et des onces, et leur colère.

39 La vitesse avec laquelle ces événements sont décrits est en contraste frappant avec la description du chariot. La métamorphose d'Améthyste rappelle la pétrification de Niobé, *Métamorphoses* 6. 306-312.

PAGE 131

40 Opposition saisissante entre la prière d'Améthyste, qui n'occupe que deux vers et demi, et cette prolixité de Bacchus, teinte de néo-pétrarquisme.

41 Les propriétés de l'améthyste sont liées à son nom et à sa couleur. L'origine grecque du mot (*a* privatif et *methustes,* « ivrogne ») semble due à la couleur violette qui rappelle celle du vin. Elle combat l'ivresse, qui endort, donne de mauvaises pensées, et obscurcit l'intelligence. Il faut donc que l'améthyste, qui protège de l'ivresse, garde éveillé, éloigne les pensées mauvaises et facilite la compréhension. Pour sa liste des propriétés, Belleau semble avoir suivi Vincent de Beauvais, *ed. cit.,* I. 8, Ch. 44, f. 87 v° : « Ametistus si posueris eum super umbilicum, vaporem vini prohibet, ebrietatemque solvit, et hominem a contagio liberat. […] virtusque illius est contra ebrietatem, facitque hominem vigilem, malamque cogitationem repellet, et intellectam bonum tribuit ». Il s'inspire aussi de François La Rue, *De gemmis* (Paris, C. Wechel, 1547), II, 11, p. 121.

PAGE 132

296. froissant> < en

42 Le poète décrit attentivement « la sainte liqueur » qui prête ses couleurs à l'améthyste et qui reste comme la marque de l'ivresse de Bacchus et de la transformation tragique de la jeune fille. Désormais la pierre, véritable symbole religieux, préservera des fureurs bacchiques. Voir Cl. Faisant, « Gemmologie et imaginaire », art. cit., p. 103-105.

43 Bromius, « le bruyant », était un des noms de Bacchus.

44 Selon les lapidaires, les meilleures améthystes viennent de l'Inde, ce qui permet à Belleau de rattacher la pierre à la légende de Bacchus.

Titre. <A LA ROYNE. >

1 En 1578 et dans les éditions suivantes, ce poème est dédié « A la Royne ». L'épouse de Henri III est Louise de Lorraine (1553-1601), fille du comte de Vaudémont et de Marguerite d'Egmont. Deux jours après avoir été sacré roi de France, Henri la fit monter sur le trône. La jeune reine se fit bientôt remarquer par sa piété et par sa charité envers les pauvres. Belleau lui dédie dans le même recueil ses *Eclogues sacrées* – Le testament de Belleau indique qu'il possédait « ung anneau d'or, auquel est enchassé cinq dyamens » et « ung aultre anneau d'or, auquel y a ung dyament, enchassé en cueur » (M. Connat, « Mort et testament de Belleau», p. 354). – Le mot *diamant* et le latin *adamas* viennent d'un mot grec signifiant « indomptable » et qui désigne non seulement le diamant, mais aussi différentes matières aux propriétés exceptionnelles, comme la magnétite ou l'acier. De là vient une certaine confusion en ce qui concerne ses vertus.

2 Voir « L'Amethyste », v. 5 et note.

3 Ce ton sentencieux préfigure la traduction de L'Ecclésiaste qui suit les *Pierres.*

PAGE 133

10. rompre> <

39. l'Or<,>

4   Belleau réaffirme son désir de s'écarter des sentiers battus et impose à la Muse le métier de diamantaire. Le poème lui-même est assimilé à la pierre précieuse dont il est la description. Le poète accumule ensuite les expressions négatives pour suggérer que les qualités du diamant sont intraduisibles. Seule la parole poétique peut les évoquer. – Du temps de Newton on croyait encore que le diamant (qui n'est combustible qu'à haute température) résistait au feu.

5   Le diamant, forme naturelle, cristalline et allotropique du carbone, est la plus brillante et la plus dure de toutes les pierres précieuses. Tous les lapidaires parlent de ses vertus extraordinaires. Cf. plus haut, n. 90.

6   L'Inde a été la source la plus importante du diamant jusqu'à la fin du XIXe s.

7   Dans la *Théogonie* (v. 140) Hésiode présente trois Cyclopes, qui donnèrent la foudre à Zeus, dont Stéropès (la foudre). Ils habitaient Lipari, une des îles Eoliennes, et aidaient Vulcain. Cf. Virgile, *En.* 8. 424-425. Cl. Faisant commente l'accumulation d'expressions négatives aux v. 9 à 18 comme « autant d'aveux d'impuissance face à une réalité insaisissable. Ce vertige de l'ineffable conduirait au silence, si l'imagination créatrice ne passait outre » (art. cit., p. 91).

PAGE 134

8   Pour les différents gisements et les matériaux auxquels le diamant se trouve mêlé, Belleau suit Pline (*H. N.* XXXVII. 15. 55-57), Solin, *De memoralibus mundi*, Paris, Jehan Petit, 1503, f° XLI r°, et Vincent de Beauvais (I. 8, ch. 40, f° 87 v°, col. 1).

9   Belleau a pu se souvenir de l'adaptation par Belleforest de *La Cosmographie universelle* de Sebastian Münster, Paris, Michel Sonnius, 1575. On y lit par exemple : « La principale cité de tout le pays est Decan, assise au pied d'une montaigne sur le confin du Royaume, et servant de limites contre les Roys de Narsingà, et de Bisinagar [...] à quatre mille de laquelle y a une montagne, de laquelle on tire les Diamants les meilleurs qui soyent guere en l'Orient : mais [...]le Roy de Decan y tient garnison ordinaire, a fin que [...]les Roys voisins n'y facent dessus aucune entreprise ». (Ch. 17, col. 1607). – Le Decan était un territoire de la partie sud de l'Inde, décrit dans *La Cosmographie universelle* comme « ayant au Levant les monts *Gaté*, et Royaume de *Narsingà*, et Deli, [...] mais au ponent, luy est la mer Indienne qui regarde la coste d'Ethiopie » (ch. 17, col. 1600). – « Mammeluc » est l'Egypte, du nom d'une milice dont sont issus plusieurs sultans. « La vieille roche » fait peut-être allusion aux mines fortifiées décrites par Belleforest, au milieu d'un territoire occupé par les musulmans. Pour M. Verdier, le « Barbare estranger » désigne peut-être l'Ethiopie.

10 La 7e et la 10e strophe disaient le contraire. Comme dans son « Discours » liminaire, Belleau se plaît à souligner les contradictions entre les opinions des savants. Seul le poète connaît son objet, puisqu'il l'invente.

11 Les lapidaires suivent Pline en affirmant que le sang de bouc a une action amollissante, mais la source majeure de cette strophe semble être La Rue, II. 15, p. 133 : « Neque pigebit etiam secundò recensere non sine magno naturæ miraculo fieri, ut vis illa Adamantis indomita, qua scilicet suarum partium integram contra ferri ignisque injurias connexionem pertinaciter tuetur, ab hirci sanguine calido quidem et recenti ita afficiatur, ut tandem conniveat et atteri patiatur ». Dans sa traduction d'Albert le Grand (*Le Monde minéral : Les Pierres (livres I et II)*, Paris, Cerf, 1995, p. 216), Michel Angel suggère que le terme de « sang de bouc » « a pu servir à désigner, sans en révéler la composition, une pâte abrasive, probablement rouge, utilisée au polissage des facettes cristallines à une époque où la taille n'existait pas ».

PAGE 135

87. Diamant> <
88. contraire<,>

12 Cf. Cardan, *De la subtilité*, trad. Richard Le Blanc, Paris, L'Angelier, 1556, f° 134 r° : « Le diamant n'est presque brisé et poli d'autre chose, que de sa limure, tant est dur ». Jean de La Taille observe : « Il est si dur, et subtil que ses petites rongnures, ou raclures (qui sont tellement precieuses, qu'un scrupule en est vendu 6 escus) servent à le pollir, et brizer luy mesmes, et les autres pierres » (*Blason des pierres precieuses*, Paris, Lucas Breyer, 1574, f° 3v°- 4r°).

13 Albert le Grand (p. 213), Vincent de Beauvais (I. 8, ch. 39, f° 87 v°) et La Rue (II. 15, p. 131) mentionnent le pouvoir qu'a le plomb de dissoudre l'*adamas*, mais Belleau ne dit pas la même chose. Son allusion à « une lime de plom » conforte l'hypothèse de Michel Angel dans sa traduction d'Albert : « La dissolution dans du plomb pourrait concerner la fixation d'une pointe de diamant [...] à l'extrémité d'un outil servant à la gravure » (p. 216).

14 Strophe inspirée de Pline, XXXVII. 15. 60 : « cuius hoc invento quove casu repertum ? aut quæ fuit coniectura experiendi rem inmensi pretii in fœdissimo animalium ? Numinum profecto talis inventio est ».

15 Pline est responsable de cette affirmation, XXXVII. 15. 61 : « adamas dissidet cum magnete in tantum ut iuxta positus ferrum non patiatur abstrahi aut, si admotus magnes adprehenderit, rapiat atque auferat ». Les autres lapidaires reprennent cette croyance. Seul Cardan la déclare stupide (*De subtilitate* VII, p. 282). En posant encore une question, Belleau cherche à susciter l'émerveillement du lecteur.

16 La comparaison militaire crée un parallèle entre les minéraux et les hommes. La « secrette inimitié » rappelle la dédicace à Henri III, dans laquelle le poète promet d'animer ses pierres « de passions amoureuses, et autres affections secretes ».

PAGE 136

17 Il s'agit avant tout des juges des enfers, Minos, Eaque et Rhadamante, ainsi que de Pluton. Les principaux fleuves infernaux étaient le Styx, l'Achéron, le Phlégethon, et le Cocyte, que les morts passaient dans la barque de Charon.

18 M. Verdier établit un rapprochement avec « L'Hymne des Astres » de Ronsard, où Jupiter récompense les Astres d'avoir ébloui les Géants, causant leur défaite(v. 83-90, Lm VIII, 153-154). – Voir Philip Ford, *Ronsard's « Hymnes » : A Literary and Iconographical Study*, Tempe, Arizona, 1997, p. 185. Ronsard et Belleau évoquent ainsi la notion fondamentale de l'astrologie, c'est-à-dire qu'il est possible de prévoir le destin des hommes en étudiant les influences astrales. Rappelons que les Anciens établissaient un rapport entre les pierres et les astres – voir la première phrase du « Discours des Pierres Precieuses ».

19 Saturne dévorait tous ses enfants, croyant qu'un de ses fils le détrônerait, mais Rhéa sauva Jupiter à sa naissance en le remplaçant par une pierre enveloppée de langes, que Cronos avala. Le nouveau-né fut transporté en Crète et caché dans la grotte de Dicté.

20 Ovide fait allusion à Celmus, ancien compagnon de jeu de Jupiter, qui fut métamorphosé en diamant par lui pour avoir dit qu'il était mortel (*Métam.* 4. 281-282).

21 Pline, Albert le Grand, Marbode, Vincent de Beauvais, entre autres, font allusion à ce genre de propriétés ; cf. La Rue « negantque ferentem fascinari posse, adeò scilicet cacodæmonibus invisus esse perhibetur » (p. 134). Mais c'est probablement des « Daimons » de Ronsard que Belleau s'inspire (Lm VIII, 115, v. 73-76 : « dedans l'air habitent les Daimons » ; v. 383-394 : « ils sont menteurs... traistres et decepteurs ».

22 La cire servait aux sortilèges. Cf. « Seconde Journée de *La Bergerie* », t. IV, pièce <XIV -5>, v. 4.

PAGE 137

163. Propre<,> ; d'efficace<,>
168. [a]mour

23 Cf. Ronsard, « Les Daimons » (Lm VIII, 127). L'incube était un démon qui, sous un déguisement humain, séduisait les femmes. Le succube prenait la forme d'une femme pour se livrer à un homme. Le mot *folleton,* comme l'« esprit follet », évoque un être fait de vent (cf. Ronsard, Lm VIII, 136, v. 385). Selon Lemaire de Belges, la gemme Adamantine « chasse ces fantosmes nocturnes, qu'on appelle Incubes et Succubes [...] et dissipe toutes vanitez de songes » (*Couronne Margaritique* p. 35-36).

24 Marbode observe que le diamant « noctis lemures et somnia vana repellit » (*De lapidibus preciosis Enchiridion, cum scholiis Pictorii Villingensis*, Paris, Christian Wechel, 1531, p. 16). Cardan a souvent utilisé le diamant pour dissiper les « nocturnos timores » (*De subtilitate,* VII, p. 282). La plupart des lapidaires attribuent au diamant un pouvoir sédatif.

25 Cf. Marbode : Clausus in argento lapis hic auróve geratur, / Stringit et hunc levum fulgens armilla lacertum (p. 16). Vincent de Beauvais le suit presque mot à mot (f° 87 v°).

26 Le philtre d'amour.

27 Belleau a pu trouver chez Vincent de Beauvais (ch. 39, f° 87 v°) ou chez Boaistuau, *Histoires prodigieuses*, ch. 18 (éd. G. Mathieu-Castellani, Paris-Genève, Slatkine, 1996, p. 172) le détail du diamant qui transpire si on le met à côté d'un poison.

28 Contre laquelle les vents exercent leur violence.

29 Le diamant est depuis longtemps associé à l'amour fidèle ; certains auteurs de lapidaires affirmaient qu'un diamant placé sous l'oreiller d'une femme indiquait si elle était chaste ou non. Cf. La Rue, p. 134-135.

PAGE 138

177. Seulement> < ny

186. autre fois [deux mots]

30 Boaistuau parle du diamant (*Hist. prodigieuses*, ch. 16) : « Nature l'a infecté d'un vice, car il est [...] mis au rang des poisons violentes, qui soudain estouffent, quand il est bu en pouldre. Aucuns disent que c'est par son extreme frigidité, les autres disent que c'est par la violente erosion qu'il faict aux boyaux, mais la premiere opinion me semble plus probable » (éd. cit., p. 139). Aux v. 178 à 180 Belleau évoque quelqu'un dont le suicide, comme la transformation de Celmis (v. 121-126), représente le rejet des « avatars dégradants de la condition mortelle » (G. Demerson, « Poétique de la métamorphose chez Belleau », art. cit., p. 137.

31 Belleau s'adresse de nouveau à la Muse-Diamantaire. Ce poème-diamant devient dans la dernière strophe le symbole de la constance et de la pureté de la reine, d'une stabilité et d'une perfection qui, aux vers 175 à 180, devaient être trouvées dans la mort.

1 Le mot *calamite* (ital. *calamita*) vient peut-être des brins de roseau (lat. *calamus*) flottant dans un vase d'eau sur lesquels on plaçait l'aiguille – voir le t. 2 de la présente éd., p. 111, l. 5. La plupart des lapidaires classent l'aimant avec les pierres précieuses, telle est la fascination exercée par ses propriétés. Binet publia en 1573 un poème sur la « pierre d'aymant ». Conjointement avec l'aimant, Belleau célèbre la créativité artistique (dans l'*Ion* de Platon, l'inspiration poétique est comparée à la force d'une pierre magnétique).

2 Belleau s'émerveille devant une des propriétés de cette pierre avant même de la décrire. Pline s'exclamait pareillement : « A marmoribus degredienti ad reliquorum lapidum insignes naturas quis dubitet in primis magnetem occurrere ? quid enim mirabilius aut qua in parte naturæ maior inprobitas ? » (XXXVI. 25. 126).

PAGE 139

6. engourdis<,>

29. ardans> < et ; sallees> <

3 Cf. Pline, *ibid.* : « Quid lapidis rigore pigrius ? »

4 Belleau amplifie Pline (*ibid*). : « Dederat vocem saxis, respondentem homini, immo vero et obloquentem ».

5 Cf. Pline, *ibid.* : « Ecce sensus manusque tribuit illi [magneti] ».

6   Cf. encore Pline : « Quid ferri duritia pugnacius ? pedes ei inpertivit et mores. trahitur namque magnete lapide, domitrixque illa rerum omnium materia ad inane nescio quid currit » (XXXVI. 25. 126-127). Belleau est plus sentencieux, exprimant deux fois le fait que « le donteur est donté ».

7   Les astres (cf. « L'Agathe », v. 126). Le poète trouve les mouvements des cieux moins merveilleux que les propriétés de l'aimant.

PAGE 140

57. retrait

8   Souvenir de Claudien, « Magnes, v. 40-43. (*Idylle* traduite par J. de La Taille dans le *Blason des Pierres precieuses*, publié avec *La Géomance abregée*, Paris, Lucas Breyer, 1574) : *Quis calor infundit geminis alterna metallis / Fœdera ? quæ duras jungit concordia mentes ? / Flagrat anhela silex, et amicam saucia sentit / Materiem, placidosque chalybs cognoscit amores*.

Belleau trouve frappante la métaphore « nœu d'amitié » et révèle à quel point l'aimant est perturbé (« cruellement outrée », « desir importun »).

9   La comparaison avec un chien de meute introduit des connotations de cruauté qui vont à l'encontre de l'accent mis ailleurs sur l'amitié entre le fer et l'aimant.

10   On se représentait l'univers céleste comme une série de sphères de cristal concentriques. Certains prétendaient que seule la dixième sphère était de cristal. Selon Aristote (*Du Ciel*), l'univers extralunaire est rempli d'un seul élément, l'éther.

11   Ici commence l'imitation de Lucrèce, *De rerum natura*, 6. 921-923 : *Principio omnibus ab rebus, quascumque videmus, / perpetuo fluere ac mitti spargique necessest / corpora quae feriant oculos visumque lacessant*.

12   Cf. Lucrèce, *ibid.*, v. 933-935. Belleau accentue le mouvement de ces « petits corps », par des verbes – « s'amasse », « s'eslance », « se pousse » – ainsi que par la mention de la « vive secousse ».

13   Belleau suit Lucrèce, *ibid.*, v. 925-929. Il brode sur sa source en mentionnant l'hiver et l'été et en remplaçant la chaleur du soleil par « les flammes journalieres ». – Le raccourci saisissant, « fraichin », semble être un hapax.

14   Depuis l'ouest jusqu'à l'est.

15   Belleau suit Lucrèce, 6. 942-944. L'emploi de tournures interrogatives éveille la curiosité du lecteur.

16   Lucrèce 6. 948-950 : *frigus item transire per aes calidumque vaporem / sentimus, sentimus item transire per aurum / atque per urgentum, cum pocula plena tenemus*, et v. 945 : *crescit barba pilique per omnia membra, per artus*. Belleau continue à poser des questions, et il emploie le verbe expressif « cotonner » (cf. Ronsard, « Hymne de la Mort », v. 224, « encotonner de barbe le visage », Lm VIII, 173).

PAGE 141

17   Schmidt remarque : « Cette comparaison qui lui [à Belleau] appartient en propre compte parmi les plus heureuses qu'ait inventées la Pléiade » (*op. cit.*, 1970, p. 281). Sans équivalent chez Lucrèce, elle fait penser au quatrième livre des *Géorgiques*.

18 Belleau suit, mais de moins près, Lucrèce 6. 1002-1007. Faisant allusion au titre du recueil, il invente des « amourettes » et des « liaisons secrettes », pour continuer sa personnification poétique du fer et de l'aimant.

19 Cf. Lucrèce, 6. 1031-1033 : *hic, tibi quem memoro, per crebra foramina ferri / parvas ad partis subtiliter insinuatus / trudit et impellit.* L'accumulation de verbes rend le mouvement plus urgent.

20 Une nouvelle comparaison s'ajoute à l'imitation de Lucrèce ; cf. Orphée : « sitôt qu'on l'approche d'un morceau de fer poli – comme une vierge au teint de lait prend entre ses bras son premier amoureux [...] – la pierre attire sur son corps le fer belliqueux » (*Lapidaires grecs*, trad. Halleux et Schamp, Paris, Belles Lettres, 1985, p. 98-99).

21 Cette deuxième image est développée par Jean Second, *Basium* II ; cf. Ronsard, *Odes* 1550, II. 25, v. 7-18, et *Sonets pour Helene*, II. 29, ainsi que Clovis Hesteau de Nuysement, sonnet 64, v. 9 (*Œuvres poétiques*, L. II, éd. Guillot, Genève, Droz, 1994, p. 275).

PAGE 142

112. fuyant[.]

22 Souvenir de Claudien, « Magnes », v. 16-21 : *Nam ferro meruit vitam, ferrique rigore / vescitur [...] hoc absente perit ; tristi morientia torpent / membra fame, venasque sitis consumit apertas.* Belleau renforce la personnification en mentionnant les flancs, la main et les entrailles de l'aimant. Il intensifie l'atmosphère mystérieuse en parlant d'une « secrette influence ».

23 Cette comparaison, ajoutée par Belleau à ses sources, esst en parallèle avec les v. 85 à 88, où l'on apercevait le désir d'une jeune fille ; ici, il s'agit d'un homme frustré.

24 Topos scientifico-poétique du monde créé à partir d'éléments contraires.

25 Le *je* poétique établit rapidement un parallèle entre le monde des pierres et son expérience amoureuse, qui, autrement, resterait indicible. Mais rien ne nous permet d'affirmer qu'il s'agit ici de Madame de Retz, ni d'une autre dame réelle.

26 Cf. Lucrèce, 6. 959-961.

27 Raison pour laquelle ils... (le texte porte « qui »).

PAGE 143

28 Adaptation de Lucrèce, 6. 1048-1055. Seul Belleau parle d'une « guerre immortelle » et d'une amitié qui « se rompt » ; chez lui, le fer lui-même prend la fuite.

29 Le *je* poétique revient à ses malheurs amoureux, créant une opposition pétrarquiste entre son ardeur et la froideur de la dame.

30 Plusieurs lapidaires mentionnent la boussole à propos de l'aimant (p. ex. Vincent de Beauvais, f° 85 v°, col. 1 ; Agricola, *De ortu et causis subterraneorum Lib. V*, Bâle, Froben, 1558, p. 246 ; Cardan, p. 314). Il semble que l'antiquité gréco-latine ignorait la polarité du fer. L'idylle de Claudien sur l'aimant n'y fait pas allusion. – « Estoiles Ursines » : la Grande et la Petite Ourse.

31 Souvenir d'Aratos, *Apparences celestes* (notre t. VI, pièce V, v. 39 et suiv.). Dans le système de Ptolémée, le soleil, les planètes, les étoiles tournent autour de la terre immobile.

PAGE 144

32 La nymphe Callisto eut de Jupiter un fils, Arcas ; Junon, jalouse la changea en ourse. Arcas faillit la tuer à la chasse ; Jupiter lui fit alors subir la même métamorphose et les transporta tous deux au ciel, où ils forment les constellations de la Grande et de la Petite Ourse (Ovide, *Mét.* 2. 496-507). Cf. *La Bergerie*, t. II, pièce <XXII>, p. 74 et « Les Ourses » dans les *Apparences celestes* (voir note précédente).

33 Belleau imagine un cadran où l'étoile polaire représenterait minuit (ou midi). Voir Marie Boas, *The Scientific Renaissance 1450-1630*, Londres / Glasgow, Collins-Fontana, 1962 (éd. 1970), p. 30-31. Sur le cadran de sa boussole est aussi représentée la rose des vents.

34 Idée platonicienne et chrétienne de l'amour au centre de l'univers ; ce syncrétisme explique qu'un Dieu unique qui maintient le monde en équilibre remplace les « Dieux » du v. 175. La célébration de la nature dans les *Pierres* mène à la contemplation de Dieu.

35 Ce contraste entre la cruauté des hommes et la douceur paradoxale des pierres fait allusion aux guerres de religion. Le ton fait penser à l'Ancien Testament et prépare le *Discours de la Vanité*.

36 Belleau se souvient peut-être d'Agricola, p. 244 : « Optimus certe magnes non modo ad se trahit et tenet ferrum, sed etiam vim suam in id ita transfundit, ut possit aliud ferrum, quod appositum fuerit, apprehendere et tenere ». Les termes de « froide horreur » (cf. Lucrèce, 6. 1011 : « ferri [...] frigidus horror ») et de « vive chaleur », sont plus évocateurs.

PAGE 145 .

37 Développement de la courte comparaison de Lucrèce, 6. 1033, « quasi navem velaque ventus ».

38 Cf. Lucrèce, 6. 910-915. Mais encore une fois Belleau suggère que l'amour et l'amitié motivent les actions qu'il a décrites (en prenant des accents platoniciens – le v. 208 fait allusion au mythe de l'androgyne).

39 Claudien, à la suite d'Oppien, consacre sa troisième *Idylle* à la torpille ; les v. 13 à 23 montrent comment ce poisson, après avoir mordu à l'appât, exhale son poison engourdissant. Du fond de l'eau s'élève un froid horrible, qui suit le fil tendu et arrive à la main du pêcheur. H. Naïs passe en revue les sources possibles de l'allusion (*op. cit.,* p. 277-278) ; cf. Théophraste, fragm. 178, reproduit par Athénée (*Deipnosophistes*, VII, 314) ; Boaistuau (17ᵉ *Histoire prodigieuse*) ; Grévin (*Deux Livres des venins*, Anvers, Plantin, 1567-1568, p. 30). – Matthiole (Mattioli) dans son commentaire sur Dioscoride (1554), semble être le premier à mettre en parallèle la torpille et l'aimant (voir la traduction due à Jean des Moulins, Lyon, Roville, 1572 : « On ne sauroit trouver chose

plus propre pour resembler à l'aymant de vertus que la torpille. Car comme l'admirable vertu de l'aymant passe d'une éguille en un' autre [...], ainsi la vertu de la torpille en fait semblablement : car prinse par l'hameçon, sa vertu stupefactive transperce soudain par la soye et la ligne » (p. 747). – Ce n'est qu'en 1746 que P. van Musschenbroeck eut l'idée d'attribuer à l'électricité la propriété de la torpille.

40 Albert le Grand (p. 296) et Vincent de Beauvais (Ch. 21) rapportent ce phénomène, mais la source probable est Agricola : « Mauri tradunt in India maritimas quasdam cautes existere, magnete abundantes, quæ clavos omnes ex navibus ad eas appulsis, extrahunt : quæ navigia ferro onusta ad se trahunt, et eorum cursum sistunt » (p. 245). L'énumération vigoureuse des parties du bateau qui se détachent et l'image des navires qui « rongent » la montagne magnétique sont propres à Belleau.

41 La plupart des lapidaires notent que la pierre d'aimant peut être rougeâtre.

PAGE 146

42 Pline avait dit : « differentia prima, mas sit an femina, proxima in colore » (XXXVI. 25. 128). Vincent de Beauvais (I. 8, chapitre 19) et Cardan (p. 321) distinguent l'aimant masculin et le féminin.

43 C'est peut-être chez Boaistuau (p. 148-149) que Belleau a trouvé l'histoire d'un médecin de Tours qui utilisait une aiguille aimantée pour pénétrer la chair sans douleur. Cardan avait imité cette expérience et tenté d'expliquer ce phénomène (texte latin, p. 318-320 ; trad., f° 149 r°-v°).

44 Le mont Ida se trouve en Crète. Après Nicandre, et Pline (XXXVI. 25. 127) Agricola mentionne deux fois cette légende (p. 243-244 et p. 245).

45 Ces gisements sont nommés par La Rue, p. 156-157. Seul Belleau mentionne l'achat de pierres et la libéralité de l'Espagne. Lui seul loue la Nature.

46 Nous ignorons où Belleau a trouvé ce détail.

47 Vincent de Beauvais : « Hic lapis potui datus, optimum est ei qui de ferro toxicato vulneratus est » (I. 8. 21, f° 85 v°, col. 2).

48 Pline met en relief le pouvoir qu'a l'aimant de guérir le larmoiement (XXXVI. 25. 130).

49 Le lapidaire orphique, les Orphei Lithica Kerygmata, Damigéron, Marbode, Albert le Grand et La Rue rapportent que, placée sous l'oreiller d'une femme qui dort, la pierre d'aimant la fera tomber du lit, si elle est adultère, ou la poussera dans les bras de son mari si elle est fidèle.

50 Cf. Orphei Lithica Kerygmata, 11 : « Elle rend ceux qui la portent charmants pour tous, persuasifs et de bonne compagnie. Elle [...] donne la persuasion et la dignité, et fait trouver des arguments » (Lapidaires grecs, p. 155). Cf. aussi Damigéron-Evax (Lapidaires grecs, p. 274) et Marbode (p. 82).

51 Vincent de Beauvais : « Hydropicis cum mulsa datus, crassitudinem deducit (I. 8, chap. XXI, f° 85 v°).

52 La pierre d'aimant devient métonymique du poème offert à la bien-aimée. Ce trope a un rôle important dans les Pierres precieuses, comme dans les Petites Inventions.

53 Comme aux vers 105 à 120 et 141 à 148, le *je* du poète apparaît et imagine que sa maîtresse a une âme de fer. Il espère que l'aimant – ou son poème – pourra l'adoucir. La dame n'est pas nommée et les sentiments du poète sont exposés par pierre interposée. Tel est souvent le cas de cet écrivain discret.

PAGE 147

54 Besser, A. -M. Schmidt et M. -F. Verdier ont tous admiré ce poème, dans lequel Belleau se révèle bon lecteur de Lucrèce et emprunte des exclamations et des interrogations à Pline, tout en s'inspirant aussi de Claudien, d'Orphée, de Marbode, de Cardan, d'Agricola et de La Rue, entre autres. Il a été un des rares auteurs du XVIe siècle à associer au phénomène du magnétisme la boussole et le poisson-torpille. Il a su égayer son discours par des comparaisons simples et par des allusions aux amours de son *je* poétique.

7. Perle<,>

1 Sur Marguerite de France voir t. III, p. 65. En 1567, Belleau lui adresse un « Chant » en tête du *Brave* de Baïf (*ibid.*, p. 176 n. 2). Le présent poème est une réécriture de « L'Huitre », *Petite Invention* de 1556 (cf. t. I, p. 344-348, où M. M. Fontaine montre ce que Belleau doit à Athénée et cite Guillaume Rondelet). Le testament de Belleau indique qu'il possédait un « pendant d'or où est enchassé une cornaline et une perle pendante », ainsi qu'une « petite pomme de sentence platte, garnye de fil d'or, et une petite perle » (M. Connat, p. 355).

2 Belleau assimile l'invention littéraire à la technique adroite d'un pêcheur de perles triant la perle fine, non au bord de l'océan, mais au pied du Parnasse, près de la fontaine Castalie, qui donnait l'inspiration aux poètes.

3 Selon les poètes anciens, les noms des héros étaient conservés dans le temple de Mémoire, mère des Muses. Cf. Ronsard, « Le Temple des Chastillons » (Lm VIII, 72-84).

4 Belleau aime cette expression (*La Bergerie*, t. II, p. 98, v. 129 ; t. IV, pièce <IV>, var. du v. 166, et « La Turquoise », v. 28 : « La force et la pince des ans »).

5 Belleau personnifie la perle.

6 Le *thrésor indien* désignait les perles. Cf. « L'Huitre », I, p. 180, v. 64.

7 Voir tome I, p. 345, n. 5.

8 Belleau insiste sur l'origine céleste de la perle et pense à la tradition platonicienne de la supériorité de l'air, et surtout de l'éther, sur l'eau. Voir Hilda Dale, « Belleau et la science lapidaire », p. 240.

PAGE 148

9 Epithète homérique, « l''Aurore aux-doigts-de-rose » (p. ex. *Iliade* I. 477). Cf. Belleau, *Odes d'Anacréon*, LIII, « L'Aurore a de Roses les dois » (t. I, p. 122, v. 29).

10 En 1556 : « Tant sa nature est cousine / Du ciel » (t. I, p. 180, v. 50-51).

11 Belleau se rappelle Pline, IX. 54. 107 : « ex eo quippe constare, cælique eis majorem societatem esse quam maris ».

12 Belleau suit Pline, IX. 54. 107 : « Has ubi genitalis anni stimulavit hora, pandentes se quadam oscitatione impleri roscido conceptu tradunt, gravidas postea eniti ». –« Perleus enfantement » figure déjà dans « L'Huitre », v. 42.

13 Belleau, poussant plus loin que Pline le parallèle entre l'huître et le jeune être humain, retrouve son motif favori de l'allaitement (voir p. ex. dans *La Bergerie*, la prière aux Grâces de nourrir un petit prince, t. II, p. 94, v. 31 ; cf. aussi « La Pierre laicteuse »). Sur la signification néoplatonicienne de la naissance « sexuelle » de la perle (comparable à la naissance de Vénus), voir Olivier Pot, qui montre que cet enfantement représente la fécondation de l'eau par le feu céleste, donc l'insémination de la *Mens* supérieure dans le monde matériel (*Inspiration et mélancolie : L'Epistémologie poétique dans les Amours de Ronsard*, Genève, Droz, 1990, p. 159).

14 Belleau développe la brève indication de Solin, *De memoralibus mundi*, Paris, Jehan Petit, 1503, f° xlii v° : « luxuriante conceptu sitiunt rorem velut maritum cuius desiderio hiant ». Les « chastes flambeaux d'Hymenée » tempèrent l'érotisme de la comparaison. On notera l'insistance : « un ardant desir » et « l'ardeur ».

15 *Qui* (= qu'il) *ne soit vray* ; comprendre : « même si cela n'est pas vrai ».

PAGE 149

59. [t]a mer
64. emmailloterent<,>

16 Détail inventé à partir du « Ravissement de Cephale » de Ronsard (Lm II, 133-147 ; cf. Ovide, *Métamorphoses*, 7. 690-713).

17 « Ceste eau » est la rosée. Les mots « berceau », « emmaillotèrent », « nourrices », « allaitterent » développent l'humanisation des huîtres.

18 Il s'agit de la flamme de l'Aurore.

19 Cf. « L'Huitre », v. 47-49, tome I, p. 180, où Belleau s'inspirait d'Athénée et de Solin. Dans « La Perle », il imite plutôt Pline, IX. 54. 107 : « Si purus [ros] influxerit, candorem conspici, si vero turbidus, et fetum sordescere, eundem pallere cælo minante » (*sordescere* n'a pas d'équivalent chez Belleau, qui rend les couleurs de la perle plus jolies). Cf. De La Porte, *Epithetes*, Paris, Gabriel Buon, 1571, s. v. « Perle » : « On dict que le Nacre [...] s'ouvre pour recepvoir la rosée du ciel, laquelle lui sert de semence genitale, et deviennent les Perles autant grosses ou petites qu'il aura pris de rosée : Mesmes elles se font claires, troubles, ou blaffardes, selon que le temps est alors disposé ».

PAGE 150

20 L'orage est évoqué par une périphrase concernant Jupiter. Certains lapidaires signalent l'influence du tonnerre sur la conception des perles (p. ex. Vincent de Beauvais, I. 8. 81, f° 90 v°, col. 2, et Albert le Grand, p. 303), mais la source principale est Pline, IX. 54. 108 : « Si fulguret, comprimi conchas ac pro jejunii modo minui ; si vero etiam tonuerit, pavidas ac repente compressas quæ vocant *physemata* [mot grec,

perles creuses] efficere, specie modo inani inflatas sine corpore ; hos esse concharum abortus ». Tandis que chez Pline ce sont les coquilles qui se referment, Belleau continue à représenter l'activité de la perle, qui se cache dans sa coquille, et qui a une « face » et un « teint » qu'il faut soigner.

21 Cf. Solin, f° xlii v° : « Conchis ipsis inest sensus : partus suos maculari timent. Cumque flagrationibus radiis excanduerit dies : ne fuscentur lapides solis calore subsidunt et se profundis gurgitant ut ab æstu vindicentur ».

22 Pline signale cette défense de l'huître, IX. 55. 110 : « Concha ipsa cum manum vidit [...] operit opes suas gnara propter illas se peti, manumque, si præveniat, acie sua abscidat nulla justiore pœna ».

23 La comparaison avec les abeilles est tirée de Pline, IX. 55. 111 : « Quidam tradunt sicut apibus ita concharum examinibus singulas magnitudine et vetustate præcipuas esse veluti duces miræ ad cavendum sollertiæ ». Pour le roi des abeilles, voir *Géorgique IV* (v. 21, p. ex.) : les Anciens, à l'exception d'Aristote, croyaient que l'abeille principale était un mâle. Au XVIIIᵉ s., J. Swammerdam démontra la vérité.

PAGE 151

139. doncques<,>

140. MARGUERITE<,>

24 Cf. La Rue, p. 126 : « Oculorum præterea abundantem humorem finire, ideoque et visui prodesse, oculis scilicet quamtenuissimo earum pulvere immisso, traduntur ».

25 Il faut comprendre : puissance *de* seicher. Née « de la douce rosée / Du grand Ciel » (v. 43-44), elle a, avec ses connotations néoplatoniciennes, des propriétés qui régularisent les humeurs du corps (cf. v. 116-117, v. 129-132).

26 Voir D. A. Béecher, « Des Médicaments pour soigner la mélancolie : J. Ferrand et la pharmacologie de l'amour » in *Nouv. Revue du seizième s.,* 4 (1986), (p. 94).

27 Cf. encore La Rue, p. 126 : Contra cardiacos et melancholicos affectus plurimum celebrantur, magnoque usu commendantur ».

28 Mandeville (*Lapidaire du quatorzième s.,* éd. I. del Sotto, Vienne, Impr. impériale et royale, 1862, p. 45), Albert le Grand, p. 303, et Vincent de Beauvais, I. 8. 84, f° 91 r°, mentionnent l'action de la perle contre les écoulements de sanG.

29 Cf. plus haut « Au Peuple de France » par Sainte-Marthe, v. 9-10 et note. Pline raconte cette histoire célèbre, IX. 58. 119 121.

30 On trouve la même rime, *eslite – marguerite*, dans « L'Huitre » ; mais ici Belleau joue sur le prénom, le latin *margarita* signifiant « perle ». Il parle de la reine de Navarre juste après une anecdote dans laquelle figure une reine dévergondée (« regina meretrix », Pline) ; implicitement il espère que Marguerite saura se conduire autrement. La Taille utilise des vers semblables dans son *Blason des pierres precieuses :* « Mais sur toutes pierres d'élite / Je veux chanter la Marguerite » (*La Géomance, op. cit.,* f° 14 v°).

31 Cf. M. M. Fontaine (t. I, p. 348, n. 19) : l'iconographie représente souvent des boucles d'oreille en perles ; Marguerite de Valois et Elisabeth de France sont parfois montrées couvertes de perles.

32 Représentation traditionnelle de la Mort.

33 Les écrivains ont célébré la blancheur du teint de Marguerite. Brantôme loue « son beau visage blanc, qui ressembloit un ciel en sa plus grande et blanche sereneté » (*Vies des Dames illustres*, V). Ronsard écrit, dans *La Charite*, 1, « A la Marguerite et unique perle de France, la Royne de Navarre » (Lm XVII, 167) : *Son front estoit une table garnie / De marbre blanc*... La mention des « chastes honneurs » crée un nouveau contraste, entre Cléopâtre et Marguerite. Belleau imagine que Marguerite surpassera toutes les propriétés de la perle qu'il a énumérées en rendant la perle immortelle. Cette hyperbole termine un poème qui imite Pline de près et évoque la perle avec délicatesse. La naissance de la perle devient un symbole de l'invention du poème lui-même, la rosée d'origine céleste agissant comme l'inspiration dans l'âme du poète. Si Marguerite accepte le poème-perle, elle assurera sa survie.

PAGE 152

Titre. ET > < CHRYSOLITHE.

25. Autre<s>

1 « Hyacinte » désigne aujourd'hui des grenats et surtout des zircons de couleur orangée, après avoir été le nom du saphir jusqu'au XIIIe s. La chrysolite (de *khrysos*, « or » en grec) est une pierre d'un vert clair à reflets jaunes et dorés. Besser (*op. cit.*, p. 25) pense que l'idée de réunir ces deux pierres est peut-être venue d'une phrase de Pline (XXXVII. 42. 126) : « Hyacinthos Æthiopia mittit et chrysolithos aureo fulgore tralucentes ». U. Tigner Holmes, Jr. (art. cit., p. 635) suggère que Belleau connaissait la remarque de Solin (30. 34), « ubi hyacinthus, ibi et chrysoprasus » ; mais la chrysoprase et la chrysolithe ne sont pas la même chose. Georg Agricola montre que « hyacinthe » et « chrysolithe » pouvaient désigner la même pierre (p. 295).

2 « Plus beau que cent damoiseaux ».

3 A sa naissance Aphrodite fut portée sur les rivages de Chypre. Sur Aphrodite « dorée » (cf. « L'Agathe », v. 49), voir *Iliade* 3. 64 et *Odyssée* 8. 337. Le sens est « parée d'or », ou « d'une beauté éclatante », ou encore « aux boucles blondes ». .

4 Cette allusion est obscure, tout comme l'« entreprise secrète » du v. 30.

PAGE 153

38. Amoureu[x]<,>

51. cueur<,>

5 Cupidon.

6 Pour l'image rebattue du piège constitué par les cheveux, voir 2de J. de *La Bergerie*, t. IV, pièce <XV-15>, 2e quatrain.

PAGE 154

66. voiles [:]
68. j'ay mis[.]
84. mille pas[.]
85. au> < dous]
91. *retrait*
93. *sans retrait*

7 Nouvelle métaphore ressassée, qui évoque une tempête amoureuse dans le style de Pétrarque, *Canzoniere* 80 et 189. Cf. 2de J. de *La Bergerie*, t. IV, pièce <XV-42>, 2e quatrain.

8 Apollon, qui vainquit le serpent Python (Ovide, *Métam.* 1. 438-444 et 459-460) était le protecteur des Muses et le dieu de la musique et de la poésie.

PAGE 155

99. verdoyans < : >
103. argentin<,>
108. [p]rintemps
113. *retrait*
121. [R]enouveau

9 L'humanisation des pins crée une belle image, dont l'effet est renforcé par les liquides du v. 95 et les nasales du v. 96. Besser (p. 23) apprécie ce « petit chef d'œuvre... caractéristique de la manière de Belleau ».

10 Cf. l'apostrophe aux hirondelle d'*Avril*, « du printemps les messageres » (t. IV, I^e J., pièce <V>), et Ronsard, « Dieu vous gard, messagers fidelles / Du printemps, gentes Arondelles » (Lm. VII, 294)). On retrouve la rime « passagere – messagere » au début de « La Pierre d'arondelle ».

11 Le « gentil rossignolet » aux « fredons babillars » figure aussi dans *Avril*.

12 Apollon naquit à Délos.

13 Apollon est responsable de la transformation d'Hyacinthe comme dans *Métamorphoses* 10. 210-213. – Cette jacinthe n'est pas la fleur moderne, apportée en Europe par les Turcs, mais le lis martagon, variété rose tachée de pourpre.

PAGE 156

14 Ovide, 10. 164-166, est plus sobre : *qua licet, æternus tamen es, quotiensque repellit / ver hiemem Piscique Aries succedit aquoso, / tu totiens oreris viridique in cæspite flores.* Le Bélier succède aux Poissons à l'équinoxe de printemps.

15 Avril (cf. la pièce du même nom dans *La Bergerie* de 1572).

16 S'il avait eu le temps, Apollon aurait fait de son ami une constellation. Cf. Ovide 10. 162-163 : « Te quoque, Amyclide, posuisset in æthere Phœbus, / tristia si spatium ponendi fata dedissent ».

17 M. Verdier observe (p. 102) : « L'absence de pronom sujet (*il* laisse) est relativement fréquente dans ce recueil. La syntaxe de Belleau est plus archaïque que celle d'un Ronsard ».

18 A Delphes comme à Patare en Lycie, Apollon rendait des oracles. Selon certaines traditions, il passait les mois d'hiver à Patare.

19 Voir Ovide, 10. 167-173.

20 Les guillemets dans la marge signalent les sentences destinées à être mémorisées.

21 Cf. Ovide, 10. 178-179 : « quem prius aërias libratum Phœbus in auras / misit ».

PAGE 157

174. treuvent[.]

22 Les v. 161-162 rappellent Ovide, 10. 187-189. Belleau remplace le disque d'Ovide par un « ballon » de métal et omet le scénario de Hyacinthe s'élançant trop tôt et frappé par le disque qui rebondit.

23 Dans le *Dialogue des dieux* 16 (14) de Lucien, Apollon raconte que Zéphyre, jaloux de voir que son amour pour Hyacinthe n'était pas payé de retour, détourna de son souffle le disque, qui fendit le crâne du jeune homme.

24 Cette belle image est tirée d'Ovide, 10. 190-195. Belleau simplifie pour une fois en omettant l'évocation des étamines des lis, mais suggère en revanche ce qui cause la mort des fleurs. G. Demerson admire et analyse ce passage dans « Poétique de la métamorphose chez Belleau », p. 128.

25 Hyacinthe est petit-fils d'Amyclas, roi de Laconie.

26 Encore une fois Belleau mentionne des pierres, là où Ovide ne parle que de fleurs.

PAGE 158

199. malheur [:]

27 La syntaxe est lâche : l'antécédent de *que* est *nichée*.

28 Là où Ovide (v. 196-208) laisse Apollon se lamenter lui-même, Belleau ne fait qu'évoquer cette plainte, en la comparant à celle du rossignol et en décrivant la réaction des arbres, des fauves, de l'air et des nymphes. Cette présentation indirecte fait davantage appel à l'imagination du lecteur.

29 Agricola également classe l'hyacinthe parmi les « purpureæ gemmæ » et distingue la pierre qui est rouge foncé et celle qui est rouge pâle (p. 289). ·

30 Pline compare l'hyacinthe à l'améthyste, mais arrive à une conclusion différente (XXXVII. 41. 125) : « Differentia hæc est, quod ille emicans in amethysto fulgor violaceus diluitur hyacintho primoque aspectu gratus evanescit antequam satiet, adeoque non inplet oculos ut pæne non attingat, marcescens celerius nominis sui flore ».

31 Cf. Cardan : « Optimus enim puniceus est : qui rarò lentis superat magnitudinem » (p. 276).

32 Albert le Grand signale à plusieurs reprises que l'hyacinthe est froid (p. 282) ; cf. Vincent de Beauvais (I. 8, chapitre 76, f° 90 v°, col. 1).

33 Cf. Pline (XXXVII. 42. 126) : « Deterrimæ autem Arabicæ, quoniam turbidæ sunt et variæ, fulgoris interpellati nubilo macularum ». Le fleuve « aux sept huis » est le Nil.

34 Cf. Cardan : « Sed et ob spiritus jucunditatem gratum et mansuetum reddet et boni consilii » (p. 277).

35 Cardan est la source principale : « à fulgure tutos reddat gestantes [...]. Expertúmque esse in regionibus illis in quibus plures fulmine pereunt, cum nemo qui hyacinthum ferat tangatur ab eo » (p. 276).

PAGE 159

256. nom[.]

36 « L'enfant de Cypris » est Cupidon. Albert le Grand remarque que cette pierre froide « réfrène les pulsions corporelles » (p. 282).

37 Cf. « Les Daimons » de Ronsard (Lm VIII, 115-139).

38 L'état, l'aspect d'un être inanimé. Pour la « pierre dure », cf. Marbode : « Duricie solida cædi sculpique recusat » (p. 74).

39 L'origine est peut-être La Rue (p. 114) : « Selectissimarum India nutrix, quæ quadamtenus caeruleæ sunt, marinæ aquæ virorem [...] præ se ferentes ».

40 Mandeville et La Rue utilisent l'image du poireau pour décrire la couleur du *chrysopasus*. Cf. Pline, à propos de la *topazos* : « Tota enim similitudo ad porri sucum derigitur » (XXXVII. 32. 109). Pour les Anciens, les termes de *topaze* et de *chrysolithe* ne désignent pas les pierres que nous appelons ainsi (Cardan p. 295). Un gisement de chrysolithe a été exploité par les Egyptiens dans une île appelée dans l'Antiquité *Topazos*.

41 Cf. Marbode, s. v. « Topazius » : « Hic species tantum binas perhibetur habere / Alterius puro color est vicinior auro » (p. 102-103).

PAGE 160

260. retrait

42 *Chrysolithe* veut dire « pierre d'or » en grec.

43 La Rue : « Adversus pusilanimitatem, et contra melancholicos metus stultitiam ve pro amuleto defertur » (p. 114-115).

44 Cardan (p. 295) : « Cæterum gemmam esse ingentis frigoris existimo, hoc argumento quod sitim sub lingua posita febricitantium mitiget ».

45 Albert le Grand : « Percée et attachée au bras gauche par un crin d'âne passé dans le trou, elle chasse la peur et la tristesse. [...] Portée sertie en or elle met en fuite, dit-on, les fantasmes » (p. 244).

46 Marbode, sous « Topazius » : « Ferventes etiam compescere dicitur undas » (p. 103). Chez Belleau l'évocation de l'eau bouillante est pittoresque.

47 Ce mot évoque le titre du recueil : les « eschanges » sont des métamorphoses.

48 Pierres et fleurs rappellent les deux formes de Hyacinthe. Mais on voir mal quelle fleur correspond à la chrysolithe.

49 C'est ici le deuxième des trois poèmes du recueil qui présente un couple, et où il est question d'amour et d'*eschange*. Il contient une minutieuse évocation du paysage, riche de mouvement et de sonorités (v. 93-112), et une description vivace du jeu qui mène à la mort de Hyacinthe (v. 155-160).

1 Catherine Marie de Lorraine (1552-1596), sœur d'Henri de Guise et petite-fille d'Antoinette de Bourbon, duchesse douairière de Joinville. Belleau l'avait sans doute connue lors de son séjour au château de Joinville. Peu favorisée par la nature (elle était boiteuse), elle épousa en 1570 Louis II, duc de Montpensier, cousin germain de sa grand-mère. Montpensier se montra toujours ferme adversaire des Réformés, combattant contre son cousin Louis de Condé en maintes occasions. Catherine fut une ligueuse ardente. Après l'avènement de Henri IV, elle se montra, avant de se rallier, plus acharnée contre lui que son frère Mayenne.

2 Cette invocation relie « Le Rubis » au poème précédent, dans lequel figure le dieu de la musique, de la poésie, de la médecine et de la divination.

PAGE 161

14. element[,]
20. nompareil [?]
27. Nuit [:]

3 Daphné, transformée en laurier pour échapper aux ardeurs d'Apollon. Voir Ovide, *Métam.* 1. 452-567 et « Le Laurier » de Baïf (*Premier Livre des poèmes*, éd. cit., p. 114-124). . Le laurier, au feuillage persistant était dédié à Apollon, qui s'en façonna une couronne que les poètes aspiraient à porter.

4 Le rubis est consacré à Apollon, dieu du soleil qui réchauffe tout, même la mer : voir La Rue, (nous citons, pour « Le Rubis », la 2de éd. de *De gemmis aliquot...*, Tiguri, J. Gesnerus, 1566) : « Ut et hinc præ cæteris Phœbo dicari creditum sit » (f° 49 v°). Le nom grec du rubis, *anthrax*, et le latin *carbunculus* (d'où *escarboucle*) désignent d'ailleurs le charbon ardent (Marbode, p. 30). Cf. Lemaire de Belges : « En Latin [l'Escarboucle] se nomme Carbunculus, pource qu'il est de couleur de feu ardant comme un charbon » (p. 63).

5 Le poète étudie, jusqu'au v. 100, les diverses variétés de rubis : l'escarboucle, le balais, le rubis proprement dit, le spinelle et le grenat.

6 Cf. Pline, XXXVII. 25. 92. Les Garamanthes sont un peuple antique du Fezzan.

7 Voir Marbode (p. 30) : « Huius nec tenebræ possunt extinguere lucem, / Quin flammas vibrans oculis nitet aspicientum ».

PAGE 162

41. fine<,>
47. Amour<,>
66. Poussiniere<,>

8 Pline, XXXVII. 25. 92-93 : « Præterea in omni genere masculi appellantur acriores et feminæ languidius refulgentes. in masculis quoque observant liquidiores aut flammæ nigrioris ». Belleau humanise ses pierres beaucoup plus que Pline.

9 Pline, XXXVII. 27. 99 : Harum igneus color ut superiorum, sed peculiare quod tactu velut intermortuæ extinguntur, contra aquis perfusæ exardescunt ».

10 Ces vers néo-pétrarquistes, où paraît le *je*, surprennent dans la description plutôt objective d'une gemme ; cf. « La Pierre d'aymant ou calamite », v. 109-120, v. 141-148 et v. 257-264.

11 Peut-être souvenir de La Rue, fˑ 49 rˑ-vˑ : (à propos du balais) « Lapis quidem colore rubro et prælucido, sed qui superaffuso sublanguido quodam fulgore cramesinum vulgò dictum colorem quadantenus referat ».

12 *Celuy que* = celui où. Les petites gouttes d'or doivent être incorporées à la surface même de la pierre. Le *rubis en table* est taillé de façon à présenter une facette supérieure horizontale, dite *table*. Pline, XXXVII. 28. 100, décrit la *sandastros* ou garamantite : « Veluti in tralucido ignis optentus stellantibus fulget intus aureis guttis, semper in corpore, numquam in cute. accedit et religio narrata siderum cognatione, quoniam fere Pliadum Hyadumque dispositione ac numero stellantur ».

13 La constellation des Pléiades, filles d'Atlas et de Pléioné, placées par Zeus sur la poitrine du Taureau. Pline, Agricola et La Rue mentionnent les Hyades (les « Pluvieuses »). Belleau préfère nommer les Pléiades, ce qui lui permet de faire allusion à la fureur poétique et peut-être au groupe poétique des amis de Ronsard. Il pourrait s'autoriser d'Aratos (*Phén.* v. 266-267 : Jupiter « leur a commandé d'advouer la venue/ et d'Hyver et d'Esté », notre t. VI, v –a, v. 497-499) ; voir Rose Ann Martin, « Nature and the Cosmos in the works of R. Belleau » (Ph. D.), State Un. of New York at Buffalo, 1975, p. 119). En fait, dans sa traduction des *Apparences Celestes* d'Aratos, Belleau mentionne explicitement les « feux ramassez » des Hyades sur le front du Toreau (voir notre édition, t. VI, V –a, v. 345-354).

PAGE 163

72. Pleiades<,>
85. assaisonnee[,]
101. Arabie<,>

14 Pline, XXXVII. 28. 100 et La Rue, fˑ 49 rˑ : « Hoc Carbunculi genus [...] Chaldæis sacrum quibusdam estimatum est ». C'est une des rares allusions à l'astrologie dans le recueil de Belleau.

15 Dans son gisement.

16 Pline (XXXVII. 25. 97) mentionne les pierres qui ont des *taches* blanches. C'est Belleau qui invente la belle image des pierres blanches comparées à des fruits qui n'ont pas eu le temps de mûrir.

17 C'est la hiérarchie normalement adoptée ; cf. La Rue, f° 48 r° : « Verissimo generosissimoque, imò et imperatoribus dignissimo propriè vocato Carbunculo, Balagium, Rubinum, ac Granatum Gemmas vulgatissimas annumerabimus ». La Rue est l'un des rares à s'étendre sur les grenats (f° 49 v° – 50 r°). Seul Agricola parle des spinelles (p. 293). M. Verdier observe qu'on désignait sous le nom de rubis plusieurs substances minérales qui n'avaient de commun que leur couleur rouge. Pour les lapidaires, seules les variétés rouges du genre spinelle sont des rubis.

PAGE 164

18 Agricola donne tous ces lieux de gisement (p. 293). Orchomène est une ancienne ville de Grèce en Arcadie.

19 Belleau imagine pour le rubis une origine divine semblable à celle de la perle. La pierre est une figure de l'au-delà.

20 La pierre précieuse symbolise la création entière et incite les hommes à vouloir l'imiter – ce qu'ils n'arriveront jamais à faire complètement.

21 Là où Pline, Agricola et La Rue écrivent seulement quelques lignes sur les faussaires, Belleau s'inspire de Cardan, qui leur consacre plusieurs pages (p. 301-306).

22 Deux pierres comportant chacune une surface plane. Voir Cardan (p. 301) : « Inter duas planas tabulas Crystalli color cum glutine perspicuo ponitur, inde coalescentibus his gemma annulo clauditur, ut rima conjunctionis lateat, atque hic modus vulgaris ac vilis est ».

23 Pline (XXXVII. 26. 98) : « Nec est aliud difficilius quam discernere hæc genera ».

24 Un passage de Cardan (p. 302-303) éclaire ces vers : « Gemma in gemmam mutatur ignis ope. Sapphyrus nitidus sed alioqui diluti coloris cum auro jungitur, apponitur ignis sensim donec liquescat, […] inde gemma tollitur, et sensim refrigerari permittitur, invenies Adamantem : gemma enim manet nec lima tangitur, quicquid autem est coloris cærulei perit ».

PAGE 165

143. Emeraude [:]

25 Le tranchant émoussé.

26 Voir Pline (XXXVII. 26. 98) : « Adulterantur vitro simillime, sed cote deprehenduntur[…] ; fictis enim mollior materia fragilisque est. Centrosas cote deprehendunt et pondere, quod minus est in vitreis, aliquando et pusulis argenti modo relucentibus ».

27 Pour ces propriétés voir La Rue, f° 50 r° : « Rubinum adversus pestilentem aërem pro insigni amuleto portant et contra terrentia somnia. Granatum præterea melancholiæ adversari et cor reficere credunt ».

28 Cf. La Taille, *Blason des pierres precieuses*, f° 14 r° : « [l'escarboucle a le pouvoir] D'éveiller nostre esprit gaillard, / Gardant de venin la personne / Si vray elle est, et si celuy / Qui l'a, n'est trop rongé d'ennuy ».

29 Comme dans «Le Diamant», Belleau présente un poème-pierre et confond le joaillier et le poète. L'invention crée une pierre idéale, parfaite et durable, surpassant tous les échantillons naturels.

30 Cf. Du Bellay, *Les Regrets*, 2, v. 12-14 : *Et peult estre que tel se pense bien habile, / Qui trouvant de mes vers la ryme si facile, /En vain travaillera, me voulant imiter.*

PAGE 166

31 Belleau ne décrit que cinq espèces de rubis, parmi les nombreuses variétés dont parlent les lapidaires, et donne de belles évocations des inclusions de la pierre et des « jeunes » rubis. Le *je* apparaît brièvement (v. 15, v. 45-50, v. 161-170) et évoque sa souffrance amoureuse ainsi que son activité poétique.

1 Après Bacchus et Améthyste, Hyacinthe et Chrysolithe forment le troisième couple dont le poète imagine les *Amours* et les *Eschanges. Iris la bigarrée* : certains quartz, appelés encore aujourd'hui « iris », peuvent être affectés de fines irrégularités, qui provoquent des *irisations. – Opalle* : Agricola écrit (p. 276) : « Tres etiam colores mistos habet opalus, igneum scilicet, purpureum, viridem ». Besser observe (p. 25) que Belleau a placé l'histoire en Inde parce que d'après Pline (XXXVII. 21. 80) l'opale ne se trouve qu'en ce pays. Il ajoute que l'union d'Opale à Iris est imaginée pour expliquer le fait que ces deux pierres ont en commun la qualité de faire jouer la lumière.

2 Cette mer correspondait à l'actuelle mer Rouge, au golfe Persique et à une partie de l'océan Indien. Pline (XXXVII. 52. 136) et Marbode (p. 78) indiquent comme lieu de gisement de l'iris la mer Rouge.

3 La constellation du Taureau est parcourue par le soleil du 20 avril au 20 mai approximativement.

4 Le Bélier, premier signe du zodiaque, gouverne la période du 20 mars au 19 avril.

5 La constellation boréale de Persée est près de Cassiopée. Elle a la forme de la lettre k, et semble effectivement avancer le pied gauche vers les Pléiades.

6 Iris personnifie l'arc-en-ciel. Messagère des Olympiens, elle est sutout attachée au service de Junon, qui, ici, l' envoie sur la terre pour surveiller son mari infidèle.

7 Cf. Ovide décrivant Narcisse : « dumque sitim sedare cupit, sitis altera crevit » (*Mét.* 3. 415). Ronsard, comme Belleau (*La Verité fugitive*, t. I, p. 266, v. 85-86), imite Ovide dans « Le Narssis », v. 61 62 (Lm VI, 77).

PAGE 167

8 Neptune avait un taureau blanc et des chevaux blancs aux sabots d'airain et à la crinière dorée.

9 *S'elle* = « si elle est (éprise) ».

10 La déesse de l'arc-en-ciel est représentée avec des ailes, une ceinture aux couleurs éclatantes, et parfois des sandales ailées. – La rime *obscur / cueur* était normale à l'époque.

11 Métaphores traditionnelles : les *Perles* désignent les dents et le *Coral*, les lèvres. Voir, entre cent exemples, *Bergerie*, t. II, p. 50, v. 133 ; p. 80, v. 28, ainsi que le sonnet de Ronsard « Ce beau coral, ce marbre qui soupire » (Lm IV, 26).

PAGE 168

71. front[.] Mais y a<->til

12 Belleau écrit dans *La Verité fugitive* : « Amour le pousse, et la peur le retire » (t. I, p. 267, v. 113). Il y a là peut-être un écho des *Argonautiques* d'Apollonios de Rhodes, 3. 648-653 (Il s'agit de Médée, tiraillée entre le désir et la honte).
13 Un sentiment de honte qui le remplit.
14 Puisque Cupidon adoucit toute rigueur, Opale ne devrait pas hésiter.

PAGE 169

101. vie [:]
107. porte[.]
110. Erythree [:]
112. Iris [,]

15 Pour la répétition de « beau », voir M. M. Fontaine et F. Lecercle (éd. du *Commentaire des « Amours » de Ronsard*, éd. cit., p. xxv : « La fréquence d'adjectifs comme « beau », « mignard », « gentil » est éloquente. [...] ; loin d'avoir la nuance légèrement péjorative ou condescendante que nous pourrions leur attribuer, ce sont les qualificatifs positifs d'un style délibérément simple et « naïf ».
16 Le poumon contracté ne se gonfle plus.
17 La comparaison suggère une déchéance. La métamorphose devient le symbole des limites et de la fragilité de la condition humaine.
18 Cf. *Enéide* 10. 745 et 12. 309 : « Somnus ferreus ».
19 L'opale noble reflète les couleurs de l'arc-en-ciel.
20 Cf. Pline (XXXVII. 52. 136) : « Quidam eam radicem crystalli esse dixerunt. ex argumento vocatur iris, nam sub tecto percussa sole species et colores arcus cælestis in proximos parietes ejaculatur ».
21 Dans ce poème Belleau, comme les auteurs qu'il a consultés, n'énumère pas les propriétés curatives des deux pierres.

PAGE 170

3. Univers [:]
27. rampant<,>

1 Une des *Petites Inventions* était déjà consacrée au Corail (t. I, p. 185-187). Ici aussi, Belleau suit de près le « Corail » orphique (*Lapidaires grecs*, p. 109-114 ; cf. *Kérygmes lapidaires d'Orphée*, 20, *ibid.*, p. 160-162, et Damigéron-Evax 7, p. 242, pour les propriétés du corail).

2   Catherine de Clèves (1547-1633), fille de Marguerite de Bourbon et de François de Clèves, duc de Nevers. Veuve à 18 ans d'Antoine de Crouy, un des chefs du parti réformé et revenue à la foi catholique, elle épousa en 1570 Henri, duc de Guise. En août 1571, la duchesse de Guise donna naissance à Charles, prince de Joinville.

3   *Eschanges* (« métamorphoses ») rappelle le titre du recueil. Le poète fera appel aux ses théories sur la métempsycose, héritées de Pythagore (voir *Métam.* 15. 252-258).

4   Cette idée est plus largement développée dans « La Pierre lunaire », v. 25-48 et surtout v. 45-48.

5   Le lapidaire orphique est parsemé de formules admiratives que les questions posées ici reproduisent en partie.

6   Cf. Virgile, *Géorgiques* 4. 299-314, cité par Cardan au L. IX du *De subtilitate* : « De Animalibus quæ ex putredine generantur », f. 185 r° – 190 v°. Belleau se souvient de ce passage, mais imite aussi Ovide (*Mét.* 15. 364-367). Le début du « Coral » rappelle quelques théories alchimiques, notamment celles de la transmutation et de la renaissance à partir de la putréfaction. Notons aussi que le rouge qui figure dans ce poème était important dans l'alchimie. Voir Malcolm Quainton, « Alchemical Reference and the Making of Poetry in d'Aubigné's *Les Tragiques* » dans *Philosophical Fictions and the French Renaissance*, Londres, Warburg Institute, 1991, p. 57-69. Belleau ne nous permet pas d'oublier le rôle que les pierres jouaient dans l'alchimie.

7   Allusion à un oiseau légendaire, la bernache cravant. En 1555 Pierre Belon avait réfuté la légende qui voulait que cet oiseau naquît des navires pourris (*Histoire de la nature des oyseaux*, Livre III, chapitre 5, « De l'Oye Nonnette, autrement nommée un Cravant », p. 158). En dépit de cette réfutation, Du Bartas fait deux allusions à cet oiseau, sous deux noms différents : *Gravaignes* (*La Sepmaine*, 6. 1048) et *Clakis* (*Seconde Sepmaine*, « Les Trophées », v. 883).

PAGE 171

34. pierre dure<,>

8   Des « générations » conçues alors comme plus ou moins spontanées (la cigale produite par le brouillard, les huîtres nées de la vase) sont mises sur le même plan que les métamorphoses des insectes. Les v. 27 à 30 s'inspirent d'Ovide, *Mét.* 15. 372-374, notamment v. 368 : « pressus humo bellator equus crabronis origo est». Cependant au v. 375 Ovide fait naître de la vase, non des huîtres, mais de vertes grenouilles.

9   Belleau reprend le v. 14 du « Coral » de 1556

10 L'herbe qui « pue » (v. 31) est une algue pourrie (cf. v. 38). Le v. 36 évoque la couleur rouge du soleil à son coucher. – Cette sixième strophe rappelle la troisième du « Coral » de 1556 (t. I, p. 185). Il est difficile de déterminer la source utilisée dans les deux poèmes car la plupart des lapidaires expliquent l'origine du corail de cette manière. Cependant, le lapidaire orphique (p. 110) semble fournir quelques détails : « Il pousse d'abord sous forme d'herbe verte, mais non pas sur le sol […], mais dans la mer stérile, là où naissent les algues […]. Mais lorsqu'en se fanant, il atteint la vieillesse, voici que peu à peu dépérissent ses pousses, gâtées par l'eau salée. Il se met à nager au fond des abîmes grondants de la mer jusqu'à ce que sur la rive la vague le rejette. C'est donc là

[...]qu'il durcit à vue d'œil. Il se couvre bientôt d'une croûte crevassée qui va se pétrifier ». – C'est en 1753 que le Sieur de Peyssonnel démontra devant la Société Royale de Londres que les coraux étaient des animaux.

11 Cf. « Le Coral » de 1556, v. 33 : « Cave les flancz des rochers deurs ».

12 Le poète imagine que la mer est responsable de la mort du corail. Les termes « crespant » et « ply sur ply » évoquent adroitement le mouvement des vagues. M. Verdier observe qu'« il y a, comme souvent chez Belleau, humanisation des éléments (le flot est *cruel*, la mer est *avare* [= avide] et *gourmande*). Il n'était pas question de cela dans le poème de 1556 ».

13 Cf. « Le Coral » de 1556, v. 36 : « Emprunte du ciel ses couleurs ».

14 Cf. Dioscoride, L. 5, début du ch. 86 : « Corallium [...] alto extractus, duratur statim atque emergit, tanquam offuso aëre protinus concrescat » (*De medicinali materia, Joanne Ruellio interprete*, apud Chr. Egenolphum, [1549], p. 425).

15 Les Néréides sont des nymphes de la mer et les Naïades des divinités des rivières ; les Phorcides sont les enfants monstrueux du dieu marin Phorcys. Le lapidaire orphique (p. 112) fait intervenir aussi des nymphes de la mer, mais après le meurtre de Méduse : « les taillis se gorgèrent, prenant un bain de pourpre, du sang que versait la tête sur le sol » (cf. plus bas, v. 85-90).

PAGE 172

65. rechaufe<s>

16 En 1578 *rechaufe* devient *rechaufes* ; mais la 2ème pers. de l'ind. prés. des verbes en -*er* peut s'écrire sans *s* au XVIe siècle. Voir « La Coupe de crystal », v. 75.

17 Grâce à Apollon, qui règle la température de tout être vivant, tout germe et tout pousse.

18 Pline (XXXII. 11. 22) signale que dans l'eau les « fruits » du corail sont blancs.

19 Les branches deviennent rouges sous l'action conjuguée du baiser des Nymphes et des rayons d'Apollon. Déjà en 1556 Belleau avait exploité la métaphore des lèvres de corail (t. I, p. 185).

20 Belleau continue à humaniser le corail.

21 L'image d'un soleil blême et malade est frappante. L'humanisation se poursuit.

22 Cette strophe rappelle la 11e str. du « Coral » de 1556 (t. I, p. 186-187). Belleau refuse d'accepter – tout en l'évoquant longuement – ce célèbre récit mythique, qu'il a trouvé dans le lapidaire orphique (p. 111-112). – « Du chef serpentin » – Méduse avait de très beaux cheveux. Mais elle fut violée par Neptune dans le temple d'Athéna ; pour effacer la souillure, la déesse changea ses cheveux en serpents.

23 Ovide (*Mét.* 4. 772) situe également le combat dans l'Atlas, en Afrique du Nord.

PAGE 173

97. espouventable<,>
103. Pallas<,>
120. sillons[.]

24 Persée avait le cheval ailé Pégase pour monture.

25 Athéna sortit tout armée du crâne de Zeus, fendu d'un coup de hache par Héphaïstos. Elle redoutait effectivement le regard de Méduse, et c'est en tenant au dessus de la Gorgone un bouclier formant miroir qu'elle aida Persée à la décapiter.

26 Ayant évoqué le récit mythique concernant Persée et Méduse, Belleau ne se résout pas à le refuser.

27 Le beau poème du lapidaire orphique commence ainsi (p. 109-110) : « Sache aussi que le corail, descendant de Persée, a le pouvoir d'émousser, avec grande efficace, le dard des scorpions et de rendre anodine la dent de l'aspic assassin ». Le poème se termine par ces conseils (p. 114) : « Quant à toi, qu'il te souvienne de le boire sans faute, dissous dans du vin pur, comme je te l'ai dit, si tu veux te protéger contre l'aspic funeste » (Cf. le début de la section 20 des *Kérygmes lapidaires,* p. 160). Le fait que le corail est efficace contre les morsures explique que des serpents figurent dans le récit mythique de son origine.

28 Cf. *Lapidaire orphique* (p. 114) : « Réduit en miettes et semé dans un mélange avec la blonde Déméter [le blé], il bannira tous les fléaux qui frappent tes labeurs, la sécheresse vidant tous les épis de leur moelle et la grêle funeste avec ses traits sans nombre, qui infligent aux champs d'irrémédiables blessures. [...] Les carreaux de la foudre du Cronide frapperont d'autres champs que les tiens ».

PAGE 174

29 Cf. le Lapidaire orphique, p. 114 : « Il détruira aussi l'espèce tout entière des insectes voraces, les vers, les chenilles et la nielle en suspension dans l'air lorsque, dans son vol rouge, elle s'abat du ciel en fauchant ta récolte [...]. Les armées de souris et le peuple immense des sauterelles seront anéantis ». Le corail est une plante, qui protège des êtres de même nature que lui.

30 Voir encore le Lapidaire orphique (p. 113).

31 La source probable est La Rue (p. 142 de l'éd. de 1547) : « Album verò corallium à collo suspensum ut stomachum vel pectus contingat, è naribus consuetum fluere sanguinem non narò conpescuisse vidimus. [...] Ad hæc et contra vesicæ tormina et calculi mala in puluerem usti surculi et ex aqua poti auxiliari ».

32 Belleau a pu connaître Catherine de Clèves à Joinville, où elle était venue parfaire son éducation (Eckhardt, *Belleau,* p. 82). Par la suite, travaillant pour la maison de Guise, il avait eu de nombreuses occasions de la rencontrer. Le poème qu'il lui dédie éveille l'intérêt du lecteur par des questions (« Qui croiroit que... ? ») et contient un long récit mythique, dans lequel « l'œil affreux » de Méduse joue un rôle important. Les propriétés curatives, soigneusement liées aux origines du corail, sont décrites avec entrain.

1 Cette pièce, concernant le petit dieu Amour, est à classer avec « Le Jaspe » et « La Cornaline. – Le mot « Onyx » signifie « ongle » en grec. L'onyx est une variété de calcédoine de couleur noire ou d'agate noire striée de blanc.

2   Ces deux beaux vers rappellent le début de la troisième *Eclogue Sacrée* : « Le sommeil doux et lent sous ses plumes legeres, / Tenoit les bords cousus de mes lasses paupieres ».

3   Vénus, à sa naissance, fut portée sur les rivages de Chypre ; cf. plus haut, <XVI -5>, v. 10.

4   Les amoureux aux Enfers se promènent dans une forêt de myrtes – voir *Enéide* 6. 443-444, et 1ᵉJ. de *La Bergerie* de 1572, t. IV, pièce <XXXIII>, v. 20.

PAGE 175

27. beautez[.]

5   L'Amour est aveugle, ce que symbolise le bandeau qu'il porte sur les yeux.

PAGE 176

6   Amour est voleur ; cf. 1ᵉ J. de *La Bergerie*, t. IV, pièce <XI>, v. 132-133 (d'après *Daphnis et Chloé* de Longus).

7   Vénus est rarement en colère. Dans un passage des *Argonautica* d'Apollonios (3. 111-131) auquel ce poème fait penser, elle voit son fils en train de tricher en jouant avec Ganymède, mais se contente de le traiter de coquin.

PAGE 177

76. bas<,>
81. empierré<,>
84. pareil[,]
85. Sardoyne [:]
86. Carchedoyne[.]
97. PEUR<,>

8   Le thème de la récupération de la matière d'origine divine se retrouve dans « L'Agathe », v. 133-138, puis dans « Le Jaspe », v. 37-39.

9   Ces divinités du Destin disposent du fil de la vie. Belleau joue sur le sens de l'adjectif latin *parcus* : « parcimonieux, économe ».

10   L'imagination de Belleau travaille sur une expression de Pline (XXXVII. 24. 90) : « candorem unguis humani similitudine ». A partir de cette ressemblance physique, il a inventé l'origine de cette pierre.

11   Cf. la description de la sardoine par Pline : « radice nigra aut cæruleum imitante et ungue minium, redimitum candido pingui, nec sine quadam spe purpuræ candore in minium transeunte » (XXXVII. 23. 87 ; cf. Agricola, p. 290-292). Belleau reprend le texte de Pline dans « La Sardoyne » (v. 25-33), où il dit de *l'onyx, la sarde* et *la sardoyne* : « bref toutes les trois sont une mesme pierre ». *Carchedoyne* (voir pièce XVI -28) signifie « pierre de Carthage ».

12 Albert le Grand et Marbode (p. 99) mentionnent cette vertu anti-aphrodisiaque en parlant de la sardoine. Pour Belleau, la propriété est importante : la pierre créée par Cupidon résiste aux actions du petit dieu.

13 Albert le Grand écrit, sous *onyx* (p. 311) : « On raconte que porté au cou ou au doigt, il provoque la tristesse et la peur, ainsi que des cauchemars effrayants durant le sommeil. Il est réputé favoriser la tristesse et les disputes ». Mêmes constatations chez Cardan (p. 296).

Belleau a choisi avec soin les vertus qu'il attribue à la pierre pour créer un mythe autour du mot grec *onyx*. Il décrit Vénus et son fils dans un style mignard, qui n'est pas sans rappeler les Alexandrins.

PAGE 178

27. boyaux [:]

1 La belle et érudite Henriette (1542-1601), fille aînée de Marguerite de Bourbon et de François de Clèves, duc de Nevers, est la sœur de la duchesse de Guise. Elle épousa en 1565 Louis de Gonzague (cf. plus haut, pièce n°<XV>). Au *Salon Verd* de la Maréchale de Retz, Henriette était connue sous le nom de Pistère (Voir Lavaud, *Desportes*, p. 88-89).

2 Belleau se souvient dans « L'Emeraude » de Plutarque et de Pline (Naïs, *op. cit.*, p. 275-276). Le thème des hommes empruntant leur savoir aux animaux se retrouve dans « L'Apologie de Raymond Sebond » de Montaigne. Boaistuau l'évoque (*Hist. prodigieuses*, ch. 30, p. 340-341). Cf. « La Pierre d'aigle », v. 49-54.

3 Les porcs (qui trouvent les truffes) ; les lézards, blessés par des serpents (Pline, *Nat. Hist.* VIII. 41. 97) ou les cerfs ; les araignées (qui figurent dans l'« Apologie » de Montaigne) ; les vers à soie ; les écureuils ; les alcyons (v. 20-21).

4 Pline signale ces dons prophétiques, VIII. 42. 102-103.

5 Voir Pline, VIII. 41. 97.

6 Les cerfs ou les chèvres ont recours à l'herbe *dictame* quand ils sont blessés par des flèches (Pline VIII. 41. 97 ; *Enéide*, 12. 411-415). Montaigne, dans « L'Apologie », écrit : « nous voyons les chevres de Candie, si elles ont receu un coup de traict, aller entre un million d'herbes choisir le dictame pour leur guerison ».

PAGE 179

57. [a]mbition

7 Voir Pline, VIII. 40. 96.

8 H. Naïs a montré que Belleau – comme Montaigne dans « L'Apologie » – suit Plutarque (il possédait les *Œuvres morales* dans la trad. d'Amyot). Elle cite (p. 277, n. 37) un passage (f° 512) relatif aux oies sauvages (mais proche d'une mention des grues) : « celles-cy craignant les aigles [...], quand elles veulent traverser le mont de Taurus, prennent en leur bec chascune une assez grosse pierre pour brider de ceste façon de mors leurs bouches, pource que de leur nature elles sont cryardes et aiment à

caquetter, à fin que sans jetter aucun son, ni aucun cry, elles puissent passer oultre la montagne seurement ».

9 Voir Pline, VIII. 41. 101 : « palumbes, graculi, merulæ, perdices lauri folio annuum fastidium purgant ».

10 Pline, VIII. 41. 99.

11 Bien des auteurs signalent que les Arimaspes disputaient aux Griffons l'or des mines et des fleuves de Scythie, mais il semble que la source de Belleau est Solin (f° xviii v°).

12 Le Griffon était un monstre à corps de lion, à tête et à ailes d'aigle (voir Solin f° xviii v°). Au v. 54, *avancement* = « ascension sociale, grâce à la richesse acquise ».

13 *Que* = « quelque chose que ».

PAGE 180

87. matin [:]

14 Solin (f° xviii v°) : « Ultra hos et Ripheum vigum regio est : assiduis obsessa nivibus [...]. Damnata pars mundi et a rerum natura in nube æternæ caliginis mersa ».

15 Voir Solin (*ibid.*).

16 Gisements mentionnés par Pline (XXXVII. 16. 62 – XXXVII. 19. 75) et par Agricola (p. 283). La Bactriane était une contrée correspondant au nord de l'Afghanistan actuel.

PAGE 181

17 Belleau développe en un petit tableau l'évocation de Vincent de Beauvais (I. 8. ch. 99, f° 92 v°) : « Nullis gemmis, vel herbis maior quàm huic viriditas est. Nam herbas virentes ac frondes exuperat. [...]. Smaragdis nihil jucundius, nihil utilius vident oculi. Imprimis virent ultra herbas aquaticas. deinde fatigatos obruitus coloris lenitate reficiunt, et quos alterius gemmæ fulgor retudent, smaragdi recreant ».

18 Le vert symbolise la jeunesse et le renouveau (« gaillard Printems »).

19 La Rue écrit (p. 110) : « ita vicinum aërem proprio tinctu inficiens, ut neque soli neque umbris seu lucernis cedat : quin potius perpetuo contumaciue virenti fulgore semper irradiat, sui semper præbet conspectum, substantia pertinaci ac durissima ». Cf. Pline (XXXVII. 16. 63) et Marbode (p. 95). H. Dale admire les rythmes incantatoires des vers 85 à 114 (art. cit., p. 236).

20 Voir Pline (XXXVII. 16. 64). Pline, Marbode, Vincent de Beauvais, Agricola et La Rue rappellent que Néron observait les gladiateurs à travers une émeraude.

PAGE 182

145. Bref<,>

21 Voir Pline, XXXVII. 18. 67-68 : « Cyprii, varie glauci [...], tenorem illum Scythicæ austeritatis non semper custodiunt. ad hoc quibusdam intercurrit umbra [...]. hinc genera distinguntur, ut sint aliqui obscuri, [...] quidam nubecula obducti. aliud est

hæc quam umbra, de qua diximus. nubecula albicantis est vitium, cum viridis non pertransit aspectus ».

22 Cf. Pline : « sunt item vitia capillamentum, sal, plumbago, quae communia fere sunt ».

23 Cf. « Le Diamant », v. 130 : « Contre les ronds et les figures ».

24 Voir Marbode (p. 95) : *Commodus iste lapis scrutantibus abdita fertur, / Cum præscire volunt aut divinare futura [...]. / Omnibus in caussis dans persuasoria verba, / Tanquam facundi vis sit sermonis in illo.*

25 Albert le Grand cite l'exemple d'un roi de Hongrie dont l'émeraude se brisa alors qu'il avait des rapports avec sa femme (p. 339).

26 Voir Marbode (p. 95).

PAGE 183

27 Voir La Rue (p. 110) : « Vires huic adscribunt præstantissimas adversus venena omnia ». Cardan observe que l'émeraude résiste aux poisons (p. 279).

28 Vincent de Beauvais (I. 8, ch. 102, 92 v°) : « Prægnans potet aquam triduoqua mersus habetur. Quo vexabatur fundit cito libera partum ».

29 Voir Marbode (p. 95) : *Proficit in viridi magis, accenditque colorem / Ablutus vino aut viridi perunctus olivo.*

30 Ce poème combine la description détaillée d'une gemme avec des observations morales. La pièce débute par des strophes tout à fait claires sur les limites de la raison humaine. L'émeraude devient un symbole de la chasteté (voir v. 145-150). La description détaillée des vices de la gemme (v. 121-138) démontre la fragilité de la beauté et la rareté de la pureté : autant, sans doute, d'admonitions pour la duchesse de Nevers et ses proches. La duchesse et Marguerite de Valois avaient aimé Coconnat et La Mole, qui furent compromis dans un complot destiné à mettre le duc d'Anjou sur le trône de Henri III et furent exécutés en 1574. La mort de Coconnat plongea Henriette dans un affreux désespoir.

1 La dédicataire (1555-1616) est la sœur de Charles de Lorraine, marquis puis duc d'Elbeuf, qui fut élève de Belleau à Joinville puis à Paris. En 1576, elle épouse son cousin germain, Charles, duc d'Aumale. Elle fréquentait peut-être le *Salon Verd* de la Maréchale de Retz.

2 La saphir se récoltait dans l'Antiquité dans le golfe de la Grande Syrte, qui borde une partie des côtes de la Tripolitaine et de la Cyrénaïque, et qui est célèbre par ses tempêtes. Albert le Grand (p. 330) et Marbode (p. 92) remarquent qu'un des noms du saphir est *sirites* ou *sirtites*.

PAGE 184

29. fine<,>

3 Le saphir est une forme naturelle cristallisée et très dure de corindon transparent et bleu.

4 Le mot hébreu *sappir* signifie « la chose la plus belle » et indique la nature divine de la pierre. Comme ailleurs dans ce recueil, l'étymologie est l'indice d'une essence.

5 La juxtaposition de ces deux vers est assez inattendue.

PAGE 185

6 Le poète réfléchit à la variabilité de la mode et du goût du public. En 1576, la demande de saphirs était visiblement faible.

7 Voir Marbode (p. 92) : « Ille sed optimus est quem tellus Medica gignit ». Le saphir africain, rejeté par la mer sur les côtes et plus directement accessible, est moins beau que le saphir oriental extrait des mines de Médie et d'Inde. La qualité et la valeur des pierres de ce recueil croissent en fonction de l'éloignement des gisements.

8 La plupart des lapidaires comparent la couleur du saphir à celle d'un ciel clair.

9 Voir Marbode (p. 92) : *Quem natura potens tanto ditavit honore, / Ut sacer, et merito gemmarum gemma vocetur.*

PAGE 186

10 Damigéron-Evax (p. 250), Marbode (p. 93) et La Rue (p. 104) signalent cette propriété.

11 Damigéron-Evax, Marbode et La Rue attribuent au saphir le pouvoir de guérir les maladies des yeux.

12 *Qui*, au v. 82, a pour antécédent *saphir*. Cf. La Rue (p. 104-105) : « Addunt [...] venenis etiam pestiferis resistere, et contra veneficia omnia, adde etiam et incantamenta præsidio esse ».

13 Le vers 89, dans sa concision, est à rattacher à l'adjectif *bon* du vers 85. Voir encore La Rue (p. 104) : « Venereos compescere affectus creditur, ideoue castis præcipuo usui esse perhibetur : deinde animi in Deum propensionem, devotionem, pietatem, constantiam, pacis ambitionem, deorum munera [...] invitare fertur ». Pour Belleau, le passionné est un homme dénaturé – cf. G. Demerson, « Poétique de la métamorphose », p. 136.

PAGE 187

116. entretien [:]

14 Voir La Rue (p. 103) : « Earum [...] supremam sibi majestatem vendicarunt quæ serenissimi verniue cœli colorem efferentes, cæruleæ conspiciuntur, et ceu transfusas nubeculas (immista etiamnum levi quadam purpura) repræsentant, ut videlicet sulphuris primum accensi colorem referant, aureis insuper punctis colluceant scintillentque ».

15 Ainsi que l'observe La Rue (p. 104), le saphir est pour les Anciens *concordiæ signaculum*, le signe de la concorde.

16 Ces murailles sont les remparts des villes qui sont l'enjeu des combats entre Catholiques et Réformés. Cette prière pour la patrie est émouvante et l'avertissement à l'intention des princes est clair.

17 Ce poème s'inspire surtout de Marbode et de La Rue (Pline ne consacre que quelques lignes au saphir). Il décrit soigneusement la pierre et énumère ses propriétés avec entrain, en mettant en relief, pour conclure (v. 127), les liens avec la chasteté à propos de Marie de Lorraine.

PAGE 188

Titre. A [Madame]
3. pourriture[.]
6. poitrine [:]
16. rien [:]
20. main[.]

1 Sur la dédicataire, voir J. Lavaud, *Un Poète de cour*, p. 73-86. Claude-Catherine de Clermont-Dampierre (1543-1606) appartenait par sa naissance à une des plus grandes familles de France. Elle épousa en premières noces Jean, baron d'Annebaut et de Retz, d'un caractère ombrageux, qui mourut à la bataille de Dreux en 1562. Demeurée veuve et sans enfants, Claude-Catherine se remaria en 1565 avec le fils d'un nobliau florentin enrichi dans la banque, Albert de Gondi, sieur du Perron, à qui elle apporta en dot la terre de Retz. Il négocia en 1570 l'union de Charles IX avec Elisabeth d'Autriche. Il figurait alors parmi les premiers personnages du royaume. En juillet 1573 il fut nommé maréchal de France. – Très instruite, la Maréchale parlait couramment le latin, l'italien, l'espagnol, peut-être même le grec. Réputée pour son éloquence, ce fut elle qui répondit en latin à la harangue de l'ambassadeur qui venait offrir au duc d'Anjou la couronne de Pologne. Baïf, Rapin, La Gessée, Sainte-Marthe, Forcadel, Pasquier et d'autres lui dédièrent des ouvrages ou chantèrent ses louanges. L'hôtel du Maréchal était l'ancien hôtel de Dampierre, au faubourg Saint-Honoré. Les visiteurs avaient libre accès aux salons. Les élus étaient reçus dans le « Cabinet de Dictynne », un salon tapissé de verdures – d'où « Salon Verd » (Artémis était surnommée « Dictynne », par allusion au mont Diktè en Crète).

M. Verdier, comme Holmes dans « The Background and Sources of Belleau's *Pierres Précieuses* » (p. 628-630), croit voir en la maréchale la *Catin* que Belleau célèbre, et observe que, dans le poème « Election de sa demeure » (ci-dessus, VI-1), Belleau prétend avoir quitté la campagne et choisi Paris pour celle qu'il aime. Les *douze lettres* de son nom seraient celles de Claude de Retz ; de plus, « La Turquoise » est la douzième pièce du recueil et la seule à comporter des douzains. Nous ne voyons cependant, quant à nous, aucun indice probant qui nous permette de trancher en ce qui concerne l'identité de Catin.

2 Belleau brode sur le topos du vieillissement de toute chose. Cf. Ronsard, *Institution pour l'adolescence du Roy treschretien Charles neufviesme de ce nom,*

v. 113-118. Belleau assimile l'arbre et l'homme en humanisant l'arbre (« la poitrine », « les rides ») et en comparant la chute des cheveux (ou la fuite des années) à des feuilles qui tombent.

3 Belleau accumule les matières les plus solides et les plus utilisées dans les monuments et dans les armes. Cf. ci-dessus, pièce n° <III>, « Ode sur le tombeau de Mgr le duc d'Aumalle », début.

4 Voir « La Perle », v. 11 et note.

PAGE 189

40. espessi[.]

5 Même ce qui paraît le plus dur dans le règne minéral vieillit. Belleau humanise encore une fois les pierres : « se ride », « meurt », « perd le teint beau », « sa peau ». Il n'ya qu'ici et dans la dédicace au roi que Belleau mentionne le caractère périssable des pierres. Mais il a une intention particulière : le *je* poétique veut prouver à celle qu'il aime que tout passe. Il s'est peut-être inspiré de Cardan (p. 274) : « Neque solùm vivunt, sed morbos, et senectutem, et post etiam mortem patiuntur ».

6 Voir Cardan (p. 278) : « Ignibus prope admotus efflorescit color, et solo manuum hudo flaccescit et diluitur ».

7 Le poète pose une question semblable à propos de l'aimant (« La Pierre d'aymant ou calamite », v. 31-32).

8 Cardan (p. 277-278) est sceptique et pense que la turqoise se casse la première puisqu'elle est fragile.

PAGE 190

82. affection[.]

9 Dans cette strophe le *je* poétique paraît, comme il le fait par exemple dans « La Pierre d'aymant », et se plaint, joignant aux clichés pétrarquistes (voir l'antithèse aux v. 63 à 64) l'image violente de la plaie ouverte d'où coule du pus. Il joue avec la tradition en se comparant lui-même à la pierre (il était plus normal d'assimiler la dédicataire à la gemme). Notons qu'il appelle la femme « ma Cruelle », sans utiliser la deuxième personne. Rien ne permet d'affirmer qu'il s'agit de Madame de Retz elle-même (Bien des pièces des *Petites Inventions* témoignent également de la froideur de la dame).

10 La Rue (p. 139) raconte à ce sujet une histoire curieuse. Un de ses amis portait constamment une belle turquoise dans un anneau d'or. Quand il mourut, la pierre perdit son éclat. Quelqu'un d'autre acheta la pierre, qui reprit son éclat aussitôt qu'elle se trouva au doigt d'un homme en bonne santé (p. 140). Au vers 81 Belleau joue sur un paradoxe : les pierres peuvent être aussi – ou plus – compatissantes que les hommes.

11 Cf. le v. 10 de la célèbre « Ode à Cassandre » (Lm V, 196-197). Dans les vers suivants, Belleau pense à l'expression « avoir un cœur de pierre » et s'indigne de la conduite cruelle et égoïste de l'homme qui ne se soucie en rien de son prochain.

PAGE 191

12 Aucun détail précis ne permet de dire avec certitude de quelle guerre de religion il s'agit.

13 Le poète s'adresse à Dieu, mais c'est la pierre qui est le sujet de la strophe, et l'intermédiaire des bienfaits de la Providence. Habituellement, c'est à la Pierre que Belleau adresse une prière dans l'envoi (Cf. surtout « L'Emeraude », v. 171-172 : « Va trouver la rare beauté / De la Princesse qui t'honore »).

14 Claude-Catherine de Retz avait la réputation d'être une belle femme et était très érudite. Elle avait composé divers écrits qui furent fort admirés de ses contemporains mais qui demeurèrent inédits.

15 Ce poème a des sources modernes – Cardan et La Rue. Pline parle de la turquoise verte sous le nom de *callaina* (XXXVII. 33. 110-112), mais Belleau n'a pas utilisé sa description. Le poète réussit admirablement à allier le particulier au général, en commençant par exemple par le thème du vieillissement de toutes choses, pour passer à la description de la pierre et de son amour, revenant ensuite aux guerres civiles. Il humanise la turquoise d'un bout à l'autre et réfléchit à l'ironie du fait qu'une pierre montre plus de compassion que les hommes.

Titre. A [Madamoyselle]

1 L'agate est une calcédoine zonée de différentes couleurs ou à inclusions colorées, généralement translucides. Les principales variétés sont désignées, de nos jours, sous les noms suivants : *calcédoine* (certaines variétés d'une transparence laiteuse, légèrement teintées, sont précieuses), *chrysoprase* (vert pomme), *cornaline* (rouge), *héliotrope* (à fond verdâtre jaspé de veines rouges), *onyx* (couches concentriques noires, ou à deux couleurs très contrastées), *sardoine* (brun jaunâtre à reflets rouges). La variété opaque est le *jaspe* (voir <XVI -14>).

La dédicataire est fille de René de Fonsèque, baron de Surgères, et d'Anne de Brissac, sœur de Charles de Cossé, maréchal de Brissac. Demoiselle d'honneur de Catherine de Médicis, Hélène fréquentait le *Salon Verd* de la Maréchale de Retz, à laquelle la rattachaient des liens de parenté. C'est cette Hélène que les *Sonets* de Ronsard allaient rendre célèbre. Ronsard, qui connaissait le poème de Belleau, lui offrit, lui aussi une agate en un sonnet(Lm XVII, 221).

2 *Les Heures* : Voir *La Bergerie*, t. II, n. de la p. 5, l. 7. – « ensafrânée » évoque poétiquement la couleur jaune.

PAGE 192

23. [p]rintemps

3 Cf. t. I, p. 91, n. 7. Après être née de l'écume de la mer, Vénus aborda à Cythère, la plus méridionale des îles Ioniennes.

4 Ce verbe évoque le mouvement des seins mais rappelle aussi la notion de l'allaitement – voir par exemple « La Pierre laicteuse, dicte Galactités ».

5 Ces diminutifs sont un exemple de la poésie mignarde de Belleau.

55. L'une<,>
57. front [:]

6   Cf. plus haut, <XVI 5>, v. 10. Sur les Allégories composant la Cour de Vénus, voir t. IV, pièce XVIII, A M. Garnier.

7   Ce terme n'indique pas un lien de parenté très précis : Aphrodite née de l'écume de la mer a quelque affinité avec les divinités marines (cf. t. I, p. 118).

8   *Thetis :* Zeus et Poséidon voulaient s'unir avec la fille de Nérée, mais en furent dissuadés par un oracle révélant que le fils qui naîtrait de Thétis serait plus puissant que son père. Catulle célèbre ses noces avec le mortel Pélée.

9   Voir <XVI -5>, v. 10 et note.

10   Pour cette juxtaposition, voir <XVI -8>, v. 56 et note.

11   Beaucoup de lapidaires mentionnent cette agate célèbre. Pline écrit (XXXVII. 3. 5) : « In fama est gemma Pyrrhi […]. namque habuisse dicitur achaten in qua novem Musæ et Apollo citharam tenens spectarentur, non arte, sed naturæ sponte ita discurrentibus maculis ut Musis quoque singulis sua redderentur insignia ».

12   La mention du mont Hélicon (la « croupe ») attire celle de la « pince cornue » (le sabot de Pégase, cf. « L'Amethyste », v. 66).

PAGE 194

86. nompareille<,>

13   Le laurier, « pucelle », est toujours Daphné (voir « Le Rubis », v. 7-10).

14   Les artistes de la Renaissance représentent souvent les Muses jouant de divers instruments. Il est difficile de préciser ici qui joue de quoi (cf. Jodelle, éd. Balmas, I, 180 ; E. Winternitz, « Instruments de musique étranges » dans *Fêtes de la Renaissance. Etudes réunies et présentées par J. Jacquot,* Paris, éd. du C. N. R. S., 1956, p. 379-395) et A. P. de Mirimonde, « Concerts des Muses » in *Gazette des Beaux-Arts,* mars 1964, p. 129-158.

15   Apollon *Musagète* égaie les festins des Olympiens par les ravissantes mélodies de sa lyre.

16   Au lieu d'énumérer les propriétés la gemme, comme il le fait habituellement, le poète imagine que les principaux dieux de l'Olympe la dotent tour à tour.

17   Cf. Pline (XXXVII. 54. 140) : « reddunt enim fluminum species, nemorum, jumentorum ». Comme d'habitude, Belleau brode sur cette phrase.

18   Selon La Rue, l'agate était consacrée à Mercure, patron des orateurs. : « Omnem Achaten […] prudentiam ac facundiam præstare, ab adversa fortuna tutari, visum fovere, cor recreare, sitim ore contentam arcere adstruunt » (p. 136-137).

PAGE 195

19 Voir Pline (XXXVII. 54. 139) recopié par Vincent de Beauvais (I. 8, ch. 38, f° 87 r°, col. 2 : « putant eam contra scorpionum et aranearum ictus prodesse ») ; cf. Marbode (p. 19). La plupart des lapidaires mentionnent cette propriété, mais seul Belleau décrit le scorpion.

20 Pline, Marbode, Albert le Grand, Mandeville, Agricola et La Rue signalent que l'agathe modère la soif. Mais Belleau a probablement suivi le lapidaire orphique (p. 116).

21 Sur le don aphrodisiaque, voir Orphée, p. 115 ; mais Belleau le fait précéder de la prudence palladienne.

22 Les agates qui portaient ces marques venaient de l'Inde.

23 « Les cercles roulans » sont les sphères célestes, et « les gros ballons estincelans » sont les astres. Cf. « La Pierre d'aymant », v. 29. L'obscurité des vers 115 à 126 reproduit celle d'Orphée (p. 117) : « Autrefois Ouranos à la large poitrine, mutilé par la main du farouche Cronos, prit la terre sans borne dans les sinuosités de son corps resplendissant. Il brûlait de choir sur le sol, du haut de l'éther divin, pour tout enténébrer, avec son dos aux multiples contours et d'y envelopper le monde. Pour Ouranos l'étoilé, dont il avait navré l'âme, Cronos désormais n'habiterait plus le ciel ».

PAGE 196

24 Le singulier est employé pour le pluriel. Pour l'épithète, cf. « L'Onyce », v. 77, et note.

25 Voir Orphée (p. 117) : « C'est alors que les gouttes du sang impérissable jaillies de la blessure se mirent a tomber peu à peu sur la glèbe. Leur destin n'était pas de se perdre à jamais, car d'un corps immortel elles étaient le produit. Selon l'arrêt des Moires, le sang de l'ancêtre des dieux devait rester intact sur la terre féconde. Il le resta donc bien, car il se dessécha sous l'action des chevaux d'Hélios aux prunelles de feu ». Voir Cl. Faisant, « Gemmologie et imaginaire », p. 103.

26 Cet envoi ne parle pas de beauté. Ronsard dépeint une Hélène sage et studieuse (p. ex. *Sonets pour Helene* I. 50, « Bien que l'esprit humain », et II. 37, « Une seule vertu ») mais laisse entendre qu'elle n'est pas particulièrement jolie.

Dans ce poème Belleau décrit surtout la remarquable agate de Pyrrhus, tout comme il décrira dans l'édition de 1578 la sardoine de Polycrate. Il prend chez Catulle l'idée de présenter les propriétés de la pierre comme des dons divins, et s'éloigne ainsi des lapidaires. Il évoque la toilette de Vénus avec beaucoup de délicatesse.

1 Nous avons vu (« L'Agathe », n. du titre) que le jaspe est une silice du type calcédoine mais un peu plus opaque. Il peut être de couleurs variées mais non régulièrement zonées. – La dédicataire est Jeanne de Cossé, fille de Charles Ier de Cossé, comte de Brissac, maréchal de France. Laide et bossue, elle épousera le beau et peu scrupuleux Saint-Luc, mignon de Henri III.

PAGE 197

15. [d]es

2   « Sans yeux » : cf. « L'Onyce », v. 33. « Sans armes » : son petit arc paraît bien insignifiant en face du foudre de Jupiter.

3   Les Géants étaient appelés « anguipedes » parce que des queues de serpents leur tenaient lieu de jambes (Ovide, *Mét.* 1. 184 et *Tristia*, IV. 7. 17 et Ronsard, *Les Armes*, Lm. VI, p. 206). Ces monstres attaquèrent les Olympiens en entassant montagnes sur montagnes. Zeus les frappa de sa foudre et les monts s'écroulèrent, ensevelissant les rebelles.

4   M. Verdier remarque une contradiction entre l'expression « goute à goute » et le terme « torrent ».

PAGE 198

5   Sur le motif du sang des dieux, cf. « L'Agathe », v. 133-138 (où Belleau suit le lapidaire orphique).

6   Belleau se limite à la variété de jaspe qui lui permet conter l'accident de Cupidon, mais c'est la plus belle selon Albert le Grand (p. 289 d'après Pline, XXVII. 37. 116).

7   Beaucoup d'auteurs (Albert le Grand, Vincent de Beauvais, Mandeville, La Rue) mentionnent cette propriété ; mais c'est probablement Cardan qui a été imité (p. 289-290) : « sistere etiam hoc modo sanguinem undequaque manantem, sed è naribus præcipuè vidimus ».

8   « Cuir » a le sens de « peau » : Belleau désigne ici l'hydropisie. Cf. Albert le Grand (p. 290).

9   *Apprit* est construit transitivement.

10 Le poète préfère parler plutôt des qualités morales de Jeanne de Cossé.

Ce poème anacréontique, où Amour tient le premier rôle, est à rapprocher de « L'Onyce » (9) et de « La Cornaline » (16), . M. Verdier souligne (p. 187) la recherche dans le domaine des rythmes lyriques : Belleau « utilise une strophe de 18 vers, avec la répartition des rimes mmfm'm'fm"m"f, ceci répété deux fois. En fait seule l'absence de ponctuation forte à la fin du 9e vers garde à la strophe son unité ».

1   Belleau ne chante pas le cristal de roche en général, mais fait l'éloge d'un objet particulier, que l'on comparera au miroir de *La Bergerie*.

PAGE 199

2   Allusion à la poésie érotique, comme dans « L'Amethyste », v. 61-62. D'autres rapprochements s'imposent entre les thèmes introductifs des deux pièces, qui évoquent toutes deux Bacchus.

3   Les poètes bucoliques et épiques. Cf. < XVI -1>, v. 57-60.

4   Belleau fait probablement allusion à la poésie scientifique, à des auteurs tels qu'Aratos et Lucrèce.

5 Cf. Pierre Belon, *De la nature et diversité des poissons*, Paris, Charles Estienne, 1555 (ouvrage que Belleau possédait), ou Guillaume Rondelet, *Histoire entiere des poissons* (Lyon, M. Bonhomme, 1558).

6 Sur la fureur de Bacchus, voir ci-dessus, Le Mulet, n. 26. Marcel Raymond (*Influence de Ronsard*, I, p. 193) pense, sans beaucoup de vraisemblance, que ce début de poème imite l'« Elegie du verre » de Ronsard (1554). Laumonier (Lm VI, 165) juge que l'imitation porte sur le poème entier. Belleau s'est probablement souvenu de Ronsard, avec qui il a quelques thèmes communs (supériorité du verre sur l'or, le diamant ou la perle, don de courage sous la forme de cornes), mais il s'agit d'échos assez lointains.

7 « Le secours de la vie » du poète désigne évidemment sa bouche, qu'il célèbre ainsi dans ses *Baisers* : voir p. ex. *Bergerie*, 2ᵉ J. (t. IV, <XV -11>, v. 9-10).

8 Périphrase humoristiquement emphatique pour désigner l'or : Jupiter se transforma en pluie d'or pour pénétrer dans la tour où Danaé était enfermée.

9 Sur le breuvage des dieux, voir P. Dumézil, *Le festin d'immortalité*, Paris, 1924. Sur l'épithète *sucré* chez Belleau, voir p. ex. t. IV, XVI -20 et ci-dessous, XVI -6, v. 96.

PAGE 200

55. Diamant<,>
69. [é]maux de Fagence [:]

10 On ne voit le cristal lui-même que lorsqu'a disparu le vin qu'il contient, mais il reconnaît à son simple reflet la Dame qui se contente d'y mirer sa beauté.

11 Sur Circé, voir 2ᵈᵉ J. de *La Bergerie*, t. IV, <XIV -2> et notes. Dans l'*Odyssée* (10. 133-574) elle métamorphose en pourceaux les compagnons d'Ulysse.

12 Faenza, en Émilie, devint célèbre dès le XIIᵉ s. pour la fabrication de la vaisselle de *faïence*.

PAGE 201

71. plein<,>
77. nœud<,> qui
99. belle [:]

13 Absence du *s* final pour la rime avec *vie*. Voir « Le Coral », v. 65.

14 L'éloge du vin commence ici. L'image du nœud sur le fil de la vie n'est pas courante.

15 Explication « scientifique » du bouquet du vin.

16 Horace loue une amphore de vin en citant un dicton (*Odes*, III. 21, v. 17-18) : « Tu spem reducis mentibus anxiis, / virisque et addis cornua pauperi ». Les cornes étaient signe de la puissance (voir Ovide, *Mét.* 15. 565-621, histoire de Cipus ; Ronsard, « Elégie du verre », v. 52-53 : « Toi qui fais naistre à la teste de l'homme / Un front cornu », . et ci-dessus, <VI -2>, « Les Cornes »).

17 Pour le « vin qui rit dedans l'or », voir le célèbre début des *Odes* ronsardiennes de 1550 (I. 1, v. 1-4) : *Comme un qui prend une coupe* (Lm. I, p. 61)

18 *Hippocras* = hypocras, un vin sucré où l'on a fait infuser notamment de la cannelle et du girofle.

PAGE 202

19 Le trouble causé aux noces de Pirithoos, roi des Lapithes, par l'ivresse des Centaures symbolise la barbarie attaquant en vain la civilisation (Ovide, *Mét.* 12. 210-535). Ce *Combat* fut souvent représenté par les peintres.

Dans ce poème, Belleau n'a pas recours aux lapidaires, puisqu'il n'est question ni de la formation du cristal ni de ses propriétés. Pour célébrer le vin en même temps qu'une belle coupe, il emploie, avec de lointains échos de Ronsard, des allusions mythiques (Danaé, Circé, les Centaures et les Lapithes), bien incorporées au récit. Les octosyllabes groupés en sixains sont alertes.

1 Pierre composée de silice microcristalline comme la calcédoine mais de couleur rouge. Son nom pourrait venir de *cornum* qui désigne le fruit rouge du cornouillier. Sur ce poème, qui se trouve au centre du recueil de 1576, consulter – avec précaution – Aubrey Rosenberg, « A Reading of Belleau's `La Cornaline' » in *Romance Notes*, 16 (1974-75), 410-414.

2 Voir « L'Agathe », v. 7 et note.

3 Evocation d'Amour en style anacréontique. Cf. t. I, p. 111, *Ode* 40, « D'Amour picqué d'une mouche à miel », où, comme ici, Amour proclame avec une exagération enfantine qu'il va mourir de sa blessure. Pour « ce nouveau courrous » d'Amour, voir *Ode* 14, t. I, p. 91, v. 5.

4 Jeu sur l'étymologie du mot « cornaline » et sur l'adj. « humaine » (=bienveillante), v. 13, paradoxalement appliqué à une déesse.

5 Cette faculté d'apaiser la colère est signalée par Albert le Grand, Marbode, Vincent de Beauvais et La Rue.

PAGE 203

6 Belleau utilise une image qui rappelle la couleur de la cornaline et qui n'est pas présente dans sa source, La Rue.

7 Albert le Grand, Marbode, Vincent de Beauvais, Mandeville et La Rue mentionnent cette propriété ; mais Belleau omet la vertu d'arrêter le flux menstruel. Encore une fois, on remarque le lien entre la couleur de la pierre et ses vertus.

8 Cf. La Rue (f° 57 v°) : « Probatur quæ purissima juxta ac nitidissima consistit substantia ».

Ce poème anacréontique, amusant et gracieux, est de structure symétrique : 3 strophes concernent Vénus et son fils, et 3 les propriétés de la pierre. La colère du petit dieu Amour sert de charnière entre les deux moitiés du poème.

1 Cette pierre désigne encore certaines concrétions de peroxyde de fer enfermant souvent un noyau central détaché et mobile. Son nom dérivé du grec *aetos*, « aigle »,

s'explique par la légende : lorsque ces pierres étranges étaient découvertes dans des zones rocheuses escarpées, on pouvait imaginer qu'il s'agissait d'une ancienne aire où un aigle l'aurait placée pour diverses raisons (cf. n. du v. 30).

2 Sur le mécénat de Madame de Laubespine, voir notamment ci-dessus, M. -F. Verdier, « Introduction aux nouvelles pièces de 1573 et 1574 » ; Laumonier, *Ronsard poète lyrique*, p. 236 n. 1 ; J. Lavaud, *Desportes* (thèse), p. 308 et suiv. – Ronsard lui dédia l'épitaphe de son frère Charles de L'Aubespine (Lm. XV, 295) et le beau poème « Madelene ostez moy ce nom de l'Aubespine » (Lm. XVIII, 223). Elle appartenait au *Salon verd* de la Maréchale de Retz. On a prétendu qu'elle était la Callianthe de Desportes.

3 L'aigle (souvent du genre féminin au XVIe siècle) était l'oiseau parèdre de Jupiter (Pline, X. 6. 18).

PAGE 204

32. grosse<,>

4 Parmi les nombreux auteurs qui ont parlé de l'aetite, il semble que Belleau se soit inspiré de Marbode (p. 53) : *Inter præcipuos lapides numeratur Etites, / Quem petit extremis orbis Jovis ales ab* oris, / *Custodem nidi, defensoremque futurum.*

5 Belleau donne à l'aetite une vertu protectrice en général ; mais les avis sont partagés sur le rôle de la pierre dans le nid. Albert le Grand passe en revue diverses théories (p. 257) : « La raison pour laquelle les aigles placent cette pierre dans leur nid n'est pas bien connue. [...] Certains disent qu'ils font cela pour diminuer la température des œufs, ou celle du corps des aigles, afin que les œufs ne s'échauffent pas trop [...]. Mais certains affirment que cela apporte une contribution à l'incubation et à l'éclosion ; d'autres encore que les oiseaux interposent cette pierre afin d'éviter que les œufs ne se brisent ».

Les vers 25 à 28 suivent Marbode (p. 53) : « Quò valeat pullis dubios avertere casus ».

6 Souvenir probable de Dioscoride (p. 428). Comme Marbode (p. 53) Damigéron-Evax observe (p. 234) : « Elle contient en elle une autre pierre, comme si elle était enceinte » La comparaison de Belleau est frappante : la femme sent remuer non l'enfant, mais « la petitesse » de cet enfant. Pour le motif de la fécondité, cf. « La Pierre aqueuse », v. 49-51.

7 Voir Marbode (p. 53) : *Confert prætereq gestanti sobrietatem, / Auget divitias, et amari cogit habentem, / Victoremque facit, populique favoribus ornat.* Belleau omet l'allusion à la richesse et met l'accent sur les qualités morales.

8 En général les lapidaires précisent que la pierre doit être liée au bras gauche de la femme pour empêcher l'avortement, et placée sur la cuisse pour accélérer la naissance. Mais Marbode (p. 53), Albert le Grand (p. 256) et Mandeville (p. 68) ne distinguent pas les deux cas.

45. larcin [.]
47. grossette<,>
54. faveur [:]

9 Dioscoride entre dans le détail en ce qui concerne les voleurs (p. 428) : « furem deprehendit, si quis in pane conditum offerat, fur enim mansum devorare non poterit. quin etiam concoctus, furem coarguit : quippe decocta cum eo, devorare non poterit ». Belleau attire l'attention sur l'endroit où le voleur cache son butin, plutôt que sur la manière dont il est attrapé.

10 Encore une fois Belleau humanise la pierre.

11 L'émerveillement devant la création et l'éloge de Dieu sous-tendent tous ces poèmes, mais sont explicites ici. Pour la supériorité des animaux, cf. le début de « L'Emeraude ».

12 Il s'agit de la dédicataire, Madame de Villeroy.

1 Le nom de cette pierre semi-légendaire est tiré du grec *alector*, « coq ». Un des cailloux qui emplissent habituellement le gésier des oiseaux granivores, plus gros que la normale, a pu attirer l'attention et ensuite se voir attribuer des propriétés extraordinaires liées aux qualités dont le coq est le symbole (virilité, agressivité). C. Entzel (Christophorus Encelius Salveldensis) décrit la pierre du coq dans *De re metallica, hoc est de origine, varietate et natura corporum metallicorum, lapidum, gemmarum, atque aliarum, quae ex fodinis eruuntur, rerum, ad medicinae usum deservientium, libri III* (Francfort, 1557), p. 242-246.

Belleau dédie ce poème à la France déchirée par les guerres civiles : pour les Français le coq (*gallus*), symbole de la nation gauloise, a d'autres connotations. Les Gaulois (*Galli*) portaient un coq sur leurs enseignes. Mellin de Saint-Gelais oppose deux fois le coq à l'aigle (*Dixains*, 51, v. 8 et 93, v. 4) ; Salel en use de même (*Nativité de Monseigneur le Duc*, v. 88). Jean Lemaire dans *La Légende des Venitiens* et Jean Marot dans *Voyage de Venise* montrent le coq aux prises avec le renard vénitien. Barthélemy Aneau publia en 1560 un important roman au symbolisme alchimique et gallique, *Alector ou le coq* (éd. M. M. Fontaine, Genève, Droz, 1996).

2 Le coq a la vigilance proverbiale des oies du Capitole. La métaphore militaire (« sentinelle ») se poursuit avec le terme « troupe ».

3 Lebègue (« Une Source de *La Bergerie* de Belleau » in *Revue du seizième s.* 4 (1916), p. 168) montre que cette expression est tirée de Longus.

4 La rime « heure / cheveleure » était alors phonétique.

5 Cf. *La Bergerie*, t. II, p. 5, n. de la l. 7.

6 Sur la terreur que le coq inspire au lion, cf. Rabelais, *Gargantua*, ch. 10. M. Verdier voit ici une allusion aux Anglais, chassés du Havre en 1563 : Salel avait parlé du coq gaulois et assimilé les Anglais à des lions, leur animal héraldique (*Nativité de Mgr le duc*, 1543).

7 A propos de cette propriété, Pline et La Rue citent Milon de Crotone. Damigéron-Evax écrit (p. 256-257) : « le gladiateur ou le combattant qui la gardera dans la bouche […] vaincra l'athlète et l'aurige de toutes les manières. Milon de Crotone, qui portait cette pierre, ne fut jamais vaincu ».

8 Damigéron-Evax (p. 257) : « Elle rend sûrs, gracieux, plaisants ceux qui la portent, et aussi dans les plaisirs amoureux, elle rend vaillant, vigoureux et robuste ». Tandis que ce lapidaire, comme d'autres, dit que la pierre procure aux femmes l'amour des hommes, Belleau inverse les rôles.

9 Albert le Grand (p. 221), Marbode et La Rue mentionnent cette propriété.

10 Voir Pline (XXXVII. 54. 144).

11 Les Gaulois. – Prier pour que la France garde sa puissance équivaut à dire qu'elle doit mettre fin aux guerres civiles.

PAGE 207

21. flanc [:]

1 Les chélidoines (du grec *chelidon*, hirondelle) sont de petits cailloux lenticulaires, de nature siliceuse, très polis, appartenant au groupe des agates. On les trouve notamment dans le lit de certains torrents. – La dédicataire, fille naturelle de Charles VI, légitimée par Charles VII, est l'arrière-petite-fille de Marguerite de Valois. Elle avait épousé Jean de Harpedenne, seigneur de Belleville. Il est possible qu'elle ait fréquenté le *Salon Verd* de Madame de Retz.

2 A rapprocher du poème « Avril » (t. IV, 1ère J., <V>) et, ci-dessus, de <XVI -5>, v. 107-108, et note.

3 M. Verdier souligne la ressemblance entre ce mouvement et celui du poème précédent, v. 13-14.

4 Cf t. I, p. 176, n. 28 (fin de *L'Escargot*). Procné et Philomèle étaient filles de Pandion, roi d'Athènes. Térée, roi de Thrace, époux de la première, viola sa belle-sœur, puis lui coupa la langue. Folle de rage, Procné égorgea leur fils, Itys, et en servit les morceaux à son mari. Les dieux changèrent Philomèle en rossignol, Procné en hirondelle et Térée en huppe. Voir Ovide, *Mét.* 6. 412-674.

PAGE 208

40. porteur [:]
41. frenetique [:]
49. t'aura<,>

5 Le rythme, les coupes et les rejets des vers 19 à 21 soulignent avec insistance la férocité dont l'homme fait preuve. La souffrance de l'hirondelle est une expiation de l'acte terrible de Procné.

6 Les lapidaires distinguent deux espèces, l'une de la couleur de l'hirondelle (Pline, XXXVII. 56. 155), et l'autre rouge. Pour ce passage, cf. La Rue (p. 151-152) : « Porrò singulæ tametsi injucundæ sint et pusillæ magnis tamen virtutibus præditæ adstruuntur ». Voir aussi Marbode (p. 35).

7   Voir Damigéron-Evax (p. 246-247) : « Elles vous sont utiles : la rousse soigne les lunatiques, les insensés et les languissants. Vous ferez ainsi : prenez une toile de lin propre, liez-y la pierre, entourez-en le bras gauche du malade, et au troisième jour il sera guéri ».

8   Voir La Rue (p. 152) : « Russam sub ala sinistra gestatam lunaticos[...], insanos, et languidos sanare perhibent. Præterea et facundiam et apud homines gratiam promovere confirmant. Nigricantem verò similiter portatam testantur reges et principes conciliare ».

9   Belleau voudrait détourner vers d'autres peuples les guerres civiles, causées par des rivalités entre princes : c'est un lieu commun dérivé d'Erasme.

10   Il s'agit encore dans ce poème d'une pierre qui témoigne d'un passé légendaire sanglant et dont les propriétés sont signe de rédemption. Le crime du roi de Thrace et celui de sa femme sont contrebalancés par des vertus qui apaisent la colère des Grands.

1   L'once, ou lynx, ou loup-cervier, courant en Europe jusqu'au XIXᵉ siècle.

2   La similitude phonétique entre le grec *linchourion* (« urine de lynx »), et *Liguria* (la première province romaine sur la route de l'ambre), est peut-être à l'origine de la légende de cette pierre : cette sorte de tourmaline était souvent confondue avec l'ambre (*sucinum*), qui, récolté sur les bords de la Baltique, était souvent commercialisé en Ligurie ; certains ont pu croire qu'il y était produit.

3   Comparer à « L'Amethyste », v. 207-208.

PAGE 209

28. festu<,>

4   Belleau reprend une tournure interrogative déjà utilisée dans « La Pierre du coq », v. 13-14, et « La Pierre d'arondelle », v. 7-12.

5   Comparer Pline (XXXVII. 13. 52) : « fieri autem adfirmant ex urina quidem lyncis, sed et genere terræ, protinus eo animali urinam operiente, quoniam invideat homini, ibique lapidescere ».

6   Pline présente à propos de l'ambre (XXXVII. 11. 31) cette histoire à laquelle il ne croit pas. Belleau retient son scepticisme (« Aucuns disent ») et ne mentionne qu'obliquement (« gomme ») l'ambre, ces larmes des filles de Phaéton métamorphosées en peupliers. Pour l'histoire de Phaéton, fils du Soleil, voir Ovide (*Mét.* 2. 1-366). Phaéton n'ayant pas maîtrisé les chevaux de son père, provoqua un accident qui embrasa la terre. Jupiter précipita le jeune imprudent dans l'Eridan (le Pô actuel).

7   Voir Pline (XXXVII. 13. 53).

PAGE 210

8   Pline ne cite ces propriétés que pour les dénier à cette pierre. Albert le Grand en parle très brièvement (p. 292). Belleau suit vraisemblablement Marbode (p. 79) :
Affirmans ipsum stomachi placare dolorem / Ictericis etiam priscum revocare colorem, / Et perturbati compescere reumata ventris.

9   Belleau ne nomme pas la dédicataire de ce poème, mais tourne une jolie strophe à son intention. La pièce, en sixains octosyllabiques, est bien modelée et inclut une réflexion sur la cupidité des hommes et une allusion mythologique qui rappelle des pages émouvantes d'Ovide.

19. [p]rintemps

1   Pline (XXXVII. 30. 104) parle de la *carchedonia*, et (XXXVII. 25. 92 et 95-96) du *carchedonius carbunculus*, ou « rubis de Carthage » (ville nommée aussi *Carchedon*). La pierre est donc rattachée aux rubis. On a pu la confondre avec notre calcédoine, terme qui recouvre plus particulièrement les variétés à nébulosité laiteuse de pierres composées de silice cryptocristalline.

2   Le thème du déclin de toutes choses apparaît déjà dans « La Turquoise » (5. 1-36). Mais cette fois, ainsi que l'observe M. Verdier, il n'est pas associé à l'idée de la renaissance des êtres et des choses, au transformisme, comme dans « Le Coral » (v. 7-36) ou dans « La Pierre lunaire » (v. 25-48). Belleau insiste sur le rôle de Dieu dans l'univers, comme il le faisait dans « La Pierre d'aymant » (v. 181-182). Dieu n'est jamais vraiment absent des *Pierres precieuses*.

3   La Nature produit le bien et le mal. « Du metal » est à rattacher directement au verbe « retient », et fait allusion aux armes que forge l'homme.

PAGE 211

44. nourriture<,>

4   Cf. « La Turquoise », v. 4-8.

5   « Au ply des ans » = probablement « ride » : Belleau parle dans « La Turquoise » des rides des arbres (v. 7), en les humanisant. Il insiste sur l'immortalité des pierres, sur leur nature inaltérable, qui explique la façon dont elles attirent les hommes. Si, dans la dédicace au Roi et dans « La Turquoise », v. 25-36, il dit le contraire, c'est avec une intention particulière.

6   Le Styx, fleuve des enfers, donc de la mort. Le règne minéral est supérieur au monde végétal, en ce qu'il n'a pas de pouvoir néfaste.

7   Les plantes, quelle que soit la partie qu'on utilise (fleur, racine, écorce), n'ont pas de propriétés curatives plus puissantes que les pierres ; et les pierres belles et pourvues de vertus médicinales sont aussi nombreuses que les plantes belles et utiles.

8   Voir Pline (XXXVII. 30. 104).

PAGE 212

57. [n]uit,

9   Comparer la naissance de la carchédoine avec celle de la perle, « La Perle », v. 31-48. Voir La Rue (p. 106-107) : « Carchedonios putant imbre divino generari. [...] Cæterum facultates eis tribuunt non obscuras contra Cacodæmonas, et atræ bilis

symptomata, hoc est tristitiam timorem ue ». Peu d'autres lapidaires parlent de cette pierre, et, en fait, Belleau ne lui consacre que trois strophes et ne la décrit même pas. Ce dernier poème de l'édition de 1576 a cependant ceci d'important qu'il souligne l'origine divine et l'immortalité des pierres en des strophes « scientifiques » qui rappellent le « Discours des pierres precieuses » du début.

« DISCOURS DE LA VANITÉ »

PAGE 221

l. 16. ce [30.] Juillet
l. 17. [1576]

1   Henri III (1551-1589), troisième fils d'Henri II, frère de Charles IX.

2   Le livre biblique est ainsi implicitement associé, dès le début, à la tradition du Conseil du Prince. Cette association sera soulignée plus loin. Belleau avertit que le contenu moral de L'Ecclésiaste est particulièrement pertinent en ce qui concerne les puissants.

3   Charles IX était mort en 1574. De même, Ronsard affirme que la mort de Charles IX l'a empêché de terminer *La Franciade* (voir le quatrain au verso de la fin du Quatrième Chant, Lm. XVI, 330).

4   Henri III avait fondé l'Académie où l'on débattait de problèmes philosophiques et moraux : voir ci-dessus les notes se rapportant à la dédicace des *Pierres precieuses*, « Au tres-chrestien Roy de France et de Pologne Henry III ».

5   L'auteur, anonyme, est connu sous le nom grec de « L'Ecclesiaste », traduction de l'hébreu : « l'homme de l'assemblée » (soit le Maître ou l'Orateur, soit au contraire le Public personnifié). Il semble que c'était un juif âgé et riche, habitant Jérusalem vers 200 av. J. -C., lorsque la peu satisfaisante domination de la Perse avait fait place à une corruption plus grande encore, avec l'administration grecque. Le livre évoque une société dans laquelle l'injustice règne, l'oppression est sévère, et l'espoir presque éteint. Mais, « roi dans Jérusalem », l'auteur est, par une fiction littéraire, assimilé à Salomon.

Dédicace. [AUDIT SEIGNEUR]

PAGE 222

6. [S]age :

1   Pour Belleau, Henri III a hérité des vertus de son père, Henri II.

2   Le règne de Salomon (972-932 av. J. -C.), fils de David, marque l'apogée de la puissance d'Israël.

3   Le grand-père d'Henri III, François Iᵉʳ.

Titre [S]oleil,
46. [O]ubli<,>

1   Ce jeu sur le vide (*vanitas*) et le *plein* ne figure pas dans la Vulgate. En revanche, Belleau omet le premier verset (« Verba Ecclesiastæ, filii David, regis Jerusalem ») et les mots par lesquels L'Ecclésiaste parle de lui-même à la troisième personne (« dixit Ecclesiastes »). Ce début annonce le thème du discours.

2   Dans la Vulgate, nous lisons : « Vanitas vanitatum, dixit Ecclesiastes : vanitas vanitatum, et omnia vanitas » (v. 2). Le mot *vanité* évoque ici l'être illusoire des choses et par conséquent la déception qu'elles réservent à l'homme. La notion s'applique à toutes les parties de l'univers en général, mais c'est surtout l'homme qu'elle concerne ; p. ex. Psaume 39, v. 6-7 : « Vois, d'un empan tu as fait mes jours, et ma durée, un néant devant toi ; rien qu'un souffle, tout homme qui se dresse, rien qu'une ombre, l'humain qui marche ; rien qu'un souffle, les richesses qu'il entasse » (Bible de Jérusalem, éd. 1970, p. 837. Nos citations sont tirées de la cette éd.).

PAGE 223

3   C'est Belleau qui introduit l'image du théâtre. Sur cette tendance qui a marqué l'imaginaire de la fin du siècle, voir J. -P. van Elslande, *L'imaginaire pastoral du XVIIe s. 1600-1650*, Paris, puf, 1999, p. 153-194. La Vulgate dit simplement : Generatio præterit, et generatio advenit : terra autem in æternum stat » (v. 4).

4   Belleau rend plus pittoresque la Vulgate (« Oritur sol, et occidit, et ad locum suum revertitur : ibique renascens », v. 5), en employant ses observations personnelles ainsi que ses lectures d'Aratos. Il use de l'assonance (« Tournoyant et roulant ») et évoque la Voie Lactée par l'image de « l'écharpe animée ». Comme dans sa traduction d'Aratos (voir t. IV, 2de J., pièce <X>), il accentue la personnification du Soleil.

5   La Vulgate n'a pas d'équivalent du v. 19, qui évoque un être ailé, ni du verbe *s'accoiser*. Nous remarquons déjà comment Belleau tend à animer ses descriptions de la nature. Dans la Bible, le vent symbolise l'Esprit. L'Ecclésiaste évoque son mouvement ininterrompu puis montre que ce mouvement s'applique à tout ce qu'il y a sur la terre, et que l'instabilité de la nature est un symbole de l'inconstance de l'homme.

6   Belleau manifeste ici son goût pour l'énumération : il remplace *omnia flumina* par « les fleuves courans, les torrens, les rivieres », pour renforcer l'impression de la quantité d'eau qui se jette dans la mer. Il accroît l'activité des fleuves, et par là-même rend plus marquée leur personnification, en introduisant des verbes supplémentaires : « se vont renfermer », « roulent », là où la Vulgate dit simplement : « ad locum, unde exeunt flumina, revertuntur ut iterum fluant » (v. 7). Le cycle de l'eau dans la nature, selon la météorologie ancienne, démontre le caractère cyclique de toute chose. Les fleuves qui se jettent dans la mer peuvent représenter l'homme, qui court vers la mort, laquelle absorbe tout. Il est heureux s'il lui arrive d'être uni à Dieu, qui seul est éternellement stable.

7   Le sens de la Vulgate est le suivant : l'homme, à cause de son aveuglement et de son ignorance, à cause aussi de l'instabilité des choses, n'arrive pas à fixer son regard sur son environnement, et les paroles lui manquent s'il veut communiquer à autrui le peu qu'il entrevoit. La soif d'apprendre lui est naturelle ; mais il ne peut comprendre qu'une infime partie de la nature, et encore moins des choses célestes. L'œil n'a jamais

assez vu, l'oreille n'a jamais assez entendu, la soif n'est jamais étanchée. Nous sommes proches de l'« Apologie de Raimond Sebond ».

8 Les observations de L'Ecclésiaste concernent d'abord la nature (les mouvements du ciel et les propriétés des animaux et des plantes varient peu), et elles s'appliquent aussi au monde moral, dans lequel reviennent les mêmes passions, les mêmes vices, les mêmes vertus. Quant à la perception du temps, le présent nous échappe sans cesse, étant un unique point indivisible qui est constamment happé par le passé. – Belleau change la structure du latin, qui donne par deux fois la réponse (v. 9) à une question posée deux fois. Il remplace cette symétrie par la reprise d'un verbe (« faict et refaict ») et par la juxtaposition de contraires (« renaist en mourant »). « L'entresuitte » et « par certaine conduitte » n'ont pas d'équivalent dans la Vulgate ; encore une fois, Belleau développe sa source ou suit une autre traduction. .

9 Des adjectifs développent le latin : « Nihil sub sole novum » (v. 10).

PAGE 224

10 Belleau reprend le verbe « se perd » et invente les images ; « les flots de l'oubli » évoquent le Léthé païen. Les âmes des morts buvaient à ce fleuve séparant le Tartare des Champs Elyséens pour oublier les détails de leur vie, et si elles étaient destinées à une nouvelle existence terrestre, pour perdre tout souvenir de la mort. – Le verset 11 de L'Ecclésiaste (v. 41 à 46 de Belleau) va à l'encontre de la foi des hommes de la Renaissance en la gloire.

11 Belleau renforce la précision géographique (« Ego fui rex Israel in Jerusalem », v. 12).

12 Les v. 51 à 54 n'ont pas d'équivalent dans le latin. En utilisant une image qu'il affectionne, celle de l'allaitement, Belleau remplace le ton élevé de la Vulgate par une impression d'intimité.

13 La curiosité est perçue ici comme un châtiment infligé à l'homme ; cf. Genèse 3. 19.

14 Ce pourrait être Aratos – traduit par Belleau – qui parle.

15 Cf. « L'Huître », dans Les Petites Inventions (1554-1556) et « La Perle », dans les Pierres precieuses (1576).

16 Topos des présages donnés par les oiseaux ; cf. p. ex. Ronsard, « Hymne de Calaïs, et de Zetes », v. 73-78 (Lm. VIII, 259). Voir aussi Idmon dans les Argonautiques d'Apollonios, I, 139-141 et 443-447.

17 La Bergerie reflète l'intérêt porté à la botanique par les hommes de la Renaissance. L'union de l'art et de la nature évoque également dans ces vers La Bergerie (« l'émail contrefait » : c'est ici la nature qui imite l'art).

18 Belleau repend le topos virgilien, adopté par les poètes de la Pléiade, de la curiosité du poète scientifique (voir Baïf, Le premier Livre des Poèmes, éd. cit., « A Catherine de Medicis », p. 53 et suiv., et Introduction, p. 14 et suiv.) – La curiosité est un mot-clé dans ce discours de Belleau, ainsi que dans le « Discours » en vers au début des Pierres precieuses de 1578 (« curieux » y figure au premier vers).

19 Ces deux vers s'inspirent de la *Météorologie* aristotélicienne, qui comporte l'étude des vents souterrains (à l'origine des tremblements de terre et des phénomènes volcaniques) ; cf. Baïf, « Presages d'Orpheus sur les tremblemens de terre », in *Le premier Livre des Poèmes*, éd. cit., p. 37 et suiv. .

20 *Les Pierres precieuses* décrivent ces « thresors ». L'avarice des hommes, cherchant à s'enrichir aux dépens de la terre, en est un *leitmotiv* : voir « Le Diamant », v. 63 ; « La Perle », v. 97-98 ; « L'Emeraude », v. 50-60 ; et « Le Saphir », v. 9-12.

PAGE 225

21 Belleau témoigne de sa curiosité pour le domaine de la météorologie, dont il énumère ici les différents chapitres ; voir Baïf, « Premier des Météores », in *Le premier Livre des Poèmes*, éd. cit.

22 Il s'agit des « météores », feux apparaissant entre ciel et terre ; voir Baïf, *op. cit*, v. 408 et suiv., 468 et suiv.

23 La croyance en l'importance pour la vie humaine de l'apparition de comètes était répandue. L'« astre chevelu » (grec *komêtês*,) présageait un grand malheur (« feu menaçant » ; voir Baïf, « Premier L. des Météores », v. 669 et suiv., et Introduction, éd. cit., p. 27 et suiv.).

24 Désignation traditionnelle des figures du zodiaque. Cf. Baïf, « Météores », v. 107 et suiv.

25 Les poissons avaient été étudiés par Guillaume Rondelet dans *Universæ aquatilium Historiæ pars altera* (Lyon, M. Bonhomme, 1555), traduit en français sous le titre *Histoire entiere des poissons* (Lyon, M. Bonhomme, 1558).

26 Les v. 59 à 84 brodent sur 6 mots d'un seul verset de L'Ecclésiaste : « Vidi cuncta, quæ fiunt sub sole ». Là où L'Ecclésiaste écarte sèchement son savoir, Belleau l'explore et le célèbre, dans un passage qui embrasse la magie naturelle et l'astrologie en même temps que les domaines plus orthodoxes des connaissances humaines. On reconnaît l'auteur des *Pierres precieuses*, recueil dans lequel les gemmes sont examinées sous tous les angles et où la magie naturelle va de pair avec la foi religieuse. Cf. J. Vignes, pour qui « l'Astre aux cheveux longs » pourrait faire allusion à une comète apparue au lendemain de la Saint-Barthélemy (« Paraphrase et appropriation », p. 517-518).

27 Les v. 91 à 98 n'ont pas d'équivalent dans L'Ecclésiaste. Belleau renforce la portée religieuse du discours. Il décrit un Dieu tout-puissant (« rougissant / De tonnerre et d'esclair » comme Jupiter) et qui contrôle toute la gamme des êtres (« le plein et le vuide »). Il rejette l'idée d'un temps cyclique : ce qui périt ne renaît point en cette vie (notion soulignée par la répétition « corrompu » – « se corrompant »).

28 Cette expression, sans équivalent dans L'Ecclésiaste, donne une vision moins pessimiste de la vie humaine. Mais la conclusion des deux textes est la même : la quête du savoir est une « afflictio spiritus ».

PAGE 226

29 Plus l'homme apprend, et plus il sait que la quête du savoir est peine perdue.

30 Belleau développe L'Ecclésiaste : « Eo quod in multa sapientia multa sit indignatio, et qui addit scientiam, addit et laborem » (v. 18). La description, plus affective, dépeint l'âme mélancolique à l'aide d'adjectifs et introduit le mot « douleur » et le verbe expressif « se ronger ». On sait que Belleau s'intéressait à la médecine. Les *Pierres precieuses* mentionnent des remèdes contre la dépression.

1 Belleau construit cette image frappante à partir du v. 1 de la Vulgate : « affluam deliciis ».

2 Les v. 4 à 8 n'ont pas d'équivalent dans L'Ecclésiaste. Belleau développe le texte biblique dans le sens du pittoresque : il invente l'image du miel enivrant, avec la paronomase « pas et appas », les verbes « gorger et noyer [de plaisir] », l'apostrophe au « desplaisir » – en parallèle avec l'apostrophe à l'âme du poète – et l'image des griffes du Souci.

3 Belleau développe en accumulant les substantifs trois mots de la Vulgate : « Risum reputavi errorem » (v. 2). Cf Proverbes, 14. 13 : « Dans le rire même le cœur trouve la peine, et la joie s'achève en chagrin ». Et Luc 6. 25 : « Malheur à vous, qui riez maintenant ! Car vous connaîtrez le deuil et les larmes ».

PAGE 227

25. Gras<,>
47. richesse<,>

4 L'expression est plus colorée que le latin : « ædificavi mihi domos » (v. 4). Pour le palais de Salomon, voir I Rois 7.

5 Les Orientaux ont toujours aimé les grands jardins, remplis d'arbres beaux et utiles. Belleau nomme les orangers et les figuiers, là où le latin dit seulement « cuncti generis arboribus » (v. 5). Il introduit la description de l'Automne. La traduction tend à être plus explicite, plus visuelle – et plus longue.

6 Les vers 29 à 36 n'ont pas d'équivalent dans L'Ecclésiaste. Belleau évoque les sons (« fait geindre les toreaux »), mais produit encore une fois une description très visuelle. L'évocation des *mains* de la vigne rappelle le début du poème « Comme la vigne tendre » (t. IV, 1ère J., pièce <XXXIII>).

7 L'Ecclésiaste fait allusion aux bassins et aux jardins d'Étam, près de Bethléem, attribués au roi Salomon.

8 Ce détail (« pour soulager les maux ») n'est pas explicite dans L'Ecclésiaste.

PAGE 228

52. Provinces[.]
57. guerroyant[.]
69. voluptez[.]

9 Belleau ajoute ce détail, qui fait penser à la situation d'Antoinette dans *La Reconnue*.

10 Belleau développe L'Ecclésiaste : « nec prohibui cor meum quin omni voluptate frueretur » (v. 10).

11 Les v. 73 à 76, de l'invention de Belleau, portent à croire que l'auteur du Chapitre va être satisfait des plaisirs mondains. Ils préparent ainsi un contraste avec les vers suivants.

PAGE 229

85. aussi[.]
96. Imprudence[.]

12 Les v 89 à 92, de l'invention de Belleau, laissent supposer que les rois ont plus facilement accès aux plaisirs que les autres hommes, mais que ces plaisirs sont suivis d'effets particulièrement amers.

13 La lumière dans les Ecritures représente la sagesse et la sainteté, et les ténèbres la stupidité et la malice. Paul parle ainsi aux nouveaux chrétiens : « Jadis vous étiez ténèbres, mais à présent vous êtes lumière dans le Seigneur ; conduisez-vous en enfants de lumière ; car le fruit de la lumière consiste en toute bonté, justice et vérité » (Éphés. 5. 8-9).

14 Traduction de L'Ecclésiaste : « Sapientis oculi in capite eius » (v. 14), sorte de proverbe signifiant que l'homme sage voit clair : les yeux de l'esprit, qui examinent tout, aident à éviter le mal et à se diriger vers le bien.

15 Belleau développe quatre mots de L'Ecclésiaste : « stultus in tenebris ambulat » (v. 14). Le sot semble avoir les yeux non au front, mais aux chevilles : il va aveuglément là où ses pieds, c'est-à-dire ses désirs, le portent ; il tombe souvent dans la perdition ou de l'âme ou du corps. Cf. Proverbes 17. 24 : « L'homme de sens a le visage tourné vers la sagesse, mais les regards du sot se portent au bout du monde ».

16 A partir de « et ce qui est en estre » nous avons une élaboration de Belleau, qui renforce la notion d'oubli total.

PAGE 230

122. successeur[.]
131. *alinéa*

17 Cette image pittoresque est construite à partir de « sub sole » (Eccl., v. 17), mais fait penser à Apollon.

18 Métaphore, de l'invention de Belleau, traduisant les effets destructeurs des activités humaines.

19 Une des passions les plus répandues consiste à accumuler des biens dans l'intérêt de sa famille. L'Ecclésiaste en démontre la vanité. En premier lieu, les enfants peuvent mourir avant le père de famille (Cf. Ps. 39. 7 : « rien qu'un souffle, les richesses

qu'il [l'homme] entasse, et il ne sait qui les ramassera »). En deuxième lieu, le père ne sait pas si ses héritiers seront sages ou stupides, reconnaissants ou ingrats, s'ils veilleront sur ses richesses ou les dissiperont, s'ils les utiliseront à des fins honnêtes ou pour le mal.

20 Les v. 125 à 129, de l'invention de Belleau, introduisent le motif du « poil grison » et élucident ce que L'Ecclésiaste dit des héritiers. Belleau rend plus concrets les passages abstraits du discours.

21 La Vulgate dit seulement : « renuntiavitque cor meum ultra laborare sub sole » (v. 20). Belleau introduit le verbe métaphorique « tramer », le _leitmotiv_ « le beau jour », et développe à nouveau les implications de L'Ecclésiaste.

22 Pour une fois, Belleau omet un élément de la Bible : « [de... afflictione spiritus,] qua sub sole cruciatus est » (v. 22).

23 Seul Belleau redouble le verbe _reposer_.

PAGE 231

148. labeur [:]

24 Ces vers, constituant un refrain à l'allure épicurienne, servent d'argument dans une polémique. L'Ecclésiaste n'y résume pas sa conception de la vie, puisqu'il ne croit pas que le plaisir soit le seul mobile valable de l'action.

25 Ce vers remplace : « et cassa sollicitudo mentis » (v. 26).

1 L'Ecclésiaste démontre la vanité de toute chose, d'abord en faisant voir par une belle énumération qu'il y a pour tout une période établie par la Providence, au delà de laquelle rien ne dure ; ensuite en montrant le perpétuel va-et-vient des choses avec leur contraire. La vie apparaît comme une suite d'actes décousus, sans autre but que la mort, elle-même dépourvue de sens.

2 Ces vers développent un seul mot de la Vulgate : « omnia ».

3 Encore une fois, Belleau délaye le latin, « et suis spatiis transeunt universa sub cœlo » (v. 1) ; l'anaphore du vers 5 ne se trouve que chez lui. La notion de « l'humaine raison » est absente de L'Ecclésiaste.

4 Ce vers est un ajout, qui traduit bien les oscillations évoquées par la Bible.

5 Le latin, « Tempus occidendi, et tempus sanandi » (v. 3), a peut-être un sens métaphorique ; mais il arrive que la société tue légalement le criminel, ou l'ennemi pendant la guerre.

6 Cf. Matt. 5. 5 : « Heureux les affligés, car ils seront consolés ».

7 Le sens de ce vers est peut-être révélé par II Rois 3. 25, où les Israélites battent les Moabites : « Ils détruisaient les villes, ils jetaient chacun sa pierre dans tous les meilleurs champs pour les remplir ». Il s'agirait d'obliger l'ennemi à ramasser les pierres avant de pouvoir cultiver la terre rendue momentanément infertile.

PAGE 232

21. guerre[.]
26. au<x> fils

8   La Vulgate est moins explicite : « tempus custodiendi, et tempus abiiciendi »
(v. 6).

9   Cf. Proverbes 25. 11 : « Des pommes d'or sur des ciselures d'argent, telle est
une parole dite à propos ».

10 Même les passions humaines manquent de permanence.

11 Belleau développe la question de L'Ecclésiaste : « Quid habet amplius homo de
labore suo ? » (v. 9). Il renforce la notion de l'effort que l'homme doit faire dans la vie.

12 Ceci a moins de force que le latin, « Vidi afflictionem, quam dedit Deus filiis
hominum » (v. 10).

13 La « flame » et le « poignant aiguillon » (cf. Ronsard – p. ex. « Hymne de
l'Autonne », v. 12), ainsi que les désirs éveillés en l'homme, sont de l'invention de
Belleau, qui met en relief l'énorme curiosité de l'homme, source de souffrance mais
d'origine divine. On pense à la *Complainte de Prométhée*, dédiée à Ronsard (t. IV, « 2ᵈᵉ
J. de *La Bergerie* », pièce <II>).

14 Ce vers, qui n'a pas d'équivalent dans L'Ecclésiaste, met de nouveau l'accent
sur la curiosité humaine.

PAGE 233

53. for<->banni
76. passion [:]

15 Cette vision pittoresque de l'homme à genoux, contemplant les cieux,
développe la Vulgate, « quæ fecit Deus ut timeatur » (v. 14).

16 Ces vers, qui semblent contredire les v. 110-114 du Chapitre 2 (mais dans
L'Ecclésiaste il s'agissait de l'individu), développent Ecclés. 3. 15 : « Quod factum est,
ipsum permanet : quæ futura sunt, iam fuerunt : ut Deus instaurat quod abiit ». Seul
Belleau utilise l'image du « sentier de la vie », et emploie le concept de « l'eschange »,
qui est important dans les *Pierres precieuses* et qui l'aide à dépeindre un univers dans
lequel rien ne se perd.

17 Cf. Isaïe 59. 14 : « Le jugement est mis de côté et la justice se tient à l'écart. Car
la bonne foi trébuche sur la place publique et la droiture ne peut se présenter ».

18 Belleau ajoute en deux vers des exemples concrets de ce que L'Ecclésiaste
évoque d'une manière abstraite.

19 La notion que les brutes « s'affligent » comme les hommes ne se trouve que
chez Belleau et rend les bêtes plus humaines que dans la Bible.

20 Ces trois vers présentant un exemple concret ne figurent que chez le poète
français.

21 Cette allusion à un « esprit commun » ne se trouve que chez Belleau et renforce l'impression que les bêtes ressentent les mêmes émotions que les hommes. Cf. « Apologie de Raimond Sebond » de Montaigne (II. 12).

22 Cette expression – qui fait penser à *Hamlet* de Shakespeare – ne se trouve pas dans L'Ecclésiaste.

PAGE 234

85. Ce [qui]

23 Cf. Genèse 3. 19 : « A la sueur de ton visage tu mangeras ton pain, jusqu'à ce que tu retournes au sol, puisque tu en fus tiré. Car tu es glaise et tu retourneras à la glaise ». L'image de l'« accoustrement » est de Belleau. De 3 versets (18-20) de L'Ecclésiaste, il a fait 22 v. (67-88), qui rendent le passage biblique plus concret, surtout en y apportant des images.

24 Pour une interrogation semblable, voir Psaume 15. 1 : « Yahvé, qui entrera sous ta tente, habitera sur ta montagne sainte ? ». La question dans les deux cas ne prouve pas qu'il est impossible de savoir si l'esprit de l'homme retourne à Dieu, mais plutôt que ceux qui le savent sont rares ; ils fondent toute leur vie sur ce savoir précieux. L'Ecclésiaste, qui sait que certains de ses lecteurs ne croient pas en l'immortalité de l'âme, reviendra à la question au verset 7 du chapitre 12 et rendra claire sa propre croyance.

25 Les v. 95-98 reprennent le thème des v. 91-94 (qui suivent L'Ecclésiaste) et développent le *carpe diem* cher à la Pléiade.

26 Le sens de cette interrogation dans L'Ecclésiaste semble être qu'il faut se consacrer dès maintenant aux œuvres de bienfaisance, afin de mériter la béatitude éternelle ; il est inutile de s'efforcer d'accumuler des biens pour ses héritiers, puisque personne ne sait ce qui adviendra sur terre après sa propre mort. Chez Belleau, la question sert à souligner l'importance du plaisir, du *carpe diem* – le sens est moins religieux.

1 Ces deux verbes expressifs sont absents de L'Ecclésiaste.

PAGE 235

7. d'entr['] eux
16. efforts [:]

2 Cette énumération remplace le latin, « lacrymas innocentium » (v. 1).

3 Ces vers brodent sur le latin, « et neminem consolatorem » (v. 1). Rappelons que l'amitié est un motif important chez Belleau, ainsi que l'indiquent par exemple ses *Petites Inventions* et leurs dédicaces.

4 Les v. 1 à 14 développent un seul verset de L'Ecclésiaste (v. 1).

5 Belleau invente le motif de l'avortement (L'Ecclésiaste ne parle que de celui qui ne vit pas encore, v. 3).

6   Pour une fois, Belleau omet un élément des réflexions de L'Ecclésiaste « et in hoc ergo vanitas, et cura superflua est » (v. 4).

PAGE 236

46. *1576* devoir, *coquille* ; *1578* devoi[t] ; monde[.]

7   Cf. Proverbes 6. 9-11 : « Jusques à quand, paresseux, resteras-tu couché ? Quand te lèveras-tu de ton sommeil ? Un peu dormir, un peu s'assoupir, un peu croiser les bras en s'allongeant, et, tel le rôdeur, te vient l'indigence, et la disette comme un mendiant ». Belleau développe deux vers de L'Ecclésiaste : « Stultus complicat manus suas, et comedit carnes suas, dicens : Melior est pugillus cum requie, quam plena utraque manus cum labore, et afflictione animi ». Il joue sur le verbe « travailler », introduit des adjectifs (« engourdis », « mornes »), et donne plus de paroles aux paresseux -les v. 31 à 34 n'ont pas d'équivalent dans le latin.

8   Les vers 43 à 49 sont un ajout, rendant explicite ce que la Bible laisse entendre.

9   Cette sentence n'est présente que chez Belleau ; elle témoigne du goût du XVIᵉ s. pour les réflexions morales. Les vers 38 à 56 brodent sur les versets 7 et 8 de L'Ecclésiaste.

PAGE 237

10   Belleau ajoute les vers 65 à 70, développant l'idée que deux amis peuvent se rendre divers services.

11   C'est la morale de la Fable de La Fontaine, « Le Laboureur et ses Enfants ».

12   L'Ecclésiaste – que Belleau suit ici de près – veut montrer combien vaine est la grandeur terrestre sans la sagesse. La sagesse rend vénérables la jeunesse et la pauvreté ; la stupidité fait mépriser la vieillesse, qui était tellement respectée parmi les Anciens.

13   Ce mot-clé de Belleau ne se trouve pas dans le texte biblique.

14   L'Ecclésiaste fait peut-être allusion à l'histoire de Joseph, Genèse 41.

15   Le texte biblique – que Belleau suit ici d'assez près – fait peut-être allusion à Sédécias, un des successeurs de Salomon, qui fut fait prisonnier par les Chaldéens. Le roi de Babylone lui creva les yeux et l'emmena à Babylone. Voir II Rois 25 et *Les Juifves* (1583) de Garnier. Ici aussi, Belleau suit L'Ecclésiaste d'assez près.

16   Aux v. 89 à 91, Belleau développe sa source en accumulant les verbes, d'une manière qui fait penser aux *Regrets* de Du Bellay. – Salomon avait vu Israël délaisser le vieux David pour suivre Adonias – I Rois 1.

17   Belleau traduit ici un verset quelque peu obscur : « Infinitus numerus est populi omnium, qui fuerunt ante eum : et qui postea futuri sunt, non lætabuntur in eo : sed et hoc, vanitas et afflictio spiritus » (v. 16). Le passage semble vouloir dire que le vieux roi avait une foule énorme qui le vénérait ; mais les mêmes personnes se mettent à suivre son jeune successeur, qu'elles n'hésiteront pas à abandonner à son tour pour un autre. Telle est la vanité des choses de ce monde qu'on ne peut se fier aux marques externes de fidélité. Belleau traduit assez clairement cette interprétation, ce qui justifie la longueur de sa traduction.

104. voisin[.]

18 Belleau change L'Ecclésiaste, qui parle d'offrandes d'animaux : « Custodi pedem tuum ingrediens domum Dei, et appropinqua ut audias. Multo enim melior est obedientia, quam stultorum victimæ, qui nesciunt quid faciunt mali » (v. 17). Cf. Osée 6. 6 : « car c'est l'amour que je veux, non les sacrifices, la connaissance de Dieu, non les holocaustes ». Adaptant le passage à son temps, il développe seulement la première partie du verset. En parlant d'un *temple* et en mettant l'accent sur la proximité de Dieu, il pourrait faire penser au culte protestant.

1 Voir Lévitique 27 ; Nombres 30. 3 ; Deutéronome 23. 22-24.

2 Le mot « chair » représente ici l'infirmité de l'homme. On doit se garder de faire à la légère un vœu qu'on accomplirait difficilement.

3 « Que ce soit par ignorance », à prendre avec « ne t'excuse point ». On ne doit pas prétendre qu'on a péché « par inadvertance » – voir Lévitique 4. Celui qui fait un vœu et se trouve peu enclin à le remplir pourra être tenté de dire qu'il importe peu à Dieu qu'il tienne sa promesse ou non. Mais ceci est une déclaration impie qui sera enregistrée par l'« Ange », qui est soit le prêtre qui attend l'exécution du vœu, soit plutôt l'ange gardien au sens propre (cf. le discours de l'ange Raphaël, Tobie 12. 11-15). La Vulgate évoque le châtiment qui attend celui dont l'indifférence attire à lui la colère divine : « ne forte iratus Deus contra sermones tuos, dissipet cuncta opera manuum tuarum » (v. 5).

40. contant<,>
42. frena> <sie[,]
43. dessus or<,>

4 L'Ecclésiaste attaque la superstition fondée sur les songes. Cf. Ecclésiastique 34. 1-7.

5 Ces quatre vers développent quatre mots de L'Ecclésiaste : « tu vero Deum time » (v. 6).

6 En remarquant l'injustice qui règne sur la terre, on ne doit pas murmurer contre la Providence : comme ici-bas le supérieur juge les inférieurs, ainsi préside à la terre entière un Roi et Juge éternel, qui, même s'il se tait pour l'instant, mettra finalement tout en ordre, en libérant les opprimés et en condamnant leurs oppresseurs.

7 Les v. 35 à 40 sont un ajout ; d'esprit renaissant, ils louent la vie bucolique et proposent une philosophie de la juste mesure, *aurea mediocritas*.

8 L'Ecclésiaste fait la satire, non seulement du mauvais riche, mais de l'argent lui-même, quelles que soient son origine et son utilisation. Cela prépare l'enseignement évangélique (cf. Matt. 6. 19-21, 24, 25-34).

PAGE 240

72. *1578, 1585* trav[e]il

9   Cf. Job 20. 20 : « parce que son appétit s'est montré insatiable ses trésors ne le sauveront pas ».

10 Belleau invente le détail du manque de pain. Il change un peu L'Ecclésiaste, qui dit que l'homme perd sa richesse dans une mauvaise affaire et n'a plus rien lorsqu'un fils lui naît.

11 Cf. Job 1. 21 : « Nu, je suis sorti du sein maternel, nu, j'y retournerai, Yahvé avait donné, Yahvé a repris : que le nom de Yahvé soit béni ! » et I Timothée 6. 7 : « Car nous n'avons rien apporté dans le monde et de même nous n'en pouvons rien emporter ».

12 Belleau omet la précision « numero dierum vitæ suæ, quos dedit ei Deus, et hæc est pars illius » (v. 17 : il faut nous réjouir au fur et à mesure des jours que Dieu nous accorde, car c'est notre part).

13 Cette formule rappelle les passages de *La Bergerie* et des *Pierres precieuses* qui font allusion aux guerres civiles. L'Ecclésiaste dit simplement : « Non enim satis recordabitur dierum vitæ suæ, eo quod Deus occupet deliciis cor eius » (v. 19).

PAGE 241

3. bien<,>
18. funebres[.]
21. repos<,>

1   Belleau suit ici le texte biblique d'assez près : l'homme riche, au lieu de gérer son avoir, est lui-même rendu esclave de ce qu'il possède ; vivant comme un mendiant au milieu de son opulence, il laissera tout à un inconnu qui dissipera tous ses biens.

2   Cf. Job 3. 11 : « Pourquoi ne suis-je pas mort dès le sein, n'ai-je péri aussitôt enfanté ? ».

3   Belleau omet « neque cognovit distantiam boni et mali » (v. 5).

4   Belleau change un peu L'Ecclésiaste : « Etiam si duobus millibus annis vixerit, et non fuerit perfruitus bonis : nonne ad unum locum properant omnia ? » (v. 6). Il omet l'hyperbole, tout en gardant les « cent enfans » du v. 11.

PAGE 242

32. l'avoir<,>
35. co[mp]ter
46. [.]
52. ce [qu'il]

5   Belleau omet la question : « Quid habet amplius sapiens a stulto ? » ; l'adv. « modestement » évoque quelqu'un qui se conduit avec sagesse.

6   Belleau ajoute l'attaque de l'avarice (v. 35 à 38) pour clarifier le sens de L'Ecclésiaste. Du même coup, il rend sa traduction plus visuelle que l'original, en introduisant un aperçu de l'homme riche qui compte son argent, et en utilisant l'image de la flamme.

7   Traduction d'un verset obscur : « Qui futurus est, iam vocatum est nomen eius : et scitur quod homo sit, et non possit contra fortiorem se in iudicio contendere » (v. 10). Il s'agit peut-être de ceux qui reprochent à la Providence de ne pas leur avoir donné divers avantages dont jouit le prochain. L'Ecclésiaste leur répond que chaque homme qui vient au monde est connu de Dieu, qui sait même quel nom il portera, et est placé dans la condition qui plaît au Créateur ; et puisque l'homme est fragile, ignorant, il ne peut intenter un procès à Dieu.

8   Il est inutile de passer son temps à débattre des jugements secrets de Dieu et des dispositions de sa Providence.

9   L'attaque de la vaine curiosité se poursuit. L'homme, au lieu d'essayer d'apprendre à bien organiser sa vie, ose entreprendre de scruter les jugements de Dieu. Le beau v. 53 traduit « et tempore, quod velut umbra præterit ? » (v. 12).

10 Belleau ajoute l'image de la paupière close et il évoque la mort comme un long sommeil et comme une privation des rayons du soleil.

PAGE 243

8. en l'une<,>
9. [s]a vie.

1   Cf. Proverbes 22. 1 : « Le bon renom l'emporte sur de grandes richesses, la considération, sur l'or et l'argent ».

2   L'énumération développe le texte biblique : « Melius est ire ad domum luctus, quam ad domum convivii » (v. 2).

3   Belleau ajoute à cette comparaison frappante de L'Ecclésiaste un verbe indiquant de quel son il s'agit – « craquant » – et une indication du mouvement des flammes – « tremblantes ». Il arrive cependant à rester presque aussi concis que l'original – « sicut sonitus spinarum ardentium sub olla » (v. 6).

4   Il est vrai que la calomnie peut abattre la force et la vertu les plus grandes. Cf. Jérémie 20. 7-8 : « Je suis prétexte continuel à moquerie, la fable de tout le monde. Chaque fois que j'ai à dire la parole, je dois crier et proclamer : « Violence et ruine ! » La parole de Yahvé a été pour moi opprobre et raillerie, tout le jour ».

5   La leçon de la Vulgate est : « Melior est finis *orationis*, quam principium » (v. 8). L'hébreu se traduit : « Mieux vaut la fin d'une affaire que son début ». La traduction de Belleau, répétant les v. 3 et 4, suggère que le début de la vie est accompagné de peine et de contradictions, tandis qu'à sa fin l'homme sera couronné de félicité.

PAGE 244

6 L'ajout des vers 30 à 32 explicite le sens de L'Ecclésiaste. Il est faux de
prétendre, comme le font souvent les vieux, que les temps passés étaient meilleurs.

7 L'Ecclésiaste veut montrer que la richesse libère le sage de beaucoup
d'inconvénients et l'aide à protéger les autres.

8 Belleau s'éloigne de la Vulgate : « ut non inveniat homo contra eum iustas
querimonias » (v. 14) en montrant que l'adversité est utilisée par Dieu pour avertir
l'homme qu'il est imparfait. Cf. Job 2. 10 : « Si nous accueillons le bonheur comme un
don de Dieu, comment ne pas accepter de même le malheur ! »

9 Ce Chapitre considère, entre autres, la question de la rétribution. La Loi avait
formulé le principe d'une rétribution temporelle et collective – cf. Deut. 7. 12-15, que
les Sages avaient appliquée au sort personnel : Dieu rend à chacun selon ses œuvres
(Job 34. 10-11 : « Aussi écoutez-moi, en hommes de sens. Dieu est si éloigné du mal,
Shaddaï, de l'injustice, Qu'il rend à l'homme selon ses œuvres, traite chacun d'après sa
conduite » ; cf. aussi Ps. 62. 13 et Prov. 24. 12). Aux démentis de l'expérience, on
répondait : le malheur du juste et le bonheur du méchant sont temporaires (ainsi les amis
de Job et le Psaume 37). L'Ecclésiaste, plus sceptique, enseigne à respecter
l'impénétrabilité de la justice divine.

10 On peut être trop vertueux, en exigeant des autres qu'ils fassent rigoureusement
leur devoir et en oubliant qu'ils sont faibles, ou, au rebours, en étant trop indulgent ; en
faisant parade de sa propre valeur, ou en étant trop consciencieux, dans l'idée qu'on
n'en a jamais assez fait.

PAGE 245

81. tourné<,>j'ay viré

11 Belleau adapte ici L'Ecclésiaste : « Bonum est te sustentare iustum, sed et ab
illo [le pécheur] ne subtrahas manum tuam : quia qui timet Deum, nihil negligit » (v. 18.

12 Voir Prov. 20. 9 : « Qui peut dire : « J'ai purifié mon cœur, de mon péché je
suis net » ? « et I Jean 1. 8 : « Si nous disons : « Nous n'avons pas de péché », nous
nous abusons, la vérité n'est pas en nous ».

13 Cf. Matt. 7. 1-2 : « Ne jugez pas, pour n'être pas jugés ; car, du jugement dont
vous jugez on vous jugera, et de la mesure dont vous mesurez on usera pour vous ».

14 Belleau crée ces deux images pour rendre le texte biblique plus explicite.

15 La femme est dépeinte comme une des plus grandes vanités du monde.
Cf. Prov. 7, et 5. 3-4 : « car les lèvres de l'étrangère distillent le miel, et plus onctueuse
que l'huile est sa parole, mais l'issue en est amère comme l'absinthe, aiguisée comme
une épée à deux tranchants ».

PAGE 246

16 Belleau traduit « et ipse se infinitis miscuerit quæstionibus » (v. 29 : nouvelle
attaque de la curiosité humaine).

17 Voir Genèse 3. Aux vers 101 – 102, Belleau omet les questions de L'Ecclésiaste : « Quis talis ut sapiens est ? et quis cognovit solutionem verbi ? » (v. 29).

Titre. Princes<,>
12. apparoir [.]

1   Cf. ci-dessus, Ch. 2. 97. Le visage est le miroir de l'âme.
2   Le roi détenait un pouvoir sacré. Cf. Romains 13. 1-7.

PAGE 247

17. delibere<,>
23. Peut-il<,> sage<,>

3   Ceci traduit, d'une façon concise, la Vulgate : « Omni negotio tempus est, et opportunitas » (v. 6).

4   L'Ecclésiaste (v. 7) parle plutôt de notre ignorance du passé, qui constitue un vrai manque, puisque l'expérience est mère de la prudence.

5   Cette interrogation ne se trouve que chez Belleau. Il préfère ici le *vous* au *tu* qu'il vient d'utiliser.

6   Tandis que L'Ecclésiaste parle de la mort et de la guerre comme de deux choses séparées (« nec habet potestatem in die mortis, nec sinitus quiescere ingruente bello », v. 8), Belleau utilise la guerre comme une métaphore pour la mort.

7   Belleau omet ici un élément de L'Ecclésiaste : « neque salvabit impietas impium » (v. 8).

8   L'Ecclésiaste parle seulement des méchants. La Bible de Jérusalem signale que le texte de ce passage est incertain.

9   Belleau accuse plus directement les juges, tandis que L'Ecclésiaste utilise une tournure impersonnelle : « Etenim quia non profertur cito contra malos sententia » (v. 11). On pense à la satire juridique dans *La Reconnue*.

PAGE 248

55. *1585* jour[.]
74. *1585* sçait<,>

10 A la différence de la Vulgate, mais comme l'hébreu et le grec, Belleau interprète ceci comme une prédiction et utilise le futur.

11 Voir Ps. 73, sur la justice finale. Job, Jérémie et Habaquq montrent comment les saints se disputent avec Dieu à propos de la distribution apparemment injuste des biens et des maux sur terre.

12 Belleau suit L'Ecclésiaste de près, mais change un détail : « et quanto plus laboraverit ad quærendum, tanto minus inveniat » (v. 17).

13 Ce vers final parle de la majesté de Dieu tandis que L'Ecclésiaste conclut par l'image du sage incapable de trouver ce qu'il cherche. Belleau élève Dieu et L'Ecclésiaste abaisse l'homme. Cf. Romains 11. 33-34 : « O abîme de la richesse, de la sagesse et de la science de Dieu ! Que ses décrets sont insondables et ses voies incompréhensibles ! ».

PAGE 249

7. ignorant[.]
15. pareil[.]
23. [C]hien

1 L'Ecclésiaste ne mentionne pas ici le sot (v. 1).

2 Voir Deutéronome 33. 3 : « Toi qui aimes les ancêtres, tous les saints sont dans ta main. Ils étaient prostrés à tes pieds, et ils ont couru sous ta conduite » et Sagesse 7. 16.

3 Il est certain que Dieu aime les justes ; mais personne ne peut être sûr d'être vraiment juste devant Lui, ni par conséquent d'être digne de Son amour. Voir I Corinthiens 4. 4 : « Ma conscience, il est vrai, ne me reproche rien, mais je n'en suis pas justifié pour autant ; mon juge, c'est le Seigneur ».

4 Pour une fois, Belleau abrège L'Ecclésiaste, « iusto et impio, bono et malo, mundo et immundo » (v. 2).

5 Ici, L'Ecclésiaste semble attaquer le ritualisme traditionnel, en reprenant l'idée d'Isaïe que les actes religieux n'ont pas de valeur en eux-mêmes.

6 L'Ecclésiaste met l'accent sur les péchés plutôt que sur le malheur des hommes (v. 3).

7 Belleau s'éloigne du texte biblique (Vulgate, « Nemo est qui semper vivat, et qui huius rei habeat fiduciam », v. 4). Il veut montrer que, malgré ses souffrances, l'homme garde de l'espoir.

8 Il s'agit d'un proverbe courant. Selon les Hébreux, le chien comptait parmi les animaux immondes. Dans L'Ecclésiaste, le proverbe pourrait s'appliquer aux pécheurs pénitents et fervents, par comparaison avec les justes négligents et indifférents.

PAGE 250

9 Cf. Psaume 88. 12-13 : « Parle-t-on de ton amour dans la tombe, de ta fidélité au lieu de perdition ? Connaît-on dans la ténèbre tes merveilles et ta justice au pays de l'oubli ? ».

10 Belleau ajoute l'allusion à l'honneur et aux biens.

11 Cf. Proverbes 15. 15 : « Pour l'affligé tous les jours sont mauvais, cœur joyeux est toujours en fête ».

12 L'Ecclésiaste dit : « et oleum de capite tuo non deficiat » (v. 8) ; Belleau met l'accent sur les senteurs. On se frottait d'huile et se parfumait la tête les jours de fête. L'Ecclésiaste veut dire par conséquent qu'on doit toujours faire preuve de gaieté de

cœur. Il y a encore une autre signification : en s'habillant de blanc, on montre qu'on aime la lumière et la pureté, on se vêt de mansuétude, d'humilité (voir Colossiens 3. 12). L'huile ou (chez Belleau) le parfum montre qu'on est béni de Dieu et qu'on a ce que les pécheurs n'auront jamais – voir Psaume 45. 8-9.

13 De façon délicate, la charité et la chasteté mutuelles des époux sont recommandées. Cf. Prov. 5. 18-19 : « Trouve la joie dans la femme de ta jeunesse... Qu'elle s'entretienne avec toi ! ». Quelques commentateurs pensent que « la femme » de ce passage de L'Ecclésiaste représente la Sagesse, que l'homme doit épouser : voir Prov. 4. 7-8.

14 L'adjectif « courbe » ne se trouve que chez Belleau.

15 Cf. Galates 6. 10 : « Ainsi donc, tant que nous en avons l'occasion, pratiquons le bien à l'égard de tous et surtout de nos frères dans la foi ».

16 Ici commence une suite un peu décousue de dictons ou d'exemples concernant le hasard. Les pièces de la Renaissance sont émaillées de sentences de ce type.

17 Le latin est plus concis : « nec fortium bellum » (v. 11).

PAGE 251

61. bon heur *[deux mots]*

18 La Vulgate dit simplement : « sicut aves laqueo comprehenduntur » (v. 12). Belleau ajoute deux adjectifs qui nous aident à nous représenter la scène.

19 La personnification de la mort n'est présente que chez Belleau. Encore une fois, elle aide à s'imaginer la scène. Voir I Thessal. 5. 3 : « Quand les hommes se diront : Paix et sécurité ! c'est alors que tout d'un coup fondra sur eux la perdition, comme les douleurs sur la femme enceinte, et ils ne pourront y échapper ».

20 Seul Belleau donne ces détails. Il a pu voir des sièges de villes en Italie et pendant les guerres de religion.

21 Belleau passe aussi rapidement que le latin sur la libération de la ville.

22 L'Ecclésiaste pose ici une question : « quomodo ergo sapientia pauperis contempta est, et verba eius non sunt audita ? »

23 Les hommes intelligents savent prendre le temps d'écouter les sages (« Verba sapientium audiuntur in silentio », v. 17).

24 Là où L'Ecclésiaste dit simplement : « Melior est sapientia, quam arma bellica » (v. 18), Belleau élabore et énumère.

PAGE 252

9. destre<,>
18. prise[.]

1 Des allusions à l'odeur, ainsi qu'aux aspects visuels, développent l'image de L'Ecclésiaste : « Muscæ morientes perdunt suavitatem unguenti » (v. 1).

2 Un grain de folie, loin d'être utile, est déplorable. Ce n'est pas ce que dit L'Ecclésiaste : « Pretiosior est sapientia et gloria, parva et ad tempus stultitia » (v. 1 : un peu de stupidité utilisé au bon moment peut avoir autant de prix que la sagesse) ; cf. I Cor. 3. 18-19 : « Que nul ne s'abuse ! Si quelqu'un parmi vous se croit un sage au jugement de ce monde, qu'il se fasse fou pour devenir sage ; car la sagesse de ce monde est folie devant Dieu ».

3 Le sage tend constamment vers le bien. Le fou est du côté de l'iniquité.

4 Cette énumération ne se trouve que chez Belleau.

5 L'Ecclésiaste est différent : « Si spiritus potestatem habentis ascenderit super te » (v. 4), ce qui veut dire, soit, « Si l'humeur du roi se monte contre toi », soit, « Si l'esprit malin vient te tenter ». Le texte biblique parle d'un événement externe, tandis que la traduction de Belleau concerne l'ambition qui vient de l'intérieur. L'Ecclésiaste parle de tenir ferme en face de l'adversité ; le texte de Belleau conseille de ne pas devenir trop orgueilleux.

PAGE 253

28. essarte<,>
30. tuë [:]

6 Cf. Prov. 26. 27 : « Qui creuse une fosse y tombe ».

7 Belleau va plus loin que L'Ecclésiaste : « Qui transfert lapides, affligetur in eis » (v. 9).

8 J. Vignes, dans « Paraphrase et appropriation », p. 512-513, parle de l'« inflation verbale » de ce passage par rapport à sa source, qui ne mentionne pas les outils.

9 Belleau abrège ce que L'Ecclésiaste dit du fer. Il est le seul à formuler ici une sentence.

10 La Vulgate dit simplement : « Si mordeat serpens in silentio » (v. 11). Belleau ajoute l'indication de l'endroit où le serpent se cache.

11 Belleau ajoute cette métaphore, qui rappelle le serpent dont il était question.

12 Selon la Vulgate, cette ignorance s'applique aussi au passé : « Ignorat homo quid ante se fuerit » (v. 14).

13 « Labor stultorum affliget eos, qui nesciunt in urbem pergere » (v. 15). Cela pourrait vouloir dire que le fou consume ses forces dans la recherche du bonheur, en étant si aveugle qu'il ne sait pas les choses les plus connues, comme le chemin qui mène à la ville. Deuxièmement, la ville pourrait représenter la vérité, que le fou, se fiant exclusivement au savoir humain, n'atteint jamais. Cf. Psaume 107. 4 : « Ils erraient au désert, dans les solitudes, Sans trouver un chemin de ville habitée ». Belleau préfère une interprétation qui montre le fou dans son incapacité de s'adapter aux usages de la société.

14 Ils s'adonnent de bonne heure au plaisir de manger, au lieu de s'occuper des affaires publiques. Voir Isaïe 5. 11 : « Malheur à ceux qui courent dès le matin après les boissons fortes, et s'attardent le soir, excités par le vin ». Nous pensons au jeune Gargantua sous ses précepteurs médiévaux.

68. dors[.]

15 Belleau développe un peu la Vulgate : « et non ad luxuriam » (v. 17).

16 « Et pecuniæ obediunt omnia » (v. 19).

1 On peut penser à l'appât lancé par le pêcheur, et retrouvé sous forme de capture ; mais quelques commentateurs voient dans ces eaux les hommes mêmes, qui, étant mortels, retournent rapidement à la terre dont ils furent extraits. Il s'agirait donc ici d'une invitation à l'homme de donner son pain aux autres avec gaieté de cœur, puisqu'il sera récompensé de sa charité à la fin des temps. Voir Luc 14. 13-14 : « Quand tu offres un festin, invite des pauvres, des estropiés, des boiteux, des aveugles ; [...] car cela te sera rendu lors de la résurrection des justes ».

2 Belleau change un peu ce que dit L'Ecclésiaste : « Da partem septem, necnon et octo : quia ignoras quid futurum sit mali super terram » (v. 2). Il ne mentionne pas de chiffres et ne précise pas qu'il faut donner à tous ceux qui demandent l'aumône ; il rend explicite en revanche le fait que Dieu récompensera ceux qui ont fait l'aumône (Cf. Tobie 12. 9).

PAGE 255

15. [O]urseaux

28. ce [qui]

3 « Des ourseaux Aquilons » – il s'agit de l'Ourse polaire (cf. Aratos, notre t. VI, pièce <V>, « Les Ourses «). L'Ecclésiaste est un peu différent : « Si ceciderit lignum ad austrum, aut ad aquilonem, in quocumque loco ceciderit, ibi erit ». Les commentaires voient ici une allusion au Jugement Dernier. Lorsque la tempête de la mort abattra les hommes, ils resteront là où ils seront tombés, selon qu'ils se seront révélés cruels et durs, ou charitables et bénins. Le midi signifie l'endroit où se trouve la lumière céleste, le ciel ; le septentrion représente les ténèbres, l'enfer. Belleau voit plutôt dans ce passage une preuve des bienfaits de la nature.

4 L'homme n'arrive pas à comprendre les choses essentielles concernant l'origine de la vie humaine, et est encore plus loin de pouvoir comprendre la nature de Dieu. Belleau rend plus fort l'éloge de Dieu, en accumulant les verbes et les adjectifs. (L'Ecclésiaste dit : « sic nescis opera Dei, qui fabricator est omnium », v. 5).

5 L'homme doit persévérer dans l'effort, sans être certain du résultat.

6 Les adjectifs amplifient la description, qui évoque un peu plus longuement que L'Ecclésiaste la beauté du soleil (« Dulce lumen, et delectabile est oculis videre solem », v. 7). Pour L'Ecclésiaste, la longévité, traditionnellement considérée comme une récompense, n'est pas un bonheur.

7 Addition depuis « et des courses des ans » : Belleau évoque la mort en faisant allusion quatre fois à la privation de lumière.

PAGE 256

53. mal<->aise
58. vie<. >

8   Ces deux adjectifs ne sont pas dans L'Ecclésiaste.
9   La Vulgate dit « amore malitiam » (v. 10).
10 Ce *carpe diem* renouvelé ne se trouve que chez Belleau.
11 Belleau brode un peu sur L'Ecclésiaste : « Adolescentia enim et voluptas vana
sunt » (v. 10).

PAGE 257

12. s'ombrage[.]
35. l'appetit<,>

1   Traduction de « nubes post pluviam » (v. 2), qui peut s'appliquer aux voiles qui
obscurcissent les yeux des vieillards.
2   Ce passage peut indiquer également la confusion d'esprit qui frappe les
vieillards.
3   La Vulgate peut s'interpréter de diverses façons. Belleau ajoute encore à
l'obscurité avec ces deux vers. Il s'agit vraisemblablement de l'affaiblissement du
réflexe de déglutition qui frappe les grands vieillards, rendant difficile leur alimentation
lorsque la chaleur vitale les abandonne.
4   « A la creste pourprée » ne se trouve que chez Belleau.
5   Les fleurs blanches de l'amandier représentent bien les cheveux blancs du
vieillard. Belleau omet en revanche une allusion au câprier qui donne son fruit : « et
dissipabitur capparis » (v. 5). La signification symbolique du câprier aurait peut-être été
moins évidente pour le lecteur moderne ; voir J. Vignes, « Paraphrase et appropriation »,
p. 515-516.
6   Belleau change un peu le latin – « impinguabitur locusta » (v. 5) – pour rendre
plus clair le lien avec le vieillard.
7   Belleau invente ce détail. A l'époque, la *digestion* était assimilée à une *cuisson*.

PAGE 258

65. peu [:]

8   On doit répéter « Souvienne toy des graces du Seigneur » avant ces vers,
comme avant les vers précédents. Il paraît que les Hébreux pouvaient interpréter cette
chaîne d'argent comme l'épine dorsale et la structure des nerfs qui donnent sensation et
mouvement à tout le corps humain. La mort entraîne la destruction de l'épine et du
système nerveux.
9   Le latin parle d'une « vitta aurea » (v. 6). On peut voir ici une allusion à la
mince membrane qui enveloppe le cerveau, et qui est appelée dorée parce qu'elle
remplit une fonction importante.

10 Comparer la locution proverbiale, « Tant va la cruche à l'eau (qu'à la fin elle casse) ».

11 Cf. Ch. 3, v. 81-91. Ce qui, dans l'homme, est de la terre y retourne. Mais puisque rien ici-bas ne peut le satisfaire, tout en lui ne vient pas de la terre, et ce qui est de Dieu retourne à Dieu.

12 Ayant décrit la mort de l'homme, L'Ecclésiaste retourne à son thème. Le livre revient à son point de départ. Si pour l'homme tout doit finir ainsi, avec la poussière qui retourne à la terre et l'âme qui va rejoindre Dieu, il est vraiment stupide de s'inquiéter des choses de ce monde, qui sont inutiles par rapport à la vraie félicité.

13 Beaucoup de ces sentences se trouvent dans les Proverbes.

14 Belleau ajoute les vers 58 à 62, qui rappellent ce que les poètes de la Pléiade ont écrit sur les *prisci poetæ*.

15 Nous sommes proches de Montaigne : « Il y a plus affaire à interpreter les interpretations qu'à interpreter les choses, et plus de livres sur les livres que sur autre subject : nous ne faisons que nous entregloser » (*Essais* III. 13, « De l'experience »).

16 Il s'agit de cette « crainte » religieuse et aimante décrite dans le Psaume 19. 10 : « La crainte de Yahvé est pure, / immuable à jamais ».

PAGE 259

17 Belleau rend plus explicite L'Ecclésiaste : « hoc est enim omnis homo » (v. 13).

18 Voir II Cor. 5. 10 : « Car il faut que nous tous soyons mis à découvert devant le tribunal du Christ, pour que chacun retrouve ce qu'il aura fait pendant qu'il était dans son corps, soit en bien, soit en mal ». Le Livre a appris à l'homme non seulement sa misère mais aussi sa grandeur, en un monde qui est indigne de lui. Il l'encourage à adorer Dieu et à être altruiste dans sa pratique de la religion. Belleau réussit à terminer sa traduction par le mot « connoissance », qui souligne le contraste que le livre a établi entre la vaine curiosité des hommes et la vraie connaissance de Dieu.

ÉGLOGUES SACRÉES

PAGE 269

1 Dans l'édition de 1578, « Le Diamant » est également dédié à la Reine, Louise de Vaudémont.

2 On remarquera la façon dont Belleau laisse entendre que la reine est assez habile pour savoir tout cela d'elle-même : ce sont les autres qu'il faut aider à trouver la bonne interprétation.

3 Belleau propose l'interprétation allégorique, selon laquelle le Cantique représente l'amour du Christ pour l'Eglise et pour l'âme individuelle.

4 Dans « Le Diamant », Belleau louait la constance et la fidélité de la reine. Ici, il met en lumière sa chasteté et sa grandeur.

PAGE 271

2. retour[:]

1   Construction elliptique. « Le prie de lui enseigner sa parole sainte et de la guider par cette parole ».

2   Belleau est moins abrupt que la Vulgate, qui commence « Osculetur me osculo oris sui », ce qui éveille immédiatement la curiosité.

3   En accumulant les mots concernant la douceur, Belleau perd la vivacité de l'original biblique. – Les interprètes anciens et modernes ont fait du motif du baiser le symbole de l'union dans la charité. On voit dans ces paroles la prière de l'Église antique demandant à Dieu d'accomplir la promesse faite après la chute d'Adam, répétée à Abraham, Isaac, Jacob, Moïse et David, et célébrée par tous les prophètes (voir Isaïe 63. 19 – 64. 1) : la promesse de l'incarnation du Verbe qui s'unirait de manière admirable à la nature humaine, et de la paix qui unirait ciel et terre.

4   Belleau atténue l'aspect érotique du Cantique : « quia meliora sunt ubera tua vino » (v. 1).

5   D'un seul verset du Cantique (v. 1 : « fragrantia unguentis optimis ») Belleau tire dix vers. Il atténue l'intensité érotique de l'original, mais introduit d'autres éléments – p. ex. le thym et la rose – et des répétitions : « mignon » et « mignars » (v. 1 et 7), « doux » et « douce » (v. 5), « baisers » et « baisant » (v. 7-8).

PAGE 272

6   Nouvelle élaboration : la Vulgate dit seulement : « Oleum effusum nomen tuum » (v. 2). Comme dans Ecclésiaste 7. 1, l'hébreu joue sur les mots *shem* (nom) et *shemen* (parfum, huile) – allusion possible au nom Salomon (*Shelomo*), « qui, des lèvres, glisse comme l'huile ». Belleau, négligeant de telles connotations, remplace la mention de l'huile par l'évocation d'un vase brisé ; il fait appel à l'imagination du lecteur, invité à se représenter la cause de cet accident, puis à percevoir du baume, du miel, et le chant du rossignol. Tandis que l'hébreu joue sur le son et le sens d'une manière très dense, Belleau crée une succession de petits tableaux, liés par l'anaphore (« aussi doux ») et impliquant l'odorat, le goût, et l'ouïe.

7   Origène explique ce rayonnement de l'Époux par le fait qu'il prodigue son amour comme une huile, dans le don total de soi. C'est une nouvelle figure du Christ (cf. Philippiens 2. 7-8).

8   La Vulgate « *Trahe me* » (v. 3) appelle pour les interprètes une comparaison avec Jean 6. 44 : « Nul ne peut venir à moi si le Père qui m'a envoyé ne l'attire »...

9   Les vers 25-26, aux accents pétrarquistes, sont une adaptation plutôt qu'une traduction : Belleau invente le « char azuré », le « palais doré », ainsi que la répétition de « ton œil » et l'image de la raison « serve sous la bride » (en écho à l'allusion à un cheval réel). Il remplace la mention des onguents par une évocation en grande partie visuelle.

10   Saint Jérôme et d'autres Pères de l'Église voient ici l'introduction de l'Épouse à l'intelligence de l'Ancien et du Nouveau Testament. Cf. le Christ qui, après sa

résurrection, « ouvrit l'esprit » de ses apôtres « à l'intelligence des Écritures » (Luc 24. 45).

11 Encore une fois, Belleau s'éloigne de l'original (Vulgate, v. 3 : « exsultabimus et lætabimur in te, memores uberum tuorum super vinum ») ; les commentateurs ont insisté sur cette fête d'amour (cf. Ps. 118. 24) et interprété la poitrine de l'Époux comme les deux Testaments, qui nourrissent tous les fidèles. L'expression « mes flammes appaisant » confère à l'Épouse un rôle plus passif, moins joyeux ; le mot « mignardises », qui rappelle les vers 1 et 7, affadit l'original.

Des commentateurs récents considèrent que le début du texte hébreu traite du désir exprimé par les Israélites exilés de retourner en Palestine.

12 Ces filles jouent le rôle du chœur de la tragédie grecque, que le personnage principal interpelle pour exprimer ses sentiments.

13 Belleau invente ces vers, interrompant le discours de l'Épouse. Ils contiennent la note de réjouissance qui était absente des vers précédents, et l'attribuent non à l'Épouse mais aux filles de Sion. Les vers 35-36, en écho aux vers 5-6, remplacent l'évocation de la poitrine du bien-aimé. Attentif ici à la personnalité de la Reine, Belleau met l'accent sur la pureté de cet amour (voir v. 34) et en atténue l'élément physique. Mais ce ne sera pas toujours le cas.

14 Elle vient peut-être d'un pays étranger : nombre de commentateurs pensent que le Cantique soulève le sujet de mariages mixtes. Mais, selon l' interprétation courante, l'Épouse est hâlée parce qu'elle a vécu en plein air (voir v. 45 à 50) ; ce motif, présent dans la chanson « rustique », est familier à Belleau (voir p. ex. *La Bergerie*, t. II, p. 42, v. 21).

15 La Vulgate dit simplement « filiæ Jerusalem » (v. 4).

16 Qédar, fils d'Ismaël (Genèse 25. 13), est l'ancêtre d'un peuple nomade dont les tentes étaient faites de poil de chèvre noire.

17 Selon l'interprétation allégorique, l'Église est brune et triste à l'extérieur parce qu'elle est persécutée, mais belle à l'intérieur grâce à l'humilité et à la patience des fidèles.

PAGE 273

46. seulete<,>
55. *sans retrait*
65. Belle<,> dont
73. M<'>amie,

18 Belleau amplifie la Vulgate : « quia decoloravit me sol » (v. 5), grâce surtout à l'emploi d'adjectifs.

19 L'Épouse fait mention de sa mère mais jamais de son père.

20 La vigne dans la Bible est hautement symbolique. Dieu compare son peuple à une vigne, qu'il a plantée dans un sol fertile, mais qui ne produit que des fruits sauvages (Ps. 80. 9-14, Isaïe 5. 1-7, etc.). Pour le Nouveau Testament, voir Luc 20. 9-19 et Jean

15. 1 : « Je suis le vrai cep / et mon Père est le vigneron ». On a vu dans le verset traduit par le v. 54 une allusion aux enfants d'Israël, qui n'ont pas toujours suivi la vraie foi.

21 Les vers 55 à 64 développent la Vulgate : « Indica mihi, quem diligit anima mea, ubi pascas, ubi cubes in meridie, ne vagari incipiam post greges sodalium tuorum » ; ce verset 6 s'inspire de Genèse 37. 16 (question posée par Joseph parti à la recherche de ses frères). La sensibilité propre à l'auteur de « L'Esté » l'a porté à s'écarter de sa source pour imaginer le paysage sous un soleil ardent.

22 Il y a une incertitude concernant l'identité de ce personnage du Cantique : pour beaucoup de commentateurs, il s'agit de deux personnes : – le roi Salomon, qui veut ajouter une femme à son sérail ; – le berger-amant, auquel la belle demeure fidèle malgré les charmes de Salomon ; ce texte louerait l'amour pur pour critiquer la polygamie de la cour de Salomon.

23 La Vulgate évoque l'ignorance de soi : « Si ignoras te o pulcherrima inter mulieres » (v. 7). Les commentateurs anciens y ont vu une allusion aux Eglises qui se sont éloignées du Christ, premier Pasteur.

24 Cette énumération ne se trouve que chez Belleau.

25 Seul Belleau introduit encore une fois le motif de la chaleur, qui correspond à ses préoccupations, mais renforce également l'exotisme du texte.

PAGE 274

92. lict<,> et la chambre<,>

26 Selon les commentateurs, l'Époux réconforte l'Épouse pour qu'elle s'arme de courage : il lui montre de quelle force il l'a revêtue afin qu'elle ne soit pas écrasée par leurs ennemis communs (d'après Origène, on fait valoir que Dieu est souvent représenté comme un cavalier combattant l'ennemi).

27 Cette comparaison anodine remplace celle de la Vulgate : « Pulchræ sunt genæ tuæ sicut turturis » (v. 9).

28 Cette accumulation de substances précieuses, qui fait penser aux *Pierres* du début du recueil, traduit une expression dépouillée : « collum tuum sicut monilia » (v. 9).

29 La Vulgate ne dit que : « Murenulas aureas faciemus tibi, vermiculatas argento » (v. 10). « Vermiculatas » se prête à une élaboration qui associe le tissu à l'or. Belleau révèle dans ce passage son goût pour les objets précieux artistement travaillés. Cf. Eckhardt, p. 202 (qui précise que la « taille d'épargne » consiste à ménager le relief des parties qui forment un dessin, en enlevant le fond).

30 Le français, en ne précisant pas qu'il s'agit du nard, est plus érotique que sa source (« Dum esset rex in accubitu suo, nardus mea dedit odorem suum », v. 11). On avait l'habitude, en Orient, d'oindre les convives de baumes précieux.

31 L'Épouse compare son bien-aimé au sachet de myrrhe que les femmes d'Orient plaçaient entre leurs seins pour la nuit.

32 Vignobles renommés dans la tradition biblique pour leur baume. Engaddi en Judée était un site fertile, avec ses falaises déchiquetées au-dessus de la côte ouest de la mer Morte.

33 Selon l'interprétation allégorique, les yeux symbolisent la connaissance de l'amour de Dieu – voir Ephésiens 1. 17-18. La colombe est le symbole de la simplicité et de la pureté (Matt. 10. 16).

PAGE 275

34 Cf. Psaume 45. 3 : « Tu es beau, le plus beau des enfants des hommes ».
35 Cette invitation au bien-aimé de s'asseoir ne se trouve pas dans l'original. L'Épouse de Belleau est ici plus franche, plus hardie.
36 Là où la Bible se contente de suggérer (« lectulus noster floridus », v. 15), Belleau énumère : il fait appel au toucher (« mollet ») et précise de quelles plantes le lit est fait ainsi que l'endroit où il se trouve.
37 Le cyprès et le cèdre, fréquemment associés dans l'Ancien Testament, sont prisés parce qu'ils sont incorruptibles. Pour les commentateurs, la maison symbolise le temple de Dieu (cf. Hébreux 3. 6).

5. M<'>amour

1 L'hébreu parle du narcisse de Saron (sur la plaine côtière entre Jaffa et le Mont Carmel). Belleau développe la Vulgate : « Ego flos campi » (v. 1). « L'esmail » désigne traditionnellement les vives couleurs des fleurs des champs.
2 Seul Belleau évoque dans ces beaux vers la douceur et la couleur de la fleur (Vulgate, v. 1 : « et lilium convallium » ; le « muguet » dont parle l'hébreu est l'anémone écarlate).
3 Cours d'eau torrentueux de Jordanie, qui coule au pied de la ville de Jérusalem.
4 Nouvelle élaboration (Vulgate, v. 2 : « Sicut lilium inter spinas, sic amica mea inter filias »). C'est Belleau qui indique l'heure du jour, et qui métamorphose le lis en rose, et les ronces en églantines.

PAGE 276

9. sauvageons[,]
11. et 13. H[à]

5 Le pommier est devenu très rare en Palestine.
6 Cf. Ruth 3. 9 et Ézéchiel 16. 8 ; cette ombre peut être interprétée comme la protection et l'amour de l'Eglise.
7 En accumulant verbes, adverbes et adjectifs, Belleau développe la Vulgate : « Introduxit me in cellam vinariam » (v. 4). Tout au long du Cantique, le vin symbolise l'amour.
8 Belleau utilise une métaphore là où la Vulgate dit : « ordinavit in me caritatem » (v. 4).
9 Ce vers est un ajout de Belleau.
10 Cet oxymoron pétrarquiste ne se trouve que chez le poète français. L'Épouse s'adresse aux Filles de Jérusalem.

11 C'est Belleau qui ajoute encore ce parallèle entre l'amour et la mort, qui fait de l'Epouse une amante pétrarquiste (cf. Ronsard, *Son. pour Helene*, II. 79, v. 14).

12 L'interprétation allégorique voit dans les deux bras l'image des deux natures qui sont unies dans le Christ ; pour saint Bernard, le bras gauche signifie la grâce, avec laquelle le Christ aide l'Église dans la vie actuelle, tandis que le bras droit représente la félicité de la vie éternelle.

13 « La Pierre d'once » aussi décrit les onces comme « mouchetez ». Belleau remplace le simple « capreas cervosque camporum » (Vulgate, v. 7) par un groupe pittoresque d'animaux organisé grâce à l'anaphore

14 La notion de la vie retenue dans les yeux de l'Épouse ne se trouve que chez Belleau. Le souhait que la bien-aimée puisse dormir paisiblement revient comme un refrain, 3. 27-32, 8. 15-18 ; cf. 5. 13-18. Selon certaines interprétations, le sommeil représente l'épreuve de l'exil ; la libération dépend de la libre conversion de l'épouse.

PAGE 277

47. l'appelle[.]

55. trace[.]

58. [p]rintemps gracieux [:]

15 Belleau développe dans le sens du pittoresque le latin : « hinnuloque cervorum » (v. 9). Pour une interprétation allégorique de la course allègre de l'Époux, voir le Ps. 19. 6 : « sicut sponsus », cité par les Bien-Yvres de Rabelais (*Gargantua* 5).

16 Vulgate : « prospiciens per cancellos » (v. 9).

17 Les vers 47 à 52 indiquent un état d'âme sur lequel la Bible reste silencieuse (« En dilectus meus loquitur mihi », v. 10).

18 « Mon miel » et « mon dous appas », avec leurs accents respectivement anacréontique et pétrarquiste, ne se trouvent que chez Belleau, qui développe : « Surge, propera amica mea, columba mea, formosa mea, et veni » (v. 10).

19 La Vulgate ne dit que « hiems » (v. 11).

20 La Vulgate ne dit que « imber abiit » (v. 11). Nous voyons à l'œuvre le talent descriptif de Belleau.

21 La personnification de la terre ne se trouve que chez Belleau, qui augmente l'érotisme de cette partie du Cantique (Vulgate : « Flores apparuerunt in terra nostra », v. 12).

22 La tourterelle émigre en Palestine au printemps.

PAGE 278

70. M<'>amour,

82. fleur[.]

89. renaissant<,>

93. M<'>amour,

94. grace<,>

23 Les figues de printemps mûrissent avant les autres. Dans la Bible, le figuier peut représenter la Synagogue – voir Luc 13. 6-9 et Osée 9. 10.

24 La figue et la vigne font partie du paysage palestinien, symbolisant les délices promises aux Enfants d'Israël – voir Isaïe 36. 16. On notera la reprise « fleur... fleurante » (= exhalant une odeur).

25 Seul Belleau va si loin : la Vulgate ne parle que du visage de la bien-aimée.

26 « Mignarde [...] mignars » : la Vulgate ne contient pas une telle répétition.

27 Les Pères de l'Église ont vu en ces renards ceux qui cherchent à corrompre la pureté de la Foi. Une autre interprétation les considère comme les heures qui ravagent la jeunesse.

28 Comparer la formule prophétique : « Ils seront mon peuple et je serai leur Dieu » ; voir Jérémie 31. 31-34.

29 Ces vers, depuis le v. 87, sont une invention de Belleau, qui crée l'image de Vesper « au crin d'or » et la périphrase également pittoresque pour l'aube, dans laquelle trois couleurs sont mises en relief à la rime.

30 Belleau évite l'allusion précise (qui fait problème dans l'original) aux montagnes de Bether ou de Bethel.

PAGE 279

1 Pour ces beaux vers, cf. le début de « L'Onyce » (<XVI -9>.

2 Belleau dramatise ce qui est évoqué brièvement dans la Vulgate : « In lectulo meo per noctes quæsivi quem diligit anima mea : quæsivi illum, et non inveni » (v. 1). Il représente les mouvements de l'amant et nous fait ressentir l'urgence de son désir.

3 Ce détail conforme à la bienséance ne se trouve que chez Belleau.

4 « Num quem diligit anima mea, vidistis ? » (v. 3). La transposition au discours indirect atténue l'audace du discours, dont maintenant l'Épouse s'excuse par le qualificatif « hardie ».

Dans l'Ancien Testament, la nuit noire représente la longue souffrance des âmes fidèles (voir Isaïe 5. 30 ; Ps. 112. 4) ; pour l'image de celui qui cherche sans trouver, voir Osée 5. 6.

PAGE 280

5 Belleau invente ce côté malicieux de l'Époux.

6 Ce chant des Filles de Sion clôt la première moitié du Cantique. L'image est celle du roi qui vient chercher sa future épouse. Le berger amoureux est le roi des noces, comme dans les cérémonies orientales. On voit le cortège nuptial quitter Jéricho pour se diriger vers Jérusalem à travers les étendues sauvages de Judée.

7 Belleau ajoute cette allusion au parfum de l'Épouse.

8 Le cyprès ne se trouve pas dans le latin.

9 La question rhétorique comme moyen de souligner une affirmation est typique de l'Ancien Testament (par ex. Isaïe 60. 8).

10 Selon certains interprètes, Salomon (dont le nom et l'histoire évoquent la paix) est le roi messianique qui apporte aux exilés la paix eschatologique ; cf. Ps. 72. 1 ; Isaïe 11. 6-9 ; Osée 2. 20-25.

11 L'allusion à l'Idumée (nom ancien du pays d'Édom au sud de la Judée) ne se trouve que chez Belleau. Quelques commentateurs suggèrent que les 60 soldats représentent un dixième de la garde royale (voir I Samuel 27. 2) ; mais d'autres observent que les 12 tribus d'Israël avaient 5 représentants chacune, et d'autres encore qu'il s'agit peut-être ici d'une association des 12 apôtres et des 5 sens. Cf. Isidore de Séville, *De numeris*.

12 Belleau invente ce vers pour étoffer sa description.

13 La Vulgate parle seulement de « timores nocturnos » (v. 8). Le Livre de Néhémie (4. 7-8) représente les bâtisseurs du rempart de Jérusalem armés de l'épée, avec, auprès d'eux, un trompette prêt à sonner l'alarme.

PAGE 281

14 Le mot hébreu correspondant est un hapax dans l'Écriture Sainte et peut également signifier un coche, un palanquin.

15 La Vulgate parle de *caritas*. L'hébreu est corrompu en cet endroit, et semble vouloir dire « pavé avec amour par les filles de Jérusalem ».

16 Cf. Zacharie 9. 9 : « Exulte de toutes tes forces, fille de Sion ! Pousse des cris de joie, fille de Jérusalem ! Voici que ton roi vient à toi ».

17 La couronne de Salomon symbolise l'autorité suprême (II Rois 11. 12). Ici, il ne s'agit pas de la couronne royale, mais du diadème nuptial. Les jeunes mariés portaient tous deux une couronne, et étaient pendant leurs noces traités un roi et une reine.

L'allégorisation religieuse voit ici une image des noces du Christ avec la nature humaine : le Verbe fait chair porte des diadèmes (Apoc. 19. 12) ; le Fils de l'homme paraît beau, « comme un jeune époux se met un diadème » (Isaïe 61. 10). D'autres évoquent la couronne d'épines, douleureuse mais reçue par le Christ avec joie pour l'amour de son Église, ou encore la couronne de gloire portée par le Christ lors de sa résurrection (Hébreux 2. 9 : « Jésus, nous le voyons couronné de gloire et d'honneur, parce qu'il a souffert la mort »).

18 Mettant l'accent sur l'aide du Ciel, la version française est plus religieuse que le latin : « in die desponsationis illius, et in die lætitiæ cordis eius » (v. 11).

2. M<'>amour

1 Belleau invente cette allusion aux cheveux frisés de la bien-aimée.

PAGE 282

33 eslevée<,>

2 Le latin ne dit que « capilli tui » (v. 1). Encore une fois, Belleau montre son goût pour les cheveux ondulés.

3 Belleau invente cette périphrase pour les chèvres.

4 Le haut mont Galaad, entre le Jourdain et le désert de Syrie, est abondant en gras pâturages, et célèbre pour ses aromates médicinaux (Genèse 37. 25, Jérémie 8. 22).

5 Ces deux vers indiquant l'heure du jour ne se trouvent que chez Belleau.

6 La Vulgate ne dit que « dentes tui » (v. 2).

7 Ce vers est une invention de Belleau.

8 Belleau traduit « omnes gemellis fœtibus » (v. 2). Encore une fois, il décrit l'apparence physique de ce dont il parle. Quelques commentateurs ont vu ici une allusion aux prédicateurs, qui doivent éveiller dans le cœur des fidèles un double amour, celui de Dieu et celui du prochain.

9 A la différence du latin, Belleau reprend l'évocation aux dents, remplaçant l'image des brebis par une description géométrique aux contours durs.

10 La Vulgate ne contient pas l'équivalent de ces deux adjectifs.

11 Une comparaison remplace le qualificatif « dulce » de la Vulgate (v. 3).

12 Belleau invente ce vers, qui lui permet de tracer de nouveau le mouvement et la couleur des cheveux.

13 Belleau modifie le latin « absque eo, quod intrinsecus latet » (v. 3 ; Bible de Jérusalem : « à travers ton voile »).

14 Certains entendent par cette tour la citadelle de Sion, que David prit aux Jébuséens (II Samuel 5. 7-9) ; d'autres une tour qu'il érigea près de la citadelle.

15 Allusion à une ancienne coutume(voir Ézéchiel 27. 10-11). Les Pères de l'Église ont vu dans la mention du cou une allusion aux pasteurs qui, dans leur combat pour la foi, doivent être munis de toute l'armure de Dieu (II Cor. 10. 4-5).

PAGE 283

16 Cette description tente d'expliquer la comparaison biblique, que Belleau a dû trouver trop militaire et trop obscure ; elle révèle son goût de l'ornementation et des pierres précieuses.

17 Cette partie érotique de la description ne se trouve que chez Belleau.

18 Les roses sont un ajout de Belleau.

19 Cette évocation de la douceur, pleine de diminutifs, remplace la description de la lumière dans la Vulgate : « donec aspiret dies, et inclinentur umbræ » (v. 5).

20 Le latin dit simplement : « Vadam ad montem myrrhæ, et ad collem thuris » (v. 6). Dans la Vulgate, l'Époux semble comparer l'Épouse elle-même à ce mont de myrrhe, à cette colline d'encens. Beaucoup de Docteurs de l'Église ont vu dans le mont de myrrhe (*Mor* en hébreu) une allusion au mont Moriyya où Isaac fut conduit pour être immolé (Genèse 22. 2). La myrrhe symbolise l'oubli de soi, qui, selon le Christ, libère l'homme de ses entraves spirituelles. Quant à l'encens, brûlé de tout temps en l'honneur de la divinité, il peut représenter les vertus divines. D'autres voient dans ces mots une prédiction de la mort de l'Époux, et de sa résurrection glorieuse.

21 Il n'y a rien à reprendre.

22 La Vulgate, plus concise, utilise la 2ème pers. du sg. : « Tota pulchra es amica mea, et macula non est in te » (v. 7). La liturgie catholique a appliqué ce verset à l'Immaculée Conception.

23 Massif montagneux de l'Anti-Liban, aux confins du Liban, de la Syrie et d'Israël. Le Jourdain y prend sa source.

24 Les cimes de l'Amana (ou Abana) et du Sanir (Senir, Shenir) se trouvent dans l'Anti-Liban près du mont Hermon.

25 La Vulgate est plus forte : « coronaberis de capite Amana, de vertice Sanir et Hermon, de cubilibus leonum, de montibus pardorum » (v. 8). L'Époux promet à l'Épouse qu'elle sera couronnée des dépouilles qu'elle acquerra en tous les endroits qu'il nomme. Belleau est plus proche de l'hébreu.

PAGE 284

95 recelée<,>

26 Bien que la Bible mentionne un œil, elle ne précise pas lequel. L'œil gauche, plus près du cœur, transmet des rayons plus chauds, et donc plus « fascinants ». Cf. Ficin, *Comm. in Convivium*, Or. 7, cap. IV.

27 Le latin ne décrit pas les cheveux.

28 Belleau ajoute ces trois vers.

29 Belleau traduit : « odor unguentorum tuorum super omnia aromata » (v. 10). L'évocation des menus plis de la robe montre son souci du détail. La reprise « plus douce [...] plus dous » (v. 83) ne se trouve pas dans la Bible ; elle fait écho à d'autres répétitions, v. 77-79.

30 Traduction du Cantique, v. 11. Ce miel a été identifié avec l'Ecriture sainte, que l'Epouse a constamment à la bouche. Cf. Prov. 5. 3.

31 La Bible, plus elliptique que le français, emploie les termes « mel et lac » (v. 11), allusion à la terre promise dans le Pentateuque.

32 Belleau omet une allusion à l'encens (v. 11). Pour le parfum des vêtements, voir Ps. 45. 9. Dans les vêtements de l'Église, l'interprétation allégorique voit les œuvres de justice (cf. Job 29. 14, Apoc. 19. 8). L'encens symbolise l'oraison (cf. Ps. 141. 2) ; ce verset voudrait donc dire que les œuvres de l'Église ont un parfum divin parce que ses œuvres sont une prière à la gloire de Dieu – cf. Luc 18. 1.

33 Pour l'image du jardin, voir Isaïe 58. 11, 51. Le jardin clos, *locus amœnus*, symbolise la propriété bien protégée en même temps que l'intimité.

34 Cf. le latin, « fons signatus » (v. 12), allusion à la virginité de l'Epouse. On scellait citernes et fontaines pour protéger leur eau. Pour ce *locus amœnus*, ce sont encore les adjectifs qui esquissent le *cuadro*.

PAGE 285

105 M'[a]mie

35 La Vulgate est plus brève : « Emissiones tuæ paradisus malorum punicorum cum pomorum fructibus. Cypri cum nardo, / Nardus et crocus, fistula et cinnamomum cum universis lignis Libani [Belleau suit l'hébreu, « les arbres qui portent de l'encens »], myrrha et aloe cum omnibus primis unguentis » (v. 13-14).

36 L'eau vive symbolise la sagesse céleste et la grâce sanctifiante (Nombres 19. 17 ; Jérémie 2. 13 ; Jean 4. 10, 13, 14). La description de Belleau, plus visuelle, ajoute à la version biblique la couleur et les ondulations des ondes.

37 Borée est le dieu grec du vent du nord, fils du Titan Astræos et d'Eos (l'Aurore). Dans l'Ancien Testament, le vent du nord peut symboliser le mal ; voir Jérémie 6. 1 : « du Nord se penche un malheur, / une immense catastrophe ».

38 Seul Belleau évoque les ailes du vent.

39 C'est une invitation à consommer le mariage.

PAGE 286

5. canelée<,>

1 Associée à l'aloès dans le Cantique 4. 14, la myrrhe servira à oindre le corps du Christ crucifié (Jean 19. 39-40).

2 Le vin et le lait représentent des dons spirituels – cf. Isaïe 55. 1. L'invitation à consommer le mariage a été acceptée.

3 Les amis sont invités à un repas de noce.

4 Belleau développe la Bible : « Ego dormio, et cor meum vigilat » (v. 2).

5 Terme de tendresse ; cf. le latin *ocellus*.

6 Belleau adapte la Bible : « Aperi mihi soror mea, amica mea, columba mea, immaculata mea » (v. 2).

7 La mention de la rosée confirme d'autres indices sur la saison : c'est à partir de la Pâque qu'on priait pour recevoir ce don du ciel (pour demander la pluie on priait à partir de la fin de l'automne).

8 On a comparé ce passage à Apocalypse 3. 20 : « Voici que je me tiens à la porte et je frappe ; si quelqu'un entend ma voix et ouvre la porte, j'entrerai chez lui pour souper, moi près de lui et lui près de moi ».

PAGE 287

9 Belleau développe la Bible, qui évoque avec concision un choc physique : « Dilectus meus misit manum suam per foramen, et venter meus intremuit ad tactum eius » (v. 4). Au v. 31, le contraste entre « paresse » et « soudain » est assez frappant.

10 Nous avons vu que la myrrhe symbolise la mortification de l'amour-propre et des passions – cf. Colossiens 3. 5. Selon l'interprétation théologique de cet épisode, la mortification est nécessaire pour que l'Époux pénètre l'âme de l'Épouse, ou pour qu'il l'éloigne du chemin de péché, ou pour qu'il fasse d'elle son instrument d'élection en vue de la sanctification des fidèles.

11 Belleau est le seul à dire que les verrous glissent plus facilement.

12 Belleau s'exprime ici avec simplicité et précision. Les interprètes expliquent l'absence de l'Époux de trois façons : – l'Épouse aurait tardé à lui ouvrir ; – ou il tient à ce qu'elle n'attribue pas sa visite à ses propres mérites, mais seulement à la bonté qu'il lui manifeste ; – ou il compte qu'elle le recherchera avec plus d'ardeur.

13 « Noire de courroux » ne se trouve que chez Belleau.

14 Amplification sur la Bible : « quæsivi, et non inveni illum ; vocavi, et non respondit mihi » (v. 6).

15 L'Épouse pourrait utiliser envers l'Époux les paroles de Job : « Je crie vers Toi et Tu ne réponds pas ; […] Tu es devenu cruel à mon égard »… (30. 20-21).

Dans l'Eclogue 3, la garde ne se montre pas hostile. On a suggéré que ces gardiens-ci protègent la sainte Jérusalem (l'Église), tandis que les gardiens violents protègent la cité terrestre.

16 Belleau traduit « Adjuro vos filiæ Jerusalem » (v. 8) qui revient comme un refrain – (Vulgate 2. 7, 3. 5, et 8. 4).

PAGE 288

61. nouvelle<,>

17 Belleau ajoute ce vers.

18 Cette antithèse pétrarquiste ne se trouve que chez Belleau.

19 La liste d'adjectifs amplifie « candidus et rubicundus » (v. 10), et les diminutifs donnent un ton plus mignard.

20 Belleau omet la comparaison quelque peu obscure de la Vulgate : « comæ eius sicut elatæ palmarum » (v. 11).

21 Les colombes de la Bible expriment la grâce : colombe des Psaumes (55. 7), colombe qui rapporta à Noé le rameau d'olivier (Genèse 8. 11). Les eaux symbolisent la sagesse céleste et la grâce du Christ – (Isaïe 55. 1 ; Jean 4. 10-14)., Le même mot hébreu signifie « l'œil » et « la fontaine ». Belleau ajoute l'allusion au « Printemps nouveau ».

PAGE 289

22 Belleau développe la Bible : « Genæ illius sicut areolæ aromatum consitæ a pigmentariis » (v. 13). En style ronsardien, il accentue la couleur et le mouvement sinueux du « petit crespe », et il consacre 5 vers à l'image du jardin, énumérant les plantes et soulignant le fait que l'art et la nature s'y rencontrent.

23 La Bible ne parle que du lis (v. 13). La comparaison avec la rose, familière au lecteur français, « naturalise » la description du Cantique. Sur l'épithète *sucré* chez Belleau, voir ci-dessus, n. 119, et Françoise Joukovsky, *Le bel objet. Les paradis artificiels de la Pléiade*, Paris, Champion, 1991, p. 167.

24 Cette série d'adjectifs ne se trouve pas dans la Bible. En revanche, Belleau évite de préciser la nature des pierres, difficiles à identifier dans le texte hébreu.

25 Pour le motif du cèdre, voir Ézéchiel 17. 22-23.

26 Belleau orne de fleurs la description biblique : « Guttur illius suavissimum, et totus desiderabilis » (v. 16).

27 L'accumulation de termes d'affection brode sur la Bible (v. 16), produisant encore une fois une impression de mignardise.

PAGE 290

1 La Vulgate dit : « Dilectus meus descendit in hortum suum ad areolam aromatum, ut pascatur in hortis, et lilia colligat » (v. 1). La *déixis* de Belleau ajoute l'allusion à l'aube et développe l'évocation des fleurs, de leur parfum, ainsi que celle du fruit (qui n'est pas nommé) et des doigts du bien-aimé.

2 Seul Belleau parle de la flamme, dans le style amoureux de l'époque.

PAGE 291

3 La Vulgate, à la différence de l'hébreu, ne mentionne pas Thirsa, résidence du roi de Samarie. La schismatique Samarie était odieuse aux juifs ; c'est peut-être pour cette raison que Belleau l'appelle « gentille » (païenne).

4 De menus détails significatifs enrichissent l'image de la Vulgate : « terribilis ut castrorum acies ordinata » (v. 3). Le texte hébreu mentionne l'enseigne.

5 Seul Belleau évoque la longueur, l'ondulation et la couleur des cheveux.

6 Voir <XVIII -4>. 10, et note.

7 De nouveau, Belleau est le seul à décrire ici l'ondulation et la couleur des cheveux.

8 Ces épouses de second ordre étaient d'une condition inférieure. Selon certains interprètes, la précision des chiffres indique la clarté de la connaissance divine : Dieu sait qui sont les siens. A la différence de Belleau, la Bible ne décrit ni les concubines ni les reines.

PAGE 292

9 Cette belle évocation colorée développe la Bible : « quasi aurora consurgens » (v. 9).

10 Cette antonomase (figure louée par Du Bellay, *Deffence et Illustration*, II. 9) s'appuie sur trois mots de la Vulgate : « pulchra ut luna » (v. 9).

11 La Vulgate reprend le v. 3 : « terribilis ut castrorum acies ordinata ». En énumérant les différentes sortes d'enseignes, Belleau montre son goût du petit détail.

12 L'évocation des bourgeons et des boutons rappelle la description de la terrasse au début de la *Bergerie*. Belleau aime représenter les formes naissantes.

PAGE 293

13 Belleau brode sur la Bible, devant laquelle il est sans doute resté perplexe. Amminadab est mentionné dans Exode 6. 23. La Vulgate ne dit que : « Nescivi : anima

mea conturbavit me propter quadrigas Aminadab » (v. 11). Selon l'allégorie, la Synagogue, enfin convertie (selon les oracles des prophètes et de Paul) confesserait ici le fait qu'elle n'a pas reconnu l'Époux, et qu'elle a été perturbée par les chars des Gentils qui couraient s'unir à la nouvelle Église. Il n'y a rien de pareil chez Belleau, qui se contente de suivre une histoire d'amour.

14 La Sulamite (« la Pacifiée ») : celle qui a trouvé la paix, donnée par le second Salomon.

15 C'est le texte hébreu qui place ces versets en fin du Chapitre 6 (dans la Vulgate ils ouvrent le Chapitre 7). L'allusion à une danse de deux troupes (« choros castrorum ») pose problème ; il s'agit peut-être d'une danse à laquelle participaient deux groupes, l'un d'hommes et l'autre de jeunes filles (cf. Juges 21. 21), ou bien d'une danse du sabre exécutée à l'occasion d'un mariage.

1 Cf. Isaïe 52. 7 : « Qu'ils sont beaux sur les montagnes, les pieds du porteur de bonnes nouvelles qui annonce la paix »... et Romains 10. 15.

PAGE 294

18. *la leçon* Semblent *est gardée*

2 Belleau ajoute ce détail.

3 Ces adjectifs mignards n'ont pas d'équivalent dans l'original.

4 Cf. *Eclogues sacrées* <XVIII -4>. 45-50.

5 Cf. *Eclogues sacrées* <XVIII -4>. 33-44. Le cou est observé de près (« à menus plis »), tandis que la Vulgate se contente de la comparaison : « Collum tuum sicut turris eburnea » (v. 4).

6 Heshbôn, capitale de Sihôn, roi des Amorites » (Nombres 21. 26), se trouvait presque à la hauteur de Jéricho, mais en Transjordanie ; on y accédait par un sentier étroit à partir de la vallée et de ses étangs.

7 Bath-Rabbim (« fille de nombreuses personnes ») est peut-être le nom d'une porte de la ville, ainsi nommée parce que c'était l'entrée principale. Le texte hébreu donne ce nom ; la Vulgate, en revanche, traduit « in porta filiæ multitudinis » (v. 4). Belleau adopte une traduction qui suit l'hébreu de plus près que ne le fait le latin.

8 Les détails pittoresques de ces 4 v. (« le clair et doux rayon », « beau crystal », « d'une onde argentelete ») sont de Belleau. Dans les saintes Écritures, les eaux sont le symbole de la vraie sagesse – cf. Jean 4. 14.

9 L'Épouse est vigilante. La Tour (bâtie peut-être par Salomon) permettait d'observer les mouvements des pillards qui passaient de Syrie en Judée.

10 Jeu de mots : le mont Carmel surplombe Haïfa, et l'adj. *carmelin* veut dire « cramoisi », formant un parallèle avec l'« escarlatin » qui suit. L'allusion aux « oliviers pallissans », qui introduit une couleur différente, ne se trouve que chez le poète français.

11 La répétition traduit peut-être l'inadvertance.

12 La Vulgate (v. 5) écrit : « comæ capitis tui, sicut purpura regis vincta canalibus » ; on y a vu une allusion au canal où les teinturiers trempaient les tissus de pourpre (couleur des rois). Belleau préfère évoquer de sinueux canaux d'irrigation.

PAGE 295

37. blandices [:]
46. meure<s>
64. jardin[,]

13 La Bible ne décrit pas le palmier.

14 Ce détail descriptif a été inventé par Belleau.

15 Belleau omet toute la première partie du verset suivant, qui lui paraissait peut-être trop violente : « Dixi : Ascendam in palmam, et apprehendam fructus eius : et erunt ubera tua sicut botri vineæ : et odor oris tui sicut malorum » (v. 8). Les Pères de l'Église ont vu dans ce palmier une figure dénotant la croix du Christ.

16 La Bible ne décrit pas la pomme ; Belleau se plaît, à son habitude, à évoquer sa couleur.

17 Belleau développe un peu la Vulgate, qui dit que le vin est apte « ad ruminandum » (v. 9). Le texte hébreu de ce verset est corrompu.

18 Cette invitation fait écho à celle que formule l'Époux, 2. 53-68.

19 La grenade symbolise souvent les fruits de la vie parfaite : elle enclôt toutes les vertus, et sous son écorce dure se cache une grande douceur.

20 Ce vers hardi ne se trouve pas dans la Bible ; la Vulgate se contente de dire : « ibi dabo tibi ubera mea » (v. 12).

PAGE 296

21 Cette plante, appelée aussi « pomme d'amour » (Genèse 30. 14), était censée favoriser l'amour physique ainsi que la fécondité.

22 Cette évocation des brises ne se trouve que chez Belleau.

1 Cf. *Eclogues sacrées*, <XIV -2>. 25-28 (Vulgate 2. 6).

PAGE 297

31. [Ha] la main
36. feu[.]

2 Cf. *Ecl. sacrées*, <XIV -2>. 29-36 (Vulgate 2. 7). Le parallélisme est moins évident chez Belleau.

3 Cf. *Eclogues sacrées*, <XIV -3>. 33-40 (Vulgate 3. 6).

4 La Bible parle de la coutume des Orientaux, qui imprimaient le nom d'un être aimé ou vénéré directement sur leur bras, leur front, ou leur poitrine, comme un sceau – voir Isaïe 44. 5 et Apoc. 13. 16. Belleau introduit dans ses vers les bijoux qui le passionnent.

5 La Vulgate (v. 6) ne joue pas sur les mots « amour » et « mort ». La personnification de l'Amour est ajoutée par Belleau.

6 Belleau développe la Vulgate : « dura sicut infernus æmulatio » (v. 6).

PAGE 298

7 Ce sceptre est un ajout de Belleau, qui veut renforcer ce que dit la Bible.

8 L'identité du destinataire n'est pas établie ; la Bible de Jérusalem classe comme « Appendices » les derniers versets (les v. 43 à 64 de Belleau traduisent deux « épigrammes »). On a pu voir dans le verset 8 une allusion à Jérusalem, mal fortifiée mais assurant que, étant sous le regard de Dieu, elle n'a pas besoin d'une protection solide et coûteuse.

9 Ici, comme au v. 52, « d'airain » est un ajout de Belleau (cf. Jérémie 1. 18, parole de Yahvé : « je t'établis aujourd'hui comme une ville fortifiée, une muraille de bronze).

10 La Vulgate parle de *remparts* d'argent. Belleau adoucit l'ensemble en laissant de côté le sens militaire et en accentuant le faste. Pour les commentateurs, le sens « littéral » est peut-être que les frères et sœurs de la jeune fille, trop réservée, augmenteront sa dot pour se débarrasser d'elle.

11 Si elle est trop complaisante, prête à accepter le premier homme qui s'offre, ses frères et sœurs la rendront plus difficile à obtenir.

12 La Bible n'utilise des adjectifs ni pour la poitrine ni pour les tours. Les épithètes viennent presque automatiquement sous la plume de Belleau.

13 La Vulgate ne reproduit pas ce nom (v. 11). Il s'agit peut-être du Balamôn de Judith 8. 3, au centre de la Palestine.

14 Cf. Isaïe 7. 23 : « Ce jour-là, tout endroit où il y avait mille ceps, valant mille pièces d'argent, deviendra épines et ronces ».

15 Belleau développe la Bible : « Vinea mea coram me est » (v. 12).

PAGE 299

16 La Bible dit, d'une manière beaucoup moins hyperbolique : « Quæ habitas in hortis, amici auscultant : fac me audire vocem tuam » (v. 13). Pour l'éloge de la voix de la bien-aimée, voir 2. 14 (Belleau <XVIII -2>. 75-78).

17 La Bible ne dit que « fac me audire vocem tuam » (v. 13). Belleau se plaît à réunir dans ses vers divers éléments de la nature, et utilise la *déixis* – On a vu dans les versets bibliques un éloge de l'oraison

18 Belleau développe « super montes aromatum » (v. 14), où les Pères de l'Église ont vu une allusion à la Jérusalem céleste (les derniers versets feraient allusion à l'ascension glorieuse du Christ). Pour le thème romantique, cf. 2. 17 (Belleau <XVIII -2>. 89-94) et 4. 6 (Belleau <XVIII -4>. 51-56).

.

« BELLAQUEI TUMULUS »

PAGE 307

1 Dorat a patronné chaque œuvre du poète : les *Odes d'Anacreon* de 1556 (notre t. I, p. 80), la *Bergerie* de 1572, où ses liminaires sont répartis en trois endroits (voir t. IV ; la *Bergerie* de 1565 ne comportait aucun liminaire), les *Pierres precieuses* (voir *supra*). Cette présence régulière atteste qu'il existait entre le maître et l'ancien élève une estime et une amitié réciproques.

2 Les deux poèmes développent évidemment les mêmes thèmes : Belleau a suivi le trace de deux *cygnes* (= poètes de la douceur), à savoir Orphée, dont notre poète a imité certains *Lithica,* et qui chanta ses malheurs sur les bords du Strymon (Virgile, *Georg.,* IV, 508). Le second cygne est David, amant de *Bersabée* (voir la fin de la *Sec. Journée,* t. IV), ce qui suggère que Dorat appréciait les poèmes bibliques de son ancien élève.

3 Cf. Ronsard : « Et chanter son obseque en la façon du Cygne / Qui chante son trespas sur les bors Mæandrins » (Lm., XVIII[1], p. 180). Dorat joue sur l'expression « chant du cygne » (chant mélodieux que l'Antiquité attribuait à cet animal près de mourir). Il sait en effet que Belleau n'a pas cessé d'écrire, à preuve, les dix dernières *Pierres*, révélées par l'édition posthume.

PAGE 308

1 Nicolas Goulu (1530-1601) enseignait le grec au collège Royal depuis 1567, après qu'un jury où siégeait Belleau (aux côtés de Léger du Chesne, voir *infra*, X), l'eut déclaré apte à cette fonction. Il devint le gendre de Dorat, l'année suivante. Il écrira un liminaire grec pour les *Pierres Precieuses,* en tête du t. I de l'éd. de 1578.

2 L'auteur invite Phébus, le Muses et le chœur des Nymphes à pleurer le « cygne harmonieux ».

3 A son chant, les tigres, les rochers, les arbres ne s'animeront plus (inspiré de Virgile, *Georg.,* IV, 509-10, mais repris ici sous une forme négative).

4 Il fut Orphée, Théocrite et Anacréon.

5 Portrait élogieux de l'homme doux, aimable, sans haine, sans avidité, et peu ambitieux. Grâce à sa plume, Belleau s'est fait un sépulcre immortel.

1 Le Champenois Jean Passerat (1534-1602) publia en 1565 un poème dédié à Belleau, qu'il fréquente ainsi que Ronsard, Baïf et Desportes. Dans sa *Sec. Journée,* Belleau traduit en vers la *Cicada* de son ami (t. IV, n° XVI et la note 1). – *Interprete* indique qu'il connaît plusieurs langues, comme le prouve son éd. revue et corrigée de l'*Ambrosii Calepini dictionarium octolingue* [...].

2 Ce quatrain est la traduction libre des vers de Ronsard (*infra*, V). Pourquoi un sacrifice, pourquoi un tombeau inutile ? , demande l'auteur. Belleau s'en rit depuis les Champs Elysées.

PAGE 309

1   Thème : on te pleure partout en Italie (*Hesperie*, sans doute les gens qui l'ont connu lors de sa campagne de 1556-57), mais plus encore en Orient (*Eoi*), où la douleur voisine avec la crainte que toutes les gemmes se liquéfient et deviennent des larmes (cf. le mouvement inverse pour la *Perle*, issue des pleurs de l'Aurore, voir *supra* XVI -4 dans les *Pierres Precieuses*).

2   Les vers français développent le poème précédent. L'*Hesperie* cependant disparaît au profit du *Levant* et de l'*Indique rivage*, lieux de gisement des gemmes. A noter que, dans l'éd. de 1578, l'une des deux variantes du *Tumulus* se trouve au dernier vers, où *larmes* passe au singulier.

1   Germain Vaillant de Guelis (1516-1587) a été un ami proche de Belleau, au moins pendant ses dix dernières années. L'abbé de Pimpont (d'où les initiales P. P.) est l'auteur d'une éd. commentée de Virgile, publiée en 1575, que j'ai pu identifier (après examen de l'original de l'inventaire) dans la bibliothèque de Belleau. Il donne un liminaire en latin pour la *Bergerie* de 1572 (voir le t. IV) et quand les *Pierres Precieuses* sont offertes au public (1576), il fait de même avec 22 v. latins, dans lesquels il indique que Belleau avait rangé son manuscrit dans un « coffre poudreux » [peut-être pendant sa longue maladie de 1573-74] et qu'il a « contraint « son ami à mettre enfin sous presse son ouvrage.

PAGE 310

2   Allusion à la légende de Pyrrha et de son époux Deucalion, seuls rescapés du déluge déclenché par Jupiter. Ayant consulté un oracle, ils se mirent à jeter des pierres derrière eux et les rendirent animées (voir Ovide, *Mét.*, I, 367 et suiv.). Pimpont avait déjà mentionné cette légende dans son liminaire de 1576. Ici, il imagine que Belleau, après sa mort, a été pétrifié en gemme, à l'instar du Soleil, pierre scintillante, qui s'éteint dans l'Océan et de nouveau diffuse la lumière (v. 8-9).

1   Ronsard, qui avait participé, le 7 mars, aux obsèques de son ami, ne lui offre qu'un quatrain : peut-être était-il absent de Paris, au moment de la confection précipitée, me semble-t-il, de ce *Tumulus*. de même, Jamyn, qui devait être auprès de Ronsard pour la préparation de l'édition de 1578, ne figure dans le *Tumulus* qu'avec un seul sixain (voir *infra*).

2   La traduction en latin a été signalée (IIIa). On verra plus loin (XVIb) que Rob. Estienne en a fait la transcription en grec. Gouverneur a préféré regrouper ces trois textes (voir notre Introduction, n. 1).

1   Jean-Antoine de Baïf (1532-1589), l'un des meilleurs amis de Belleau, est souvent présent dans son œuvre : *Chant Pastoral sur la mort de Du Bellay* en 1560 (notre t. I, p. 240 et suiv.), le poème qui met en scène *Francine* et *Tenot*, dans la *Bergerie* de1565 (p. 41-43) Il est encore *Tenot* dans les *Larmes*, en 1566, où l'on peut lire à la fin un sonnet de lui à la gloire des trois frères Guises, morts au service du Roi, en l'espace de 3 ans (voir notre t. III, p. 61).

2   L'auteur suit l'exemple de Dorat, mais il commence par des vers latins, qu'il traduit aussitôt en grec. Il est original dans la mesure où il insiste en premier lieu sur les qualités humaines de son ami (v. 3-7). Cependant s'il ne cite aucune œuvre en particulier, il affirme que les poèmes de Belleau seront encore appréciés par la génération suivante. En tous cas, celui qui a ignoré ce poète est stupide comme une bûche ou un rocher. Conclusion : que la porte, qui aujourd'hui a accueilli un tel homme, s'ouvre naturellement pour les meilleurs et à peine pour les très mauvais.

PAGE 311

1   Philippe Desportes (1546-1606) s'est senti en sympathie avec Belleau, qu'il rencontrait dans le salon de Madame de Retz. De fait il écrit pour la *Bergerie* de 1572 un sonnet fort élogieux. L'année suivante, il publie ses *Premieres Œuvres*. Aux obsèques de Belleau, il sera de ceux qui porteront son cercueil.

2   *reliquaire* : sorte de coffre, où l'on plaçait les reliques d'un saint, et, par extension, les restes d'un personnage important.

3   Premier éloge : Belleau, c'est toute la poésie, avec Apollon, Eros (tous deux si présents dans son œuvre) ainsi que la *plus Chere Grace* (Les Charites, en grec, sont des divinités de la Beauté. Elles sont, sur l'Olympe, les compagnes des Muses, avec lesquelles elles forment parfois des chœurs ; cf. v. 8). La présence de Mercure-Hermès est justifiée par sa création de la lyre, à partir de la carapace d'une tortue, et aussi par celle de l'invention de la flûte de Pan (poésie bucolique).

PAGE 312

4   Comme Baïf, Desportes, après avoir loué l'œuvre littéraire, insiste sur les qualités humaines de son ami. Le v. 11 signifie que la vertu de ce grand esprit éclaira ses contemporains des reflets de la lumière céleste.

5   *Je faux*, 1ère pers. sg. indic. présent du verbe *faillir* = je me trompe.

1   Amadis Jamyn (1540 ?-1593), d'abord page, puis secrétaire de Ronsard, a écrit deux sonnets pour la *Seconde Journée,* où il fait l'éloge d'un poète plus âgé que lui, mais que les jeunes ne sont pas près d'égaler (voir t. IV, 1e J.). Il était le rimeur officiel du salon de Madame de Retz, raison pour laquelle, à mon avis, Belleau lui a dédié l'*Election de sa demeure,* où il est beaucoup question de cette personne (voir *supra,* n° VI[1]).

2   *Castalie* était le nom d'une jeune fille de Delphes, qu'Apollon désirait. Poursuivie par lui, elle se jeta dans une source, qui depuis prit son nom et fut consacrée au dieu. L'eau de Castalie désigne l'inspiration poétique (voir *supra* les deux pièces de Dorat). Jamyn joue sur le nom du poète (*belle*, répété et *eau*).

PAGE 313

1   Troussilh (ou Troussillh), personnage peu connu. On trouve, parmi les liminaires de *La Franciade* de 1572, un sonnet de lui, juste avant celui de Belleau (Lm., XVI[1], p. 24). Il fait l'éloge, comme Baïf, des qualités humaines d'un poète ni vantard, ni

ambitieux, modèle exemplaire pour les jeunes générations. – Au v. 2, *Doua* (devenu en 1578, *Doüa*) = dota ; au v. 13, *Mere* = la Terre, où se trouve le cercueil.

1 Sur Léger du Chesne, voir *supra*, Introd. à la pièce n° XV.

2 Ces petites divinités champêtres viennent de la *Bergerie* de 1565 (p. 76). – *Prosopopée* est ici employé au sens large, car l'auteur ne fait pas parler le mort, mais il s'adresse à lui et introduit des personnages présents dans son œuvre. Conclusion : Belleau est à la fois l'Orphée et le Théocrite français.

PAGE 314

1 Sur Jean de La Gessée (1551-1596 ?), voir t. IV, Seconde J., pièce n° VI, *May*. Ce jeune poète gascon avait déjà publié d'assez nombreux poèmes, notamment en 1573. Il semble qu'avec Robin du Faux et Courtin de Cissé il ait fait partie d'un groupe de jeunes admirateurs et disciples d'un Belleau vieillissant. Il n'avait jamais écrit de liminaire pour lui, mais en 1578 il composera 49 vers latins pour le t. I de l'éd. posthume. La dédicace à Ronsard, la seule du *Tumulus*, s'explique sans doute par l'importance de son œuvre et par l'affection que le poète portait au défunt. Le fait qu'il nomme Belleau par son prénom, qu'il le déclare sien (*meusque* répété), et qu'il compose trois pièces différentes semble dénoter une certaine intimité.

2 En effet, Ronsard invoque régulièrement Belleau sous son nom de famille et non sous son prénom come c'était d'usage chez les poètes d'alors.

3 Utilisation d'un *topos* : les œuvres de Belleau, qui sont énumérées, contestent sa mort et proclament son immortalité (v. 15-20).

4 Ces vers prouvent que La Gessée connaissait l'existence des dix nouvelles *Pierres* et peut-être les avait-il lues, avant qu'elles soient révélés par l'éd. de 1578. – *Lachesis* est la Parque, qui dévide le fil, mais a aussi le pouvoir d'arrêter son action ; elle fixe ainsi le moment de la mort, donnée par *Atropos*.

PAGE 315

1 *Mars* n'apparaît pas ici en tant que dieu des armées, mais comme le maléfique démon qui préside aux fièvres de la fin de l'hiver : Belleau est mort au début du mois de mars 1577.

2 Dans le liminaire cité ci-dessus, La Gessée évoquera la mort de nombreux grands poètes contemporains (Marot, Saint-Gelais, Du Bellay, La Péruse et Jodelle). Ici il ne cite que le dernier, mort en juillet 1573. Jodelle est *grave* en tant qu'auteur tragique (*Cleopatre captive* fut saluée jadis par Ronsard et ses amis), par opposition au *doux* Belleau, poète lyrique.

3 *Je quiers* (indic. prés. de *quérir*) = je demande. L'auteur a bien connu Belleau, qui lui a parfois récité (*chanté*) des vers, sans doute les siens. Il voulait alors être aussi poète. Maintenant il a perdu le goût d'écrire et même de vivre.

PAGE 316

1 *Libitina* désigna d'abord la déesse des funérailles. Ces vers sont appelés « rapportés « comme ceux que Jodelle écrivit pour l'*Epitaphe* de Marot : *Quercy, la Cour, le Piémont, l'Univers / Me fit, me tint, m'enterra, me connut.* – Il faut donc rattacher à chacun des trois premiers mots le terme qui lui correspond selon sa place dans le groupe, ce qui donne : *Mort tuë au lict (la) vie, / Libitine serre en terre (le) corps, / Dieu chérit au Ciel (l') esperit.*

1 *Elbeuf* : il s'agit du jeune Charles de Lorraine, marquis d'Elbeuf, dont les parents, protecteurs de Belleau, étaient morts en 1566, dans leur château d'Aubagne, l'inhumation ayant eu lieu dans la chapelle Saint Lazare à Marseille (voir t. IV, p. $.), très vraisemblablement en présence du poète. Celui-ci, professeur de l'enfant à Joinville, peut-être aussi au début de leur installation à Paris, devint son « conseiller et maistre d'hostel « (une sorte d'intendant, chargé des finances – voir notre t. I, p. 26). Sur le personnage de Georges du Tronchay, voir M. M. Mouflard, *Robert Garnier*, La Ferté Bernard, 1951, t. I, p. 309 : né dans une famille de savants manceaux et réformés, il exerçait la fonction de « connaisseur en médailles ». Il était lié avec Baïf, Belleau et La Croix du Maine. On peut penser que ce poème lui a été commandé par le jeune Elbeuf, comme un témoignage de reconnaissance offert à celui qui l'avair formé intellectuellement et qui était devenu un ami pour ses parents comme pour lui-même.

2 Enumération de ceux qui pleurent la mort du poète (la Terre, qui s'est refermée sur son corps) et de ceux qui s'en réjouissent (le Ciel où son âme se trouve). Ce thème domine tout le sonnet, qui vaut par sa composition et son originalité. – *mignon* (v. 2) = favori ; *sacré* (v. 4) = consacré. L'*Huine* est une rivière qui traverse Nogent-le-Rotrou (cf. *Bergerie* de 1565, p. 109 : « Un gentil artizan venu de la rive d'Uvigne (*sic*) me donna un baston de berger »). Un de ses affluents, la Rhone, est cité dans l'*Ode à Nogent*, sous la forme *petit ronne* (t. III, p. 28, v. 70).

3 *patron* (de vie) = modèle, exemple (cf. *supra*, IX, v. 8 – Troussilh).

4 *orgueillit* = s'enorgueillit.

5 *feux* : astres (cf. *infra*, Appendice, II, v. 65-66 « Perdant Belleau votre brigade / Pert un des *feux* de la Pleiade ». – *heurée* : bienheureuse.

PAGE 317

1 *Lethé*, fleuve de l'oubli aux Enfers ; cf. plus haut, pièce n° I, v. 4. –Pascal Robin, sieur du Faux, poète angevin, ajoutera, en 1578, un sonnet aux liminaires des *Pierres Precieuses* (début du t. I), où il reprendra la légende de Deucalion et Pyrrha. On sait peu de choses sur sa vie ; il a publié, à partir de 1563, de nombreux poèmes de circonstance, consacrés à des princes de Lorraine et de Cossé.

2 *rymes* a ici le sens de vers.

1 Les poètes prenaient leur inspiration à la fontaine de Castalie ; cf. plus haut, Dorat (Ia-b), Jamyn (VIII et n. 25), qui, comme Le Frère joue sur le nom du poète, jeu qu'il prolonge au v. 4 avec *trait* (à la fois gorgée de liquide et fragment d'écriture). – les *filles de Mémoire* sont les Muses.

2   Jean Le Frère (? -1583), dont la biographie est mal connue, a publié notamment une histoire des *troubles et guerres civiles avenuës de nostre temps pour le faict de la religion* (en France, en Allemagne et aux Pays Bas), Paris, 1573.

1   Le *distichon numerale* comporte des lettres utilisables, sous la forme majuscule, comme chiffres romains. L. Martel en composera un autre pour le *Tombeau* de Ronsard. Celui-ci est offert aux quatre poètes qui, selon le témoignage de Scévole de Sainte-Marthe, « ne desdaignerent point de porter [Belleau] sur leurs pieuses espaules » lors de ses obsèques (*Gallorum virorum Elogia*, Poitiers, 1598, p. 267). En fait on n'a pas suivi les recommandations testamentaires de Belleau, qui voulait « estre porté en sepulthure [...] par les quatre ordres mendians et les Mynimes de Nigeon » (dont faisait partie son neveu). Ce distique figurera sur la pierre tombale, avec le quatrain de Ronsard et un court texte latin.

2   « Le jour, qui a suivi le 6ᵉ de mars... » donne la date exacte de l'enterrement. Quant à l'année, elle s'inscrit dans les majuscules-chiffres : **L V X** (50+5+10 = 65) Se**X**tæ (10) **M**art**I**, t**IbI** (1000+3) Be**LL**aq**V**a (50+50+5 =105) **V**ates **Q**va (5+5 = 10) Fa**C I V**nt (100+1+5 = 106) So**CI**o (100+1 =101) **L V C**t**IbV**s (50+5+100+1+5 = 161) E**X**eq**VI**as (10+5+1 = 16). Le total donne 1577, année de la mort de Belleau.

1   Martel traduit en grec la dédicace et les vers latins. *Belle-eau* donne *Kallihydron*.

PAGE 318

1   Robert II Estienne, de la célèbre famille d'imprimeurs humanistes, a imprimé en 1560 le *Chant pastoral sur la mort de J. du Bellay* et, l'année suivante, les poèmes anonymes en faveur de Condé (voir t. I, p. 155). Il ne pouvait se contenter de réaliser l'impression matérielle du *Tumulus* : il participe à cette déploration en helléniste, en humaniste ; il fait parler le tombeau, qui demande qu'on ne l'interroge pas : « *je ne renferme rien d'autre que des os, c'est le Ciel qui l'héberge* ».

2   Le titre indique que c'est la traduction en grec du fameux quatrain de Ronsard (V), mais à partir de la paraphrase latine libre de Passerat (IIIc).

1   L'auteur, comme Desportes, s'adresse à un passant, qui s'arrêterait devant la tombe.

2   A rapprocher des « os » et du « rien d'autre » de R. Estienne (XVIa).

3   *ayes* (2ᵉ pers. subj. prés. de *avoir*) *envie* : le marbre du tombeau, de belle apparence mais inanimé, n'a rien qui puisse te faire porter un intérêt passionné à ce qui n'est qu'un espace matériel (cf. v. 11 et, supra, pièce n° III, v. 12).

4   L'invitation à pleurer rappelle les v. 2-5 du poème de Passerat (IIIc). *Atropos* est la Parque qui coupe le fil (voir p. 314, n. 4) – *avare* = avide.

5   *lieu* est sujet ; *comprend* signifie *enserre*.

6   *pourpris* signifie *territoire, séjour,* et la lune est *mortelle* comme aussi toutes choses sublunaires. On pourait supposer que *poupris* évoque la couleur pourpre : Belleau dans l'*Hyver* (t. IV, XIV², n. 7 et 16) parle d'une *ceinture teinte en* pourpre *sanguin, comme il avient souvent / A l'entour de la Lune...*

7   Guy Le Fèvre de La Boderie (1541-1598), issu d'une famille normande, est un poète (il a écrit des odes pindariques), un traducteur (Marsile Ficin, Dante) et un polyglotte. Il se présente comme « Interprète aux langues pérégrines », dans *La Galliade* (Paris, 1578), où il fait l'éloge de Belleau. Parlant du temple de Mémoire, mère des Muses, il exprime un vœu (p. 125) : *Sur chacun un pillier soit BAÏF et BELLEAU / Et sourgeonne du pied la source de belle eau / Non pas de l'Hyppocrene, ains de liqueur plus vive / /Qui ruisselle tousjours d'une douceur naïve.*

GLOSSAIRE

REFERENCES
– Les références renvoient au numéro que nous avons
attribué à la pièce suivi du numéro du vers ou de la ligne.

à tant : alors, *passim*

aborder (s') à qqn : s'adresser à, VI -1, 54

aboutissant (de) : terminé par, XVI -9, 37 ; XVIII -5, 45

accident : aventure, événement, XVII -3, 83 ; XVII -4, 100 ;
XVII -5, 23 ; XVII -11, titre, etc.

accoiser : calmer (au sens matériel), XVI -5, 189 ; *s'accoiser,*
XVI -12, 105 ; XVII, -3, 20

accomplie : parfaite, XVI -11, 53

accort : habile, avisé, gracieux, XVI -9, 13 ; XVI -10, 140 ;
XVI -13, 113 ; XVI -18, 26

accostable : accueillant, bienveillant, XVI -3, 254

accoustrement : costume, XVI -8, 12 ; XVII -5, 87 *(fig.)* ; XVII
-6, 91

accroches : crochets, XVI -3, 17

accrochemens : accrochages, liaisons, XVI -3, 150, 204

acquerre : acquérir, XVI -18, 16

addresse : direction (vers), XVI -6, 165 ; instructions, personne
ou chose qui guide, XVII -6, 65

adestre, adextre : habile, XVI -13, 74 ; XVII -12, 25

adonner (s') : se présenter, XVII -11, 61

ælle : aile, III, 59

aelleron : petite aile, XVI -5, 87 ; XVI -7, 43 ; XVI -9, 31, etc.

affollement : choc, blessure, XVI -9, 88

agencer : parer, disposer de la manière qui convient, XVI -1,
135 ; 216 ; XVI -5, 129 ; XVIII -5, 21

agravez : alourdis, accablés, XVI -5, 174

aiglantine : d'églantier, XVIII -3, 8

aigrement : de façon désagréable, XIV -5, 7, 127 ; XVI -3, 192

aigres (douceurs) : douloureuses XIV -2, 2

aigreur : amertume, âpreté, XIV -5, 85 (Cotgrave : *Sharpnesse, tartnesse, eagernesse, sowernesse*)

ains : mais, *passim*

aise (*subst. masc.*) : contentement, XVI -12, 63

alaines : souffles, VI -4, 8

allaigresse : vivacité, vigueur, XVI -4, 125 ; XVI -6, 155 ; XVI -9, 10

allarmes (*masc. ou fém.*) : appels aux armes, XVI -14, 15 ; combats, XVI -17, 8

allegeance : allègement, soulagement, XVI -10, 160 ; XVII -6, 14

allenter : rendre moins vif, calmer, XVI -7, 39

alme : nourricière, XVI -1, 130

alterées : qui donnent soif, XVIII -2, 57

alumée : éclairée, XI, 85

amender : réparer, expier, XVII -11, 22

amollir : s'amollir, XVI -2, 153

amortir : éteindre, VI -1, 97 ; XVI -2, 172 ; XVII -9, 36

animer : donner la vie, III, 7 – exciter, XIV -6, 32 ; ébranler, XVI -1, 312

annelets : disposés en anneaux, bouclés, XVI -13, 30 ; XVIII -7, 35

apparoir : apparaître, se montrer, XVII -9, 12

appris : instruit et de bonnes manières, XVI -6, 168 ; XVI -7, 49 ; XVI -13, 47 ; XVI -15, 54 ; (mal apprise), VI -1, 168

arain : airain, XIV -5, 108

Archerot : petit archer (= Amour), XVI -9, 28 ; XVI -14, 36

arenes : sables, XVI -11, 56

argentine : qui a la couleur de l'argent, VI -5, 6

armez (champs) : garnis de brins d'herbe, VI -5, 41 – (navires) :
   bien équipés, XI, 80
art (sans) : sans intervention, VI -5, 40
artifice : habileté, art consommé, XVIII -4, 52
aspic : sorte de lavande, XVIII -5, 101
aspiré : inspiré, II, 3
assaisonné (à) : harmonisé à, XIV -5, 46 ; arrivé à maturité,
   XVI -6, 85
asseré : acéré, XVI -14, 20 ; XVII -12, 57
asseuré de : à l'abri de, XVI -5, 219-220
assinée à : qui dépend de, XIV -5, 14
assis : placé, XVIII -2, 82 ; XVIII -6, 99 ; XVIII -8, 28
assopir : éteindre, réduire, XVI -16, 20
assortis : disposés, XVI -3, 172
atant : voir *à tant*
attrainer : entraîner, XVI -10, 84
aucuns : quelques-uns, XVI -2, 55 ; XVI -20, 19
aurillées : rendues capables d'entendre, XVI -5, 185
aussi que : puisqu'en plus, VI -1, 15
avancement : avantage, profit, XVI -10, 54
avancer (de) : se hâter de, XVIII -8, 58
avanchien : constellation qui se lève avant la canicule, VI -1,
   121
avant : en avant (terme d'exhortation), XVIII -3, 69
avanturer : exposer, faire courir un risque à, XVI -5, 63
avare : avide, XVI -2, 63 ; XVI -4, 97 ; XVII -4, 92, etc.
avarement : avidement, XVII -3, 74
avettes : abeilles, XVI -4, 113
avient : arrive, III, 41
Aymant : amant, XVI -2, 189

ballon : petite balle de plomb, XVI -5, 155, 167
balloyer : balayer, XVII -3, 19

banderole : bandeau, XVI -9, 33. Sens non attesté dans Huguet

basme : baume, onguent, XVI -5, 162 ; odeur agréable, XVI -20, 30 ; XVIII -2, 2 et 15 ; XVIII -5, 102

batail : battant de cloche, XIV -5, 113

bavoler : voler bas, voltiger, XVI -9, 29 ; XVI -16, 2

bechée : forme usuelle pour *becquée*, XVI -5, 194 ; XVI -17, 20

becquer : toucher du bec, XVI -1, 19

benin : favorable, XVI -15, 52

bers : berceau, XVIII -7, 46

bestes : êtres rustres, VI -1, 76

beuvoter : boire à petits coups, XVI -15, 22

bigarrement : grande variété, XVI -13, 24

blanc en blanc : droit au but, VI -1, 61

blandices : paroles caressantes, XVII -4, 56 ; XVIII -8, 37 ; *Blandice* : allégorie de la Séduction, XV, 44

blasonner : critiquer, XVIII -5, 59 ; XVIII -7, 5

bosselus (tertres) : bosselés, VI -1, 3

bossues : bosselées, dont la surface est inégale, XVI -6, 2,98

bouchée : récurée avec un bouchon, XIV -5, 106

bouillon : bouillonnement, ardeur, XVI -3, 140

bouquin : bouc, XVI -1, 172

boutefeu : incendiaire, VI -4, 11

branchüe (forest) : pourvue de branches, VI -2, 95

brasser : préparer, XVI -7, 37 ; XVI -15, 63 ; XVII -8, 28 ; *se brasser*, XVII -3, 84 ; XVII -4, 116, etc.

bravade : ostentation, magnificence, VI -2, 46

brave : d'inspiration martiale, II, 10 – de haut rang, VI -1, 78 ; insolent, XVI -6, 95

braver : traiter avec insolence, XVII -11, 26

brehain : stérile, XVIII -5, 20 ; XVIII -7, 34

broncher : tomber, III, 17 ; VI -2, 60 ; XI, 119 ; XVI -12, 15

brosser : marcher au milieu des broussailles, XVIII -3, 38 ;
    XVII -9, 73

broüée : brouillard, brume, XVI -8, 25

broüillas : brouillard, XVI -8, 122 ; XVI -10, 125

broüiller : mettre la confusion dans, XVI -13, 118

brunissant : brun, XVIII -3, 90

bruyant : bruisssant, XVI -9, 61

çà bas : ici-bas, XVI -2, 84 ; XVI -3, 21 ; XVI -13, 135

cabinet : pièce réservée à l'intimité, XVIII -4, 22

caboche : tête (*sans connotation familière*), VI -2, 91

cannes : roseaux (de flûtes), XVI -1, 57

canton : coin de rue, carrefour, XVIII -4, 11 ; XVIII -6, 63 ;
    cantons (humides) : régions de la mer, VI -2, 81

carquan : diadème, XVI -13, 56

carriere : chemin, XVIII -7, 56 ; cours d'une rivière, II, 38

cas (faire cas de) : s'intéresser à, XVII -6, 33 ; XVII -11, 27

casse (voix) : cassée, XIV -6, 39 ; XVII -12, 33

cause que : ce qui fait que, XVI -3, 203 ; XVI -4, 82 ; XVI -6,
    71, etc.

caut : astucieux, habile, XVI -5, 38 ; (*mal caut*) : mal avisé, VI -
    3, 8

cauteleux : prudent à l'extrême, XVI -9, 96

caveau : galerie, XVI -20, 4

cavez : creusés, XVI -3, 58 ; XVII -3, 71

ce : cela, VI -2, 20

celle : cette, XIV -5, 109

cel(l)er : cacher, VI -2, 63 ; XVI -2, 73 ; *celée*, XVI -1, 289 ;
    XVI -2, 73 ; XVI -21, 10

certaine : sûre, décisive, XV, 12

certe : certaine, VI -2, 158

chanteresses : chanteuses, XVI -13, 80

charme : sortilège, recette de sorcière, XI, 2 ; XIV -5, 109 ; XVI -2, 149, etc.

chassemarée : mareyeur, XIV -5, 122

chaudement (larmoyer) : abondamment, VI -5, 26

chausse : bas (*subst.*), XVIII -8, 2

chef : tête, XVI -1, 91 ; XVI -5, 159, 168

chenu : de couleur blanche, VI -2, 125

chetif : malheureux, XVI -3, 109 ; XVI -12, 61 ; XVII -4, 79, etc. ; *chetifve*, XVII -3, 110

cheut : 3ᵉ pers. sg. passé simple de *choir* : tomber, XVI -14, 37

chevalerie : cavalerie, XVIII -2, 74

chevance : richesse en nature, opposée à l'argent disponible, XVII -4, 59 et 153 ; XVII -9, 40

chevrepiés : divinités aux pieds de chèvres, VI -1, 19

chevriers (*adj.*) : aux pieds de chèvres, VI -2, 89

choisir : distinguer, reconnaître, XVI -3, 42

cil : celui, III, 49, *passim*

claquet : crécelle annonçant l'approche d'un lépreux, XIV -5, 116

cœur, cueur : courage, *passim*

coffin : panier, corbeille, XVI -1, 191

coi (pris adverbialement) : sans faire de bruit, XVII -12, 39

coin : endroit, XIV -5, 3

colere (*adj.*) : en fureur, II, 8 ; XVI -1, 79 et 239 ; XVI -13, 129

colere (*subst.*) : poussée de bile, fureur, XIV -5, 85

colet : collerette, XVI -9, 15

collonnette : petite colonne, XVI -15, 39

comedie : pièce de théâtre, XVII -3, 10

compas (au) : à la perfection, VI -2, 141 ; selon un rythme régulier, XIV -5, 32

compasser : disposer, ordonner, XVIII -5, 22 ; *compassées* : bien proportionnées, XVIII -6, 103 *complaintes* : plaintes, II, 13, 106

complant : plants d'arbres, de vigne, XVII -4, titre ; 24

concevoir : faire naître, XVI -2, 27

confire : apprêter, XVIII -5, 84 ; *(se confire)*, XVIII -6, 6 ;
     confit : sucré et épicé, XVII -9, 11 ; *confit (de)*, XVII -7,
     70 ; XVII -12, 2

confusion : désordre, VI -2, 158

conjurer : maudire, X -2, 89

consommer : consumer, détruire, XVI -2, 12

constamment : avec fermeté, XVI -2, 159

contant (tout) : (= tout comptant) : tout de suite, XVII -8, 32

*conte (*faire conte de*)* : estimer, priser, XVI -19, 7

contesture : composition, XVI -3, 126

contrefait : imité, XVII, 1, 68 ; *contrefaitte* : représentée, XVI -
     9, 30 :

contregarder : préserver de dommage, surveiller, XVI -11, 83 ;
     XVII -6, 67

contremont : vers l'amont, II, 39

contr'imiter : imiter, reproduire, XVI -6, 95, 126

controuver : inventer, XVI -1, 45

corbe : courbe, VI -2, 71 (*var.*)

corcelets : cuirasses, XVI -2, 110

cordonner : tresser, XVI -9, 6

corne (d'une lanterne) : lame en corne transparente pour
     protéger la flamme, XI, 90 ; *cornes* (d'une armée) : ailes,
     VI -2, 118

cornette (des avocats) : coiffure (large et longue bande de soie),
     VI -2, 145

cornichons : petites cornes, XVI -1, 188

cornudise (création de B.) : ensemble de tout ce qui a un rapport
     avec la corne, VI -2, 162

cornuë : pointue, XVI -1, 18

cotonner : prendre l'aspect d'un duvet, XVI -3, 64 ; XVIII -6, 83

coulant (subst.) : cours, courant, XVII -13, 1 ; XVIII -6, 81 ; XVIII -8, 34

couler : laisser s'écouler, XVII -6, 60

coulons : pigeons, XVIII -5, 4

coupeau : colline, III, 49 ; sommet, XVIII -2, 98 ; XVIII -4, 63

coupler : accoupler, joindre, XVI -1, 211 ; XVII -4, 84 – *se coupler*, XVI -3, 207 ; dents bien *couplées* : dents bien jointes, XVIII -5, 13

courant (laqs) : nœud coulant, XIV -5, 5 (Cotgrave : *laqs courans* : a noose, grinne, snitle, running knot)

courriers : êtres qui se déplacent rapidement, XVI -1, 18 ; XVI -3, 199 ; XVI -4, 78 (nuages poussés par le vent) – *courriere* : messagère, XVI -7, 17 ; XVI -17, 1 ; *Courriere* : celle qui court, la lune, XVIII -7, 55

courroy : préparation (chose préparée), XVI -2, 114

cours : écoulement, XVI -8, 136

courtinées : disposées à la manière d'une tenture, XVIII -2, 42

coustaux : coteaux, XVI -1, 311 ; XVIII, 2, 55

cramoisine : d'une couleur vive, XVI -6, 59 ; XVIII -5, 25

crespe (adj.) : frisé, XVI -5, 56 ; XVI -9, 72 ; XVIII -7, 27

crespe (subst.) : poil frisé, XVI -7, 28 ; XVII -4, 117

cresper : onduler, XVI -8, 40

crespillons : boucles, frisure, XVIII -5, 3

crespines : boucles, XVI -13, 29 ; XVIII -5, 9 – feuillage frisé, XVI -5, 98

crin : cheveu, XVI -5, 81 ; XVIII -3, 88

croche : crochue, XVI -10, 52

croissent (te) : poussent sur ton front, VI -2, 119

crol(l)er : faire tomber, VI -2, 98 ; secouer, XVI -1, 167

cropion : arrière-train, XVI -13, 108

crosse : canne au bec recourbé, XIV -6, 41

crousteau : croûte, XVII -12, 4

*crucher (*se) : s'accrocher, XVI -3, 69 (halte d'un essaim)

cuider : croire, XVI -9, 56 ; XVI -20, 13

cuissené (Bacchus) : né de la cuisse (de Jupiter), VI -2, 41

cure : soin, XVI -13, 98

curieux (de) : prenant soin de, désireux de, XVII -9, 67 ;
curieuse : minutieuse, XVII -3, titre

damoiselle : fille ou femme d'un certain rang, VI -5, titre

dards : flèches, XVI -14, 2

débander (se) : se séparer, XVI -3, 222

débort : débordement, XVI -1, 100

decoupez : modulés, XVI -7, 16

dedans (*préposition*) : dans, XVI -1, 282 ; XVI -3, 16 ; XVIII -
6, 36 ; XVIII -7, 19

defaillir : manquer, faire défaut, XVII -8, 4 et 6

defaut (en) : induits en erreur (*vénerie*), XVI -1, 265

degoiser : chanter, gazouiller, XVI -7, 15

deliberer : (+ infin.) décider de, XVI -9, 45

delivre de : exempt de, XVII -13, 38

dementir (se) : s'écrouler, XVII -12, 59

démis : privés de, XVII -11, 31

demordre : lâcher, abandonner, XVI -2, 94

demourray : futur de *demourer* : demeurerai, VI -1, 186

denteleure : les dents d'un peigne, VI -2, 135

departir : répartir, distribuer, III, 23 ; XVII -9, 91 ; XVII -9, 66,
etc.

dépite, despite : fâchée, XVI -15, 105 ; XVIII -6, 46 ; *dépité,*
XVI -6, 77 ; XVI -16, 10

dequoy (avoir) : de l'argent, des biens, XVII -9, 39

desastre : accident, malheur, XVI -9, 67

desastré : qui est sous l'influence d'un mauvais astre, infortuné, funeste, XVII -6, 18

desbordé : excessif, XVII -9, 11

despendre : dépenser, XVI -5, 41 ; XVII -5, 17

desserrer : ouvrir, XVI -8, 17

dessous : sous, XVII -12, 32 ; XVIII -3, 75 ; XVII -9, 22 et 62

dessus : sur, XIV -5, 15

de(s)tramper, détramper : tremper, diluer, XVI -10, 123 ; XVI - 2, 71 ; XVI -4, 135 – adoucir, réduire, XVI -1, 2 ; XVI -3, 258 ; XVI -5, 261, etc. ; *se détramper* : se tremper, XVI - 15, 24 ; *detrampé (de)* : mélangé de, XVIII -7, 38

dextrement : adroitement, XVI -1, 210

diaprée : richement ornée, XVI -10, 101 ; XVI -13, 20

dispenseur (subst.) : prodigue, XVII -7, 56

dispos : en bonne position pour agir, VI -1, 35

distiler : tomber goutte à goutte, XVI -3, 59 ; *se distiler*, XVIII - 6, 47 ; (de myrrhe) : laisser couler (la myrrhe) goutte à goutte, XVIII -6, 40 ; 96

dodiner : se balancer, XVI -1, 167

doncques : donc, *passim*

doucereux : doux (sans idée défavorable), XVIII -8, 45

douer : doter, XVI -13, 90

dous : docile, XIV -5, 92

douteus (esprit) : inquiet, craintif, VI -3, 7 – (événements) : inquiétants, XI, 103 – (oracles) : obscurs, qu'on peut interpréter différemment, XVI -5, 143

dresser : diriger, XVI -1, 37– adresser, XVI -8, 60 – établir, XVI -10, 66

driller : scintiller, XVI -2, 24

drogue (non péjor.) : médicament, XI, 2

duire : accoutumer, XVII -9, 44

durer (infin. substantivé) : durée, XIV -6, 19

échaffaut : scène, II, 12

écharpe : ensemble d'astres en forme de traînée, XI, 86

emaillé : vivement coloré, III, 10 ; VI -2, 80 – *s'esmailler* : se parer, VI -5, 37

échaufée : brûlante, II, 16

échauguette : guérite de guetteur bâtie dans un rempart, affût, VIII -1, 8

élangouré : devenu languissant, XVI -1, 306 ; XVI -7, 4

embasmer : parfumer, honorer, III, 32 ; XVI -5, 126 ; XVI -7, 14 ; etc.

embourreure : rembourrage, XI, 109

embuscades : rendez-vous secrets, XIV -5, 10

emmoussez : couverts de mousse, VI -2, 85 ; XVI -3, 12

emoulu (frais) : nouvellement aiguisé, XVI -9, 50

empennez : garnis de plumes, XVI -5, 79

emperler (s') : se parer de perles (fleurs), VI -5, 38 ; devenir perle, XVI -4, 60

empestées : infectées d'une maladie contagieuse, XVI -21, 34

empierrer : transformer en pierre, XVI -1, 280 ; XVI -2, 126 – devenir pierre, XVI -1, 279 ; XVI -7, 104, 113 ; XVI -8, 67

empietter : s'emparer de, XVI -3, 202

empongner : empoigner, XVI -9, 49

empraintes (part. pass. de *empraindre*) : imprimées, marquées, XVI -10, 120 ; XVI -13, 92 ; XVII -12, 60

emprise : entreprise, expédition, VI -1, 30 ; VI -2, 65 ; XVI -19, 29 ; XVII -6, 22

encofreure : ce qui est propre à contenir, enveloppe, VI -2, 136

encontre (préposition) : contre, XVIII -4, 48

encorder : accrocher la corde à l'arc, VI -1, 53

encornée (lanterne) : abritée par une boîte en corne, VI -2, 131

encornure : garniture de corne, XVI -16, 9

encourtinée : entourée comme d'un rideau, XVI -13, 5

endormoire : qui endort, XVI -9, 1. (seul ex. dans Huguet : peut-être néologisme)

enduire : digérer, XVI -6, 116

enferrer : percer (un cœur), VI -1, 70 ; XVI -3, 159

engarder : empêcher de, préserver, XVI -1, 283

engorger : faire entrer dans la gorge, avaler, XVI -17, 24

engraissée : remplie d'une substance grasse, XVII -12, 43

enlassée : entrelacée, XVI -13, 82

ennuy : affliction, douleur, XVII -4, 76

enpoint : dispos – *bien enpoint* : en bon état physique, XI, 41

enrouiller : livrer à la rouille, VI -1, 63

ensemblément : ensemble, en même temps, XVI -21, 48

ensucré : sucré, XVIII -2, 4

entamée : ouverte, fendue, XVI -8, 104

enter : greffer, VI -2, 40 ; XVI -6, 114 ; XVI -15, 37

entiers : sincères, XIV -5, 72

entrefendu : fendu, XVI -1, 231

entreluire : luire au milieu de quelque chose, XVI -10, 129

entrepas : allure douce, intermédiaire entre le pas et le trot, XI, 7

entre-pousser (s') : se pousser l'un l'autre, XVI -3, 199

envenimée : venimeuse, XVI -8, 113 ; XVI -13, 106

épargne (pour) : pour faire l'économie de, XI, 22

époinçonné : aiguillonné, ému, XVI -1, 175 ; XVI -4, 49 ; XVI -5, 3 ; XVII -6, 25

époint (de) : frappé par, XIV -5, 59

ergottez : munis d'ergots, XVI -1, 229

erreur : voyage, errance, VI -3, 10

ès : dans les, VI -2, 81 ; XVII -5, titre

escarlatte : sorte de drap dont la teinture (ici peut-être bleue) était de qualité supérieure, XVIII -4, 57

escarlatin : de couleur écarlate, XVI -17, 48 ; XVIII -8, 32 *eschange* : métamorphose, VI -1, 159 ; XIV -6, 20 ; XVI -8, 1 ; XVII -5, 55 ; XVII -6, 82

eschanger : transformer, XVI -2, 152 ; XVI -5, 272 ; XVI -15, 65

esclarci : plus brillant, plus clair, XVI -12, 38

escouler : s'écouler, VIII -1, 6 ; XVI -1, 92, 297 – *s'escouler* : se glisser, descendre, XVI -1, 92

esgaré : à l'écart, éloigné (des sentiers battus), XVI -1, 11

esjouir (s') : se réjouir, XVII -5, 40 ; XVII -7, 76 ; XVII -13, 45, etc.

eslite (part. passé du verbe *élire*) : choisie, excellente, XVI -5, 2

espandre (s') : se répandre, XIV -2, 5 ; XVI -20, 7

espanir (*trans.*) : épanouir, XVIII -8, 58 ; *espani* : XVIII -2, 9 ; XVIII -6, 95

espargne (œuvre d') : taille des métaux ou du bois, qui fait apparaître des parties en relief, XVIII -2, 88

espineux : douloureux (ou subtil), VI -1, 49

espoint (d'un désir) : aiguillonné par, XIV -5, 59 ; XVI -3, 85, 115 ; XVI -12, 98

espreignant : part. prés. du verbe *espraindre*, presser, XVI -1, 296

esprouver : vérifier, XVII -4, 9

estancher : faire cesser, calmer, XVI -5, 43 ; XVI -14, 53

estofée, étoffée (de) : ornée, garnie, VI -2, 112 ; XVI -1, 181

estomach : poitrine, II, 8

estonnemant : commotion, frayeur, XVI -5, 227

estoupc : objet sans valeur, *d'où* bourde, mensonge, VI -2, 120

estourdies : très fatiguées, XVII -13, 29

estrain : litière d'herbe sèche (Cotgr. "straw, litter, fodder of straw"), XIV -5, 107

estrange : étranger, III, 54 ; XIV -6, 19 – qui est d'une autre espèce (bête par rapport à l'homme), VI -1, 160 ;

(hazards) : dangers courus à l'étranger, XVI -1, 31 ; (*subst.*) : XVII -6, 81

estranger : détourner, XVI -11, 27 – (la gloire) : la répandre, l'exporter, VI -1, 24 – *s'estranger* : s'éloigner, s'exiler, XI, 131 – *estrangeant* : changeant, VI -1, 165

estriver : chercher querelle, lutter, XVI -10, 38 ; XVII -4, 34

e(s)venter, éventer : renifler, suivre à la trace (*vénerie*), VI -4, 18 ; XVI -3, 35 ; 134 ; XVIII -3, 42 ; *éventées* : débarrassées du poison qu'elles contiennent, XVI -21, 35

etoffe : structure, III, 48

étoiller : briller, XI, 91

étonner : paralyser, VI -5, 36

etouffés : disparus, III, 39

etourdir : fatiguer, importuner, XIV -5, 9

eventail : action d'éventer, XVIII -8, 68

evertue : anime, excite, VI -2, 11

exercice (des vents) : ce qui pousse à entrer en action, XVI -2, 161

faintise : hypocrisie, VI -1, 84

fan : orthogr. de *faon*, petit de la biche ou d'un animal quelconque, XVI -1, 187 ; XVIII -3, 41, etc.

fanir (part. prés. *fanissant*) : se faner, XVI -5, 173

fantasie : imagination, esprit, XI, 17 et 73 ; XVII -4, 12

farder : colorer, XVI -12, 80

fascher : incommoder, déplaire, VI -1, 124

fa(s)cheux : pénible, désespérant, VIII – 2, 13 ; XVII -3, 109 – indocile, détestable, VI -1, 136 ; XIV -5, 22 (Cotgrave : « Offensive, troublesome, tedious, importunate ... »)

fatal, fixé par le destin, XVI -7, 1 ; XVI -14, 44

faucillons : dim. de *faucilles*, XVI -1, 115

faute (à faute de) : faute de, XVII -9, 42

faveur : bienveillance, protection, VI -5, 43

favorit de : béni par, III, 44

feinte : représentation, fiction, XI, 41

felonnes : cruelles, violentes, XVI -5, 189

ferré : de fer, dur et froid comme le fer, XVI -3, 110 ; 259 – (*fig.*) : implacable, XVI -7, 100

ferronnieres : contenant du fer, XVI -3, 246

fier : farouche, II, 7 ; XVI -5, 190 ; XVI -15, 9 ; XVI -19, 44, etc. (Cotgrave : « Fierce, eager, bloodie ⋯ ») – redoutable, XV, 36

fierement : férocement, cruellement, XVI -8, 100 ; XVI -13, 130

fievreux : de fièvre, XV, 27

filandres : fibres longues et coriaces, XVI -10, 136

finet : finaud, XVI -9, 45

flair : parfum, XVIII -8, 45

flamboyant : qui lance des flammes, VI -5, 25

flammeuse : marquée du feu natal, XI, 66

flanc à flanc : côte à côte, XVIII -7, 31

fla(t)ter : caresser, effleurer, XIV -5, 76 ; adoucir, XVII -6, 10

fleurant : exhalant une odeur, XVIII -2, 9 et 95 ; XVIII -3, 67 ; XVIII -5, 80, etc.

fleuron : fleurs, XVI -13, 20 ; XVIII -4, 48 ; XVIII -3, 6

fleurotieres : êtres qui vont de fleur en fleur, XVI -8, 13

fleuteur : joueur de flûte (Pan), VI -2, 90

florir (imparf. *florissoit*) : être en fleur, dans sa vigueur, XVI -12, 4 ; XVII -4, 40 ; XVIII -8, 66 ; *florie* : XVIII -8, 30 ; *florissant* : XVIII -8, 64

foiblette : dim. de *faible*, XVI -9, 3 ; XVII -12, 14

fois (une) : un jour, XV, 31

folastre : en désordre, XVI -13, 32

Folletons : esprits follets, XVI -2, 137

fontaine : source, VI -4, 4 ; XVIII -8, 24

fontainette : dim. de *fontaine*, XVI -2, 31

fontainieres (pucelles) : (divinités) des fontaines et sources, VI - 1, 18

forbanni : banni, XVII -5, 53

forcé : cerné, pris au piège, XVI -1, 251 ; forcé (de) : maltraité avec violence par, XVI -2, 100

forgeronne (*adj.*) : qui forge, XVI -2, 17

forissu : qui est sorti, qui a été banni (de son pays), XVI -9, 25

fortune : sort, et ici infortune, VI -3, 16

foulé : souffrant, fatigué, XI, 36

fourchu (antre) : grotte pourvue de plusieurs issues, VI -1, 7

fourment : froment (dans un sens plus large qu'aujourd'hui), XVIII -8, 14

fourmentiere : qui produit du froment, XVI -1, 114

fourvoyer (*intrans.*) : s'écarter de la route, XVI -1, 174

foussoyer : creuser, XVI -1, 136

fouteaux : hêtres, VI -4, 2

fraichin : vent frais, XVI -3, 54

franc : libre, exempt de, XVI -8, 135 ; XVII -11, 16

frape : marque d'un sceau, XIV -6, 43

frayer : frotter, XVI -6, 144

fraude : tromperie, fourberie, XIV -5, 69

fredons : chants, XVI -7, 16

frenaisie : folie, XI, 18 ; XVII -4, 11 et 84 ; XVII -6, 54, etc.

fretillars : frétillants, XV, 46

frez : frais, XVIII -2, 60 ; XVIII -5, 12

friande : agréable au goût, XVI -3, 93

frissonner : faire frissonner, VI -1, 124

froidureus : froid, glacial, XVI -5, 123 ; XVI -11, 6

froisser : briser, XVI -1, 78, 296 ; XVI -8, 119 – *froisser (se)* : se briser, XVI -12, 55 ; XVI -15, 98

front : orgueil, II -9 – surface, XVI -5, 118

fruitages : fruits, XVI -8, 22

fueillades : abris de feuillage, XVI -1, 226

fumeuse : violente, irritée, XVI -21, 59

fureur : folie, XVIII -4, 15 ; inspiration poétique, I, 1 ; II, 3

furieux : qui donne la folie, XVI -1, 141 ; XVI -2, 135

fustes : navires légers, petites galères, XVI -1, 110

gaillard : plein d'ardeur, VI -1, 19 ; robuste, XVI -19, 3

garantir : protéger, XV, 30

garses : jeunes filles ou nymphes, VI -1, 19

gaste-raisin : qui dévaste les vignes, XVI -1, 186

gaucheres : qui sont à gauche (du Bélier) ? ou sinistres, défavorables ?, XVI -7, 9

gaudir : se réjouir, XVII -5, 14

gazons : blocs, tas VI -2, 107

gendarmes : guerriers, XVI -14, 18

genereuse : de race noble, XV, 2

gente : charmante, VIII – 1, 3 ; XVI -3, 5 ; XVI -5, 230 ; XVIII -8, 1, etc. – (nature) : noble, XI, 50

gentil : noble, III, 43 ; XV, 1 ; XIV -5, 80 ; XVI -5, 34 ; XVI - 15, 79, etc.

germe (fig.) : descendant qui perpétuera la race, XV, 13

glace : surface brillante (d'une pierre), XVI -10, 115 ; XVI -13, 91

gommeuse : résineuse, XVIII -5, 54

gourmander : avaler goulûment, XVI -4, 138 ; XVII -7, 47

grace : le fait d'être le favori de qqn, XIV -5, 23

grasset : dodu, XVI -1, 132 ; XVIII -8, 13

gravois : gravier, XVI -1, 147 ; XVI -3, 244

gredillé : frisé au fer, crêpé, XVIII -5, 3

Gregeois : Grecs, XVI -1, 27 ; XVIII -8, 48

greves : jambes, mollets, XVIII -6, 103

grever : accabler sous un poids, VI -1, 134

grosset : charnu, XVI -17, 47 ; XVIII -5, 26

guarir : guérir, XVI -10, 157 ; XVII -5, 11

guerdon : sanction, XVII -9, 56

guidon : guide, XVIII -6, 60 ; drapeau, XVIII -7, 61

guinder : élever, XVI -5, 157

guiterre : guitare et, *par extens.*, lyre, XVI -13, 78

hacher : parcourir en battant de l'aile, XVI -1, 94 ; XVI -9, 67

haslée : brûlée, XVI -10, 82 ; XVI -10, 88

hautains (vers) : en style élevé, II, 10

hautesse : grandeur du pouvoir, XVI -19, 35

hazards : dangers, risques, XVI -1, 31 ; (s'employer sur le *hazard de*) : attendre que se présente, XVI -17, 22-23

herbier : herbage, XVI -1, 96

herisser (*intrans.*) : se hérisser, XVI -10, 10 ; *herissez* : aux cheveux ébouriffés VI -2, 86

heur : bonheur, XVI -1, 275 ; XVII -3, 3 ; XVII -4, 18, etc. – propriété bénéfique, XVI -16, 19 – biens, XVII -4, 155 – adresse, XVI -16, 24

heure (à l') : sur l'heure, XVI -16, 12

honneur : réputation, XIV -5, 23 ; XVI -12, 8 ; *honneurs* : civilités, règles du savoir-vivre, XVI -12, 104 ; ornements, XVI -4, 149 ; XVI -10, 102 ; XVI -11, 127

honteux : timide, XVIII, 7, 26

hors : à part, hors de, XIV -1, 2 ; *hors de nous* : au delà de nos capacités, XVII -5, 32

hostelieres : hospitalières, XVI -7, 10 – hosteliere (*subst.*) : habitante, XVI -4, 35

hucher : appeler, XVIII -6, 18

huis : porte, XIV -5, 24 ; XVIII -3, 46 ; XVIII -6, 32 ; XVIII -8, 66 – embouchure, XVI -5, 215

humain : bienveillant, compréhensif, I, 6

humeur : humidité, liquide, I, 4 ; VI -5, 7 ; XVI -15, 16 ; XVI -20, 11, etc. – maladie, XI, 71 ; XVI -4, 116, 123

icelle(s) : celle(s)-ci, *passim*
image : (*subst. masc.*) fantôme, XVI -5, 74
imployable : inflexible, XVI -3, 32 ; XVI -7, 115
imprimer : représenter, imposer XI, 17 – *imprimer (s')* : s'imprégner, XVI -12, 81
inconstance : irrégularité (dans la démarche), XIV -6, 42
industrie : activité, habileté, XVI -4, 1 ; XVI -19, 47 ; XVII -12, 49
industrieux : habile, VI -2, 140 ; XVI -4, 1
inesperé : imprévu, XVI -14 19
influs : écoulement du fluide astral, influence, XVI -1, 48
injures : dommages, XVI -8, 123
interest : récompense, compensation, XVI -12, 71
invoqué (au secours) : appelé VI -2, 34
issante : qui naît, qui sort VI -2, 43

ja : déjà, XVIII -3, 87 ; XVIII -5, 118
jargon : gazouillis, XVII -3, 63 – langage inconnu, XVI -5, 106
jettons : rejetons, pousses nouvelles, XVI -5, 99
jeunement : prématurément, XVI -6, 89
journalier : qui reparaît chaque jour, XIV -6, 20 – qui ne vit qu'un jour, éphémère, XVI -3, 177

laçons : lacets, XVII -9, 87
lamentable : accompagné de plaintes, XVI -1, 305
lamentant (*transitif*) : se lamentant sur, II, 14
langagers : bavards, XVII -9, 71
lango(u)reus : qui souffre de langueur, malheureux VI -4, 6 ; XI, 104 ; XIV -5, 96

languette : partie qui donne la parole à un instrument de musique (les cordes), XIV -5, 78

langueur : souffrance, XIV -6, 6

larcin : enlèvement, XVI -7, 21, 86

larrons (*adj.*) : qui volent, qui attirent à eux, XVI -3, 224 ; *larronnesses*, XVI -1, 9

larronneau : *dim.* de larron, XVI -9, 94

liqueur : liquide, XVI -3, 59

lodiers : couvertures, couettes, XI, 110

loyer : récompense, VI -2, 109

luc : luth, XIV -5, 98

malasseurée : mal fixée, mal protégée, XIV -5, 121

malheurée : défavorable, XVI -11, 70

malheurtez : événements malheureux, actions méchantes, XVII -6, 19

manie : folie, XVI -2, 142

manier (se) : se tramer, XVII -12, 76

marquer : remarquer, XVII -7, 32

marine : mer, VI -2, 82 ; XVI -3, 53

mariniere (*adj.*) : de la mer, XVI -4, 34 ; *marinier* : marin, XVI -3, 200 ; XVI -5, 45

marteller (*au fig.*) tourmenter sans cesse, XI, 15

matine (trongne) : de chien de garde, VI -2, 47

matté : vaincu, dompté, XVI -15, 21

maugré : malgré, XVIII -4, 23

méchef : malheur, dommage, XVI -5, 167

melancholie : bile noire, XVI -6, 158

menue (troupe) : formée d'éléments de petite taille, VI -1, 112

mercerie : marchandise, XVI - 20, 18

meslier (se) : s'assembler, XVII -13, 22

mesme : surtout, en particulier, XVI -4, 73

mesmement : même, XVI -5, 254

mesnage : économie, bonne gestion, XVI -3, 177 – entreprise, affaire, XVII -7, 57

mesnagere (*adj.*) : qui pratique l'économie, XVI -9, 77 ; XVI - 13, 137 ; industrieuse, XVI -4, 112

mesnager (*verbe*) : organiser, XIV -5, 34 – confectionner, XVI - 8, 5

meu (*part. pass. de* mouvoir) : poussé, XVI - 9, 43

meur : mûrement réfléchi, XV, 10

meurdre : meurtre, XVI -8, 108

meurdrier (*subst.*) : meurtrier, XVI -5, 131 – *meurdriere* : meurtrière, VI -1, 59 ; XVI -1, 190 ; XVI -5, 58, etc.

meurdrir : tuer, XVI -1, 90 ; (*fig.*), XVIII -6, 57

mignard : gracieux, charmant (sans idée défavorable), VI -1, 100 ; XV, 45 ; XVI -5, 88 ; XVIII -2, 7 ; etc.

mignardement : d'une manière gracieuse, XVI -15, 37

mignarder : manier avec tendresse, XIV -5, 76

mignardises : élégances, gentillesses, XVI -13, 37 ; XVI -15, 2, 51 ; XVIII -2, 29

mignon : apprivoisé, en parlant d'un oiseau, VI -1, 105

mignonne : jolie, VI -1, 103

mignotter : cajoler, XVI -13, 16

minerailles : minéraux, XVI -11, 22

miniere : minerai, minéral, XVI -2, 112 ; *minieres* : mines, XVI -2, 54 ; XVI -3, 245 ; XVI -11, 15

moiteux : humide, VIII -1, 2

mo(l)let : doux, VI -4, 2 ; XVI -8, 73 ; XVII -6, 110 ; XVIII -6, 91, etc.

morfondre : pénétrer de froid, d'humidité, XVI -7, 91 ; *morfondu* : abîmé par le froid, XVI -3, 142

morne : émoussée (flèche), VI -1, 67

morner : abattre : XVI -1, 78

moulin : meule, XVI -2, 8

moussu : émoussé, XVII -12, 33

mousselus : garnis de mousses, VI -1, 4

mouvoir (*infin. subst.*) : mouvement, XVI -3, 81 – *au mouvoir*, XVIII -8, 7, quand le sujet se meut

murtelle : myrte, XVIII -5, 101

muscade (adj.) : de raisin muscat, XVIII -2, 97

muscatel : muscat (adj.), XVIII -2, 36 et 81 (voir notes *ad loc.*)

mutin : révolté, furieux, XVI -8, 99 ; XVI -9, 66 – désaccordé, XIV -5, 7

murdri : tué, XIV -6, 35

naïf, naïfve : naturel, VIII -2, 2 ; XVI -12, 46 ; XVI -16, 33, etc.

naseaux : narines, XVI -14, 49 ; XVI -16, 29

navré : blessé, II, 30 ; XVI -1, 61

ne : ni, XIV -5, 32

nerfs : cordes (de la lyre), XVI -5, 81

net : propre, XIV -5, 80

nompareil(le) : sans pareil, incomparable, XVI -1, 20 ; XVI -6, 20 ; XVI -8, 59 ; XVI -13, 86

non, que : seulement (cf. la locution *ne⋯ que*), VI -1, 21

noüer : nager, et par comparaison voler, XVI -17, 11

nourrissement : nourriture, entretien, VI -5, 11

nourriture : éducation, II, 32

nouveau : imprévu, extraordinaire, XVI -5, 233 ; XVI -20, 22

nuë : voile (défaut d'une pierre fine), XVI -2, 190 ; XVI -4, 119 ; XVI -10, 124 ; XVI -11, 99

nuisance (faire nuisance) : nuire, XVI -3, 74

nuitteux : nocturne, XVI -5, 264

obscur (*adj. subst.*) : ton sombre, XVI -2, 33

obseque : hommage funèbre, XVI -1, 305

odoreus : parfumé, XVI -5, 124 ; XVIII -2, 94 ; XVIII -7, 6 –
  odoreux : qui perçoit les odeurs, XVI -3, 41

œillade : regard, coup d'œil, XVI -8, 61

œillader : regarder, contempler, VI -5, 17 ; XVI -5, 173 ; XVI -
  15, 88

offenser : endommager, blesser, VI, 152 ; 164 ; XIV -5, 94 ;
  XVI -3, 232, etc. – *s'offenser*, XVII -12, 30

ombragé : couvert, VI -2, 2

ombrageux : ombreux, qui donne de l'ombre, XVI -7, 79 ;
  XVIII -2, 72 – obscur, XVI -7, 79

oncques : jamais, *passim*

ondez : ondulés, XVI -7, 46 ; XVIII -5, 107

ondoyer : avoir un mouvement de vagues, XVI -14, 24 ; XVI -
  15, 28 ; ruisseler, XVI -13, 131 ; *ondoyantes*, XVI -5, 202

or, ore, ores : maintenant, *passim* – *ores que, or' que* : bien que,
  XVI -4, 25 ; XVI -9, 17 ; XVI -14, 25 ; XVII -4, 135 ; *or
  que soit* : ce n'est rien d'autre que, XVII -9, 39

orphelins (d'honneur) : dépourvus de valeur, VI -1, 26

ost : armée, XVIII -2, 43

ourdir : fabriquer, composer, XVI -3, 126

ourseaux : venant du nord, XVII -13, 15

outrer : remplir d'un amour extrême, XVIII -3, 14 ; *outré* :
  frappé d'un sentiment violent, XVI -1, 145 ; XVI -3, 34 ;
  XVI -5, 98 ; XVI -7, 5

outrepasser : traverser, XVI -3, 197 ; XVI -10, 121

paistre (*trans.*) : nourrir, XVIII -3, 85 ; *paistre (se)* : XVII -8,
  titre, 8 et 13

pamprée : de pampres, XVI -1, 226 ; 293

pantiere : filet pour la chasse, XVII -11, 66

pardes : panthères, XVIII -5, 67

parer (se) : se protéger, VI -3, 14

parestre, paroistre (fait) : fait apparaître, démontre, VI -2, 8 ; XIV -5, 25

partis : divisés, XVI -3, 171

passager (*subst.*) : passeur, XIV -6, 45

passion : souffrance, XVI -12, 84

pavillon : sorte de tente, XVIII -4, 41 ; ruche, XVI -4, 114

paoureux : qui ont peur, craintifs, XI, 72

pecune : richesse en bétail, VI -2, 123

peint : représenté, XI, 61

peinturé : peint de couleurs diverses, XVI -1, 93 ; XVI -9, 68 ; XVII -11, 66

pendillent : pendent, XV, 46 (*var.*)

pensé : pansé, toiletté XI, 39

pere (*au sens lat.*) : auguste, vénérable, XI, 67

perleux : semblable aux perles, XVI -9, 71

perruque : chevelure, VI -1, 143 ; XVIII -6, 21

petit (un) : un peu, XVIII -6, 74

pié (en) : debout, sur pieds, XVI -13, 11

pié-dispos : au pied rapide, agile, XVI -20, 2

pignes : peignes, VI -2, 135

piller : prendre, XVIII -7, 9

pilleresse (fém. de *pilleur*), XVI -1, 34

pince : sabot de cheval, XVI -13, 65

pinceter : pincer délicatement, XIV -5, 76

pipeur : trompeur, XVI -3, 211 ; XVI -11, 79 ; XVI -15, 62 ; fém. *piperesse*, XVI -4, 101 ; XVI -5, 270,

piquiers : soldats armés de piques, VI -2, 115

piteuse : digne de pitié, XVI -7, 116

plain (à) : entièrement, pleinement, XVIII -5, 32

plombée : flèche garnie de plomb, VI -1, 67

plonge : action de plonger, XVI -2, 72

plongeons : plongeurs, XVI -4, 98

ployable : disposée à se laisser fléchir, XVI -2, 187

poil : chevelure, XVI -7, 52 ; fil d'une ligne de pêche, XVI -3, 213, 214

poilles (ou *paelles*) : poêles, d'où par extension cymbales, XI, 70

poindre : piquer, XVI -10, 159 ; aiguillonner, XVI -5, 151 ; XVI -7, 44 ; XVIII -4, 8 ; attaquer, XVII -9, 72 ; *poingt* (part. passé de *poindre*), XVI -5, 241, 242

poitrir : pétrir, XVI -1, 266 ; XVI -10, 130 ; XVI -13, 140

polir : adoucir, VI -1, 178 ; *pollie* : lisse, XVIII -7, 32

populace (*masc.*) : homme du peuple, VI -1, 172

populaire (*subst.*) : foule, VI -1, 13 ; XIV -5, 65

porter : comporter, être composé de, XIV -5, 66 ; supporter, XVI -12, 59

possible : peut-être, XVI -6, 163

poster : aller très vite, XVI -3, 55

poudre : poussière, III, 18 ; XVI -1, 89 ; sable, XVI -5, 238

poudreuse : pleine de poussière, VI -1, 44

poudroyer : réduire en poussière, XVI -14, 17

poupine : jolie, mignonne, XVIII -7, 40 ; XVIII -8, 2

pour : à cause de, XV, 6 ; en qualité de, comme, XIV -5, 3

pource : pour cette raison, XVI -17, 28

pourmener (se) : se promener, XVI -1, 248

pourpenser : réfléchir à, XVII -8, 5 ; XVII -13, 26

pourprin : de couleur pourpre, XVI -1, 152 ; XVI -6, 58 ; XVIII -3, 7 ; XVIII -7, 36

pourpris : espace ; *le celeste pourpris*, le ciel, XVI -4, 33

pourprissant : empourpré, rouge, XVI -1, 119, 295

pousser : diffuser, III, 58

pratique : utilisation, VI -2, 143

premier : primitif, XV, 38

presse : foule, XVI -1, 6

presser : écraser, XIV -5, 54

pressurage : ce qu'on a obtenu par la pression, XVI -1, 118

pressuré : écrasé, XVI -5, 251 ; XVI -15, 35 ; XVIII -5, 80

preuve : épreuve, XVI -2, 19

prime : première, XVIII -3, 81

print (3ᵉ pers. passé simple de *prendre*), XIV -6, 36

prisée : appréciation, estime, XVI -11, 42

privauté : amabilité, XVI -15, 50

pront (*adj. en qualité d'adv.*) : rapidement, XIV -5, 90

propos (tenir propos de) : parler de, XVII -9, 46

proprement : bien, comme il convient, élégamment, XVIII -5, 92 ; XVIII -6, 105 ; XVIII -8, 3

pucelle (*fig.*) : intacte (eau dont on n'a jamais bu), XVI -1, 22

purger (de) : débarrasser qqn de, XI, 14

quand et : en même temps que, XV, 4

quarte (fièvre) : accès de fièvre, revenant tous les 2 jours, XI, 127 ; (*subst.*), XIV -5, 96

quelquefois : un beau jour, X -2, 39

querelle : plainte, lamentation, XVIII -3, 64

quereleux : geignard, XVI -9, 95

qui : ce qui, XVII -12, 48-49

qui : graphie fréquente pour *qu'il*, XI, 60

quinquailler : cahoter bruyamment (comme des objets de métal), XIV -5, 120

quise (part. passé fém. du verbe *quérir*) : acquise, XVI -18, 41

rabbattre : parer, XVI -8, 116

raboteuse : qui fait des copeaux (ici des vagues), VI -1, 74

racine : racine de plante médicinale, VI -1, 91 ; XI, 2

rais : rayons, VI -5, 33

ramager (se) : se poser, XV, 41 ; *ramager* (*absol.*) : se loger, XVII -12, 38 (pour cet ex., Huguet suggère que le pronom réfléchi peut être omis devant l'infinitif dépendant d'un autre verbe)

ramée : ramure (de cervidés), VI -2, 92

ramer : avoir des branches, XVIII -4, 28 ; *ramées* : pourvues de rameaux, XVII -9, 73

rameuses : pourvues de rameaux, XVI -8, 74

ranc à ranc : par rangées, à la file, XVIII -5, 20

rebluté : tamisé de nouveau, XVII -3, 77

reboucher (se) : s'émousser, s'affaiblir, XVI -3, 138

rebours : rebroussé, hérissé, XVI -3, 159

rechanter : répéter, XVI -5, 200

recrespez : frisés, bouclés, XVIII -6, 77 ; XVIII -8, 33

recuire : chauffer longuement, XVI -1, 2 ; XVI -10, 156 ; XVI -21, 60

refraischir (se) : reprendre des forces, XVI -1, 7 ; XVIII -4, 42

refus (*vénerie*) : cerf de refus = de 3 ans, VI -1, 68

rejettons : jeunes rameaux, III, 7

remarqué : signalé, XV, 26

remparé (de) : fort de, protégé par, XVI -18, 21, XVIII -8, 15

renclos : enfermé, XIV -5, 129

rencontre (de bonne rencontre) : accueil jovial, digne d'un plaisantin, XIV -5, 82

rendurcir : endurcir, XVI -3, 176 ; XVI -7, 96

renglacer : glacer à nouveau ou davantage, VI 5, 9 ; XVI -3, 120

repairer : retourner, revenir, XVIII -2, 68 ; XVIII -5, 68

repaistre : nourrir, XVI -10, 94 ; *repaissoit* (de) : remplissait, VI -2, 5

replis : secrets, formules mystérieuses, XVI -5, 143

repoitrir : pétrir, labourer de nouveau (une terre non ensemencée), XVI -1, 115

repos : paix, XV, 32

république : état, VI -2, 144

repurger : purifier, débarrasser de, XVI -6, 157

resoudre : rendre certain, XVII -9, 96

ressuyer : essuyer, XVI -1, 152

resveur : soucieux, déséquilibré, XVI -6, 155 ; XVI -9, 96 ; XVI -15, 81

retaille : rognure, XVI -9, 74 ; 78

retaster : tâter, vérifier, XVI -14, 2

retenir : détenir, posséder, XVI -4, 121 ; XVI -17, 31 ; XVI -20, 29 ; mesurer, XVI -18, 35

retors : frisé, XVII -11, 39 ; XVIII -5, 6 ; sinueux ; XVIII -8, 35

retrancher : couper, XVI -3, 173

revenues : pousses nouvelles, XVI -5, 93

revoler : retourner en volant, XVI -7, 110

revont (du verbe **raller*) : reviennent, XIV -5, 48

rigueur : raideur, XVI -1, 255

roide : vigoureux ; rapide, XVI -1, 97

rongearde : qui ronge, XVI -6, 136

rosins : de la couleur de la rose, XVI -4, 24

roüer : tourner, XVII -3, 76

roüille : dépôt, incrustation, XVI -16, 26

rouiller : rouler, XVI -1, 212 ; *roüiller* (se) : avoir la vue obscurcie par une infection, XVI -10, 40

rousoyer : être humide de rosée, XVI -6, 108 ; *rousoyant* : VI -1, 127 ; XVI -8, 89 ; XVI -10, 86

route : déroute, VI -2, 48

ruchotieres : (abeilles) qui habitent la ruche, XVI -8, 14

sablon : sable, XVI -4, 18 ; XVI -11, 7, 49 ; XVIII -7, 78 ;
   sablons, XVI -17, 18 – poussière (de diamant), XVI -2, 75
sablonnieres : terres sablonneuses, plaines de sable, XVI -2, 40
sacquer : tirer son arme, s'armer, XIV -6, 33
sagette : flèche, XVI -1, 158
sain (mal) : malade, VI -3, 8
sains : saints (*graphie*), XI, 96
saison : temps, époque, VI -1, 178
saline : salure, XVI -3, 54
sallement : sans netteté, XVI - 6, 97
sans plus : au contraire, XVI -21, 25 ; seulement, XVII -9, 97
sauteller : sautiller, faire de petits sauts, XVI -1, 161
scabreux, rugueux, XVI -6, 122, 147
second : celui qui suit, qui vient après, XVII -6, 40
seconder : suivre au second rang, XVI -6, 92
sejour : inaction, XVI -1, 142
sentement : odorat, XVI -3, 48
serpentiere : ayant une chevelure composée de serpents, XVI -
   8, 95
serpentin : garni de serpents (tête de Méduse), XVI -8, 86
serre (tenir) : tenir captif, II, 35
serrément : étroitement, XVI -3, 78, 83
service : esclavage (métaphore pour le dévouement à la Dame
   élue), VIII - 2, 9
serviteur : esclave (par métaphore) de la Dame élue, VIII - 2, 6
si : pourtant, *passim* – *si··· que* : si bien que, XVI -2, 27 ; pourvu
   que, XVII -5, 42 ; *et si* : et en effet, en vérité, XVII -9, 69 ;
   XVII -13, 27
signal : emblème, III, 20
soin(g) : souci, VI -3, 7 ; XVI -1, 2, 120 – *prendre en soing* :
   protéger, XIV -6, 36
sommeilleuse : qui endort, XVIII -5, 53

sommiers : poutres (censées soutenir la voûte céleste), XVI -13, 124

songneux : soigneux, soucieux, XVII -4, 47 ; XVII -9, 5 ; XVII -13, 17

sonneurs : chantres, ceux qui célèbrent, XVI -13, 72

sophistiquée : parée artificiellement, XIV -5, 69

sorcellage : sorcellerie, XVI -2, 149

souef, souefve : doux, agréable, XVII -3, titre et 7 ; XVII -7, 90 ; XVII -8, 5 ; XVII -6, 81, etc.

souefvement : agréablement, XVIII -4, 35

souillard (automne) : boueux, malpropre, VI -1, 123

soulas : plaisir, XVI -1, 1 ; XVI -15, 100

Soulerre : vent d'est, XVIII -5, 110

soupirer (*trans.*) : soupirer pour, désirer ardemment, XVII -4, 66 ; exhaler, XVI -20, 30 – *soupirant* : exprimant dans un soupir, II, 25

sourcilleux : élevé, XVI -1, 83 ; XVI -11, 1 ; XVII -3, 71 ; XVIII -4, 34

sourcy : sourcil, VI -2, 2

sous-ris : sourire, XVIII -6, 94

spirables : capables de respirer, XVI -3, 121

subtil : léger, délicat, XVI -9, 22 (*pris adverbialement*) ; à la vue perçante, XVI -5, 195

suc : épine dorsale, parfois nuque, VI -2, 41

succez : suite, résultat, XVI -19, 39

superbe : orgueilleux, XIV -6, 35

surprise (pratiquer une) : posséder une femme indûment et par surprise, VI -1, 167

surattendre : attendre longtemps, XVI -1, 126

surmonter : surpasser, vaincre, XVI -3, 24 ; XVI -11, 33

surmoust : moût, vin doux tiré de la cuve sans avoir été pressuré, XVII -9, 12

surpante : corde, terme de marine, XVI -1, 221

surpendus : suspendus, XVI -5, 98

sursemé : couvert de, XVI -5, 94 ; XVIII -7, 14

survendre : vendre au-dessus de la valeur, XVI -20, 18

survenir : venir, échoir, XVII -11, 47

sus : sur, VI -2, 85

sutil : fin, intelligent, XIV -5, 79

suyvie : poursuivie, XVI -4, 107

table : surface plane que présente une pierre taillée, XVI -6, 63, 121

tabourin : tambourin, XVI -1, 171

tachez (non) : sans marques d'une autre couleur, VI -2, 106

tailler (se) : se répartir en, VI -2, 116

tarde : lente, molle, XVIII -8, 49

targues : boucliers, XVIII -5, 36

terrien : terrestre, XVI -3, 191

test : crâne, XVI -5, 160

tette : mamelle, XVI -2, 119

tirer (se) : se hâter vers, VI -4, 3 ; XVIII -2, 70 – *se tirer arriere* : reculer vivement, XIV -5, 86

tizonnez : tachetés, XVI -1, 211

toilettes : taies de l'œil, XVI -20, 33

tors : bouclés, XVIII -6, 77 ; *tortes* (crinières) : tordues, tressées, VI -2, 85

tortis (*subst.*) : couronne tressée, torsade, XVI -9, 8

tortisse : sinueuse, XVI -3, 90

trac : traînée, XVI -5, 216

tracasser : aller en divers sens, courir de tous côtés, XVIII -4, 13

traf(f)iquer : faire du commerce, XVI -1, 108 ; XVI -13, 101

tragiques : de tragédies, VI -2, 110

train : traînée, XVI -1, 55

traitter (en parlant d'une chèvre) : donner son lait, VI -2, 38

transir : trépasser, être transporté hors de soi, XVIII -3, 23 ;
   transi : comme mort, XVI -5, 187 (de stupeur) ; XVI -12,
   76 (pâle)

trapercer : transpercer, XVIII -6, 23 ; *traperçant*, VI -1, 62

travail : peine, XVII -4, 72 ; XVII -11, 19 ; XVIII -2, 28

travailler : tourmenter, XI, 16 ; XIV -5, 12 ; (*trans.*) : faire
   travailler, XVII -5, 27 ; *travailler (se)* : se donner de la
   peine, XVII -3, 103 ; XVII -6, 34 et 64 ; XVII -9, 72 ;
   travaillé : fatigué, XVIII -6, 14

travers (par le travers de) : à travers, XVII -3, 15-16

trenchaisons : violents maux de ventre, XVI -8, 136 ; XVI -20,
   32

trepiller : sautiller, XVI -5, 104

tressure : tresses, XVI -7, 45

treuver (se) : se trouver, XVI -5, 174, 213 ; XVI -13, 37

tromperesses : fém. de *trompeur*, XVI -5, 269

tronches : troncs, souches, XVI -5, 185

trongne : visage (mais, ici sens moderne), VI -2, 47

trop : beaucoup ; très, *passim* ; *trop mieux* : beaucoup mieux,
   XIV -5, 57

trousser : mettre sur soi un habit, XVI -10, 101

turquin : (bleu) foncé, XVI -12, 39 ; *subst.*, XVI -12, 79

usance : usage, XVI -2, 4

usité : dont on se sert habituellement, VI -1, 161

vague (subst.) : le vide, XVI -1, 160

vaisseau : vase, coupe, verre, XVI -3, 63

venger : punir, XVI -10, 50

vengeresse : qui punit, XVI -4, 100 ; XVI -17, 6

vent (hausser le) : mettre le vent dans les voiles, remplir quelqu'un d'espoir, XVII -12, 16

venteus : rapides comme le vent, XVI -4, 78 ; XVI -14 15 ; XVI -11, 46 ; *venteuse* : vaine, vide, XVI -10, 57 – (honneur) : qui se répand bruyamment, VI -2, 17

ventrée : enfantement, XVIII -5, 17

verd-gay : vert vif, XVI -5, 250

vergongne : honte, VI -2, 9

vergongneuse : honteuse, XVI -10, 149

verm(e)illet : diminutif de *vermeil*, XVI -7, 14 ; XVI -9, 52 ; XVIII -3, 74

verrées : qui ont l'aspect du verre, XVI -3, 218

vert (ladre) : marqué extérieurement par la lèpre, XIV -5, 118

veuf, veufve de : privé de, XVI -3, 183 ; XVI -5, 76

viande : nourriture, XVI -3, 94

violable : pouvant être violé, XVI -1, 29 ; XVI -2, 104 ; 188

vitreuses : semblables au verre, XVI -4, 110

vive : vivante, II, 17

voie : moyen, XI, 123

voille (le) : la voile, VI -3, 10

voler (au voler) : à l'envol, XVI -1, 163

TABLE DES INCIPIT

TABLE DES MATIÈRES

41. BELLEAU, Remy. *Œuvres poétiques*. Publiées sous la direction de Guy Demerson. II: *La Bergerie (1565)* (éd. Guy Demerson et Marie-Madeleine Fontaine). 2001.

42. MARGUERITE DE NAVARRE. *Œuvres complètes*. Publiées sous la direction de Nicole Cazauran. III. *Le Triomphe de l'Agneau* (éd. Simone de Reyff). 2001.

43. PÉTRARQUE. *Bucolicum Carmen*. Texte latin, traduction et commentaire par Marcel François et Paul Bachmann. Avec la collaboration de François Roudaut. Préface de Jean Meyers. 2001.

44. PASQUIER, Étienne. *Les Jeus Poetiques (1610)* (éd. Jean-Pierre Dupouy). 2001.

45. GARZONI, Tomaso. *L'hospidale de' pazzi incurabili. L'hospital des fols incurables*. Traduit par François de Clarier. Texte et traduction princeps présentés et commentés par Adelin Charles Fiorato. 2001.

46. CAUCHIE, Antoine (Caucius). *Grammaire française (1586)*. Texte latin original. Traduction et notes de Colette Demaizière (série *Traités sur la langue française*, dirigée par Colette Demaizière). 2001.

47. BELLEAU, Remy. *Œuvres poétiques*. Publiées sous la direction de Guy Demerson. IV: *La Bergerie, divisee en une Premiere & Seconde Iournee (1572)* (éd. par Guy Demerson et Maurice-F. Verdier). 2001.

48. BÉROALDE DE VERVILLE. *L'Histoire des Vers qui filent la Soye* (éd. Michel Renaud). 2001.

49. PONTUS DE TYARD. *Œuvres complètes*. Publiées sous la direction d'Eva Kushner. I: *Œuvres poétiques*. Édition critique sous la direction d'Eva Kushner. 2002.

50. *Protestations et revendications féminines. Textes oubliés et inédits sur l'éducation féminine (XVIe-XVIIe siècle)* (éd. Colette H. Winn) (série *Éducation féminine*, dirigée par Colette H. Winn). 2002.

51. GOURNAY, Marie de. *Œuvres complètes*. Publiées sous la direction de Jean-Claude Arnould (éd. Jean-Claude Arnould, Évelyne Berriot, Claude Blum, Anna Lia Franchetti, Marie-Claire Thomine et Valerie Worth-Stylianou). 2002. 2 vol.

52. BOVELLES, Charles de. *Lettres et poèmes*. Édition critique, introduction et commentaire du ms. 1134 de la Bibliothèque de l'Université de Paris par Jean-Claude Margolin. 2002. 2 vol.

53. GARNIER, Robert. *Théâtre complet*. Publié sous la direction de Jean-Dominique Beaudin. III. *Cornélie*. Tragédie (éd. Jean-Claude Ternaux). 2002.

54. BAÏF, Jean-Antoine de. *Œuvres complètes*. Publiées sous la direction de Jean Vignes. I. *Euvres en rime*. Première partie: *Neuf Livres des poemes*. Édition critique avec introduction, variantes et notes sous la direction de Jean Vignes, avec la collaboration de Guy Demerson, Perrine Galand-Hallyn, Anne-Pascale Pouey-Mounou et Daniel Ménager. 2002.

55. ESTIENNE, Henri. *Deux dialogues du nouveau langage françois italianizé et autrement desguizé, principalement entre les courtisans de ce temps. De plusieurs nouveautez qui ont accompagné ceste nouveauté de langage (1578)* (éd. Pauline M. Smith) (série *La Renaissance française*, dirigée par Pauline M. Smith). 1980.

56. FRANÇOIS Iᵉʳ. *Œuvres poétiques* (éd. J.-E. Kane) (série *La Renaissance française*, dirigée par Pauline M. Smith). 1984.

57. GRINGORE, Pierre. *Le Jeu du Prince des sotz et de mère sotte* (éd. Alain Hindley) (série *La Renaissance française*, dirigée par Pauline M. Smith). 2002.

58. PRINGY, Madame de. *Les differens caracteres des femmes du siecle avec la description de l'amour propre (édition de 1694)* (éd. Constant Venesoen) (série *Éducation féminine*, dirigée par Colette H. Winn). 2002.

59. HÜE, Denis. *Petite anthologie palinodique (1486-1550)*. 2002.

60. DU VAIR, Guillaume. *Premières œuvres de piété. De la saincte Philosophie – Méditation sur l'Oraison Dominicale – Le Cantique d'Ezéchias – Méditations sur les Pseaumes* (éd. Bruno Petey-Girard). 2002.

61. MARGUERITE DE NAVARRE. *Œuvres complètes*. Publiées sous la direction de Nicole Cazauran. IV. *Théâtre* (éd. G. Hasenohr et O. Millet). 2002.

62. JODELLE, Étienne. *Théâtre complet*. Publié sous la direction de Christine de Buzon et Jean-Claude Ternaux. III. *Didon se sacrifiant*. Tragédie (éd Jean-Claude Ternaux). 2002.

63. SARPI, Paolo. *Histoire du Concile de Trente*. Édition originale de 1619. Traduction française de Pierre-François Le Courayer (1736). Édition introduite et commentée par Marie Viallon et Bernard Dompnier. 2002.

64. GRENAILLE, François de. *L'Honnête fille où dans le premier livre il est traité de l'esprit des filles* (éd. Alain Vizier) (série *Éducation féminine*, dirigée par Colette H. Winn). 2003.

65. BELLEAU, Remy. *Œuvres poétiques*. Publiés sous la direction de Guy Demerson. VI : *Œuvres posthumes (1578)* (éd. Jean Braybrook, Guy Demerson et Maurice-F. Verdier). 2003.

66. PÉRION, Joachim. *Dialogues. De l'origine du français et de sa parenté avec le grec* (éd. Geneviève Demerson et Alberte Jacquetin) (série *Traités sur la langue française*, dirigée par Colette Demaizière). 2003.

67. LA BORDERIE, Bertrand de. *Le discours du voyage de Constantinoble (1542)* (éd. Christian Barataud et Danielle Trudeau). 2003.

68. CAMBIS, Marguerite de, traductrice de Boccace. *Épistre consolatoire de messire Jean Boccace envoyée au Signeur Pino de Rossi (1556)* (éd. Colette H. Winn) (série *Éducation féminine*, dirigée par Colette H. Winn). 2003.

69. PALSGRAVE, John. *L'éclaircissement de la langue française (1530)*. Texte anglais original (éd. Susan Baddeley) (série *Traités sur la langue française*, dirigée par Colette Demaizière). 2003.

70. PASQUIER, Nicolas. *Le Gentilhomme* (éd. Denise Carabin). 2003.

71. DU BELLAY, Joachim. *Œuvres complètes*. Édition critique, sous la direction d'Olivier Millet, par Richard Cooper, Francis Goyet, Marie-Dominique Legrand, Michel Magnien, Robert Mélançon, Daniel Ménager et G. Hugo Tucker. I (éd. Marie-Dominique Legrand et Olivier Millet). 2003.

72. PILLOT, Jean. *Institution de la langue française. Gallicae Lingvae (1561)* (éd. Bernard Colombat) (série *Traités sur la langue française*, dirigée par Colette Demaizière). 2003.

73. DU BELLAY, Joachim. *Œuvres complètes*. Édition critique, sous la direction d'Olivier Millet, par Richard Cooper, Francis Goyet, Marie-Dominique Legrand, Michel Magnien, Robert Mélançon, Daniel Ménager et G. Hugo Tucker. II (éd. Marie-Dominique Legrand, Michel Magnien, Daniel Ménager et Olivier Millet). 2003.

74. DE BUTTET, Marc-Claude. *L'Amalthée (1575)* (éd. Sarah Alyn Stacey). 2003.

75. ESTIENNE, Robert. *Traicté de grammaire francoise (1557)* (éd. Colette Demaizière) (série *Traités sur la langue française*, dirigée par Colette Demaizière). 2003.
76. [BOUCHER, Jean]. *La vie et faits notables de Henry de Valois* (éd. Keith Cameron). 2003.
77. CHAPPUYS, Gabriel. *Les Facétieuses Journées* (éd. Michel Bideaux) (série *Contes et nouvelles de la Renaissance*, dirigée par Gabriel-André Pérouse et Jean-Claude Arnould). 2003.
78. BELLEAU, Remy. *Œuvres poétiques*. Publiés sous la direction de Guy Demerson. V: (1573-1577). *Odes d'Anacréon* (1573-1574), *Amours et nouveaux Eschanges des Pierres Précieuses,* Poésies diverses, *Tombeau* de Belleau (éd. Jean Braybrook, Guy Demerson et Maurice-F. Verdier). 2003.

Le tome I a été publié en 1995 et le tome III en 1998.

Dans ce tome II, Guy Demerson et Marie Madeleine Fontaine présentent l'édition *princeps* (1565) de *La Bergerie*, original mélange de vers et de prose qui a marqué l'histoire de la pastorale en France et en Europe, et qui est considéré comme le chef-d'œuvre de Belleau. Dans leur variété de style, d'esprit et d'écritures, ces textes à la fois somptueux et délicats témoignent d'une recherche vivante et savante sur le renouvellement des genres littéraires, en liaison avec les efforts déployés par Ronsard et ses amis de la «Pléiade». C'est que chacune des pièces de *La Bergerie* constitue en fait le témoignage d'un travail poétique toujours en progrès, attentif aux sollicitations d'une ambiance littéraire et artistique souvent définie comme «maniériste». Dans les notes, M.M. Fontaine s'est particulièrement attachée à éclairer avec précision les très nombreuses allusions que Belleau fait à l'architecture et aux arts décoratifs contemporains.

La Bergerie de 1565 est reproduite dans sa présentation primitive (B.N. de France, Rés. pY⁽ᵉ⁾ 327): le texte garde l'allure de l'original, sa pagination et son lignage, sa mise en page avec titres courants, signatures, réclames, bandeaux, capitales ornées..., mais il est rendu facilement lisible pour un lecteur contemporain grâce notamment à l'emploi de caractères modernes et à la dissimilation des i et j, u et v.

La complexité de cette œuvre, réutilisant et remodelant par fragments des pièces déjà éditées (publiées dans notre tome I), et la complication d'un nouveau travail de démembrement et de redistribution de ces textes dans l'édition de 1572 (à paraître dans le tome IV), rendaient particulièrement délicate la collecte des variantes. Cette tâche, à laquelle nulle édition ne s'était risquée jusqu'à ce jour, se révèle fort instructive.

Guy Demerson est professeur émérite de langue et littérature françaises de la Renaissance à l'Université Blaise Pascal de Clermont-Ferrand, et Marie Madeleine Fontaine professeur à l'Université Charles de Gaulle (Lille III).

Marguerite de NAVARRE

ŒUVRES COMPLÈTES III

Le Triomphe de l'Agneau

Sous la direction de Nicole Cazauran

Édition critique par Simone de Reyff

À la différence des méditations et des confidences personnelles qui caractérisent souvent la poésie religieuse de Marguerite de Navarre, le *Triomphe de l'Agneau* relève d'une autre démarche. Ainsi que le suggère le titre, c'est dans l'*Apocalypse* qu'il convient de chercher la source majeure d'une inspiration que nourrissent par ailleurs d'autres relais scripturaires. Il ne s'agit pas d'une paraphrase, soucieuse d'exploiter et d'interpréter toutes les composantes de la vision johannique. L'œuvre se présente comme une «proposition de lecture»: Marguerite retient les images et les symboles qui interpellent le plus vivement sa sensibilité poétique et spirituelle, pour les réorganiser dans une perspective singulière. Cette poétesse que l'on a dite indifférente à la composition développe une interrogation sur les rapports du temps et de l'éternité à la faveur, précisément, de la structure de son texte. C'est en effet par le biais de la *dispositio* qu'elle réussit à capter la signification essentielle de l'*Apocalypse*, cette énigme du «déjà» et du «pas encore» qui inscrit son paradoxe au cœur de l'espérance chrétienne. Non seulement Marguerite parvient, au terme de cheminements obliques, à élucider l'un des livres les plus complexes de la tradition scripturaire, mais elle le fait en recourant à des procédés strictement littéraires. C'est pourquoi, plutôt que de parler de «poésie religieuse», on serait tenté de considérer le *Triomphe de l'Agneau* comme un bel exemple de «théologie poétique».

Simone de Reyff enseigne la littérature française à l'Université de Fribourg (Suisse). Ses travaux portent notamment sur Marguerite de Navarre ainsi que sur le théâtre de la fin du Moyen Âge et du XVIIe siècle.

Antoine CAUCHIE (*Caucius*)

GRAMMAIRE FRANÇAISE (1586)
TEXTE LATIN ORIGINAL

Traduction et notes de Colette Demaizière

Antoine Cauchie est un Picard exilé en Allemagne vers 1566, sans doute pour des raisons religieuses. Précepteur de jeunes nobles allemands du Schleswig-Holstein, il écrit pour eux, en latin, une grammaire française (1570, 1576, 1586). La dernière édition avait été précédée d'une grammaire latine en 1577 et en 1581.

La grammaire française est bien l'ouvrage d'un professeur dont le souci pédagogique est constant et qui n'hésite pas, à maintes reprises, à donner des exemples en allemand pour aider à la compréhension de ses élèves. La syntaxe y est assez développée, ce qui est encore assez rare et l'ensemble de l'exposé riche et clair témoigne d'une réflexion approfondie sur la langue et son fonctionnement.

Colette Demaizière, Professeur émérite de l'université Jean Moulin-Lyon III, est agrégée de grammaire et docteur-ès Lettres dans le domaine de l'histoire de la grammaire au XVIᵉ siècle.

50

PROTESTATIONS ET REVENDICATIONS FÉMININES TEXTES OUBLIÉS ET INÉDITS SUR L'ÉDUCATION FÉMININE (XVIe-XVIIe SIÈCLE)

Édition établie, présentée et annotée par Colette H. Winn

Le débat sur les mérites comparés des deux sexes et le droit de la femme au savoir, connu sous le nom de *querelle des femmes*, est à l'origine de la vaste production polémique qui vit le jour avec *La Cité des Dames* de Christine de Pizan (1405) et se poursuivit jusqu'à la fin du XVIIIe siècle. Les textes réunis ici, publiés entre 1595 et 1699, fournissent un échantillon représentatif de la part prise par les femmes dans ce débat littéraire. Même si tous ces textes n'ont pas la même valeur littéraire, tous sont d'un très grand intérêt. Ils nous permettent de retracer les fortunes d'un *genre*, ils éclairent une prise de conscience féministe naissante, ils marquent un moment capital dans l'histoire du féminisme français.

Ces ouvrages, pour la majorité, n'ont pas été réédités depuis leur première parution. Une introduction qui les replace dans leur contexte historique, socio-culturel et littéraire, des notices biobibliographiques, des notes précisant les sources, un glossaire, un index des noms propres, une bibliographie et un répertoire des principaux écrits sur la question féminine (XVe-XVIIIe siècle) en rendront la consultation particulièrement aisée et permettront aux lecteurs qui le souhaitent de prolonger plus avant leurs recherches.

Colette H. Winn est professeur de langue et de littérature françaises à l'Université Washington, à Saint-Louis (USA). Elle est l'auteur d'une douzaine d'ouvrages consacrés à la littérature féminine des XVIe et XVIIe siècles.

PETITE ANTHOLOGIE PALINODIQUE
(1486-1550)

Il a existé, à Rouen, dès la fin du XVe siècle, un concours de poésies à la louange de l'Immaculée Conception de Marie: quoi de plus étrange? Car il ne s'agit pas de discuter de la virginité de Marie concevant Jésus du Saint-Esprit: il s'agit de l'affirmer exempte de tout péché, y compris du péché originel. C'est par une sorte de nécessité intérieure que cette notion devient pour les Normands puis pour l'ensemble de la chrétienté une évidence qu'il convient de célébrer. Dans cette perspective, c'est bien la capacité de l'humanité à s'offrir sans réserve qu'il faut figurer: l'œuvre votive se veut chef d'œuvre.

Cette poésie religieuse est ainsi une poésie profane: ce sont toutes les activités de l'homme que l'on verra représenter, dans une volonté euphorique de les inventorier et de les découvrir, de les exalter et d'exalter, dans leur représentation l'humanité qui s'offre et se dépasse.

Surtout, c'est une poésie humaniste, qui fait l'apologie d'un genre humain enfin réhabilité par la part qu'il a prise au salut. L'œuvre de l'homme est bonne, il est bon de l'offrir à son Créateur. Artisans et poètes, savants et marins quittent la profonde vallée de larmes pour explorer le monde. Parcourir ces vers, c'est arpenter les villes et les mers, et découvrir l'univers tel que le voit la première Renaissance, foisonnant et beau.

Denis Hüe est professeur de langue et de littérature du Moyen Âge et de la Renaissance à l'Université de Haute Bretagne.

Achevé d'imprimer en 2003
à Genève (Suisse)